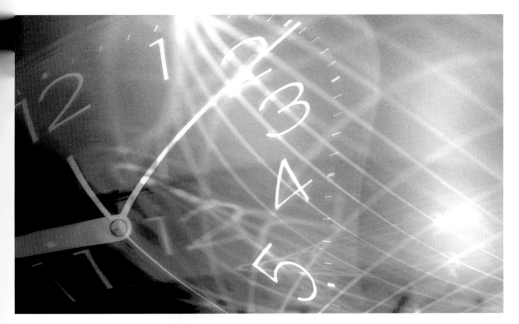

働き方改革と
これからの時代の労働法

【第2版】

菅野百合=阿部次郎=宮塚 久 編著
西村あさひ法律事務所労働法グループ 著

商事法務

●第2版はしがき●

　「働き方改革とこれからの時代の労働法」の初版が出版されたのは、2018年の11月のことでした。この年の6月に働き方改革関連法が成立し、安倍晋三政権が主導するなか、企業も規模の大小を問わず「働き方改革」に取り組んでいた時期でした。

　それから3年が経過しましたが、世の中がこれほど変化するとは想像もしませんでした。新型コロナウィルスの世界的な感染拡大により、人々の暮らし方・働き方は「変容」を余儀なくされ、それに伴って「働き方改革」の施策の一部は、必要に迫られて一気に進みました。テレワークについては、初版時はテレワークを制度として導入している企業は全体の9％にとどまっていましたが（2017年国交省統計）、コロナ禍の2020年では47.5％の企業がテレワークを実施しています（総務省統計）。兼業副業についても、コロナ禍で本業の業務量が減り、ワークシェアリングやフリーランスとの兼業が増加することで、結果的に導入が進んでいます。新型コロナウィルスの感染拡大は、不幸な出来事とはいえ、テレワークや兼業副業の導入促進により、結果として、働き方の柔軟化というポジティブな効果をもたらした一面もあるといえます。他方で、新型コロナウィルスの感染拡大は、さまざまな産業に大きな打撃を与え、2020年・2021年における上場企業の早期・希望退職者募集企業はいずれも70社を超え、2019年の倍以上の数の上場企業がいわゆるリストラに着手する（㈱東京商工リサーチ調査）など、労働市場や雇用にネガティブな影響をもたらしています。

　初版のはしがきでも記載しましたが、本書を『働き方改革とこれからの時代の労働法』と名付けたのは、日本の労働市場や労働環境は変わっていく大きな流れにあり、労働法もそれに伴い変化をしていく、いまはそういった歴史のターニングポイントにあるのではないかという趣旨を含んでのものでした。期せずして、新型コロナウィルスの感染拡大は日本の労働市場や労働環境の変化を加速させ、ポストコロナ

第 2 版はしがき

の新しい労働市場、労働環境を考えさせる契機となっています。その意味で、日本の労働市場や労働環境の変化に着目し、その先を見据えるという本書の意義は変わっていないと考えております。特に、第 2 版で新たに設けた第 6 編・座談会「アフターコロナの時代の労働法の課題、そして未来」では、実務や研究に携わる専門家にこれからの労働法の課題を議論してもらっており、示唆に富む内容になっていると思います。初版に引き続き、本書が少しでも皆様のご参考となれば幸いです。

　最後になりますが、ご多忙のなか座談会にご参加いただいた植田達氏、北岡大介氏、山本紳也氏、編集作業をお手伝いいただいた秘書の坂元麻里子さん、宮本思惟さん、初版より本書出版を支えてくださっている㈱商事法務の吉野祥子氏に執筆者一同、心より御礼申し上げます。

2021 年 11 月

編著者　菅野　百合
　　　　阿部　次郎
　　　　宮塚　久

●初版はしがき●

　労働法の分野は、近年、めまぐるしい変化を遂げています。
　そのなかでも特に、2018年6月29日に成立した働き方改革法（働き方改革を推進するための関係法律の整備に関する法律）に基づく一連の労働法令の改正は、人事労務の現場にとどまらず、日本企業における経営のあり方や、人々の「働き方」に大きな影響を与えると予想される、特に重要な改正であると考えています。
　そのような時機にあたり、本書を執筆したのには、2つの目的があります。
　1つには、政府の施策または企業の取組みとして言われている「働き方改革」というのが、単に"残業を減らす"ことだけを目指しているものではなく、多様な論点を含んでいるものであることを解説したかった、という点です。現在、「働き方改革」という言葉がさまざまな場面で用いられているため、とかく言葉が先行してしまい、「働き方改革」の具体的な中身がわかりにくくなっているような印象を受けています。「長時間労働の是正」は、もちろん「働き方改革」における最重要課題の1つですが、それ以外にどのような論点があり、どのような法的問題があるかを網羅したような本があれば、「働き方改革」を理解する一助になるのではと考えたのが、本書を執筆したきっかけです。
　もう1つは、日本の労働法は今後も大きく変化し続けることは間違いなく、「働き方改革」はその入口にすぎず、これからの時代の労働法を考えていかなければならない時期にある、というメッセージを伝えたかった、という点です。
　「働き方改革」に対する反応は人それぞれです。長時間労働の是正という点だけをみても、その重要性や必要性は社会一般において広く認められている一方で、残業が減ると収入が減って困る、仕事の内容は変わらないのに残業ができないので大変、という現場の声もあると

初版はしがき

思います。さらには、労働集約性の高い緻密な仕事が日本企業の強みなのに、「働き方改革」が進み労働生産性の向上が重視されるようになったとき、果たして日本企業がその収益性や技術力を保ったまま海外企業と競争していけるのか、といった懸念もあろうかと思います。もっとも、「働き方改革」が叫ばれる背景には、少子高齢化と人口減少という日本が抱える深刻な社会問題や、経済のグローバル化やテクノロジーの急激な進化といった経済情勢があります。2018年11月2日には、政府が、出入国管理法の改正を閣議決定しており、ついに単純労働についても外国人労働者を受け入れることへと政策が転換されました。こうした政治的・社会的・経済的な要因により、日本型の長期雇用システム、さらには日本型の「働き方」は変化を余儀なくされており、その傾向は今後も加速度的に進んでいくといえるのではないかと考えています。

「働き方改革」を好むか否かにかかわらず、日本の労働市場や労働環境は変わっていく大きな流れにあり、労働法もそれに伴い変化をしていく、いまはそういった歴史のターニングポイントにあるのではないかと考えています。本書のタイトルを、「働き方改革」だけでなく、「これからの時代の労働法」に広げたのは、前記のようなメッセージを含んでのことです。

もともと本書は、もっと頁数の少ない、簡単に読める実務本として企画をスタートしましたが、執筆メンバー全員が研究熱心なため、各論点が深掘りされ、できあがってみると400頁を超える著作となってしまいました。しかし、結果としては、前記の2つの目的を達成するには、やはりこの程度の分量と内容が必要だったのだろうと納得しております。

本書は、西村あさひ法律事務所の労働法プラクティスグループの有志にて執筆しました(宮塚久弁護士も本書企画当時、同グループに所属するパートナーでした)。同グループの活動の1つに、森倫洋弁護士と宮塚久弁護士が始めた勉強会があり、2週間に1回のペースで現在まで回を重ねてきております。この勉強会は、パートナーから新人、若

初版はしがき

手まで幅広い世代の弁護士がフラットに参加し、働き方改革を含む最新の労働法やそれに関連する社会の動向、厚労省やJILPTの最新の公表資料、関連雑誌の最新記事などの情報を交換するとともに、直近の重要判例の研究を行うなどして、知識のアップデートに努めています。加えて、依頼者の方々からの日常的なご相談をきっかけにしたさまざまな実務的論点についても議論をしており、これらの成果が本書にも多く反映されています。

　最後になりましたが、秘書の坂元麻里子さん、筒井万里華さん、藤井夏未さんにはさまざまなお手伝いをいただき、感謝を申し上げます。また、本書出版にあたり我慢強く支えてくださった㈱商事法務の吉野祥子氏に執筆者一同、心より御礼申し上げます。

　本書をお手にとっていただいた読者の皆さまには、本書を繙くことで、働き方改革の最前線で、何が起こり、何が議論されているのか、そして今後の労働法がどこに進むのか、考えていただく一助となれば幸甚です。

2018年11月

編著者　菅野　百合
　　　　阿部　次郎
　　　　宮塚　久

● 凡　　例 ●

1　法令の略記

＊法令名は、原則として本文中は省略せず、括弧内では括弧書のとおり略記した。ただし、以下の法律については、本文中でも→後のとおり略記し、括弧内では括弧書のとおり略記した。

育児休業、介護休業等育児又は家族介護を行う労働者の福祉に関する法律
　　→　育児介護休業法（育介）
育児休業、介護休業等育児又は家族介護を行う労働者の福祉に関する法律施行規則
　　→　育介法施行規則（育介則）
外国人の技能実習の適正な実施及び技能実習生の保護に関する法律
　　→　技能実習法（技実）
公的年金制度の持続可能性の向上を図るための国民年金法等の一部を改正する法律（平成28年法律第114号）
　　→　年金改革法
高年齢者等の雇用の安定等に関する法律
　　→　高年法（高年）
高年齢者等の雇用の安定等に関する法律施行規則
　　→　高年法施行規則（高年則）
個人情報の保護に関する法律
　　→　個人情報保護法（個情）
雇用の分野における男女の均等な機会及び待遇の確保等に関する法律
　　→　均等法（均等）
雇用の分野における男女の均等な機会及び待遇の確保等に関する法律施行規則
　　→　均等法施行規則（均等則）
下請代金支払遅延等防止法
　　→　下請法（下請）
私的独占の禁止及び公正取引の確保に関する法律
　　→　独占禁止法（独禁）
障害者の雇用の促進に関する法律
　　→　障害者雇用促進法（障害）
障害者の雇用の促進等に関する法律施行規則
　　→　障害者雇用促進法施行規則（障害則）
女性の職業生活における活躍の推進に関する法律
　　→　女性活躍推進法（女性活躍）
出入国管理及び難民認定法

→　入管法（入管）
短時間労働者の雇用管理の改善等に関する法律
　　　→　パート法（パート）
短時間労働者及び有期雇用労働者の雇用管理の改善等に関する法律
　　　→　パート有期法（パート有期）
年金制度の機能強化のための国民年金法等の一部を改正する法律（令和2年法律第40号）
　　　→　年金制度改正法
働き方改革を推進するための関係法律の整備に関する法律
　　　→　働き方改革法
労働安全衛生法
　　　→　労安法（労安）
労働安全衛生規則（労安則）
労働基準法（労基）
労働基準法施行規則（労基則）
労働組合法（労組）
労働契約法（労契）
労働時間等の設定の改善に関する特別措置法
　　　→　労働時間設定改善法（労時）
労働者派遣事業の適正な運営の確保及び派遣労働者の保護等に関する法律
　　　→　労働者派遣法（派遣）
労働施策の総合的な推進並びに労働者の雇用の安定及び職業生活の充実等に関する法律
　　　→　労働施策総合推進法（労施）

2　文献の略記

＊判決文は、原文通り引用しているが、原則として新字体・アラビア数字に置き換えている。
　年月日・出典は示し方は下記の通り。なお、大法廷、小法廷の番号は省略した。
　　　東京高判平20・1・28労判953号10頁（日本マクドナルド事件）
　出典は、労判→労経速→民集→判時→判夕の順で1つのみ引用した。また、事件名を適宜補足した。
＊判例集は、次の通り略記した。
　民集　　→　最高裁判所（大審院）民事判例集
　判時　　→　判例時報
　判夕　　→　判例タイムズ
　労経速　→　労働経済判例速報
　労判　　→　労働判例

3　告示・指針・通達の略記

＊告示・指針・通達の略記は、以下に個別に定義するもののほか、概ね次の

凡　例

通り略記している。
厚労告　→　厚生労働大臣告示
労　告　→　労働大臣告示
基　発　→　都道府県労働（基準）局長宛厚生労働省労働基準局長通達
雇児発　→　都道府県労働（基準）局長宛厚生労働省雇用均等・児童家庭局長通知
発　基　→　都道府県労働（基準）局長宛厚生労働事務次官通達

●告示関係

平成30年12月28日厚労告第430号「短時間・有期雇用労働者及び派遣労働者に対する不合理な待遇の禁止等に関する指針」
　　→　同一労働同一賃金ガイドライン

平成21年12月28日厚労告第509号、令和2年1月15日厚労告第6号（最終改正）「子の養育又は家族介護を行い、又は行うこととなる労働者の職業生活と家庭生活との両立が図られるようにするために事業主が講ずべき措置等に関する指針」
　　→　育介指針

平成23年12月26日基発1226第1号、令和2年5月29日基発05291号（最終改正）「心理的負荷による精神障害の認定基準」
　　→　精神障害の労災認定基準

●指針関係

令和2年1月15日厚労告第5号「事業主が職場における優越的な関係を背景とした言動に起因する問題に関して雇用管理上講ずべき措置等についての指針」
　　→　パワハラ防止指針

平成28年8月2日厚労告第312号、令和2年1月15日厚労告第6号（改正）「事業主が職場における妊娠、出産等に関する言動に起因する問題に関して雇用管理上講ずべき措置等についての指針」
　　→　マタハラ防止指針

平成18年10月11日厚労告第615号、令和2年1月15日厚労告第6号（最終改正）「事業主が職場における性的な言動に起因する問題に関して雇用管理上講ずべき措置等についての指針」
　　→　セクハラ防止指針

平成18年10月11日厚労告第614号、平成27年11月30日厚労告第458号（最終改正）「労働者に対する性別を理由とする差別の禁止等に関する規定に定める事項に関し、事業主が適切に対処するための指針」
　　→　性差別禁止防止指針

●通達関係

令和2年2月10日雇均発第0210第1号「労働施策の総合的な推進並びに労働者の雇用の安定及び職業生活の充実等に関する法律第8章の規定等の

運用について」
　　→　パワハラ通達

令和元年7月12日基発第2号・雇均発0712第2号「『働き方改革を推進するための関係法律の整備に関する法律による改正後の労働基準法関係の解釈について』の一部改正について」
(https://www.mhlw.go.jp/content/000528166.pdf)
　　→　高プロ制解釈通達

平成31年3月25日基発0325第1号「働き方改革を推進するための関係法律の整備に関する法律による改正後の労働基準法及び労働安全衛生法の施行について（新労基法第41条の2及び新安衛法第66条の8の4関係）」
(https://www.mhlw.go.jp/content/000491675.pdf)
　　→　高プロ制施行通達

平成30年12月28日基発1228第16号、平成31年3月29日基発0329第2号（改正）「働き方改革を推進するための関係法律の整備に関する法律による改正後の労働安全衛生法及びじん肺法関係の解釈等について」
(https://www.mhlw.go.jp/content/000507330.pdf)
　　→　働き方改革法（労安法）解釈通達

平成30年12月28日基発1228第15号「働き方改革を推進するための関係法律の整備に関する法律による改正後の労働基準法関係の解釈について」
(https://www.mhlw.go.jp/content/000465759.pdf)
　　→　働き方改革法（労基法）解釈通達

平成30年9月7日基発0907第2号「働き方改革を推進するための関係法律の整備に関する法律による改正後の労働安全衛生法及びじん肺法関係の施行等について」
(https://www.mhlw.go.jp/content/000465065.pdf)
　　→　働き方改革法（労安法）施行通達

平成30年9月7日基発0907第1号「働き方改革を推進するための関係法律の整備に関する法律による改正後の労働基準法関係の施行について」
(https://www.mhlw.go.jp/content/000465064.pdf)
　　→　働き方改革法（労基法）施行通達

4　団体名等の略記

厚生労働省　　　　　　　　　→　厚労省
労働政策審議会　　　　　　　→　労政審
労働基準監督署　　　　　　　→　労基署
（独法）労働政策研究・研修機構　→　JILPT

5　その他

働き方改革実現会議決定「働き方改革実行計画」（2017年3月28日）
　　→　働き方改革実行計画
労働基準法36条に基づく労使協定
　　→　三六協定

● 目　　次 ●

第2版はしがき … i ／初版はしがき … iii ／凡例 … vi

第1編　長時間労働の是正

第1章　過労死等対策

Ⅰ　過労死等の現状 ……………………………………………………… 2
　1　社会問題としての過労死等 ………………………………………… 2
　2　過労死等の発生状況 ………………………………………………… 3
Ⅱ　長時間労働と過労死等 ……………………………………………… 4
　1　長時間労働が心身の健康に与える影響 …………………………… 4
　2　労災認定基準と長時間労働 ………………………………………… 5
Ⅲ　近時の過労死等対策 ………………………………………………… 6
　1　概要 …………………………………………………………………… 6
　2　過労死等防止対策推進法と同法に基づく施策等 ………………… 8
　3　「過労死等ゼロ」緊急対策 ………………………………………… 11
　4　働き方改革実行計画と法改正 ……………………………………… 13
Ⅳ　過労死等と企業の責任 ……………………………………………… 17
　1　使用者の損害賠償責任 ……………………………………………… 17
　2　刑事責任・送検による企業名公表等 ……………………………… 21
Ⅴ　企業に求められる実務上の対策・留意点 ………………………… 22
　1　過労死等の防止のために企業が行うべき取組み ………………… 22
　2　勤務間インターバル制度 …………………………………………… 23
　3　メンタルヘルスケア対策 …………………………………………… 28
Ⅵ　まとめ ………………………………………………………………… 30

第2章　時間外労働の上限規制

Ⅰ　時間外労働の上限規制が導入されることとなった経緯 ………… 31
　1　日本における長時間労働の現状 …………………………………… 31
　2　長時間労働が生産性に与える影響 ………………………………… 33
　3　従前の労働時間規制の問題点と法改正 …………………………… 34

目　次

 Ⅱ　時間外労働の上限規制に関する法改正の内容 ……………………… *35*
  1　三六協定の記載事項 …………………………………………… *35*
  2　労働基準法における上限規制の内容 ………………………… *36*
  3　適用除外・猶予等 ……………………………………………… *39*
 Ⅲ　上限規制への対応における実務上の留意点 …………………………… *40*
  1　労働時間の適正把握 …………………………………………… *40*
  2　賃金請求権に係る消滅時効期間等の延長 …………………… *42*
  3　時間外労働等の削減に向けた取組みに関する問題 ………… *43*
  4　上限規制が適用されない労働者等への配慮 ………………… *45*
  5　災害等による臨時の必要がある場合の時間外労働 ………… *46*
 Ⅳ　まとめ …………………………………………………………………… *47*

第3章　高度プロフェッショナル制度

 Ⅰ　はじめに ………………………………………………………………… *49*
 Ⅱ　なぜ高度プロフェッショナル制が必要とされたか …………………… *50*
  1　労働の高度化 …………………………………………………… *50*
  2　従来の制度と問題点 …………………………………………… *51*
  3　脱時間給を目指した改正へ …………………………………… *55*
 Ⅲ　高度プロフェッショナル制度の歴史 …………………………………… *55*
  1　米国での発展 …………………………………………………… *56*
  2　日本における議論 ……………………………………………… *57*
 Ⅳ　高プロ制の適用要件 ……………………………………………………… *61*
  1　労使委員会における5分の4以上の賛成決議 ……………… *61*
  2　決議の届出 ……………………………………………………… *72*
  3　高プロ労働者の書面等による同意 …………………………… *72*
 Ⅴ　高プロ制適用の効果 ……………………………………………………… *73*
  1　労働時間、休憩、休日および深夜の割増賃金規制の
   適用除外 ………………………………………………………… *73*
  2　面接指導義務 …………………………………………………… *74*
 Ⅵ　高プロ制の問題点 ………………………………………………………… *75*
  1　対象業務をどのように定めるか ……………………………… *75*
  2　高プロ労働者の健康は守られるか …………………………… *79*
  3　年収要件は下がらないか ……………………………………… *81*
  4　休日は確保されるか …………………………………………… *82*
  5　労使委員会を設定できるほど労使は成熟しているか ……… *83*
  6　本人同意の撤回は制度を不安定にしないか ………………… *84*
  7　労働生産性は高まるのか ……………………………………… *84*
 Ⅶ　おわりに ………………………………………………………………… *85*

目　次

第2編　日本的雇用システムの変化

第1章　無期転換ルール

- I　無期転換ルール……………………………………………………………88
- II　制度の目的および概要……………………………………………………88
  - 1　概要………………………………………………………………………88
  - 2　クーリング期間…………………………………………………………89
  - 3　適用に関する特例………………………………………………………90
- III　無期転換後の労働条件等に関する問題…………………………………92
  - 1　無期転換申込権の放棄や制限…………………………………………92
  - 2　無期転換後の労働条件に関する「別段の定め」……………………93
- IV　無期転換社員の活用………………………………………………………95
  - 1　総論………………………………………………………………………95
  - 2　無期転換ルールに対応する人事制度見直しのポイント……………96
  - 3　多様な働き方と無期転換社員の活用…………………………………99

第2章　同一労働同一賃金

- I　「働き方改革」と同一労働同一賃金……………………………………101
- II　同一労働同一賃金の基本的な考え方……………………………………103
  - 1　働き方改革は日本版「同一労働同一賃金」である…………………103
  - 2　均等待遇と均衡待遇……………………………………………………104
- III　改正法の内容………………………………………………………………105
  - 1　有期雇用労働者・短時間労働者の均等・均衡待遇の規定の整備……105
  - 2　均衡待遇（パート有期法8条）………………………………………106
  - 3　均等待遇（パート有期法9条）………………………………………112
  - 4　説明義務の強化（パート有期法14条）………………………………114
- IV　今後必要となる実務的な対応……………………………………………117
  - 1　現状の把握・整理………………………………………………………117
  - 2　待遇差の検証……………………………………………………………118
  - 3　説明義務への対応………………………………………………………119
  - 4　待遇差改善のための施策………………………………………………119
- V　重要判例……………………………………………………………………120
  - 1　大阪医科薬科大学事件…………………………………………………120

目　次

　　　2　メトロコマース事件 ………………………………………… *123*
　　　3　日本郵便事件 ………………………………………………… *125*
　　　4　最高裁判決のポイント ……………………………………… *129*
　Ⅵ　具体的検討 ……………………………………………………… *134*
　　　1　基本給 ………………………………………………………… *134*
　　　2　賞与 …………………………………………………………… *136*
　　　3　退職金 ………………………………………………………… *138*
　　　4　諸手当 ………………………………………………………… *139*
　　　5　休暇 …………………………………………………………… *142*
　　　6　福利厚生・教育訓練・安全管理 …………………………… *144*
　　　7　その他の実務上の論点（無期転換社員）………………… *144*
　Ⅶ　おわりに ………………………………………………………… *146*

第3章　副業・兼業

　Ⅰ　「働き方改革」と副業・兼業 ………………………………… *147*
　Ⅱ　副業・兼業と現行の法規制等 ………………………………… *149*
　Ⅲ　副業・兼業と今後導入する際の課題 ………………………… *152*
　　　1　副業・兼業と懲戒権 ………………………………………… *152*
　　　2　副業・兼業と労働時間管理 ………………………………… *153*
　　　3　長時間労働 ………………………………………………… *158*
　　　4　副業・兼業と情報漏洩 …………………………………… *158*
　　　5　副業・兼業と競業避止義務 ……………………………… *160*
　　　6　副業・兼業と社会保険等 ………………………………… *162*
　Ⅳ　まとめ …………………………………………………………… *163*

第4章　シェアリング・エコノミーと労働法

　Ⅰ　シェアリング・エコノミーとは …………………………… *165*
　Ⅱ　シェアリング・エコノミーと働き方改革 ………………… *167*
　Ⅲ　シェアリング・エコノミーと「労働者」概念 …………… *169*
　　　1　はじめに …………………………………………………… *169*
　　　2　労働基準法上の「労働者」概念 ………………………… *172*
　　　3　労働組合法上の「労働者」概念 ………………………… *174*
　　　4　過去に「労働者」性が争われた裁判例 ………………… *176*
　Ⅳ　シェアリング・エコノミーと今後の議論 ………………… *177*
　　　1　職業安定法、労働者派遣法との関係 …………………… *177*
　　　2　独占禁止法、下請法との関係 …………………………… *179*
　　　3　デジタルプラットフォーム透明化法の制定 …………… *180*
　　　4　業法規制との関係 ………………………………………… *181*

xiii

目　次

第5章　フリーランスの拡大とその課題

- Ⅰ　はじめに……………………………………………………………………………*183*
- Ⅱ　フリーランスの現状と提起される問題点……………………………*184*
  - 1　フリーランス人口の拡大………………………………………………*184*
  - 2　フリーランスの法的保護………………………………………………*184*
  - 3　フリーランスガイドラインの概要…………………………………*188*
  - 4　フリーランスのセーフティネット…………………………………*195*
  - 5　フリーランスと独占禁止法に関するその他の論点……………*197*
- Ⅲ　フリーランスの今後の展望………………………………………………*199*
- Ⅳ　最後に……………………………………………………………………………*202*

第3編　ワークライフバランスの実現

第1章　休暇制度

- Ⅰ　休暇制度と取得の現状………………………………………………………*206*
  - 1　日本の年休の取得率……………………………………………………*206*
  - 2　海外の年休の取得率……………………………………………………*206*
  - 3　年間休日数の国際比較…………………………………………………*207*
  - 4　日本の年休制度の歴史と現状…………………………………………*207*
- Ⅱ　休暇取得が進まないことの問題点と課題………………………………*209*
  - 1　休暇をとらないことの問題点…………………………………………*209*
  - 2　なぜ休暇の取得が進まないのか………………………………………*211*
- Ⅲ　これまでの休暇の取得促進策……………………………………………*213*
  - 1　労働時間設定改善法……………………………………………………*213*
  - 2　労働時間等設定改善指針………………………………………………*213*
  - 3　働き方・休み方改善ポータルサイト………………………………*214*
  - 4　改善効果……………………………………………………………………*216*
- Ⅳ　働き方改革で休暇の取得は促進されるか………………………………*216*
  - 1　使用者による年休の時季指定の義務化……………………………*216*
  - 2　労働時間設定改善法の改正……………………………………………*218*
  - 3　官邸によるキッズウィークの創設…………………………………*218*
- Ⅴ　休暇取得をさらに促進するためには……………………………………*220*
  - 1　年休の時季指定義務の拡大……………………………………………*220*

2　期間当初の計画的付与の義務化の可能性 ················· *220*
　　　3　年休の早期付与 ······································· *221*
　　　4　病気有給休暇の制度化 ································· *222*
　　　5　働き方改革時代の労働者の意識変化 ····················· *223*

第2章　テレワーク

　Ⅰ　総論 ··· *225*
　　　1　概要 ··· *225*
　　　2　テレワークに関する議論の状況 ························· *226*
　Ⅱ　雇用型テレワーク ··· *229*
　　　1　雇用型テレワークとは ································· *229*
　　　2　新テレワークガイドラインの概要 ······················· *230*
　　　3　テレワークの行方 ····································· *238*
　Ⅲ　自営型テレワーク ··· *249*

第3章　育児休業・介護休業

　Ⅰ　「働き方改革」と育児休業・介護休業 ······················· *250*
　Ⅱ　育児休業・介護休業に関する近時の法改正の概要 ············· *250*
　Ⅲ　育児休業制度の課題 ······································· *255*
　　　1　育児休業期間の延長 ··································· *255*
　　　2　男性の育児参加の促進 ································· *257*
　　　3　育児休業給付金の支給調整 ····························· *263*
　　　4　保育所における多様な保育の必要性 ····················· *264*
　Ⅳ　介護休業制度の課題 ······································· *265*
　　　1　働き方改革における介護の位置付け ····················· *265*
　　　2　仕事と介護の両立支援のための制度のポイント ··········· *265*
　　　3　ケアハラスメント ····································· *268*
　Ⅴ　働き方の多様化と育児休業・介護休業 ······················· *271*
　　　1　雇用関係によらない働き方と育児・介護等との両立 ······· *271*
　　　2　雇用関係によらない働き方と社会保障（セーフティネット）··· *273*

第4章　病気治療と仕事の両立支援

　Ⅰ　治療と仕事の両立支援が求められる背景・意義 ··············· *275*
　　　1　医療技術の進歩と治療と仕事の両立 ····················· *275*
　　　2　病気を抱える労働者のニーズ ··························· *276*
　　　3　企業にとっての両立支援の重要性 ······················· *277*
　Ⅱ　治療と仕事の両立支援の法的位置付け ······················· *279*

目　次

　　　1　労働安全衛生法上の健康確保・配慮義務等················279
　　　2　安全（健康）配慮義務·····································281
　　　3　解雇規制との関係···282
　Ⅲ　厚労省の両立支援ガイドライン······························283
　　　1　両立支援ガイドラインの概要······························283
　　　2　両立支援ガイドラインの位置付け··························284
　Ⅳ　治療と仕事の両立支援における取組みと留意点················286
　　　1　両立支援において必要とされる取組み等····················286
　　　2　両立支援における実務上の留意点··························287
　Ⅴ　病気治療に関連する近時の問題点····························292
　　　1　感染症への対応···292
　　　2　不妊治療と仕事の両立···································296
　Ⅵ　まとめ···299

第4編　ダイバーシティーの実現

第1章　女性の活躍推進

　Ⅰ　日本の女性活躍の現状··302
　Ⅱ　仕事と家庭の両立支援······································304
　　　1　柔軟な働き方の普及······································304
　　　2　転勤制度の見直し··306
　Ⅲ　女性の管理職登用とポジティブ・アクション··················308
　　　1　女性の管理職登用の現状··································308
　　　2　女性の管理職登用が進まない要因と対応策··················309
　　　3　ポジティブ・アクションの導入····························311
　Ⅳ　女性活躍推進に向けた法整備と政府の取組み··················313
　　　1　女性活躍法の概要と企業の取組事例························313
　　　2　えるぼし認定制度··314
　　　3　女性活躍加速のための重点方針··························314
　Ⅴ　まとめ··316

第2章　職場のハラスメント

　Ⅰ　「働き方改革」とハラスメント対策··························318
　Ⅱ　法改正によるハラスメント対策の強化························318

目次

- Ⅲ　パワハラの法規制の概要 …………………………………… 321
  - 1　パワハラとは ……………………………………………… 321
  - 2　パワハラの代表的な言動の類型 ………………………… 323
  - 3　事業主等の責務 …………………………………………… 323
  - 4　パワハラ防止措置 ………………………………………… 326
  - 5　行うことが望ましい取組み ……………………………… 329
  - 6　精神障害の労災認定基準にパワハラ明示 ……………… 329
- Ⅳ　セクハラの法規制の概要 …………………………………… 331
  - 1　セクハラとは ……………………………………………… 331
  - 2　海遊館（L館）事件判決にみるセクハラの現状 ……… 332
  - 3　セクハラ対策の強化 ……………………………………… 335
- Ⅴ　マタハラの法規制の概要 …………………………………… 336
  - 1　マタハラとは ……………………………………………… 336
  - 2　妊娠、出産、育児休業等を「理由とし」た不利益取扱い … 337
  - 3　マタハラ防止措置 ………………………………………… 344
  - 4　マタハラ対策の強化 ……………………………………… 346
  - 5　マタハラ防止措置義務と企業の対応 …………………… 347
- Ⅵ　最後に ………………………………………………………… 349

第3章　高齢者雇用

- Ⅰ　働き方改革と高齢者雇用 …………………………………… 350
  - 1　超高齢化社会の到来とエイジレス社会の実現 ………… 350
  - 2　高齢者雇用の現状 ………………………………………… 350
- Ⅱ　高年法の概要 ………………………………………………… 352
  - 1　65歳までの高年齢者雇用確保措置 ……………………… 352
  - 2　70歳までの高年齢者就業確保措置 ……………………… 354
- Ⅲ　継続雇用制度 ………………………………………………… 356
  - 1　継続雇用制度の概要 ……………………………………… 356
  - 2　継続雇用制度下で提示できる労働条件 ………………… 360
  - 3　高年法に違反した場合の効果 …………………………… 366
  - 4　再雇用時に労働条件を見直す際の留意点 ……………… 369
- Ⅳ　高齢者のキャリアチェンジ ………………………………… 372
  - 1　再就職支援 ………………………………………………… 372
  - 2　雇用でない働き方の促進 ………………………………… 373
- Ⅴ　まとめ ………………………………………………………… 373

第4章　障害者雇用

- Ⅰ　「働き方改革」と障害者雇用 ……………………………… 375

目　次

　　Ⅱ　障害者雇用の現状 ……………………………………………………… *376*
　　Ⅲ　障害者雇用に関する法制度 …………………………………………… *380*
　　　1　障害者雇用促進法の概要 …………………………………………… *380*
　　　2　2013年改正のポイント …………………………………………… *381*
　　　3　2019年改正のポイント …………………………………………… *391*
　　Ⅳ　障害者雇用の取組事例および実務上の問題 ………………………… *395*
　　　1　障害者雇用の取組事例 ……………………………………………… *395*
　　　2　実務上の問題 ………………………………………………………… *396*
　　Ⅴ　今後の課題 ……………………………………………………………… *402*

第5章　外国人雇用・外国人技能実習制度

　　Ⅰ　外国人雇用と働き方改革 ……………………………………………… *405*
　　Ⅱ　外国人労働者の就労および外国人材の受入状況 …………………… *405*
　　　1　外国人が就労可能な在留資格 ……………………………………… *405*
　　　2　外国人の雇用状況 …………………………………………………… *406*
　　　3　外国人材の活用に関する問題点 …………………………………… *406*
　　Ⅲ　外国人材の適正な受入れのための法改正等 ………………………… *408*
　　　1　技能実習制度の概要 ………………………………………………… *409*
　　　2　特定技能の創設 ……………………………………………………… *409*
　　　3　「特定技能」の概要 ………………………………………………… *410*
　　Ⅳ　外国人雇用に関する今後の展望 ……………………………………… *414*

第6章　LGBTと働き方改革

　　Ⅰ　性の多様性を意識した就労環境の整備 ……………………………… *417*
　　　1　性の多様性 …………………………………………………………… *417*
　　　2　就労環境整備の必要性 ……………………………………………… *418*
　　Ⅱ　SOGIハラスメント …………………………………………………… *420*
　　　1　SOGIハラとは ……………………………………………………… *420*
　　　2　パワハラ・セクハラとの関係と使用者の義務 …………………… *422*
　　　3　対策 …………………………………………………………………… *423*
　　Ⅲ　就労環境整備 …………………………………………………………… *424*
　　　1　アウティング ………………………………………………………… *425*
　　　2　採用・配転等における取扱い ……………………………………… *427*
　　　3　就労時の身だしなみ ………………………………………………… *432*
　　　4　トイレ・更衣室等の職場施設の利用の問題 ……………………… *436*
　　　5　福利厚生制度 ………………………………………………………… *439*

第5編　これからの時代の労働法

第1章　AIと労働法

　Ⅰ　はじめに ……………………………………………………………… *442*
　Ⅱ　AIが雇用・労働に与える影響 ……………………………………… *442*
　Ⅲ　HRテクノロジーの活用 …………………………………………… *445*
　Ⅳ　AIと労働法に関する法的問題点 …………………………………… *447*
　　1　採用とAI ……………………………………………………… *447*
　　2　人事評価とAI ………………………………………………… *452*
　　3　従業員のモニタリングとAI ………………………………… *454*
　　4　HRテクノロジーに関する欧州の議論 …………………… *459*
　　5　「AI代替」と配置転換 ……………………………………… *463*
　　6　「AI代替」と解雇 …………………………………………… *466*
　Ⅴ　まとめ ………………………………………………………………… *469*

第2章　HRリストラクチャリング

　Ⅰ　はじめに ……………………………………………………………… *470*
　Ⅱ　HRリストラクチャリングの分類等 ……………………………… *471*
　Ⅲ　一時的な施策に係るHRリストラクチャリング ………………… *472*
　　1　一時的な施策の種類 ………………………………………… *472*
　　2　労働条件に関する施策 ……………………………………… *472*
　　3　雇用の調整に関する施策 …………………………………… *477*
　Ⅳ　恒久的な施策に係るHRリストラクチャリング ………………… *481*
　　1　恒久的な施策の種類 ………………………………………… *481*
　　2　労働条件に関する施策 ……………………………………… *481*
　　3　雇用の調整に関する施策 …………………………………… *484*
　Ⅴ　おわりに ……………………………………………………………… *489*

第3章　ポスト「働き方改革」

　Ⅰ　労働者の「職業生活の充実」の重視 ……………………………… *490*
　Ⅱ　「職業の安定」のもつ意味 ………………………………………… *491*
　Ⅲ　スキル（職業能力）の見える化 …………………………………… *493*
　Ⅳ　転職・再就職市場の整備・活性化の必要性 ……………………… *495*

目　次

　　1　シニア層 ··495
　　2　若年層 ··496
　Ⅴ　人生100年時代のリカレント教育 ··497
　　1　キャリアラダーの時代からキャリアチェンジの時代へ············497
　　2　リカレント教育 ··499
　　3　新ジョブ・カード ···500
　　4　キャリア・コンサルティング ···501
　Ⅵ　解雇規制緩和の是非 ··502
　　1　解雇権濫用法理は緩和されるか ···502
　　2　解雇の金銭的解決 ···504
　Ⅶ　紛争解決システムの拡充 ··505
　　1　従来の紛争解決システム ···505
　　2　行政ADR（紛争解決援助制度）の拡充 ································506
　　3　行政による履行確保措置（勧告や公表）の強化 ····················507

第6編　座談会

アフターコロナの時代の労働法の課題、そして未来

　　　　　　　　　　　　　　　常葉大学法学部専任講師　植田　達
　　　　　　東洋大学法学部専任講師・特定社会保険労務士　北岡大介
　　　　　　　渥美坂井法律事務所・外国法共同事業弁護士　宮塚　久
　　　　　　　　　　　　　　㈱HRファーブラ代表取締役　山本紳也
　　　　　　　　　　〈司会〉西村あさひ法律事務所弁護士　菅野百合
　　　　　　　　　　〈司会〉西村あさひ法律事務所弁護士　阿部次郎

　Ⅰ　本日のテーマ ···510
　Ⅱ　脱オフィス・リモートワークの功罪 ······································513
　Ⅲ　ジョブ型は普及するか／メンバーシップ型の企業は
　　　時代遅れか ···527
　Ⅳ　労働者は自立できるか ···535
　Ⅴ　最後に ···545

●著者略歴 ··547

第1編
長時間労働の是正

第1章　過労死等対策

I　過労死等の現状

1　社会問題としての過労死等

　過労死等とは、①業務における過重な負荷による脳血管疾患もしくは心臓疾患を原因とする死亡、②業務における強い心理的負荷による精神障害を原因とする自殺による死亡、または③これらの脳血管疾患・心臓疾患・精神障害と定義されている（過労死等防止対策推進法2条）。

　過労死は、1980年代後半から社会的に大きく注目され始め、日本だけでなく、海外でも「KAROSHI」という言葉が広く知られるなど、日本の「働き方」に関する重大な問題の1つとなっている。2013年5月には、国連の社会権規約委員会が、日本政府に対し、日本で「相当数の労働者が過度に長い時間労働を続けていること」および「過重労働による死及び職場における精神的嫌がらせによる自殺が発生し続けていること」について懸念を表明し、長時間労働の防止措置の強化や労働時間の制限の不遵守に制裁を科すことを求めるとともに、必要な場合には、職場におけるすべての形態の嫌がらせ（ハラスメント）の禁止・防止を目的とした法令等を採用するよう勧告をし、当該勧告は、国際機関が日本の過労死問題に踏み込んで改善を促す異例の事態として、社会的な注目を集めた。

　このように、過労死等が大きな社会問題となるなか、2014年6月に過労死等防止対策推進法が成立し、同年11月に施行されたものの、同法成立後も、毎年相当数の過労死等が発生しており、過重労働や職場

のストレスによると思われる痛ましい事件の報道が後を絶たない。

2 過労死等の発生状況

　業務が原因で発症した脳・心臓疾患や仕事によるストレスが関係した精神障害については、一定の基準に従い「業務上疾病」として認定され、労災補償の対象となるところ、過労死等の発生状況は、これらの疾病に係る労災補償の状況に基づき報告されている[1]。2019年度の民間雇用労働者の脳・心臓疾患に係る労災請求件数は936件、認定件数は216件（うち死亡は86件）であり、また、業務における強い心理的負荷による精神障害に係る労災請求件数は2060件、認定件数は509件（うち未遂を含む自殺88件）となっている[2]。

　もっとも、就業者の脳・心臓疾患による死亡者数や、被雇用者の自殺者のうち勤務問題を原因・動機の1つとする自殺者数と、脳・心臓疾患や精神障害により死亡したとする労災請求件数との間には大きな差がある[3]。これらの差は遺族等が労災請求をためらうことにより生じているのではないかとの意見もあるが、現状ではその理由についての十分な分析はなされておらず[4]、実際には、労災補償の状況により把握された数を超える過労死等が発生している可能性もある。

　以上のように、いまだに相当数の人が、過重労働や仕事のストレスによりかけがえのない命や健康を失っており、過労死等の根絶に向けた早急な取組みが日本社会の重要課題となっている。

---

[1] 国家公務員および地方公務員については、公務災害の補償状況に基づく。
[2] 厚労省「令和元年度過労死等の労災補償状況」。
[3] 2015年度における就業者の脳・心臓疾患による死亡者数は2万7000人余り、また、2017年における勤務問題が原因・動機の1つと推定される自殺者数は1991人となっている（「過労死等の防止のための対策に関する大綱」〔2018年7月24日閣議決定〕4頁）。
[4] 「過労死等の防止のための対策に関する大綱」（前掲注3））7頁。

Ⅱ　長時間労働と過労死等

1　長時間労働が心身の健康に与える影響

　長時間にわたる過重な労働は、疲労の蓄積をもたらす最も重要な要因と考えられている。長時間労働は、「仕事時間の増加」と「仕事以外の時間の減少」をもたらし、「仕事時間の増加」は仕事負荷を増加させ、「仕事以外の時間の減少」は疲労回復時間を減少させる。長時間労働は、この仕事負荷増加と疲労回復時間の減少という2つの面から作用するため、心身の健康への影響が強い[5]。

　脳・心臓疾患と長時間労働の関連性については、たとえば、週55～60時間の長時間労働（月時間外労働時間に換算すると60～80時間）は、脳・心臓疾患のリスクを2～3倍に増加させるとの分析結果が報告されている[6]。また、精神障害についても、日本のホワイトカラー正社員を対象とした追跡調査において、個々人の「メンタルのタフさ」の違いや仕事の性質を統御したうえでも、週労働時間が50時間を超える辺りからメンタルヘルスが顕著に悪化する傾向が認められたとの報告がなされている[7]。

　とくに、睡眠不足は過労死等の最大の要因の1つであるといわれており[8]、長期にわたる1日4～6時間以下の睡眠不足状態では、睡眠不足が脳・心臓疾患の有病率や死亡率を高めるとの報告がなされている[9] [10]。精神障害についても、睡眠時間が減少するとともに抑う

---

[5]　岩崎健二「長時間労働と健康問題――研究の到達点と今後の課題」日本労働研究雑誌575号（2008）39頁～40頁。
[6]　岩崎・前掲注5）42頁。
[7]　黒田祥子「長時間労働と健康、労働生産性との関係」日本労働研究雑誌679号（2017）20頁～21頁。
[8]　1日の睡眠時間6時間未満では狭心症や心筋梗塞の有病率が高い、睡眠時間が5時間以下では脳・心臓疾患の発症率が高い、睡眠時間が4時間以下の人の冠状動脈性心疾患による死亡率は7～7.9時間睡眠の人と比較すると2.08倍であるなどの報告がなされている。

つ状態が強くなることから、メンタルヘルスを保持するうえでは6時間以上の睡眠の確保が望ましいとの報告がなされている[11]。

2　労災認定基準と長時間労働

このような長時間労働が健康に与える影響を踏まえ、脳・心臓疾患や精神障害に係る労災認定基準においても、労働時間は重要な判断要素とされている[12]。

脳・心臓疾患に係る労災認定基準においては、時間外労働（週40時間を超える労働をいう）が、「発症前1か月間におおむね100時間」または「発症前2か月間ないし6か月間にわたって1か月あたりおおむね80時間」を超える場合は、業務と発症との関連性が強いと評価できるとされており、当該基準は、いわゆる「過労死ライン」として広く知られるようになっている[13]。もっとも、当該認定基準では、「発症前1か月ないし6か月間にわたって、1か月あたりおおむね45時間を超えて時間外労働時間が長くなるほど、業務と発症の関連性が徐々に強まると評価できる」とされており、時間外労働時間が前記の「過労

---

9)　厚労省「脳・心臓疾患の認定基準に関する専門検討会報告書」（2001年11月）95頁、岩崎・前掲注5）42頁。
10)　労働時間と睡眠時間の関係については、個人差は生じうるものの、1か月の時間外労働がおおむね45時間（1日当たり2時間程度）以内で1日7.5時間程度の睡眠が確保できる状態となるが、1か月の時間外労働がおおむね80時間（1日当たり4時間程度）で1日6時間程度の睡眠が確保できない状態となり、1か月の時間外労働がおおむね100時間（1日当たり5時間程度）を超えると1日5時間程度の睡眠が確保できない状態となると分析されている（厚労省・前掲注9）96頁～97頁）。
11)　島悟「過重労働とメンタルヘルス——特に長時間労働とメンタルヘルス」産業医学レビュー79号（産業医学振興財団、2008）166頁。
12)　労災認定基準の詳細については、脳・心臓疾患については「脳血管疾患及び虚血性心疾患等（負傷に起因するものを除く。）の認定基準について」（平成13年12月12日基発第1063号、平成22年5月7日基発0507第3号〔改正〕、令和2年8月21日基発0821第3号〔改正〕）、令和3年9月14日基発0914第1号〔改正〕、精神障害については、「心理的負荷による精神障害の認定基準について」（平成23年12月26日基発1226第1号、令和2年5月29日基発0529第1号〔改正〕、令和2年8月21日基発0821第4号〔改正〕）を参照されたい。
13)　「脳血管疾患及び虚血性心疾患等（負傷に起因するものを除く。）の認定基準について」（前掲注12））。

死ライン」に満たない場合でも、時間外労働が月45時間を超えるような長時間労働は健康上のリスクを伴うことを認識する必要がある。

　以上は、2021年9月14日に公表され、同月15日から施行された改正後の当該認定基準においても、同様に維持されている。

　また、精神障害に係る労災認定基準においても、極度の長時間労働（発病直前の1か月におおむね160時間を超える時間外労働を行った場合等）、長時間労働（発病直前の2か月間連続して1か月当たりおおむね120時間以上、または3か月間連続して1か月当たりおおむね100時間以上の時間外労働を行った場合）、他の出来事に関連した恒常的な長時間労働（転勤して新たな業務に従事し、その後月100時間程度の時間外労働を行った場合等）が認められた場合は、強い心理的負荷があったものと評価される。前記の時間外労働時間数もあくまで目安であり、この基準に至らない場合でも、強い心理的負荷があったと判断されることがある。

　なお、日本における長時間労働の状況等に関する詳細については、［→本編第2章Ⅰ1］を参照されたい。

Ⅲ　近時の過労死等対策

1　概要

(1)　過労死等対策の経過

　過労死等への対策については、過労死等が社会問題として注目を集め始めた1980年代後半から民間の過労死相談窓口や遺族の会を中心とした活動が始まり、行政においても、1987年の労働基準法改正により、1週間の労働時間について週48時間制から週40時間制へと変更がなされ、その後10年間をかけて段階的に週40時間制への移行が行われた。また、1992年には「労働時間の短縮の促進に関する臨時措置法」が制定され、労働時間の短縮を計画的に進めるために必要な措置を講じることが事業主の努力義務とされた。同法は、2005年に労働時間等

設定改善法に改正され、労働時間の短縮だけでなく、労働者の健康と生活に配慮し、多様な働き方に対応した労働時間、休日、休暇等の設定を改善するために必要な措置を講じることが事業主の努力義務として定められている。

2001年12月には、恒常的な長時間労働等による疲労の蓄積と脳・心臓疾患の発症との関連性を踏まえ、脳・心臓疾患に係る労災認定基準が改正され、長期間の過重業務が新たに要件として追加された[13]。これを受けて、2002年2月、「過重労働による健康障害防止のための総合対策について」(以下、「旧総合対策」という)において、「過重労働による健康障害を防止するため事業主が講ずべき措置等」が定められ、事業者に、時間外労働の削減や年休の取得促進に加え、一定以上の時間外労働を行わせた場合の健康管理措置等を講じることが求められた[14]。

さらに、2004年8月には、「過重労働・メンタルヘルス対策の在り方に係る検討会報告書」がとりまとめられ、労政審における検討を経て、2005年に労働安全衛生法が改正され、長時間労働者に対する産業医による面接指導制度が導入された。同制度における面接指導においては、労働者の勤務の状況や疲労の蓄積の状況に加えて、メンタルヘルス面を含めた心身の状況のチェックを行うこととされた。

また、メンタルヘルス対策に関しては、2010年9月に「職場におけるメンタルヘルス対策検討会報告書」がとりまとめられ、労政審における検討を経て、2014年の労働安全衛生法改正によりストレスチェック制度が導入された。

(2) 過労死等防止対策推進法の制定および近時の対策の概要

2010年から、過労死等の被害者・遺族やその支援者等による過労死基本法の制定を求める活動が始まり、2014年6月に過労死等防止対策推進法が制定され、2015年7月には、同法に基づく「過労死等の防止

---

14) 時間外労働が月45時間を超える場合の産業医による助言指導、時間外労働が月100時間を超える場合の産業医への労働状況の報告や保健指導等の措置を講じることが求められた(平成14年2月12日基発0212001号)。

のための対策に関する大綱」が閣議決定された［→Ⅲ2］。

その後も、厚労省の「『過労死等ゼロ』緊急対策」［→Ⅲ3］や「過重労働による健康障害防止のための総合対策について」（以下、「新総合対策」という）[15]の策定が行われ［→Ⅴ1］、「働き方改革実行計画」では、長時間労働の是正策や、「健康で働きやすい職場環境の整備」としてメンタルヘルス・パワーハラスメント防止対策の取組強化等が掲げられた［→Ⅲ4(1)］。そして、働き方改革法の成立により、時間外労働の上限規制の導入や勤務間インターバル制度の努力義務化等、長時間労働の是正や労働者の健康確保等に関する法改正が行われた［→Ⅲ4(2)］。

また、脳・心臓疾患に係る労災認定基準については、働き方の多様化や職場環境に変化が生じていることから、「脳・心臓疾患の労災認定の基準に関する専門検討会」において最新の医学的知見を踏まえた検証等が行われ、2021年7月16日に報告書が取りまとめられたことを受けて、その改正が行われ、同年9月15日から施行されている[16]。

以下の2ないし4では、過労死等防止対策推進法の制定以降の主要な対策について述べる。

2　過労死等防止対策推進法と同法に基づく施策等

(1)　過労死等防止対策推進法

過労死等が大きな社会問題となるなか、2014年6月に過労死等防止対策推進法が制定され、前記Ⅰ1のとおり「過労死等」の定義がなされたうえで、過労死等の防止のための対策に関する、国、地方公共団体、事業主および国民の責務が規定された[17]。また、具体的な施策

---

[15]　平成28年4月1日基発0401第72号。
[16]　当該改正では、①長期間の過重業務につき、労働時間に関する改正前の基準が維持される一方で、労働時間と労働時間以外の負荷要因を総合評価して労災認定することの明確化や、労働時間以外の負荷要因の見直しが図られるとともに、②短期間の過重業務や異常な出来事につき、業務と発症との関連性が強いと判断できる場合の明確化が図られた。また、③対象疾病に「重篤な心不全」が追加されている。

図表1-1-1　2015年大綱の数値目標および直近の状況

数値目標	直近の状況
週労働時間60時間以上の雇用者の割合を5％以下（2020年まで）	6.4％ （2019年）
年次有給休暇取得率を70％以上（2020年まで）	56.3％ （2019年）
メンタルヘルス対策に取り組んでいる事業場の割合を80％以上（2017年まで＊）	59.2％ （2018年）

＊2018年大綱において2022年までに延長されている。

として、①毎年11月を過労死等防止啓発月間として各種事業を実施すること、②過労死等の概要および政府が講じた施策の状況に関する報告書の国会への提出、③過労死等の防止のための対策に関する大綱の制定、④過労死等の防止のための対策として、過労死等に関する調査研究、啓発、相談体制の整備等、および民間団体の活動に対する支援を行うこと、⑤過労死等防止対策推進協議会の設置等が定められている。

(2)　過労死等の防止のための対策に関する大綱

過労死等防止対策推進法に基づき、2015年7月24日に「過労死等の防止のための対策に関する大綱」（以下、「2015年大綱」という）が閣議決定された。

2015年大綱では、①過労死等の実態解明のための調査研究が早急に行われることが重要であること、②長時間労働を削減し、仕事と私生活の調和を図るとともに、労働者の健康管理に係る措置を徹底し、良好な職場環境を形成のうえ、労働者の心理的負荷を軽減していくことが急務であること、③調査研究と並行して、啓発、相談体制の整備等、民間団体の活動に対する支援等の対策に取り組むこと、④将来的

---

17) 事業主については、「国及び地方公共団体が実施する過労死等の防止のための対策に協力するよう努めるものとする」（同法4条3項）、国民については、「過労死等を防止することの重要性を自覚し、これに対する関心と理解を深めるよう努めるものとする」と定められている（同条4項）。

第1編　長時間労働の是正

図表1-1-2　2018年大綱で追加された数値目標および直近の状況

数値目標	直近の状況[*1]
労働者数30人以上の企業のうち、勤務間インターバル制度を知らなかった企業割合を20%未満（2020年まで）	10.7%（2020年）
労働者数30人以上の企業のうち、勤務間インターバル制度[*2]を導入している企業割合を10%以上（2020年まで）	4.2%（2020年）
仕事上の不安、悩みまたはストレスについて、職場に事業場外資源を含めた相談先がある労働者の割合90%以上（2022年まで）	73.3%（2018年）
ストレスチェック結果を集団分析し、その結果を活用した事業場の割合60%（2022年まで）	63.7%（2018年）

[*1]『「過労死等の防止のための対策に関する大綱」に係る数値目標の進捗状況』（前掲注18）2頁）。
[*2] 終業時刻から次の始業時刻までの間に一定時間以上の休息時間を設けることについて就業規則または労使協定等で定めているものに限る。

に過労死等ゼロを目指し、2020年までに「週労働時間60時間以上の雇用者の割合を5％以下」、「年次有給休暇取得率を70％以上」、2017年までに「メンタルヘルス対策に取り組んでいる事業場の割合を80％以上」とする目標の達成を目指すこと等の方針が示された。なお、前記④の数値目標の直近の達成状況は、図表1-1-1のとおりとなっている[18]）。

また、2015年大綱は、おおむね3年を目途に見直すこととされていたため、過労死等防止対策推進協議会における審議を経て、2018年7月24日に新たな大綱が閣議決定された（以下、改定後の大綱を「2018年大綱」という）。2018年大綱では、2015年大綱に基づく取組みを踏まえた現状と課題が示されるとともに、前記④に加え、図表1-1-2のとおり新たな数値目標が追加された。さらに、2021年7月30日には、「過労死等の防止のための対策に関する大綱」の変更／見直し／更新

---

18)　第18回過労死等防止対策推進協議会配付資料3『「過労死等の防止のための対策に関する大綱」に係る数値目標の進捗状況』2頁。

第1章　過労死等対策

図表1-1-3　2021年大綱における数値目標

現行	見直し案
労働者数30人以上の企業のうち、勤務間インターバル制度を知らなかった企業割合を20％未満（2020年まで）	労働者数30人以上の企業のうち、勤務間インターバル制度を知らなかった企業割合を5％未満（2025年まで）
労働者数30人以上の企業のうち、勤務間インターバル制度を導入している企業割合を10％以上（2020年まで）	労働者数30人以上の企業のうち、勤務間インターバル制度を導入している企業割合を15％以上（2025年まで）。特に、勤務間インターバル制度の導入率が低い中小企業への導入に向けた取組を推進する

／改正が閣議決定された（以下、変更等後の大綱を「2021年大綱」という）。2021年大綱によれば、新型コロナウイルス感染症の拡大に伴い、人手不足の状態となった医療現場や一部の職場で過重労働が明らかとなるなど、新型コロナウイルス感染症への対応や働き方の変化による過労死等の発生防止が必要となった点や、ウィズコロナ・ポストコロナの時代におけるテレワーク等の新しい働き方への対応など、新型コロナウイルス感染症の流行等による影響をふまえた現状と課題が示されるとともに、図表1-1-3のとおり、一部の項目について、新たな数値目標が設定された。

3　「過労死等ゼロ」緊急対策

(1) 概要

2016年2月26日には、厚労省に設置された長時間労働削減推進本部において、「『過労死等ゼロ』緊急対策」がとりまとめられ、①違法な長時間労働を許さない取組みの強化、②メンタルヘルス・パワハラ防止対策のための取組みの強化、③社会全体で過労死等ゼロを目指す取組みの強化、の3つを大きな柱とした方針が示された。このうち、とくに企業実務への影響が大きいと思われるものを紹介する。

(2) 新ガイドラインによる労働時間の適正把握

前記(1)①の取組みとして、「新ガイドラインによる労働時間の適正把握の徹底」が挙げられており、厚労省は、2017年1月20日に「労働時間の適正な把握のために使用者が講ずべき措置に関するガイドライン」を策定している（以下、「新ガイドライン」という）。新ガイドラインは、厚労省労働基準局長から都道府県労働局長に対する内部通達であった「労働時間の適正な把握のために使用者が講ずべき措置に関する基準」[19]を、使用者向けのガイドラインとして新たに定めたものである。新ガイドラインでは、従前の通達の内容に加えて、以下の点等が明確化された［新ガイドラインについては、**本編第2章Ⅲ1も参照**］。

① 使用者の明示または黙示の指示により労働者が業務に従事する時間は労働時間にあたり、使用者の指示による業務に必要な準備行為・後始末、手待時間、および参加が義務付けられている研修等は労働時間として扱わなければならないこと。

② 入退場記録やパソコンの使用記録等で在社時間（事業場内にいた時間）がわかる場合に、労働者の自己申告により把握した時間と在社時間との間に著しい乖離が生じているときは、使用者は実態調査を実施し、所要の労働時間の補正を行うこと。

(3) 違法な長時間労働等に対する全社的指導・企業名公表制度の強化

前記(1)①の取組みとして、「長時間労働等に係る企業本社に対する指導」および「是正指導段階での企業名公表制度の強化」が挙げられ、これらの取組みについて、厚労省から通達[20]が発出されている。

当該通達により、複数の事業場を有する社会的に影響の大きい企業（中小企業を除く大企業）を対象として、おおむね1年程度の期間に2回以上、いずれかの事業場において、違法な長時間労働[21]または過

---

19) 平成13年4月6日基発第339号。
20) 「違法な長時間労働や過労死等が複数の事業場で認められた企業の経営トップに対する都道府県労働局長等による指導の実施及び企業名の公表について」平成29年1月20日基発0120第1号・平成31年4月1日基発0401第17号。
21) 10人以上または4分の1以上の労働者について、①月80時間超の時間外労働・休日労働、かつ、②労働基準法32条・40条（労働時間）・35条（休日労

労死等による労災支給決定が認められた企業については、企業幹部に対し、長時間労働削減や健康管理、メンタルヘルス対策（パワハラ防止対策を含む）について指導し、その改善状況について全社的立入調査により確認することとされた。従前は、長時間労働に関する労基署の監督指導は事業場単位で行われていたところ、新たな取組みとして、全社的な是正指導を行うこととされたものである。

また、当該指導を受けた後の全社的立入調査において、再度違法な長時間労働または過労死等による労災支給決定が認められた場合や、おおむね1年程度の期間に2回以上、いずれかの事業場において月100時間超の違法な長時間労働および過労死（死亡または自殺未遂）が認められた場合などには、企業名を公表することとされた。是正指導段階での企業名公表制度は、2015年5月18日より、月100時間超の違法な長時間労働が1年間に3事業場で認められた企業を対象に実施されていたが、前記通達により、「月100時間超」を「月80時間超」とするなど、適用対象を拡大したものである。

4　働き方改革実行計画と法改正

(1)　働き方改革実行計画

働き方改革実現会議においても、長時間労働の是正が大きな柱の1つとして掲げられ、相次ぐ過労死の報道等を受けた世論の高まりが後押しとなって、罰則付き時間外労働の上限規制の導入について労使合意が成立し、法改正が実現されることとなった。

「働き方改革実行計画」においては、「過労死等対策」という項目は設けられていないものの、長時間労働の是正のための対応策として、①法改正による時間外労働の上限規制の導入、②勤務間インターバル制度導入に向けた環境整備、③健康で働きやすい職場環境の整備が掲げられた[22]。また、③の具体的施策として、④長時間労働の是正等

働）・36条（6項2号、3号に限る。時間外・休日労働時間数の上限）または37条（割増賃金）の違反であるとして是正勧告を受けた場合をいう。

22)　働き方改革実行計画29頁。

に関する政府の数値目標の見直し、⑤メンタルヘルス・パワーハラスメント防止対策の取組強化、⑥違法な長時間労働等に対する監督指導の徹底、⑦労働者の健康確保のための取組強化が挙げられている[23]。

(2) 働き方改革法による法改正

働き方改革法の成立により、長時間労働の是正や労働者の健康確保等に関し、以下の法改正が行われた。

ア 時間外労働の上限規制

時間外労働の上限について、月45時間、年360時間を原則とし、臨時的な特別な事情がある場合でも年720時間、単月100時間未満（休日労働含む）、2〜6か月平均80時間（休日労働含む）が限度として法定され、その違反には罰則が適用される（労基36条）［詳細は→本編第2章］。

イ 月60時間を超える時間外労働に係る割増賃金率について中小事業主への猶予措置の廃止

時間外労働に係る割増賃金の率は、1か月の合計が60時間までの場合は2割5分以上であるのに対し、月60時間を超える場合は5割以上の率（以下、「特別割増率」という）の割増賃金の支払が必要である（労基37条1項）。この月60時間を超える時間外労働についての特別割増率は、とくに長い時間外労働を抑制するために、2008年労働基準法改正により導入され2010年4月1日から施行された。2008年労働基準法改正では、中小事業主[24]の事業には、当分の間、特別割増率の適用を猶予する旨が定められていたが、働き方改革法の成立により、当該猶予措置も廃止された。

---

23) 働き方改革実行計画42頁。
24) ①資本金の額または出資の総額が3億円（小売業またはサービス業を主たる事業とする事業主については5000万円、卸売業を主たる事業とする事業主については1億円）以下である事業主、または②その常時使用する労働者の数が300人（小売業を主たる事業とする事業主については50人、卸売業またはサービス業を主たる事業とする事業主については100人）以下である事業主をいう。

第1章　過労死等対策

　　ウ　年次有給休暇の計画的付与の義務化

　労働者に一定日数の年次有給休暇を確実に取得させるため、年次有給休暇が10日以上付与される労働者に対し、使用者において毎年その5日分について時季を指定して年次有給休暇を付与することが義務付けられた（労基39条5項）［詳細は→第3編第1章］。

　　エ　勤務間インターバル制度の普及促進等

　労働時間設定改善法において、前日の終業時刻と翌日の始業時刻の間に一定時間の休息の確保する「勤務間インターバル制度」の導入が使用者の努力義務として定められた［→Ｖ2］。

　また、同法では、休暇の取得促進の観点から、労働時間等設定改善企業委員会の決議により、年次有給休暇の時間単位取得・計画的付与等に関する事項について労使協定と同等の効果が認められることとする改正も行われた［詳細は→第3編第1章］。

　　オ　医師による面接指導等の実効性確保のための労働時間把握義務

　労働安全衛生法および労働安全衛生規則において義務付けられている医師による面接指導等の実効性を確保するために、事業者は、厚労省令で定める方法により、労働者の労働時間の状況を把握しなければならないことが定められた（労安66条の8の3）。

　労働安全衛生法および労働安全衛生規則では、事業者は、週40時間を超える労働が月100時間[25]を超え、疲労の蓄積が認められる労働者に対しては、本人の申出により、医師による面接指導を行わなければならないこととされている（労安66条の8、労安則52条の2）。また、働き方改革法により、時間外労働の上限規制の対象外となる「新たな技術、商品又は役務の研究開発に係る業務」に従事する労働者を対象とした医師による面接指導等が新設された（労安66条の8の2）[26]。

---

[25]　時間外労働の上限規制との関係で、対象が月80時間超の場合に拡大された（労安則52条の2）。

[26]　本人の申出の有無にかかわらず、週40時間を超える労働が月100時間を超えた者が対象となり（労安則52条の7の2）、事業者が面接指導の実施義務に違反した場合は罰則が適用される（労安120条）。

新設された労働時間把握義務は、これらの医師による面接指導等の実効性確保のため、労働基準法の労働時間規制が適用されない管理監督者を含む全労働者[27]を対象として、健康確保の観点から、「客観的な方法その他適切な方法」による労働時間の把握を義務付けるものである。具体的な方法については、通達により明確化されており、原則として、タイムカード、パーソナルコンピュータ等の電子計算機の使用期間（ログインからログアウトまでの時間）の記録、事業者（事業者から労働時間の状況を管理する権限を委譲された者を含む）の現認等の客観的な記録により、労働者の労働日ごとの出退勤時刻や入退室時刻の記録等を把握することとされている[28]。

　カ　労働者の健康確保のための産業医・産業保健機能の強化

　産業医制度は、事業場において、健康診断・面接指導の実施等の労働者の健康を保持するための措置、作業環境の維持管理、作業の管理、健康管理、健康教育および衛生教育に関すること等を行う者として、必要な能力を有する医師を選任し、これらの事項を行わせる制度である[29]。また、前記オのとおり過重労働者に対する面接指導とその結果に基づく意見具申や、さらに、2014年の労働安全衛生法改正により追加されたストレスチェックの実施と希望する労働者への面接指導およびその結果に基づく意見具申も産業医の職務となっている。

　このような過重労働・メンタルヘルス対策や病気治療と仕事の両立支援における産業医等の役割の重要性に鑑み、産業医・産業保健機能の強化が図られることとなった[30]。

---

27) ただし、高度プロフェッショナル制度の適用対象者は対象外であり、別途「健康管理時間」に基づく医師の面接指導等の健康管理がなされる（労安66条の8の4）。**第1編第3章Ⅴ2参照**。
28) 平成30年12月28日 基発1228第16号、平成31年3月29日 基発0329号 第2号（改正）「働き方改革を推進するための関係法律の整備に関する法律による改正後の労働安全衛生法及びじん肺法関係の解釈等について」。
29) 常時50人以上の労働者を使用する事業場において産業医の選任が義務付けられており（労安13条、労安令5条）、また、常時1000人以上（一定の危険有害業務を行う事業場は常時500人以上）の労働者を使用する事業場については専属の産業医の選任が必要である（労安則13条）。

その後の労働安全衛生法の改正では、①産業医は、労働者の健康管理等を行うのに必要な医学的知見に基づいて、誠実に職務を行わなければならないこと、②産業医等を選任した事業者は、産業医等に対し、労働者の労働時間に関する情報その他産業保健業務を適切に行うために必要な情報を提供しなければならないこと、③事業者が産業医から労働者の健康管理等について勧告を受けた場合は、当該勧告の内容等を衛生委員会または安全衛生委員会に報告しなければならないこと、④事業者は、産業医等が労働者からの健康相談に応じ適切に対応するために必要な体制の整備等を講じるよう努めなければならないことなどが定められた（労安13条ないし13条の3）。

Ⅳ　過労死等と企業の責任

1　使用者の損害賠償責任

(1)　労災補償と損害賠償

　過労死等が発生した場合、業務上の災害として認定され労災保険給付による補償がなされるだけでなく、裁判等において使用者である企業の安全配慮義務違反（債務不履行）または注意義務違反（不法行為）による多額の損害賠償責任が認められるケースが多い[31]。とくに、脳・心臓疾患については、労災認定基準で示されている労働時間基準を超える長時間労働等の過重労働が認められれば、使用者において脳・心臓疾患の発症が業務外の事由によるものであることを示す特段

---

30)　労政審安全衛生分科会「働き方改革実行計画を踏まえた今後の産業医・産業保健機能の強化について（報告）」（2017年6月6日）。なお、病気治療と仕事の両立支援については**第3編第4章**を参照されたい。

31)　債務不履行構成と不法行為構成では、立証責任や使用者の義務の内容・程度に、実質的な違いはほとんどないと解されており、消滅時効についても民法の改正に伴い統一が図られることとなったが、債務不履行構成では遺族固有の慰謝料が認められず、また、遅延損害金の起算点（不法行為構成では事故の日から、債務不履行構成では請求の翌日から）などにおいて違いが残る（菅野和夫『労働法〔第12版〕』〔弘文堂、2019〕672頁）。

第1編　長時間労働の是正

の事情を立証しない限り、民事上の損害賠償責任が認められる傾向にある[32]。また、精神疾患による過労死等についても、業務の過重性を理由に損害賠償責任を認める裁判例が増えている[33]。

なお、過労死等が業務上の災害として認定され労災保険給付による労災補償が行われた場合、使用者は、労働基準法84条に基づき、支払われた価額の限度で民事上の損害賠償責任を免れると解されている[34]。しかし、労災補償においては、慰謝料は支払われず、休業損害や逸失利益等についても必ずしも損害の全額が補償されるものではないため、労災補償により塡補されない損害の賠償を求めて、被災労働者や遺族が使用者に対し民事上の損害賠償を請求する例が多い。

(2)　**使用者の安全（健康）配慮義務**

使用者は、安全配慮義務の1つとして、労働者の健康管理について配慮すべき義務を負っていると解されており、これが過労死等に関する使用者の法的責任の主な根拠となっている。安全配慮義務は、「労働者が労務提供のため設置する場所、設備もしくは器具等を使用し又は使用者の指示のもとに労務を提供する過程において、労働者の生命及び身体等を危険から保護するよう配慮すべき義務」として判例上確立され[35]、2007年に制定された労働契約法により、「使用者は、労働契約に伴い、労働者がその生命、身体等の安全を確保しつつ労働することができるよう、必要な配慮をするものとする」として明文化された（労契5条）。

労働者が慢性的な長時間労働の結果、うつ病に罹患し、入社約1年

---

32)　菅野・前掲注31) 675頁。裁判例として、熊本地判平19・12・14労判975号39頁（中野運送事件）、大阪高判平23・2・25労判1029号36頁（天辻鋼球製作所事件）、神戸地判平25・3・13労判1076号72頁（O社事件）等。

33)　最判平12・3・24労判779号13頁（電通事件）や最判平26・3・24労判1094号22頁（東芝（うつ病・解雇）事件）のほか、福岡高判平19・10・25労判955号59頁（山田製作所（うつ病自殺）事件）、東京高判平25・11・27労判1091号42頁（横河電機（SE・うつ病罹患）事件）、仙台高判平25・6・25労判1079号49頁（岡山県貨物運送事件）等。

34)　菅野・前掲注31) 684頁。

35)　最判昭50・2・25民集29巻2号143頁（自衛隊車両整備工場事件）、最判昭59・4・10労判429号12頁（川義事件）。

5か月後に自殺した事案で、最高裁は、「労働者が労働日に長時間にわたり業務に従事する状況が継続するなどして、疲労や心理的負荷等が過度に蓄積すると、労働者の心身の健康を損なう危険のあることは、周知のところである。……使用者は、その雇用する労働者に従事させる業務を定めてこれを管理するに際し、業務の遂行に伴う疲労や心理的負荷等が過度に蓄積して労働者の心身の健康を損なうことがないよう注意する義務を負う」として、使用者の安全配慮義務違反を認めている[36]。

また、過重労働によりうつ病を発症し休職・解雇となった労働者が会社に対し損害賠償を求めた事案で、控訴審では、労働者が自己のメンタルヘルスに関する情報（神経科への通院、診断名、薬剤の処方の情報等）を上司や産業医等に申告しなかったことが使用者においてうつ病の発症や増悪を防ぐ措置をとる機会を失わせたとして過失相殺が認められたのに対し、最高裁は、「使用者は、必ずしも労働者からの申告がなくても、その健康に関わる労働環境等に十分な注意を払うべき安全配慮義務を負っているところ、……労働者にとって過重な業務が続く中でその体調の悪化が看取される場合には、上記のような情報については労働者本人からの積極的な申告が期待し難いことを前提とした上で、必要に応じてその業務を軽減するなど労働者の心身の健康への配慮に努める必要がある」と判示し、過失相殺により損害賠償額の減額を認めなかった[37]。

このように、過重労働により過労死等が発生した場合、使用者が損害賠償責任を免れることは不可避であり、使用者においては過労死等の発生を回避するために十分な配慮を行い、労働環境を整備することが重要である。

(3) 役員の損害賠償責任

また、会社だけでなく、会社法429条1項または民法709条に基づ

---

[36] 電通事件・前掲注33）。
[37] 東芝（うつ病・解雇）事件・前掲注33）。

き、取締役等に対しても損害賠償請求がなされる事例も多く、直接労働者の勤務状況について認識しうる小規模の会社における過労死等の事案において、取締役等に対する損害賠償請求が認められた例も散見される[38]。

　さらに、飲食店等を全国展開する大企業において発生した過労死の事案において、裁判所は、「取締役は、会社に対する善管注意義務として、会社が使用者としての安全配慮義務に反して、労働者の生命、健康を損なう事態を招くことのないよう注意する義務を負い、これを懈怠して労働者に損害を与えた場合には会社法429条1項の責任を負う」としたうえで、被告となった取締役らは、「労働者の労働状況を把握しうる組織上の役職者であって、現実の労働者の労働状況を認識することが十分に容易な立場にあったものであるし」、「労働者の生命・健康を損なうことがないような体制を構築すべき義務を負っていた」と判示した[39]。そして、当該取締役らは、長時間労働が恒常化していたことを「認識していたか、極めて容易に認識できた」のに、その対策を行っていなかったのであるから、「悪意又は重大な過失により、会社が行うべき労働者の生命・健康を損なうことがないような体制の構築と長時間労働の是正方策の実行に関して任務懈怠があった」として、取締役個人の損害賠償責任が認められている。当該事案では、基本給に月80時間分の時間外割増賃金が組み込まれており（しかも残業時間がそれに満たない場合は不足分を控除することとされていた）、月100時間を限度とする三六協定が締結され、とくに繁忙期でもないのに100時間を超えるような時間外労働が頻繁に発生していたという特殊性はあるが、長時間労働を前提とした勤務体制等により、過重労働が組織的に黙認されているといった事情がある場合には、直接労務管理を行わない大企業の取締役についても、善管注意義務違反

---

[38]　東京地判平8・3・28労判694号34頁（富士保安警備事件）、和歌山地判平17・4・12労判896号28頁（中の島（ホテル料理長）事件）、大阪高判平19・1・18労判940号58頁（おかざき事件）等。

[39]　大阪高判平23・5・25労判1033号24頁（大庄ほか事件）。

（内部統制システム構築義務違反）による損害賠償責任が認められることを示したものとして、注目される。

働き方改革のなかで、過重労働に対してよりいっそう厳しい目が向けられ、労働者の健康への配慮の要請が強まっていることも踏まえ、企業のトップや役員においては、「労働者の生命・健康を損なうことがないような体制を構築すべき義務」を負っていることをあらためて認識し、過重労働が生じない体制作りを行うことが必要である。

2　刑事責任・送検による企業名公表等

違法な長時間労働により過労死等が発生した場合、民事責任だけでなく、会社やその役員、違法な長時間労働を行わせた上司等が労働基準法違反により送検され、刑事責任を負うケースも少なくない。現状では、過労死等の発生した事業場において三六協定が未締結であったり、三六協定に定められた限度を超えた長時間労働が行われていた場合等に、労働基準法32条等違反として送検・起訴されることが一般的であるが、労働基準法違反の罪は罰則が比較的軽いことから、遺族等が業務上過失致死傷罪の適用を求めるケースや、より重いペナルティの必要性を問う報道等もあり、今後、厳罰化に向けた議論が行われる可能性も否定できない。

また、厚労省は、前記Ⅲ3の「『過労死等ゼロ』緊急対策」において、「労働基準法等の法令に違反し、公表された事案については、ホームページにて、一定期間掲載する」との方針を決定し、厚労省のホームページ上で、送検事案等の企業名や事案の概要を公表している[40]。このような企業名の公表制度や報道等による社会的信用の低下や人材獲得競争への影響も深刻であり、かかる観点からも、過労死等や違法な過重労働を発生させない取組みが、企業のリスクマネジメ

---

40) 厚労省ウェブサイト「長時間労働削減に向けた取組」に掲載されている。また、掲載基準等に関する通達「労働基準関係法令違反に係る公表事案のホームページ掲載について」（平成29年3月30日基発0330第11号、平成31年1月31日基発0131号第1号〔改正〕）が発せられている。

ントにおける大きな課題となる。

V　企業に求められる実務上の対策・留意点

1　過労死等の防止のために企業が行うべき取組み

　過労死等を防止するために企業が行うべき具体的な取組みとしては、新総合対策に定められた「過重労働による健康障害を防止するため事業者が講ずべき措置」に従い、労働環境を整備することが必要である。具体的には、①時間外・休日労働の削減、②年次有給休暇の取得促進、③労働時間等の設定の改善、④労働者の健康管理に係る措置の徹底（健康管理体制の整備・健康診断の実施等、長時間労働者への医師の面接指導等、ストレスチェック制度の実施、過労死等が発生した場合の原因究明・再発防止）が挙げられている。

　過労は、「サイレントキラー」ともいわれているように、本人の自覚がないままに疲労が蓄積し、もともと身体が丈夫で健康な人ほど多少疲れを感じても無理を重ねて、突然死に至るケースも多いといわれている。企業においては、このような特性も踏まえて、長時間労働を意識的に抑制し、休暇を含め労働者が十分な疲労回復の時間が確保できる体制を整備して疲労を蓄積させないこと、また、健康診断や医師の面接指導・ストレスチェック等を適切に実施し、労働者の心身の体調変化を見逃さずに早期にケアする体制を作ることが重要である。また、労働者本人においても、自分の身体が出すサインを無視せずに休養することが重要であるが、それを可能とするためにも、企業において、休暇を取得しやすい職場環境・雰囲気の醸成、必ず一定の休息時間が確保できる勤務間インターバル制度［→Ｖ２］等の導入、労働者本人の申出の有無にかかわらず時間外労働が一定時間を超えた場合には面談や業務量調整等を行うなどの対応を検討し、実施することが望ましい。長時間労働を前提とした業務体制はただちに見直す必要があり、職場において「長時間働けば評価される」との風潮がある場合

は、経営トップの主導により意識改革を行う必要がある。

　なお、①時間外・休日労働の削減については、業務量の調整や人員配置・業務効率等の見直しを行わずに、たんに残業を認めないまたは一定時間に残業を制限する運用では、労働者が時間内に必要な業務を終えることができず、サービス残業や持ち帰り残業につながる可能性があることに留意が必要である。その場合、会社が正確に把握していないところで長時間労働が生じ、産業医面談等の健康管理を行うべき対象としても認識できなくなるため、かえって過重労働による健康障害のリスクが高まることとなる。過重労働防止の観点からは、適正な業務量の調整と人員配置等の見直しを行ったうえで、時間外・休日労働の削減を図るとともに、客観的な記録に基づき労働時間を適正に把握することが重要である。

2　勤務間インターバル制度

(1)　勤務間インターバル制度の現状

　勤務間インターバル制度は、前日の終業時刻と翌日の始業時刻の間に、一定時間以上の「休息時間」を設けることで、労働者の生活時間や睡眠時間を確保する制度である。同制度が適用されると、毎日一定時間以上の休息が確保されることとなるため、過重労働の防止やワーク・ライフ・バランスの確保のために効果的な制度として注目されている。

　EUでは、「EU労働時間指令」(1993年制定、2000年一部改正) に基づき、24時間につき最低連続11時間の休息時間を付与することや、7日ごとに最低連続24時間の休息を付与することなどが義務付けられている。たとえば、午前9時から午後5時が就業時間となっている労働者が午前0時まで残業した場合、その11時間後である翌日午前11時までは、始業時刻の午前9時を過ぎても就業させてはならないこととなり、1日の拘束時間は必然的に13時間未満となる。

　これをモデルに、日本においても勤務間インターバル制度を導入すべきではないかとの議論が行われており、前記Ⅲ4のとおり、「働き

方改革実行計画」に勤務間インターバル制度導入に向けた環境整備が掲げられ、労働時間設定改善法の改正により、勤務間インターバル制度の導入が使用者の努力義務として定められた。また、厚労省は、2017年5月に勤務間インターバル制度普及促進のための有識者検討会を設置し、勤務間インターバル専用サイトを立ち上げるなどの取組みを実施しており、現在では、勤務間インターバル制度を新たに導入する中小企業等を対象とした助成金も設けられている。

　一方、厚労省の「令和2年就労条件総合調査」によれば、勤務間インターバル制度を「導入している」と回答した企業は4.2％であり、「導入の予定はなく、検討もしていない」との回答が78.3％となっている。勤務間インターバル制度を導入していない理由については、「超過勤務の機会が少なく、当該制度を導入する必要性を感じないため」（56.7％）が最多となっており、次いで「当該制度を知らなかったため」（13.7％）となっている。他方で、同調査では、実際の終業時刻から始業時刻までに11時間以上のインターバルを確保できている労働者が「ほとんど全員」か「全員」と回答している企業が全体の約65％を占めており、勤務間インターバル制度の導入による対策が必要な企業は多数派とはいえない。もっとも、過労死等が発生した事案では、徹夜勤務が続いたり、睡眠時間が2、3時間しか確保できないまま次の日に出勤しなければならないことが頻繁にあるなど、過酷な勤務状況であったことが報告されている。このような労働者の心身に極度の負荷となるような働き方を防止するためには、勤務間インターバル制度を導入し、毎日必ず一定の休息時間が確保される体制を構築することが有効と考えられる。

(2) 勤務間インターバル制度を導入する際の留意点

　勤務間インターバル制度の具体的内容については、現段階では法令やガイドライン等で定められた事項はないため、導入事例等を参考にしつつ[41]、各社の実情に合わせた制度設計を行うこととなる。検討

---

41) 厚労省ウェブサイト「勤務間インターバル制度」に導入事例集が掲載されている。

すべき主な事項としては、以下のとおり、①対象者の範囲、②インターバルの時間数、③インターバル確保の方法（インターバルが翌日の始業時刻を超える場合の取扱い）、④その他（例外の設定、遵守できなかった場合の対応、管理方法等）が考えられる。

　ア　対象者の範囲

　過重労働による健康障害の防止は、すべての労働者にあてはまる課題であるため、導入事例においても、全労働者を対象とすることが多いと思われる。管理監督者を適用対象外とする例もあるものの、むしろ、時間外労働の上限規制が及ばない管理監督者に業務が集中し過重労働となることを防ぐ必要があるため、管理監督者についても、基本的には勤務間インターバル制度の対象に含めつつ、一定の事情による例外的取扱いを認めるなど柔軟な対応を行うことが望ましいと思われる。

　イ　インターバルの時間数

　前述のとおり、EUでは最低連続11時間のインターバルが義務付けられているが、現状、日本ではインターバルの時間数について法令等の定めはない。労働者を対象とした調査では、労働による疲労の回復や健康確保のために必要な勤務間インターバルの時間数は、「12時間」とする割合が26.9％と最も高く、次いで「13時間以上」が22.4％とされている[42]。業務状況等に照らして無理のない範囲で設定するのが原則となるが、あまり短いインターバルの設定では十分な休息が得られず、制度を設ける意味が半減してしまうため、企業内で実態調査を行ったうえで、通勤時間や食事・入浴等の時間も考慮して、休息の確保として合理的な時間を設定すべきであろう。導入事例では、義務的なインターバル時間は8時間としたうえで、さらに健康管理の指標として11時間のインターバル時間を設定する（1か月のうち11時間のインターバルを確保できない日が一定数を超えた場合は健康指導や産業医面談

---

42) みずほ情報総研「令和元年度厚生労働省委託　過労死等に関する実態把握のための労働・社会面の調査研究事業報告書」（2020年3月）。

第1編　長時間労働の是正

を行う）など、2段階のインターバル時間を設ける例もある。業務に支障が生じない範囲で最低限の休息確保を義務付けつつ、より高い水準で従業員の健康への配慮を行う制度設計となっており、参考になると思われる。

　ウ　インターバル確保の方法

　制度設計を検討するにあたって、インターバルをどのようにして確保するか、とくにインターバルが翌日の始業時刻を越える場合に、労働時間および賃金の取扱いをどうするかという点が論点となる。主な対応として以下の3パターンが考えられる。

①　始業時刻・終業時刻をともに繰り下げる方法
②　始業時刻のみを繰り下げる方法
③　フレックスタイム制との併用

①は、インターバルが翌日の始業時刻を超える頻度が低い場合は問題ないが、慢性的な長時間労働が行われているケースでは、始業時刻に合わせて終業時刻が繰り下げられることで、さらに翌日以降の始業・終業時刻が繰り下げられて就業時間が深夜にずれ込み、業務上の支障や生活リズムの乱れが生じることが懸念される。

②は、始業時刻は繰り下げられるが終業時刻はそのままであるため、その日の就業時間は短縮され、その分の賃金をどう取り扱うかという問題が生じる。ノーワーク・ノーペイ原則により、短縮された時間については賃金を支払わないこととすることも可能と考えられるが、労働者の強い反対が予想され、あまり現実的ではないと思われる。短縮された時間を勤務したものとみなして賃金を支払うこととする例もあるが、その場合は、必要性の乏しいだらだら残業を誘発するリスクもあるため、申請により残業の必要性を厳格に確認するなどの管理が重要となると考えられる。

③フレックスタイム制（労基32条の3）は、3か月以内の一定の期間の総労働時間を定めておき、労働者はその総労働時間の範囲で各労働日の労働時間を自分で決めることができる制度である。コアタイム（必ず勤務しなければならない時間）が設けられていない場合は、労働

者は、所定のインターバルを確保しつつ、自らの判断で始業・終業時刻を調整でき、賃金についても一定期間のなかで清算すれば足りるため、前記①②のような問題は生じない。コアタイムが定められているフレックスタイム制において、インターバルを置いた結果、翌日の業務開始時刻がコアタイム開始時刻を超えた場合には、コアタイムの終了時刻を繰り下げるか、または、コアタイムの開始時刻からインターバルにより繰り下げられた業務開始時刻までの間は、会社が就業義務の一部を免除したものと解して、清算期間における総実労働時間の算定において当該時間分は勤務がなされたものとして取り扱うことが考えられる。

　エ　その他

　不測の事態が発生し緊急対応を行わなければならない場合等において、インターバルの適用を除外する例外規定を設けることも考えられる。ただし、例外が頻繁に適用されると制度を設ける意味がなくなるため、回数制限、例外適用連続日数の制限、例外を適用する場合の社内手続（所属長の決裁等）、例外を適用した場合の健康配慮措置等についても併せて検討し、定めることが望ましい。

　また、インターバルを遵守できなかった場合の措置については、就業規則でインターバルの確保を義務付けたとしても、懲戒処分等のペナルティを設ける例は少ないと思われる。導入事例では、インターバルの確保ができていない日が一定の回数になった場合は個別に健康指導を実施したり、一定期間改善がみられない場合に報告書の提出を求めるなどの対応を行っている例がみられる。

　さらに、実務上問題となるのが、インターバルの管理方法であるが、勤務間インターバル制度を導入し適切に運用するためには、少なくとも、リアルタイムで正確な始業時間・就業時間とインターバルの遵守状況を把握することが必要である。勤怠システム等を活用し、正確な労働時間の把握を行うことが制度導入の前提となる。また、勤務間インターバル制度は、最低限の休息時間を確保するものであって、長時間労働の削減に直接貢献するものではなく、11時間のインターバ

第1編　長時間労働の是正

図表1-1-3　メンタルヘルスケアの具体的進め方

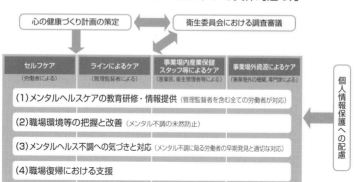

出典：厚労省リーフレット「職場におけるこころの健康づくり～労働者の心の健康の保持増進のための指針」8頁。

ルを設けたとしても、その限度まで働くことが常態化している場合は、時間外労働が月80時間（場合によっては月100時間）を超える可能性がある。運用にあたっては、このようなインターバルの限度ぎりぎりまでの長時間労働が常態化することにならないように注意が必要である。

3　メンタルヘルスケア対策

近年、精神障害に関する労災請求・認定件数は増加傾向にあり、仕事や職業生活に関して強いストレスを感じている労働者は約6割に上ることから[43]、職場におけるメンタルヘルス対策の重要性が高まっている。厚労省の「労働者の心の健康の保持増進のための指針」[44]（以下、「メンタルヘルス指針」という）において、事業場において事業者が講ずるように努めるべき労働者の心の健康保持増進のための措置（以下、「メンタルヘルスケア」という）の原則的な実施方法が定められ

---

43)　厚労省「平成30年『労働安全衛生調査（実態調査）』の概況」18頁。
44)　平成18年3月31日健康保持増進のための指針公示第3号、改正平成27年11月30日健康保持増進のための指針公示第6号。

ており、事業者は、メンタルヘルス指針に基づき、各事業場の実態に即したかたちで、ストレスチェック制度を含めたメンタルヘルスケアの実施に積極的に取り組むことが望ましいとされている。

　メンタルヘルス指針では、事業者は、自らが事業場におけるメンタルヘルスケアを積極的に推進することを表明するとともに、衛生委員会または安全衛生委員会において十分調査審議を行い、メンタルヘルスケアに関する事業場の現状とその問題点を明確にするとともに、その問題点を解決する具体的な実施事項等についての基本的な計画（いわゆる「心の健康づくり計画」）を策定し、実施することが推奨されている。また、その実施にあたっては、①ストレスチェック制度の活用や職場環境等の改善を通じて、メンタルヘルス不調を未然に防止する「1次予防」、②メンタルヘルス不調を早期に発見し、適切な措置を行う「2次予防」、および③メンタルヘルス不調となった労働者の職場復帰支援等を行う「3次予防」が円滑に行われる必要があり、これらの取組みにおいては、「セルフケア」、「ラインによるケア」、「事業場内産業保健スタッフ等によるケア」および「事業場外資源によるケア」の4つのケアが継続的かつ計画的に行われることが重要とされている。事業主がとるべき具体的な対策としては、「セルフケア」や「ラインによるケア」に関する教育研修・情報提供、相談体制の整備等が挙げられており、また、個人情報の保護への配慮や、メンタルヘルス情報を理由とした不利益取扱いの防止に関する事項も定められている。

　なお、同指針は、事業主の「労働者の健康の保持増進を図るため必要な措置」を講ずる努力義務（労安69条）の指針として、同法70条の2に基づいて定められたものであるため、同指針に沿った対応についても努力義務の範囲と考えられる（ただし、ストレスチェックについては、労働安全衛生法66条の10により、常時50名以上の労働者を雇用する事業場において実施が義務付けられている）。もっとも、メンタルヘルスケアは過労死等対策として重要であり、また、過労死等に至らないメンタルヘルス不調が業務に与える影響等も踏まえ、積極的な対応を行

うことが望ましいと考えられる。

VI　まとめ

　過労死等は、過重労働により労働者のかけがえのない健康や命が失われるものであって、ひとたび発生すると取返しがつかない。過重労働を防止し、過労死等を発生させないことが何よりも重要である。近年、求職者や若手労働者が就労先を選択する場面において、労働者の健康に配慮した職場環境であるかどうかに高い関心が寄せられており、長期的には、過重労働への対策ができない企業は、少子高齢化による人材獲得競争が激化するなかで、人材の確保・維持が困難になっていくのではないかと思われる。

　過労死等の問題は、四半世紀以上もの間、日本における重大な社会問題として認識され、数々の施策も打ち出されていながら、いまだに撲滅には至っていない。これは、企業経営者も労働者自身も、「過重労働により過労死等が起きる」という事実を一般論としては理解しながら、どこかで「自分の会社は／自分は大丈夫ではないか」という認識が捨て切れていないのではないかと思われる（実際は、「大丈夫ではない」ことを自覚しながらも、目の前の業務から逃れられずに無理をしてしまうことが多いのだろう）。しかし、もともと身体が丈夫で健康な人でも、無理を重ねて突然死に至るようなケースも多いように、いつどこで誰の身に起きても不思議ではないのが過労死等である。経営者も労働者自身も「命より大事な仕事はない」ということをあらためて認識し、過重労働対策に真剣に取り組まなければならない。1日も早く、すべての人が健康で安心して働ける「過労死等ゼロ」の社会が実現することを願ってやまない。

第 2 章　時間外労働の上限規制

I　時間外労働の上限規制が導入されることとなった経緯

1　日本における長時間労働の現状

　長時間労働の是正は、過労死等の防止・健康確保だけでなく、生産性の向上や、ワークライフバランスを改善し女性や高齢者を含む多様なタイプの労働者の労働市場への参加を促す観点からも、日本の「働き方」における喫緊の課題とされている。そのため、働き方改革実行計画においても、同一労働同一賃金と並ぶ大きな柱として、長時間労働の是正が掲げられ、2018年6月に成立した働き方改革法により、罰則付きの時間外労働上限規制が設けられることとなった。

　国際的に見ると、日本の労働者の年平均労働時間は、欧州諸国よりは高水準であるものの突出して長時間となっているものではないが、週49時間以上働いている労働者の割合が高く、とくに男性においてその割合が高い（図表1-2-1・図表1-2-2）。

　図表1-2-1にも示されるとおり、日本の労働者1人当たりの労働時間だけを見ると、極端な長時間労働とはなっておらず、むしろ近年緩やかに減少しているが、これはパートタイム労働者の割合の増加によるものと考えられ、正規雇用労働者の年間総実労働時間は2000時間前後で高止まりの状況が続いている。さらに、厚労省が2015年12月から2016年1月にかけて行ったアンケート調査によれば、1年間のうち1か月間の時間外労働時間が最も長かった正規雇用従業員の月間時間外労働時間がいわゆる「過労死ライン」である80時間を超える企業は全体で22.7％となっている[1]。また、時間外労働が発生する理由につい

第1編　長時間労働の是正

図表1-2-1　諸外国における年平均労働時間の推移

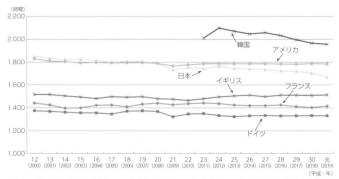

（注）　年平均労働時間は、各国雇用者一人当たりの年間労働時間を示す。
出典：厚労省「令和2年度版過労死等防止対策白書」17頁。

図表1-2-2　諸外国における「週労働時間が49時間以上の者」の割合（2015年）

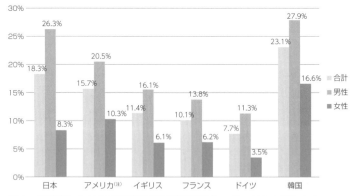

（注）　2015年における週労働時間が49時間以上の者の割合を示したもの。
出典：厚労省「令和2年度版過労死等防止対策白書」18頁。

ては、「顧客（消費者）からの不規則な要望に対応する必要があるため」、「業務量が多いため」、「仕事の繁閑の差が大きいため」、「人員が

1）　業種別に見ると、多い順に、「情報通信業」で44.4％、「学術研究、専門・技術サービス業」で40.5％、「運輸業、郵便業」で38.4％、「複合サービス業」で34.1％、「建設業」で30.8％、「不動産業、物品賃貸業」で30.3％となっている。

不足しているため」を挙げる企業が多い。

　このように、日本においては、業種や就業形態等によって労働者の労働時間に偏りが生じ、決して少なくない数の労働者において、過労死等につながりうる長時間労働が発生しているものと考えられる。このような状況を踏まえ、労働時間については、平均的な労働者ではなく、とくに長時間就労する労働者に着目して、その労働時間の短縮や年次有給休暇の取得を促進するための対策が必要であることが指摘されている。

2　長時間労働が生産性に与える影響

　慢性的な長時間労働は、疲労や心身の健康リスクを高めるだけでなく、睡眠不足による注意力や作業能率の低下につながり、事故やヒューマンエラーの危険性を高める可能性もある。長時間労働が心身の健康に与える影響については、**本編第1章Ⅱ1**のとおりであるが、長時間労働と生産性に関しては、健康成人を対象にした研究では、人間が十分に覚醒して作業を行うことが可能なのは起床後12～13時間が限界であり、起床後15時間以上では酒気帯び運転と同じ程度の作業能率、起床後17時間を過ぎると飲酒運転と同じ作業能率まで低下することが示されている[2]。忙しい職場では、睡眠時間を削って働かざるをえない労働者や、そのような働き方が評価される風潮も残っていると思われるが、長期的に見れば、睡眠不足やメンタルヘルス不調等により作業能率が低下し、事故等のリスクが高まることに加え、過労死等が発生した場合の会社の経済的・社会的ダメージは非常に大きく、生産的な働き方とはいえない。

　一方、多くの研究において、企業が長時間労働の是正や柔軟な働き方の導入等のワークライフバランスの取組みを進めると、①労働者のモチベーションが向上する、②優秀な人材が集まりやすくなる、③就業継続により採用コストや初任者への教育コストが低下する、④業務

---

2)　厚労省「健康づくりのための睡眠指針2014」43頁、同指針の正誤表。

の効率化への工夫や業務分担の見直しが行われることなどを通じて、生産性の向上につながることが報告されている[3]。また、長時間労働を是正し労働者の自由時間を増やすことで、自己啓発の機会が拡大し、労働者の能力向上につながる可能性もあると考えられている。

3　従前の労働時間規制の問題点と法改正

(1)　従前の労働時間規制の問題点

　従前の労働基準法による労働時間規制でも、労働者に法定労働時間を超える時間外労働をさせるためには、三六協定の締結および届出が必要であり、三六協定で定める時間を超えて労働させた場合は、労働基準法32条違反として罰則の適用があった。また、三六協定によって延長することができる労働時間は、「労働基準法第36条第1項の協定で定める労働時間の延長の限度等に関する基準」(平成10年12月28日労働省告示第154号。以下、「限度基準」という)で定められており、三六協定が限度基準に適合したものになるようにすることが要請され(労基36条3項)、行政官庁は限度基準に関して必要な助言および指導を行うことができるとされていた(同条4項)。しかし、限度基準は労使協定に対して強行的な基準を設定するものではなく、限度基準を超える上限を定める三六協定も無効にはならないと解されていた。さらに、三六協定において、「特別の事情」があるときは、一定の期間につき限度時間を超える時間外労働をさせられる旨の条項(以下、「特別条項」という)を定めることで、限度時間を超える時間外労働が許容されており(限度基準3条ただし書)、特別条項に基づき限度時間を超えて延長できる時間外労働について、とくに上限が定められていないため、時間外労働に対する規制が不十分ではないかという指摘がなされていた。

---

[3]　内閣府「平成29年度年次経済財政報告——技術革新と働き方改革がもたらす新たな成長」114頁。

(2) 働き方改革実現会議における議論と法改正

　働き方改革実現会議では、当初、長時間労働の是正によりワークライフバランスを改善し、女性や高齢者の労働参加率の向上を図るとともに、労働の質を高め労働生産性を向上させるという観点から、長時間労働の是正について議論がなされていたが、働き方改革実現会議が開催されるさなか、若手労働者の過労死・過労自死が相次いで報道され、過労死等への社会的関心が大きく高まったことを受け、過労死等の防止や労働者が健康に働くための環境整備という観点からも議論されるようになった。そして、長時間労働の是正を強く求める世論の流れも後押しとなり、時間外労働の上限規制の導入について、労使合意が成立し、法改正が実現された。現行の労働基準法では、限度基準で定められていた時間外労働の原則的な上限を法律に格上げすることで、これに違反する三六協定を無効とする強行的効力をもたせるとともに、三六協定の特別条項によっても上回ることのできない労働時間の絶対的な上限が設けられることとなり、2019年4月1日より（中小事業主については、2020年4月1日より）施行された。

Ⅱ　時間外労働の上限規制の内容

1　三六協定の記載事項

　改正後の労働基準法においても、使用者と過半数労働組合または過半数代表者との書面による協定（三六協定）の締結・届出により、三六協定に定められた範囲で時間外労働および休日労働が可能になるという基本的な枠組みに変わりはない（労基36条）。三六協定に記載すべき事項は、以前は労働基準法施行規則に定められていたが（労基則16条）、現行の労働基準法では、36条2項に列挙されている。具体的には、以下のとおりである。

> ①　労働時間を延長し、または休日に労働させることができることとされる労働者の範囲

② 対象期間[4]
③ 労働時間を延長し、または休日に労働させることができる場合
④ 対象期間における1日、1か月および1年のそれぞれの期間について労働時間を延長して労働させることができる時間または労働させることができる休日の日数
⑤ 労働時間の延長および休日労働を適正なものとするために必要な事項として厚生労働省令で定める事項

　前記⑤については、労働基準法施行規則において、三六協定の有効期間や時間外労働および休日労働の上限に係る要件（労基36条6項2号・3号）を満たすこと、また、特別条項付き三六協定を締結する場合は、限度時間（月45時間、年360時間）を超えて労働させることができる具体的事由やその場合の割増賃金率・手続に加え、限度時間を超えて労働する労働者に対する健康福祉確保措置等が定められている（労基則17条1項。健康福祉確保措置の内容についてはⅡ2(2)の指針参照）。

2　労働基準法における上限規制の内容

(1)　時間外労働の上限規制の一般則

　現行の労働基準法に定められている時間外労働および休日労働の上限は以下のとおりである。

ア　原則的な限度時間（労基36条3項・4項）

・三六協定により労働時間を延長して労働させることができる時間は、当該事業場の業務量、時間外労働の動向その他の事情を考慮して通常予見される時間外労働の範囲内において、限度時間を超えない時間に限る。
・上記の限度時間は、月45時間、年360時間（1年単位の変形労働時間制において3か月を超える期間を対象期間と定めて労働させる場合には、月42時間、年320時間）とする。

---

[4] 労働基準法36条により労働時間を延長し、または休日に労働させることができる期間をいい、1年間に限るものとされている。

イ　特別条項を定める場合の限度（労基36条5項）

・当該事業場における通常予見することのできない業務量の大幅な増加等に伴い臨時的にアの限度時間を超えて労働させる必要がある場合、次の限度において、延長して労働させる時間を定めることができる。
① 　1か月について時間外労働および休日労働は100時間未満の範囲に限る。
② 　1年間の時間外労働は720時間を超えない範囲に限る。
③ 　1か月の時間外労働時間が45時間を超える月は、1年に6か月以内に限る。

ウ　三六協定による時間外労働および休日労働の上限（労基36条6項）

・三六協定により労働時間を延長し、または休日に労働させる場合であっても、次の要件を満たす必要がある。
① 　坑内労働等の健康上とくに有害な業務については、1日の時間外労働が2時間を超えないこと[5]。
② 　1か月について時間外労働および休日労働が100時間未満であること。
③ 　直近2か月〜6か月のそれぞれの期間における時間外労働および休日労働の平均が月80時間を超えないこと。

　なお、前記イ（労基36条5項）と前記ウ（同条6項）には一部重なる内容が含まれているが、前記イは三六協定に定める内容に関する規制であるのに対し、前記ウは三六協定に基づく運用に関する規制と整理できる。すなわち、三六協定を締結し労働基準監督署に届け出る場面では、三六協定の特別条項の内容が労働基準法36条5項に定める限度に適合しているかが問題となるのに対し、三六協定により時間外労働および休日労働をさせる場面においては、特別条項を適用する場合を含め、対象労働者の時間外労働および休日労働の時間数が同条6項各号に定める範囲内となっているかが問題となると考えられる。

---

5)　改正前の労働基準法36条1項ただし書と同じ内容である。

(2) 三六協定で定める時間外労働・休日労働について留意すべき事項等

三六協定を締結するに当たって留意すべき事項等については、労働基準法36条7項に基づき、「労働基準法第36条第1項の協定で定める労働時間の延長及び休日の労働について留意すべき事項等に関する指針」[6] が定められている。具体的には、以下の事項等に留意すべきこととされている。

---

① 時間外労働・休日労働は必要最小限にとどめること（同指針2条）
② 使用者は三六協定の範囲内であっても労働者に対する安全配慮義務を負うこと（同指針3条）
③ 時間外労働・休日労働を行う業務の区分を細分化し、業務の範囲を明確化すること（同指針4条）
④ 臨時的な特別の事情がなければ限度時間（月45時間、年360時間）を超えることはできず、その事由はできる限り具体的に定めなければならない（「業務の都合上必要な時」「業務上やむを得ないとき」など恒常的な長時間労働を招くおそれのあるものは認められない）こと（同指針5条）
⑤ 1か月未満の期間で労働する労働者の時間外労働は、目安時間[7]を超えないよう努めること（同指針6条）
⑥ 休日労働の日数・時間数をできる限り少なくするよう努めること（同指針7条）
⑦ 限度時間を超えて労働する労働者の健康福祉確保措置については、指針で定める一定の措置[8]の中から協定することが望ましいこと（同指針8条）
⑧ 限度時間が適用除外・猶予されている事業・業務についても、限度時間を勘案し、健康福祉を確保するよう努めること（同指針9条、附則3条）

---

6) 平成30年9月7日厚労省告示第323号。なお、平成30年9月7日基発0907第1号「働き方改革を推進するための関係法律の整備に関する法律による改正後の労働基準法の施行について」も参照。
7) 1週間：15時間、2週間：27時間、4週間：43時間。
8) 医師による面接指導、深夜業の回数制限、勤務間インターバル、代償休日・特別な休暇の付与、健康診断、連続休暇の取得、心とからだの相談窓口の設置、配置転換、産業医等による助言・指導や保険指導が、健康福祉確保措置として挙げられている。

なお、前記(1)イ②および③では、三六協定の特別条項により延長することのできる時間外労働は年720時間を超えることができず、かつ、月45時間超の時間外労働は1年に6回までとされているが、これらの時間数には休日労働時間数は含まれていないため、理論上、時間外労働時間数と休日労働時間数の合計は最大で年960時間（休日労働を含め月平均80時間×12か月）となることが可能である。しかし、月平均80時間という基準は、脳・心臓疾患に係る労災認定基準において業務と発症との関連性が強いと評価される「過労死ライン」にあたるものであり、労働者の健康およびワークライフバランスの確保の観点からは、このような長時間労働が常態化することは望ましくない。前記の指針も踏まえ、特別条項付き三六協定によって労働時間を延長する場合であっても、可能な限り限度時間の範囲にとどめる運用とすることが望ましいと考えられる。

(3) 罰則

労働基準法36条6項各号で定められた時間外労働および休日労働の上限［→(1)ウ］を超えて労働させた場合は、罰則が適用される（労基119条）[9]。

なお、当該上限の範囲内ではあるが、三六協定において定められた時間を超えて労働させた場合は、従前どおり、労働基準法32条違反として罰則が適用される。他方、三六協定において定められた上限は遵守していても、前記(1)ウの要件を満たさない場合（たとえば、三六協定の特別条項の上限が、休日労働を含み90時間と定められている場合において、対象労働者の時間外労働および休日労働が2か月連続で80時間を超えた場合など）は、労働基準法36条6項違反として罰則の適用対象となるため、留意が必要である。

3　適用除外・猶予等

図表1-2-3の事業・業務については、その業務の特殊性から、従

---

9) 従前の三六協定違反の場合（労基32条・119条）と同様、6か月以下の懲役または30万円以下の罰金が科される。

前の限度基準においても適用除外とされていたことを踏まえ、現行の労働基準法においても時間外労働の上限規制の適用を除外または猶予することとされている。

Ⅲ 上限規制への対応における実務上の留意点

1 労働時間の適正把握

　労働基準法36条のもとでは、前記Ⅱ2のとおり、時間外労働時間数と休日労働時間数の合計を把握し、1か月や年間の上限だけでなく、直近2か月から6か月までのいずれの期間においても月平均80時間を超えていないかを確認しなければならないこととなる。前月までの労働時間の状況によっては、1か月の途中で上限規制に抵触することとなる可能性もあることから、リアルタイムで正確な労働時間を把握し、上限を超えないように管理を行うことが必要となると考えられる。

　労働時間の把握については、2017年1月20日に策定された「労働時間の適正な把握のために使用者が講ずべき措置に関するガイドライン」(以下、「新ガイドライン」という)に従い、原則として、使用者が自ら現認することにより確認するか、または、タイムカード、ICカード、パソコンの使用時間の記録等の客観的な記録を基礎として確認し、適正に記録することが求められている。やむをえず自己申告制とする場合も、対象労働者や労働時間を管理する者に対し自己申告制の適正な運用等について十分な説明を行ったうえで、自己申告により把握した労働時間が実際の労働時間と合致しているか否かについて、必要に応じて実態調査を実施し、所要の労働時間の補正を行わなければならないこととされている。とくに、入退場記録やパソコンの使用記録等で在社時間(事業場内にいた時間)がわかる場合は、自己申告により把握した時間と在社時間との間に著しい乖離が生じていないかを確認し、実態に応じて補正を行うことが求められる。

　なお、働き方改革法により、医師の面接指導等の実効性確保のための労働時間把握義務が新設され(労安66条の8の3)、管理監督者を含

第2章　時間外労働の上限規制

図表1-2-3　適用除外・猶予の事業等

事業・業務	適用除外・猶予の内容
新技術・新商品等の研究開発業務（労基36条11項）	医師の面接指導*、代替休暇の付与等の健康確保措置を設けたうえで、時間外労働の上限規制（労基36条3項～5項・6項2号・3号）を適用しない。
建設事業（労基附則139条）	改正法施行5年後（2024年4月1日。以下同じ）に、一般則を適用する。 ただし、災害時における復旧・復興の事業については、当分の間、1か月100時間未満・複数月平均80時間以内の要件は適用しない（将来的な一般則の適用について引き続き検討する〔働き方改革法附則12条2項〕）。
自動車運転の業務（労基附則140条）	改正法施行5年後に、上限規制を適用するが、当分の間、上限時間を年960時間以内とし、1か月100時間未満・複数月平均80時間以内の要件および1か月45時間を超える月数の制限は適用しない（将来的な一般則の適用について引き続き検討する〔働き方改革法附則12条2項〕）。
医師（労基附則141条）	改正法施行5年後に、上限規制を適用するが、具体的な上限時間等は省令で定める（医療界の参加による検討の場において、規制の具体的なあり方、労働時間の短縮策等について検討し、結論を得る）。
鹿児島県および沖縄県における砂糖製造業（労基附則142条）	改正法施行5年間は、1か月100時間未満・複数月平均80時間以内の要件は適用しない（改正法施行5年後に、一般則を適用する）。

＊　新技術・新商品等の研究開発業務に従事する労働者については、事業主は、本人の申出の有無にかかわらず、週40時間を超える労働が月100時間を超えた者に対して、医師による面接指導を受けさせなければならない（労安66条の8の2、労安則52条の7の2）。

むすべての労働者について、厚労省令で定める「客観的な方法その他適切な方法」による労働時間把握が義務付けられることとなった［→本編第1章Ⅲ4(2)オ］。理論上は労働基準法上の労働時間の把握とは別の制度であるが、労働時間把握の具体的な方法については新ガイドラインを参考に明確化されることとなっているため、運用上は重なる部分が多いと思われる。

また、労働時間の適正把握の前提として、何が「労働時間」に該当するのかを明らかにすることも重要と考えられる。この点について、新ガイドラインでは、「労働時間とは、使用者の指揮命令下に置かれている時間のことをいい、使用者の明示又は黙示の指示により労働者が業務に従事する時間は労働時間に当たる」としたうえで、①業務に必要な準備行為（着用を義務付けられた所定の服装への着替え等）や業務終了後の業務に関連した後始末（清掃等）、②いわゆる手待時間、および③参加が義務付けられている研修・教育訓練、使用者の指示による業務に必要な学習等は労働時間として扱わなければならないことが示されている。把握の対象となる労働時間が正確に認識できるように、労働者や労働時間の管理を行う者に対し、労働時間の考え方や具体例を周知することが望ましいと考えられる。

2　賃金請求権に係る消滅時効期間等の延長

時間外労働や休日労働に関連する点として、賃金請求権に関して、令和2年3月31日付けで労働基準法の一部を改正する法律（令和2年法律第13号。以下、「令和2年改正労基」という）が公布された。かかる令和2年改正労基は、先般の民法の一部を改正する法律（平成29年法律第44号。以下、「平成29年改正民法」という）の公布および施行により使用人の給料に係る短期消滅時効（1年間）が廃止されたこと等を踏まえ、これと整合性を保つ形で、労基法上の賃金請求権についても消滅時効期間の延長等を行ったものである。すなわち、令和2年改正労基では、賃金請求権の消滅時効について、平成29年改正民法と同様、5年に延長することとされ、また、その起算点が（客観的起算点として）賃金支払日となることが明確化された。ただし、退職金の請求権およびその他の請求権については、従来の消滅時効期間（退職金の請求権については5年、その他の請求権については2年）が維持されている。また、5年に延長された賃金請求権の消滅時効についても、経過措置として、同改正法の施行日である令和3年4月以降、当分の間、3年間とされている（令和2年改正労基143条3項および同附則2条2項）。

3　時間外労働等の削減に向けた取組みに関する問題

(1)　時間外労働等の削減のための実務上の施策

　時間外労働の上限規制が導入されたことに伴い、当該規制を遵守するために、労働者や労働時間を管理する者に対し、時間外労働や休日労働を削減する圧力が強く働くことが予想される。労働者の業務量が変わらない状況において単に残業を認めない（または一定時間に残業を制限する）といった運用とした結果、上限規制を形式的に遵守するためにサービス残業や持帰り残業が発生してしまっては本末転倒である。そのため、実務上は、サービス残業等に対する注意喚起と客観的な記録に基づく正確な労働時間の把握を徹底し、業務量の調整や人員配置等の見直等を行ったうえで、時間外労働や休日労働の削減を図る必要があると思われる。

　時間外労働や休日労働の削減を図るための施策としては、労働者各人の業務効率化の意識を高めるとともに、会社全体で事務フローを見直して簡素化するなど業務の効率化を積極的に推し進め、定時退社することへのネガティブな印象を払拭し、「帰りにくい雰囲気」を改善すること等を目的として、例えば、特定の曜日や日に残業を行わないことを推奨する、いわゆる「ノー残業デー」を設定することや、事業場の一斉消灯を行うといった対策が実務上行われている。

　また、労働者の人事評価の項目として、労働時間を重視するのではなく、労働の質を重視することとし、時間外労働を抑制しながら一定の質を保った労働を行った場合を評価の対象とする等、人事施策を通じて労働者に業務効率化の意識を高めることも、時間外労働等の削減につながりうる施策として考えられる。

　さらに、労働者の従事する業務内容ごとに1日の繁忙の時間帯が異なるような場合には、フレックスタイム制度[10]（労基32条の3）をは

---

[10]　一定の期間についてあらかじめ定められた総労働時間の範囲内で、労働者が日々の始業・終業時刻、労働時間を自ら決めることができる制度。

じめとする変形時間労働制を導入することや、通常の労働時間制度を維持することを前提に、数パターンの選択的な就業時間を提供し（例えば、①8:00-16:00、②9:00-17:00、③10:00-18:00といった3パターンの選択的な就業時間を提供する）、いずれのパターンの就業時間を採用するかは各労働者の判断に委ねる制度を導入すること等を通じて、各労働者の業務内容に従った柔軟な労働時間制度を提供することも考えられる。

以上のほか、AI等の最新技術を使った業務の効率化、重要でない業務に対する積極的な外注、過剰なサービスや会議・資料等の見直し等により、残業の必要性自体を再検討し、長時間労働を是正していくことも有効と考えられる。

(2) 残業代の減少への対応

時間外労働等の削減に取り組む際の事実上の問題として、残業代を含めて生計を維持している労働者が、時間外労働等の削減に対し抵抗を示すことがある。従前よりも時間外労働等を制限することで労働者に支払われる残業代が減少したとしても、原則として使用者において差額分を補てんしたり緩和措置を設ける法的義務はないが、労働者の意欲を削ぐこととならないよう、時間外労働等の削減により減少した労務費の全部または一部を原資として、昇給や一時金の支給、福利厚生等により労働者に還元することが考えられ、任意にこのような措置を行う例もある。

また、従前の時間外労働・休日労働の実態を踏まえて、一定の時間外労働等に対する割増賃金相当額を基本給に含めるか、または別途の手当として支給する固定残業代を導入することで、当該固定残業代の範囲内においては、労働時間の長短にかかわらず給与水準が維持されることとなるため、労働者に対し一定時間内で効率的に働くインセンティブを与える効果もあると考えられる。ただし、固定残業代を導入する場合は、①一定額または一定時間分の割増賃金相当額を固定残業代として支払うこと（基本給に組み込んで支給する場合はその旨）を就業規則等において明示するなどの方法により、通常の労働時間に対応

する賃金部分と割増賃金部分とが明確に区分できるようにしたうえで、②実際の労働時間に基づき計算した割増賃金額が固定残業代を超える場合は、その差額を別途支払う必要がある[11]。また、固定残業代相当分を超える時間外労働等を一律に認めない運用とするなど、固定残業代の導入により労働者の労働時間の適正な申告を妨げることとならないよう留意が必要である。

4 上限規制が適用されない労働者等への配慮

現行の労働基準法が施行された後においても、管理監督者を含む労働基準法41条各号に定められた労働者については、労働時間、休憩および休日に関する規定の適用が除外され、上限規制は適用されない。業務量がとくに多い職場や繁忙期等においては、一般従業員について上限規制を遵守するために、管理監督者に業務が集中し、長時間労働を余儀なくされることも懸念される。管理監督者についても、前記Ⅲ1のとおり「客観的な方法その他適切な方法」による労働時間把握が義務付けられることを踏まえ、健康管理の観点から労働時間を把握したうえで、医師による面接指導や[12]、勤務間インターバル制度［→本編第1章V2］その他の健康確保措置を行うことが望ましいと考えられる。

なお、労働基準法41条2号の「監督若しくは管理の地位にある者」に該当するためには、①事業主の経営に関する決定に参画し、労務管理に関する指揮監督権限を認められていること、②自己の出退勤をはじめとする労働時間について裁量権を有していること、および③一般

---

[11] 最判平29・7・7労判1168号49頁（医療法人社団Y事件）等、平成29年7月31日基発0731第27号「時間外労働等に対する割増賃金の解釈について」。

[12] 労政審の2015年2月13日付け「今後の労働時間法制等の在り方について（建議）」では、管理監督者に対する面接指導制の運用について、自らが要件に該当すると判断し申し出た場合に面接指導を実施することとしている現行の取扱いを、客観的な方法により把握した在社時間等に基づいて要件の該当の有無を判断し、面接指導を行うものとすることを通達に記載することが適当との指摘がなされている。

の従業員に比しその地位と権限にふさわしい賃金上の処遇を与えられていることが要件とされている[13]。実務では、十分な権限や労働時間に関する裁量権が与えられていないにもかかわらず、一定の職位以上の者を労働基準法上の管理監督者として扱っている例も散見されるが、前記の要件を満たさない者が上限規制を超過する長時間労働を恒常的に行っているような場合には、労働基準法41条の適用が認められず、労働基準法36条6項違反により摘発される可能性も否定できないと考えられる。このような実態のある会社においては、管理監督者として扱う者の範囲やその労働時間管理についても見直しを行うことが望ましいと考えられる。

　また、上限規制が導入されると、自社の労働者の労働時間を抑制するために、下請業者やフリーランスに対する発注が増えることも予想される。働き方改革実行計画においても、取引関係の弱い中小企業等については、発注企業からの短納期要請や、顧客からの要求に応えようとして長時間労働になりがちであり、商慣習の見直しや取引条件の適正化が必要であることが指摘されている。かかる発注を行うに際しては、下請業者等に過度の負担がかからないよう配慮することも必要であろう［フリーランスの保護については、**→第2編第5章**］。

5　災害等による臨時の必要がある場合の時間外労働

　従前より、災害その他避けることのできない事由によって臨時の必要がある場合には、三六協定によらず、労働基準監督署長の許可を受けて（事態急迫の場合は事後の届出も可能）、労働者に必要限度の時間外労働をさせることができることとされており（労基33条1項）、現行の労働基準法が施行された後もこの措置は維持されている。もっとも、同条は、災害、緊急、不可抗力その他客観的に避けることのできない場合の規定であるため厳格に運用すべきとされており、急病、ボイラーの破裂等人命または公益を保護するためのものまたは事業の運

---

13)　菅野和夫『労働法〔第12版〕』（弘文堂、2019）491頁。

営を不可能ならしめるような突発的な機械の故障の修理は認められるが、業務の繁忙その他経営上の通常予見される必要は含まれないとの基準が示されている[14]。

これについては、働き方改革実行計画において、サーバーへの攻撃によるシステムダウンへの対応や大規模なリコールへの対応等も解釈上含まれうることを明確化すべきことが示されている。従前の行政解釈においても、自然災害以外の事由も同条の対象となることが示されてはいたが、実際にはあまり利用されていない状況であった。今後は、震災等によるサプライチェーンの維持、復旧のための業務といった自然災害による事由だけでなく、リコールや不祥事対応等により、臨時的に三六協定や労働基準法36条6項で定められた上限を超えるような時間外労働が不可避となる場合にも、労働基準法33条の活用を検討することが考えられる。

Ⅳ　まとめ

　近年、違法な長時間労働に対する取締りが強化されており、時間外労働の上限規制が導入されたことに伴い、さらに監督が強化されることが予想される。上限規制の内容は、従前の限度基準の内容とかけ離れたものではなく、単月100時間、複数月平均80時間という上限についても、過労死等防止の観点から避けるべき水準として認識されてきたものである。すでにこれを下回る水準で運用できている企業も多いと考えられるが、長時間労働を前提とした業務体制となっていたり、特定の部署や労働者に業務が集中して、恒常的に上限を超える時間外労働が発生している企業においては、早急に時間外労働の削減に向けた取組みを行う必要がある。

　長時間労働の問題は、当該労働者の健康確保だけでなく、その家族

---

14)　昭和22年9月13日発基第17号、昭和26年10月11日基発第696号および令和元年6月7日基発0607号第1号。

の生活にも大きく影響するものであり、女性の活躍推進、育児・介護・病気治療と仕事の両立、高齢者雇用、少子化対策といった、日本社会が直面しているさまざまな課題の根底にあるものと考えられる。一方、生産年齢人口が減少するなかで上限規制により労働時間が減少すると競争力が弱まるとの批判的な議論もあるが、長時間労働により従業員が疲弊した状況では、新しいものを生み出す力も弱まってしまうだろう。急速に進む時代の変化に対応し、企業の持続的な成長を確保するためにも、長時間労働を是正しつつ、生産性と従業員1人ひとりの意欲を高めていく取組みが必要となる。働いた時間ではなく成果やそれを支えるスキルで評価する仕組み作り・運用と、多様な価値観・ニーズに対応した柔軟な働き方の実現により、長時間労働の是正と生産性・意欲の向上を両立させ、企業と働く人のよりよい関係を築いていくことが「働き方改革」として求められているものと考えられる。

第 3 章　高度プロフェッショナル制度

I　はじめに

　高度プロフェッショナル制度（以下、「高プロ制」という）は[1]、労使委員会の 5 分の 4 以上の多数決で所定の事項につき決議したときは、対象業務に従事する労働者につき、労働時間規制（労働時間、休憩、休日、深夜を含む割増賃金の支払に関する規制。以下同）を適用しない制度である。働き方改革法の審議で最も争点となったもので、衆議院における審議中の与野党協議の結果、いわゆる「同意の撤回」手続を盛り込む修正を加えて成立し、施行された。この結果、日本の労働法制史上、はじめて実労働時間管理の必要がない労働者が誕生した。

　高プロ制については、成果や能力で評価される自律的な新しい働き方が可能になる、という評価ができる一方で、「残業代ゼロ法案」「1 億総働かせ放題」など、過重労働による健康阻害や対象となる労働者のなし崩し的拡大を懸念し批判する意見も強い。このように評価が二分する理由は、これまで長い時間をかけて、どのような労働者が「脱時間給」制で、つまり労働時間規制の適用なしで働く労働者として適切かを議論してきたにもかかわらず、成立した高プロ制の対象となる労働者の実像が明確でないことにあるように思われる。高プロ制の対象業務は、政労使で同床異夢といった印象もあり、参議院厚生労働委員会において、「真に働く者の働きがいや自由で創造的な働き方につながる制度」として適正に運用され、「誤用や濫用によって……健康被害が引き起こされるような事態」は許されないとの附帯決議がなさ

---

　1)　正式には「特定高度専門業務・成果型労働制」（労基41条の 2 ）という。

れている(附帯決議19項[2])。

　もとより、企業活動のグローバル化が進み、少子高齢化による労働力不足が迫るなか、職務(job)に対する成果で評価する労働に対応する制度を用意しておく必要性は高く、今後、高プロ制が評価され浸透していくかどうかは、これを適切に運用できるかどうかにかかっていると思われる。

Ⅱ　なぜ高度プロフェッショナル制が必要とされたか

1　労働の高度化

　労働基準法は1911年に制定された工場法をその前身としている。そこで想定されている労働者は、働いた時間(投入した労働量)に応じた成果が見込まれる工場労働者(ブルーカラー)で、その成果も実際に労働した時間の長さに応じて高くなるから、使用者には実労働時間を管理して賃金を支払うことが求められた。

　しかし、技術革新が進んで企業が大規模化すると、研究開発、設計、運営、管理などを専担する労働者が増え、また、サービス分野の産業が発達すると、調査、分析、企画、立案などの業務も増えていった。これらの頭脳労働者(ホワイトカラー)のなかには、その性質上、自らの裁量で仕事を行う労働者も多く、そうした高度化した労働は、働いた時間と成果が比例しなくなった。このことが、労働時間の長さに応じた賃金を支払う制度(実労働時間制)とは別の制度が必要とされる背景にある[3]。

---

2)　「働き方改革を推進するための関係法律の整備に関する法律案に対する附帯決議」(2018年6月28日)で全体で47項ある。附帯決議は、政府が法律を執行するにあたっての留意事項を示したもので、法的効力はないが政治的な効果がある。

3)　理論的にいって、労働時間管理と労働時間の長さに応じた割増賃金の支払を必然的な制度と考える必要はない。「座談会・労働時間規制の現状と課題」季刊労働法227号(2009)58頁・82頁〔島田陽一発言〕。

2　従来の制度と問題点

　そこでこれに対応する制度として、1987年の労働基準法の改正では、変形労働時間制[4]、フレックスタイム制、（専門業務型）裁量労働制が[5]、さらに1998年の労働基準法改正では、企画業務型裁量労働制が新設された。

(1)　変形労働時間制、フレックスタイム制

　このうち、変形労働時間制は、一定期間を単位として、その期間内の所定労働時間を平均して法定労働時間数以内であることを条件に、特定の1日または1週の所定労働時間が法定労働時間を超過していても法定時間外労働として取り扱わなくてよい、とする制度である。また、フレックスタイム制（労基32条の3）は、一定の単位期間（清算期間）内の労働時間を平均して法定労働時間内に収まっていれば、特定の1日または1週の所定労働時間が法定労働時間を超過していても法定時間外労働として取り扱わなくてよい、とする制度であり、いずれも1日8時間1週40時間という法定労働時間制（同法32条）を変形させる制度である。

　変形労働時間制は、業務の繁閑に一定の周期性のある労働について、これに対応した柔軟な労働時間を事前に配置する場合に適しているが、自己裁量で行う労働には向かない。フレックスタイム制も、始終業時刻をずらすことで仕事と生活の調和（ワーク・ライフ・バランス）を図ることが可能になるが、実労働時間に応じた賃金を支払うことが必要という意味では、実労働時間制と変わりはなかった。また、清算期間が1か月と短く、使い勝手が悪いため利用が進まなかった[6]。

---

[4]　厳密にいえば、新設されたのは、1年単位の変形労働時間制（労基32条の4）、1週間単位の変形労働時間制（同法32条の5）であり、1か月単位の変形労働時間制（同法32条の2）は、それ以前より存在した。

[5]　事業場外労働のみなし時間制（労基38条の2）もこの改正のときに新設されているが、「事業場外で業務に従事した場合において、労働時間を算定し難いとき」に対応する制度であり、やや性格が異なるので割愛する。

[6]　働き方改革法では、清算期間を「1箇月以内」から「3箇月以内」に延長する（労基32条の3第1項2号）等の改正がなされているが割愛する。

(2) 裁量労働制

　裁量労働制は、実際にどれくらい労働したかに関係なく、一定時間を労働したものとみなす制度であり、業務の遂行について自己裁量（自由度）が大きい労働者の就労実態に適した制度といえる。

　このうち、専門業務型裁量労働制（労基38条の3）は、業務の性質上、その遂行の方法（遂行の手段や時間配分の決定等）を大幅に労働者の裁量に委ねる必要があるため、使用者が業務の遂行に関して具体的な指示をすることが困難な業務について、一定の事項（詳細は後記図表1-3-4のとおり）について労働組合または労働者の過半数代表と書面による協定をしたときは、当該業務に従事する労働者の労働時間は、実労働時間に関係なく、協定で定めたみなし労働時間とする制度である。対象となる業務は、濫用防止のために労働基準法施行規則や告示で列挙されることになっており、現在、19の業務（詳細は後記図表1-3-4のとおり）が指定されている。

　次に、企画業務型裁量労働制（労基38条の4）は、事業の運営に関する事項についての企画・立案・調査・分析の業務であって、業務の性質上、その遂行の方法（遂行の手段や時間配分の決定等）を大幅に労働者の裁量に委ねる必要があるため、使用者が業務の遂行に関して具体的な指示をしないこととする業務に、この業務を適切に遂行するための知識・経験等を有する労働者が就く場合に、一定の事項（詳細は後記図表1-3-4のとおり）について労使委員会の5分の4以上の多数決で決議したときは、当該業務に従事する労働者の労働時間は、実労働時間に関係なく、決議で定めたみなし労働時間とする制度である。対象となる業務は、「事業の運営に関する事項についての企画、立案、調査及び分析の業務」という要件があり、厚労省の指針[7]で例示されているが（詳細は、後記図表1-3-4のとおり）、実際の導入にあたって何を対象業務とするかは労使委員会の決議に委ねられている。

---

7) 労働基準法第38条の4第1項の規定により同項第1号の業務に従事する労働者の適正な労働条件の確保を図るための指針（平成11年12月27日労告第149号、平成15年10月22日厚労告第353号〔改正〕。以下、「裁量労働指針」という）。

このように裁量労働制により「みなし労働時間」という概念を導入することで、賃金計算等の基準となる労働時間と、実労働時間を切り離すことができるようになった。しかし、裁量労働制はあくまで労働時間算定の特例を定めるもので、労使委員会の決議や労使協定で定めたみなし労働時間が法定労働時間を超えていれば時間外の割増賃金を支払う必要があり（労基37条1項）、休憩（同法34条）、休日（同法35条）、休日・深夜の割増賃金（同法37条1項・4項）に関する規制も及ぶ。その意味で、使用者による労働時間管理は必要であり、労働者が自己裁量で時間を選ばず自由に働くにはなお制約があった。加えて、対象業務が限られていること[8]、導入にあたって労使協定ないし労使委員会の5分の4以上の多数決の決議が求められ、導入後も使用者は健康・福祉確保措置を講じること必要であるなど、要件が厳格であったことから[9]、利用が進んでいなかった。

(3) 残業代が支払われない管理職の増加

ホワイトカラーの働き方についていえば、管理職を「管理監督者」（労基41条2号前段）と扱い、労働時間規制の適用外[10]としている現状をこのままにしておいてよいのか、という問題がある。

---

8) 働き方改革法案要綱では、企画業務型裁量労働制の対象業務に次の業務を加えることとされていた。①事業の運営に関する事項について繰り返し、企画、立案、調査および分析を主として行うとともに、これらの成果を活用し、当該事業の運営に関する事項の実施状況の把握および評価を行う業務、②法人である顧客の事業の運営に関する事項についての企画、立案、調査および分析を主として行うとともに、これらの成果を活用し、当該顧客に対して販売または提供する商品または役務をもっぱら当該顧客のために開発し、当該顧客に提案する業務（主として商品の販売または役務の提供を行う事業場において当該業務を行う場合を除く）。もっとも、法案の基礎となった労働時間データに不備があったことが問題視され、2018年3月中に法案から除外され、成立には至らなかった。

現在、2021年6月に公表された裁量労働制実態調査の結果に基づいて厚労省の「これからの労働時間制度に関する検討会」において改めて裁量労働制の制度改革が検討されている。

9) なお、高プロ制では、これと同等ないしより厳しい要件が定められている。詳細は後記Ⅳ参照。

10) ただし、深夜の割増賃金（労基37条4項）に関する規制は及ぶ。その根拠は、労働基準法61条の規定があることに求められている。最判平21・12・18労判1000号5頁（ことぶき事件）。

管理監督者（「事業の種類にかかわらず監督若しくは管理の地位にある者」）とは、労働条件の決定、その他労務管理について経営者と一体的な立場にある者であり、もともと工場長のような者が想定されていた[11]。判例も、経営方針の決定へ参画していたり、出退勤その他自己の勤務時間を自由に決定できるような立場にある者で管理監督者にふさわしい待遇（給与等）を受けている者に限って管理監督者性を肯定している[12]。

しかし、行政解釈上は、①労働時間規制の枠を超えて活動せざるをえない重要な職務と責任を有し、②現実の勤務態様も労働時間等の規制になじまないような立場にあり、③賃金（基本給、役付手当等）において、その地位にふさわしい待遇がなされているかを総合的に判断することとされ[13]、いわゆるライン管理職（部長など実際に部下への指揮命令権限を有する管理職）を「管理監督者」とすることを認めてきた。加えて、本社・本部で経営上の重要な事項の企画、立案、調査等の業務を担当する、いわゆるスタッフ職についても、処遇の面でライン管理職と同等に取り扱われる者であれば「管理監督者」と取り扱うことまで容認していた[14]。そのため、課長、部長などの管理職を「管理監督者」と取扱い、残業代を支払わないことが実務上定着した。しかも、かかる取扱いをするにあたって労基署長へ届け出たり、本人の同意を得ることは不要であり[15]、使用者としては使い勝手がよいため、産業界からは「管理監督者」の範囲の見直し（拡張）が要望され

---

[11] 昭和22年9月13日発基第17号。
[12] 福岡地判平19・4・26労判948号41頁（姪浜タクシー事件）（肯定）、東京地判平20・1・28労判953号10頁（日本マクドナルド事件）（否定）、横浜地判平31・3・26労判1208号46頁（日産自動車事件）（否定）、東京地判令3・2・17労判1248号42頁（三井住友トラスト・アセットマネジメント事件）（否定）など。
[13] 昭和63年3月14日基発第150号。
[14] 都市銀行等について、昭和52年2月28日基発第104号の2、それ以外の金融機関について、昭和52年2月28日基発第105号、その他の事業につき、昭和63年3月14日基発第150号。
[15] 届出等が不要とされたのは、「企業の規模や業種等から一定の客観的な基準が導けると考えられたため」とされる。東京大学労働法研究会編『注釈労働基準法（下）』（有斐閣、2003）726頁。

ていた[16]。

　もっとも、わずかな役付手当を受領するだけで、実際は上司の指揮命令のもとで上限規制の適用もなく残業するような管理職についてまで、本当に残業代を支払わないこととしてよいかは疑問であり［→本編第2章Ⅲ4］、「脱時間給」を考えるにあたっては、このことは常に意識される必要がある。実際、2008年頃から長時間労働による健康被害が出るに及んで「名ばかり管理職」として社会問題となった[17]。

3　脱時間給を目指した改正へ

　このように、フレックスタイム制や裁量労働制等は、いずれも労働時間管理が必要という大枠を崩しておらず、時間ではなく成果に見合った賃金を支払うには、なお制約があった[18]。また、管理監督者の制度にも限界があった。そのため、成果を求められ自己裁量で時間を選ばずに自律的に働く労働者に適合する新たな制度の必要性が議論されることになった。このような中で成立した高プロ制は、労働基準法の実労働時間規制を完全に外した[19]、まったく新しい働き方として非常に注目を集めることになった。

Ⅲ　高度プロフェッショナル制度の歴史

　高プロ制は、主に米国のホワイトカラー・エグゼンプションを下敷きにしているので、まず米国の制度を紹介したうえで、日本における

16）　後記Ⅲ2(3)の分科会報告が出された2006年当時、係長、班長、組長等への拡大を求める議論があった。岩出誠『労働契約法・改正労基法の個別論点整理と企業の実務対応』（日本法令、2007）186頁。

17）　前掲注12）の日本マクドナルド事件。同事件を受けて、「多店舗展開する小売業、飲食業等の店舗における管理監督者の範囲の適正化について」という通達（平成20年9月9日基発第0909001号）も出された。

18）　モルガン・スタンレー証券事件（東京地判平17・10・19労判905号5頁）は、こういった状況の中で、裁判所が実労働時間規制の適用が及ばない就労形態と認めた事例と評価できる。

19）　深夜の割増賃金規制も及ばない。

第1編　長時間労働の是正

導入までの歴史をまとめておく。

1　米国での発展[20]

米国の公正労働基準法（Fair Labor Standards Act〔FLSA〕）は、1労働週に40時間を超えて労働したすべての時間に対して通常賃金額の1.5倍以上の割増手当を支払うことを雇用主に義務づけているが（FLSA 7条）、他方で多くの適用除外規定を設けており、その1つにいわゆる「ホワイトカラー・エグゼンプション（White Collar Exemption）」がある。具体的には、「真正な管理職（executive）、運営職（administrative）もしくは専門職（professional）の資格（capacity）で雇用される被用者」を「エグゼンプト（exempt）」と定義し、職務遂行にあたっての自由裁量および独立した判断を行使する一定のエグゼンプトは、FLSA 7条の適用を受けない（FLSA13条(a)(1)）。

エグゼンプトとされるための重要な要件として、年35,568ドルまたは週684ドル以上の水準で賃金支払がなされること（俸給要件）[21]と職務要件とがある。

職務要件は、管理職については、主たる職務が部署や部門などの管理業務であること、常態として他の2人以上の常勤労働者の労働を指揮監督していること、他の労働者の人事権（採用または解雇の権限）を有していることである。運営職については、主たる職務が使用者もしくは顧客の管理または事業運営全体に直接関連するオフィス業務もしくは非肉体的労働の履行であること、そしてその主たる職務の重要

---

20) 以下の記述は、JILPT『（JILPT資料シリーズ104号）労働時間規制に係る諸外国の制度についての調査』（2012）84頁～117頁、JILPT『諸外国のホワイトカラー労働者に係る労働時間法制に関する調査研究（労働政策研究調査書36号）』（2005）の「第1章　アメリカ」40頁～78頁、幡野利通「ホワイトカラー管理職等の労働時間規制の基本的構造と日本の制度の再構築（上）」季刊労働法221号（2008）166頁・177頁～180頁および米国労働者の公式Webサイトを参照した。

21) この水準は、2004年以来、年23,660ドルに抑えられていたが、トランプ政権下の2020年1月から引き上げられた。なお、カリフォルニア州では年58,240ドルまたは週1,120ドルなど、これを上回る水準を定める州もある。

な事項に関して、自由裁量および独立した判断の行使を含んでいることである。専門職については、主たる職務が、ⅰ科学もしくは学識の分野で通常は長期課程の専門的知識教育によって獲得できる高度な知識および個人の裁量権と判断を必要とする労働であること、またはⅱ芸術的もしくは創作的能力を必要とされる分野で発明力、想像力、独創性もしくは才能が要求される労働であることであり、ⅰは化学者、弁護士、医師、教師、シェフなどが、ⅱは俳優、ミュージシャン、作曲家、指揮者などがこれにあたる。

このほか、高額賃金エグゼンプト（highly compensated employee）というカテゴリーがあり、年間賃金総額が107,432ドル以上の者は、大幅に緩和された要件のもとで前記3種のいずれかのエグゼンプトとされることになる。高プロ制の年収要件［→Ⅳ1(2)②］は、この水準に近い。

2　日本における議論

(1)　2005年6月の経団連による制度導入の提言

日本において、ホワイトカラー・エグゼンプションが最初に議論されたのは2005年6月に経団連が出した制度導入の提言である（以下、「経団連提言」という）[22]。経団連提言は、図表1-3-1のような要件（業務要件および賃金要件）を充足した場合、ホワイトカラー・エグゼンプションとして労働時間規制が及ばないこととした。

(2)　2006年1月の研究会報告書

2006年1月に公表された厚労省の研究会報告書（以下、「研究会報告書」という）[23]では、ホワイトカラー労働者の増加と働き方の多様化が進み、とくに、自律的に働き、かつ、労働時間の長短ではなくその成果や能力などにより評価されることがふさわしい労働者が増加しているとされ、米国のホワイトカラー・エグゼンプションを参考としつ

---

[22]　日本経済団体連合会「ホワイトカラーエグゼンプションに関する提言」（2005年6月21日）。なお**図表1-3-1**は、適宜筆者がアレンジしたもの。
[23]　厚労省「『今後の労働時間制度に関する研究会』報告書」（2006年1月27日）11頁。

第1編　長時間労働の是正

図表1-3-1　ホワイトカラー・エグゼンプションの具体的内容

業務要件		賃金要件　－　例示	*1
専門業務型裁量労働制の対象となる19業務*2		不要	○
上記以外の裁量的業務で法令で定めるもの	労使協定の締結か労使委員会の決議により拡大可能	当該年の年収額が700万円（または全労働者の平均給与所得の上位20％相当額）以上	○
	労使委員会の決議により拡大可能	当該年の年収額が400万円（または全労働者の平均給与所得）以上700万円（または全労働者の給与所得の上位20％相当額）未満	○
		当該年の年収額が400万円（または全労働者の平均給与所得）未満	×

*1　○：労働時間規制の対象外、×：通常どおり労働時間管理を行う。
*2　現行の専門業務型裁量労働制の19業務と同じ。**図表1-3-4**参照。

つ、日本独自の労働時間規制の適用除外制度として「新しい自律的な労働時間制度」が提言された。この提言では、適用除外制度の適用要件の1つ（勤務態様要件）として、「職務遂行の手法や労働時間の配分について、使用者からの具体的な指示を受けず、かつ、自己の業務量について裁量があ」り、「労働時間の長短が直接的に賃金に反映されるものではなく、成果や能力などに応じて賃金が決定されていること」が挙げられている[24]。

(3)　**2006年12月の労働条件分科会報告**

前記(2)の研究会報告書を受けて労政審において検討が進められ、同年12月には「今後の労働契約法制及び労働時間法制の在り方について」（答申）が出された。この答申が引用した労働条件分科会報告（以下、「分科会報告」という）は、休日の確保措置および健康・福祉確保

---

[24]　もっとも、この提言は、管理監督者一歩手前の労働者やプロジェクトマネージャー等も「労働時間の長短ではなく成果や能力などにより評価される」べき者として労働時間規制の対象者から除外しており批判があった。日本弁護士連合会「労働時間法制の規制緩和に反対する意見書」（2014年11月21日）。

措置の確実な実施を条件に、一定のホワイトカラー労働者について労働時間規制の適用を除外することを認める趣旨で、「自由度の高い働き方にふさわしい制度」を提言した[25]。この分科会報告は、成立した働き方改革法の高プロ制の原型であるが、同報告での対象労働者は、「労働時間では成果を適切に評価できない業務に従事する者」で「業務遂行の手段及び時間配分の決定等に関し使用者が具体的な指示をしないこととする者」とされていた。

(4) 2007年1月の「労働基準法の一部を改正する法律案要綱」

前記(3)の答申に沿って、2007年1月25日、厚労省から労働基準法の一部を改正する法律案要綱が出された。

厚労省は、この法律案要綱にあった「労働時間では成果を適切に評価できない業務」とは、「企画、立案、研究、調査、分析」の5業務に限定されるとし、また年収要件は900万円以上とするとしていたが、具体的な規定は、法律ではなく厚労省令や指針に委ねる事項とされた。このため、国会の決議によらない要件緩和（対象業務拡大）を懸念した労働組合や市民団体から過重労働をもたらし労働者の健康を害する「過労死促進法案」などと批判され、国会への法案提出自体が見送りとなった。

(5) 2015年2月の労政審建議

第2次安倍政権誕生後の2013年1月に規制改革会議が設置され「成長戦略」が議論されるなか、2014年6月24日に閣議決定された政府の日本再興戦略に「時間ではなく成果で評価される制度への改革」として「一定の年収要件（例えば少なくとも年収1000万円以上）を満たし、職務の範囲が明確で高度な職業能力を有する労働者を対象として」「労働時間の長さと賃金のリンクを切り離した『新たな労働時間制度』を創設する」ことが明記された。

これと並行して労政審が、2015年2月13日にした「今後の労働時間法制等の在り方について（建議）」では、「時間ではなく成果で評価さ

---

[25] 分科会報告は、同時に、管理監督者の範囲、とくにスタッフ職の範囲の明確化を提言している。

れる働き方を希望する労働者のニーズに応え……るため、一定の年収要件を満たし、職務の範囲が明確で高度な職業能力を有する労働者を対象として、……時間外・休日労働協定の締結や時間外・休日・深夜の割増賃金の支払義務等の適用を除外した労働時間制度の新たな選択肢として」高度プロフェッショナル制度を設けることが適当であるとされたが、この際、(3)の分科会報告にあった、年104日以上の休日の確保という要件は外されていた。

(6) 2015年4月の労働基準法改正法案

前記(5)の労政審建議を受け、政府は、2015年4月3日、労働基準法改正法案を第189国会に提出した（閣法第69号）。この法案は、高プロ制以外に、裁量労働制の拡大やフレックスタイム制の柔軟化などを図るものであったが、「残業代ゼロ法案」などと批判され、2017年9月、一度も審議されないまま廃案となった。

(7) 2017年9月の働き方改革法律案要綱[26]

高プロ制は、働き方改革実行計画には触れられていないが、同計画に盛り込まれた時間外労働の上限規制は、産業界から高プロ制等の導入を前提条件にすべきとの意見が強く、そのため、労政審で同規制を法律案に盛り込むにあたり、高プロ制が再び議論されることになった。そして、2017年7月13日、それまで高プロ制の導入に反対していた連合（日本労働組合総連合会）の神津会長が安倍首相と会談し、労働者の健康確保のために年間104日以上の休日を確保することなどの義務化を要望し、事実上、高プロ制を容認した。これを受けた政府が、高プロ制の導入を求めていた経団連にもその受入れを求め、かくして、休日確保の義務化を条件に高プロ制導入の道筋がつけられた。

結果、同年9月15日に労政審から答申された働き方改革法律案要綱には、高プロ制と企画業務型裁量労働制の拡大[27]、フレックスタイム制の柔軟化が盛り込まれることになった。

---

26) 正式名称は「働き方改革を推進するための関係法律の整備に関する法律案要綱」。

27) しかし、法案からは削除された。前掲注8）参照。

Ⅳ　高プロ制の適用要件

　高プロ制（労基41条の2。以下、本章では同条の条番号省略）の適用要件は、概要、図表1-3-2のとおりであり、順に解説する。

1　労使委員会における5分の4以上の賛成決議

　1つ目は、労使委員会において下記の事項を5分の4以上の賛成多数で決議することである（1項）。労使委員会とは、賃金、労働時間その他の当該事業場における労働条件に関する事項を調査審議し、事業主に対し当該事項について意見を述べることを目的とする委員会である。その構成員は、使用者および当該事業場の労働者を代表するものに限られており、委員の半数が当該事業場の過半数で組織する労働組合（そのような組合がない場合は労働者の過半数を代表する者）によって任期を定めて指名されなければならない（3項・38条の4第2項。他に、議事録の作成・保存とその周知が必要である）。

　決議をする労使委員会の委員は、当該決議の内容が指針[28]に適合したものとなるようにしなければならず、指針がその中で、単なる「留意事項」ではなく、「具体的に明らかにする事項」としてその解釈等を規定する部分に反して労使委員会の決議がなされた場合、決議全体が無効となり高プロ制適用の効果が生じないとされているので（高プロ制施行通達第1の16・第3）、注意が必要である。

　かかる労使委員会の構成は、企画業務型裁量労働制の導入に際して決議が必要となる労使委員会（38条の4第1項）と同じであり、招集や議事の手続を定める運営規程を定める必要があるが（労基則34条の2の3・24条の2の4第4項）、指針はさらに、使用者が労使委員会に開示すべき情報の範囲など情報開示手続を定めることが適当であると

28）　平成31年3月25日厚労告第88号「労働基準法第41条の2第1項の規程により同項第1号の業務に従事する労働者の適正な労働条件の確保を図るための指針」（以下、「指針」という）。

第1編　長時間労働の是正

図表1-3-2　高プロ制の適用要件（概要）

(1) 決議 労使委員会の5分の4以上での決議	対象業務	労基則34条の2第3項所定の業務		
	対象となる労働者	書面等で職務が明確に合意されている		
		1075万円[29]以上の賃金		
	健康管理時間の把握措置		除	(報)
	休日確保措置	年間104日以上、かつ、4週通じて4日以上の休日	除	報
	選択的措置 (＊右記のうちどれか1つ)	勤務間インターバルの確保等	除	報
		健康管理時間の上限の設定		
		連続2週間の休日確保		
		臨時の健康診断の実施		
	健康管理時間の状況に応じた健康・福祉確保措置 (＊右記のうち決議で定めたもの)	選択的措置のうち上記で選択しなかったもの		報
		医師による面接指導		
		代償休日または特別な休暇の付与		
		健康問題相談窓口の設置		
		適切な部署への配置転換		
		産業医等による助言指導・保健指導		
	同意の撤回に関する手続			
	苦情処理制度			
	同意しなかった労働者を不利益に取り扱わないこと			
	厚労省令所定事項	決議の有効期間、労使委員会の開催頻度および開催時期、健康管理等を行う医師の選任、一定の記録の保存（有効期間満了後3年間）		
(2) 届出	所轄の労基署長への届出			
(3) 同意	書面等による労働者の同意			

除：適用除外要件　　報：報告事項。

---

[29]　「毎月勤労統計における毎月きまつて支給する給与の額を基礎として」基準年間平均給与額を算定し、「基準年間平均給与額……の3倍の額を相当程度上回る水準として」厚労省令で定める額とされ（労基41条の2第1項2号ロ）、現在は、1075万円である（労基則34条の2第5項・6項）。1075万円は、平成15年10月22日厚労告第356号で、労働基準法14条1項1号にいう高度の専門的知識等を有する労働者の基準として定められた額と平仄をとっている。

している（指針第4の3）。

(1) **対象業務（1号）**

「高度の専門的知識等を必要とし、その性質上従事した時間と従事して得た成果との関連性が通常高くないと認められるものとして厚生労働省令で定める業務のうち、労働者に就かせることとする業務」をいう。これを受けた労働基準法施行規則34条の2第3項および指針（第3の1(1)イ(ロ)）は、**図表1-3-3**のとおり規定している。

もっとも、これらの業務であっても「当該業務に従事する時間に関し使用者から具体的な指示を受けて行うもの」は除外されている（同項）。「具体的指示」とは、労働者から対象業務に従事する時間に関する裁量を失わせるような指示をいう（指針第3の1(1)イ(イ)）。

具体的には、①出勤時間の指定等始業・就業時間や深夜・休日労働等労働時間に関する業務命令や指示、②対象労働者の働く時間帯の選択や時間配分に関する裁量を失わせるような成果・業務量の要求や納期・期限の設定、③特定の日時を指定して会議に出席することを一方的に義務づけること、④作業工程、作業手順等の日々のスケジュールに関する指示などが挙げられる。そして、これに該当するかどうかは、指針の具体例に照らすなどして個別の業務の実態をみて判断するとされている（高プロ制解釈通達第4の答15）。

なお、高プロ労働者は、対象業務に常態として従事していることが必要とされている（高プロ制解釈通達第4の答16～18）。

(2) **対象となる労働者の範囲（2号）**

高プロ制により労働する期間において①②の双方に該当する労働者で、対象業務に（1号）就かせようとする者の範囲をいう（以下、2号所定の労働者を「高プロ労働者」ということがある）。

① 使用者との書面（職務記述書等）による合意[30]に基づき職務が

---

[30] 高プロ労働者が希望した場合は、電子メールをやり取りすることでもよいが（労基則34条の2第4項）、高プロ労働者が提供する書面には本人の署名が必要であるから、署名済みの書面をPDFファイル化して添付送信する必要があり、電子メールをやりとりするだけで済ませることはできない（高プロ制解釈通達第4の答12）。

図表1-3-3　高プロ制の対象業務

① 金融工学等の知識を用いて行う金融商品（*a）の開発の業務
　金融取引のリスクを減らしてより効率的に利益を得るため、金融工学のほか、統計学、数学、経済学等の知識をもって確率モデル等の作成、更新を行い、これによるシミュレーションの実施、その結果の検証等の技法を駆使した新たな金融商品の開発の業務

② 資産運用（*b）の業務又は有価証券の売買その他の取引の業務のうち、投資判断に基づく資産運用の業務、投資判断に基づく資産運用として行う有価証券の売買その他の取引の業務又は投資判断に基づき自己の計算において行う有価証券の売買その他の取引の業務
　金融知識等を活用した自らの投資判断に基づく資産運用の業務又は有価証券の売買その他の取引の業務

③ 有価証券市場における相場等の動向又は有価証券の価値等（*c）の分析、評価又はこれに基づく投資に関する助言の業務
　有価証券等に関する高度の専門知識と分析技術を応用して分析し、当該分析の結果を踏まえて評価を行い、これら自らの分析又は評価結果に基づいて運用担当者等に対し有価証券の投資に関する助言を行う業務

④ 顧客の事業の運営に関する重要な事項についての調査又は分析（*d）及びこれに基づく当該事項に関する考案又は助言の業務
　企業の事業運営についての調査又は分析を行い、企業に対して事業・業務の再編、人事等社内制度の改革など経営戦略に直結する業務改革案等を提案し、その実現に向けてアドバイスや支援をしていく業務

⑤ 新たな技術、商品又は役務の研究開発の業務
　新たな技術の研究開発、新たな技術を導入して行う管理方法の構築、新素材や新型モデル・サービスの研究開発等の業務をいい、専門的、科学的な知識、技術を有する者によって、新たな知見を得ること又は技術的改善を通じて新たな価値を生み出すことを目的として行われるもの

＊a 「金融商品」とは、金融派生商品（金や原油等の原資産、株式や債券等の原証券の変化に依存してその値が変化する証券）及び同様の手法を用いた預貯金等をいう。

＊b 指図を含む。以下この②において同じ。

＊c 「有価証券市場における相場等の動向」とは、株式相場、債券相場の動向のほかこれらに影響を与える経済等の動向をいい、「有価証券の価値等」とは、有価証券に投資することによって将来得られる利益である値上がり益、利子、配当等の経済的価値及び有価証券の価値の基盤となる企業の事業活動をいう。

＊d 「調査又は分析」とは、顧客の事業の運営に関する重要な事項について行うものであり、顧客から調査又は分析を行うために必要な内部情報の提供を受けた上で、例えば経営状態、経営環境、財務状態、事業運営上の問題点、生産効率、製品や原材料に係る市場の動向等について行う調査又は分析をいう。

明確に定められていること（2号イ）。
　②　労働契約により、支払われると見込まれる賃金の額（年当たり換算額）が1075万円以上であること（2号ロ）。

　①の「職務が明確」とは、「職務の内容」、すなわち「業務の内容、責任の程度及び職務において求められる成果その他職務を遂行するに当たって求められる水準」が具体的に定められており、「当該対象労働者の職務の内容とそれ以外の職務の内容との区別が客観的になされていること」をいう（労基則34条の2第4項3号、指針第3の2(1)イ(イ)、高プロ制解釈通達第4の答13）。

　このように、業務の内容が抽象的で使用者の一方的な指示により業務を追加できる者は高プロ労働者から除外されており、幅広い業務に対応するメンバーシップ型の職務ではなく、job description に記載された職務のみを行うジョブ型の職務が指向されている。したがって、「部長として研究開発部の業務全般を管理し統括する」者が高プロ労働者とされる懸念を持つ必要はなくなったといってよいであろう。

　②の賃金の額とは、「個別の労働契約又は就業規則等において、名称の如何にかかわらず、あらかじめ具体的な額をもって支払われることが約束され、支払われることが確実に見込まれる賃金はすべて含まれ」、したがって、「労働者の勤務成績、成果等に応じて支払われる賞与や業績給等、その支給額があらかじめ確定されていないものは含まれない」[31]。ただし、賞与や業績給であっても、いわゆる最低保障額については、「支払われることが確実に見込まれる」ものは含まれる。また「一定の具体的な額をもって支払うことが約束されている手当は含まれるが、支給額が減少し得る手当は含まれない」（指針第3の2(1)イ(ロ)）[32]。

---

[31]　たとえば「1か月の定期券代相当の額」であればそれは含まれない（高プロ制解釈通達第4の答20）。

[32]　なお、賃金の額が月で定められている場合、その月の賃金の額をその月の健康管理時間で除して得た額が、その事業所がある都道府県の最低賃金額以上となる必要があるとされている。厚労省「高度プロフェッショナル制度わかりやすい解説」（2019年4月）10頁。

(3) 健康管理時間の把握措置（3号）

　健康管理時間とは、①「事業場内にいた時間」と②「事業場外において労働した時間」との合計時間をいう。労働基準法上の「労働時間」（実労働時間）とは別の新たな概念で、使用者は、通常の労働者の時間管理とは異なる時間管理（把握）を義務付けられる。

　①については、労使委員会の決議により休憩時間その他労働していない時間を控除できるが（労基則34条の2第7項）、この控除時間は、その内容や性質を具体的に明らかにする必要があり、一定時間数を一律に控除することは認められない（指針第3の3(1)ハ）。通常の労働者であれば、休憩時間はあらかじめ決まっていることが通常であり、休憩の開始時刻や終了時刻まで逐一厳密に把握している使用者は少ないと考えられるが、休憩の規定（労基34条）の適用がない高プロ労働者については、毎日の控除時間を逐一把握する必要が出てくる。

　①②の時間（①のうち控除する時間を含む）は、客観的な方法で把握する必要がある（労基則34条の2第8項）[33]。ただし、②については、「やむを得ない理由があるときは、自己申告によることができる」（同項ただし書）が、指針（第3の3(1)ロ）が例示しているケースは、勤怠管理システムへのログイン・ログアウト等ができない状況に限定されている。高プロ労働者は、いつもスマートフォンを片手に仕事しているとすれば、不可能な話ではないが、「従事した時間と従事して得た成果との関連性が通常高くない」から高プロ労働者とされたのに、高プロ労働者は毎日の休憩時間や職場の外で労働した時間を逐一記録せよ、というのはいささか矛盾であり[34]、使用者側の時間管理もまったく簡素化されず、むしろ重くなるといわざるをえない[35]。なお、

---

33) タイムカードの打刻記録、勤怠管理システムへのログイン・ログアウト記録、ICカードによる入退場時刻の記録などが例示されている（指針第3の3(1)イ）。

34) 岡田和樹「高度プロフェッショナル制度の導入と課題」ビジネス法務2018年2月号27頁・29頁。

35) 指針では、日々の始期および終期ならびにそれに基づく健康管理時間を記録すること、高プロ労働者の求めに応じて健康管理時間を開示する手続を決議することも求めている（指針第3の3(1)ニ、(2)ロ）。

事業場外の時間で健康管理時間に含まれるのは、あくまで「労働した時間」のみで、プロフェッショナルとしての自己研鑽や自己啓発に要した時間は含まれないと考えられる[36]。

(4) 休日確保措置（4号）

「1年間を通じ104日以上、かつ、4週間を通じ4日以上の休日」を決議および就業規則等で定めるところにより使用者が与えることである。高プロ労働者にも労働基準法39条は適用され、年次有給休暇（年休）を付与することが必要であるが、本号の「休日」には、取得した年休日は含まれず、事業場において独自に設けられた特別休暇を取得した日も含まれない（高プロ制解釈通達第4の答28）。また、1年間の起算日は、高プロ制の適用の開始日となる（指針第3の4(1)ロ）。

使用者は、すべての高プロ労働者との関係で休日確保の義務があるが、これはなかなか重い課題である。労働基準法35条の「休日」とは、労働義務を負わない日で「単に連続24時間の休業〔ではなく〕暦日を指し午前零時から午後12時までの休業と解す[37]」とされており、ある暦日に少しでも仕事をすればその日は前記の意味での「休日」ではなくなってしまう。どのレベルまでの労働義務からの解放があれば「休日」となるのか、適切な線引きが必要である［→Ⅵ4］。

(5) 選択的措置（5号）

次のアからエのいずれか1つの措置を選択し、決議および就業規則等で定めるところにより使用者が講ずることである。

ア 勤務間インターバルの確保等（5号イ）

労働者ごとに始業から24時間経過までに11時間以上の継続した休息

---

36) 自己研鑽の時間が労働時間に該当するか否かについて、通達は、「労働者が使用者の実施する教育に参加することについて、就業規則上の制裁等の不利益取扱による出席の強制がなく自由参加のものであれば、時間外労働にならない」（昭和63年3月14日基発第150号）としている。また、裁判例としては、Web学習の推奨は、従業員に対して自己研さんするためのツールを提供していたにすぎず、これを業務上の指示とみることもできないとしたNTT西日本事件（大阪高判平22・11・19労判1168号105頁）がある。

37) 昭和63年3月14日基発第150号。

時間（勤務間インターバル[38]）を確保し、かつ、1か月の深夜労働の回数を4回以内とすることである（労基則34条の2第9項・10項）。

使用者は、健康管理時間（事業場内にいた時間＋事業場外において労働した時間）を客観的な方法で把握することが求められており、これが徹底できれば、勤務間インターバルも客観的に把握できることとなる。11時間という時間数は、国際基準に沿った時間数であるが[39]、高プロ労働者は、たまにはごく短い休息しかとらず集中して働くことも、就寝前や起床直後に海外マーケットの状況やその間に来たメールなどをチェックするために少しの時間業務を行うことも、自由にできてしかるべきであり、11時間のインターバルの確保はハードルが高いと思われる。

イ 健康管理時間の上限の設定（5号ロ）

1週間当たり40時間を超えた健康管理時間について、1か月について100時間以内または3か月について240時間以内とすることである（労基則34条の2第11項）。

1か月について100時間という時間数は、高プロ労働者について医師の面接指導［→Ｖ2］が必要となる時間数と同じであり（労安則52条の7の4）、上限措置を遵守している限り面接指導を行う必要がないことになる。

ウ 連続2週間の休日確保（5号ハ）

1年に1回以上の継続した2週間（労働者が請求した場合は、1年に2回以上の継続した1週間）について休日を与えることである。4号の「休日」と異なり、高プロ労働者が2週間（または1週間×2回）の年休を取得したときは、本号の長期休日を与えたことになる（高プロ制解釈通達第4の答32）。

---

38) 勤務間インターバルについては、**第1編第1章Ｖ2**参照。「労働者の生活時間や睡眠時間を確保し、健康な生活を送るために重要な制度である」として普及促進が図られている（厚労省「『勤務間インターバル制度普及促進のための有識者検討会』報告書」〔平成30年12月21日公表〕）。

39) 1993年に制定されたEU労働時間指令第3条が定めている。

エ　臨時の健康診断の実施（5号ニ）

1週間当たり40時間を超えた健康管理時間が1か月当たり80時間を超えた高プロ労働者または申出があった高プロ労働者に臨時の健康診断を実施することである（労基則34条の2第12項）。臨時の健康診断の項目は、定期健康診断の項目であって脳・心臓疾患との関連が認められるものおよび当該労働者の勤務の状況、疲労の蓄積の状況その他心身の状況の確認である[40]。

(6)　適用除外要件

以上の(3)から(5)の要件（3号～5号）は、使用者に措置義務があり、各号の措置のいずれかを講じていない場合は[41]、高プロ制に基づく適用除外が無効とされ、原則どおり労働時間規制が及ぶことになる（1項ただし書）。

そこで「措置……を……講じていない」とはどのような場合を指すかが問題となり、とりわけ、休日確保措置（4号）や連続2週間の休日確保措置（5号ハ）について、使用者が休日をあらかじめ指定すれば足りるのか、高プロ労働者に実際に休日を取得させる必要があるのかが問題となる。この点、労働基準法は、「休日」と「休暇」を書き分けており、休暇を「与え」（労基39条）は計画年休や時季指定義務に基づくものを除き労働者の請求を待って取得させれば足りるが、休日を「与え」（同法35条等）は、請求等がなくても実際に取得させることが必要であり、4号や5号ハの「休日」も実際に取得させる必要がある。

労働時間規制が及ぶということは、労働時間を把握して時間外・休日・深夜の割増賃金を、それも高プロ制を適用（しようと）した当時

---

[40] 労基則34条の2第13項、労安則44条1号～3号・5号・8号～11号・52条の4第1号～3号。

[41] 4号の休日確保措置については、1年間を通じて104日以上の休日を与えることができないことが確定した時点から無効となる（指針第3の4(1)ロ）。また、4週間を通じ4日以上の休日の確保についても、確保できなくなることが確定した時点から無効となる（高プロ制解釈通達第4の答27）。

5号の選択的措置について複数を選択して実施することを決議した場合、そのうち1つでも実施できなければ無効とする（高プロ制解釈通達第4の答30）。

第1編　長時間労働の是正

にさかのぼって支払う必要があり、これらを支払わなかったり、三六協定なしで時間外労働をさせれば罰則（労基119条・121条1項）の対象となる。法施行後は立入調査によって適用可否がきめ細かく確認されると想定されるので（附帯決議23項参照）、事業者としては、4号所定の休日や（選択した）5号ハ所定の休日の確保が難しい等の万一の場合に備えて、高プロ労働者が高プロ労働者でないとされた場合の時間外割増賃金を計算できるようにしておく（なお、具体的な計算方法は高プロ制解釈通達第4の答51に示されている）等の対応が必要となろう。

(7)　健康管理時間の状況に応じた健康・福祉確保措置（6号）

使用者が、①(5)の選択的措置として選択しなかったもののうちいずれか、②健康管理時間が一定時間を超える者に対し[42]、医師による面接指導（後記Ⅴ2の面接指導〔労安66条の8の4第1項〕を除く）、③代償休日または特別な休暇の付与[43]、④心とからだの健康問題についての相談窓口の設置、⑤適切な部署への配置転換、⑥産業医等による助言・指導または保健指導を受けさせることのいずれかの措置を講じることである（労基則34条の2第14項）。

このうち③～⑥は、企画業務型裁量労働制の健康・福祉確保措置（裁量労働指針第3の4(2)ハ）と平仄を合わせたものである。

(8)　報告事項

以上の(4)、(5)および(7)の措置（4号～6号）は、いずれも（広義の）健康・福祉確保措置であり、その実施状況を、(3)の健康管理時間の状況とともに所轄の労基署長に、6か月ごとに報告しなければならない（2項、労基則34条の2の2）。もっとも、特段罰則はなく、報告の不実施により高プロ制が適用できなくなるといった効果も定められていない。

---

[42]　「一定時間」が、労安法66条の8の4に規定する時間数、つまり、1週間あたり週40時間を超えた時間が1か月あたり100時間（労安則52条の7の4第1項）を超えることは認められない（高プロ制解釈通達第4の答37）。

[43]　代償休日を付与したことを理由に高プロ労働者の賃金を減額することは認められない（高プロ制解釈通達第4の答39）。他方、特別な休暇は、高プロ制解釈通達に規定はなく、無給とすることも違法ではない。

(9) 同意の撤回に関する手続（7号）

　高プロ労働者の書面による同意［→3］に関し、かかる同意を撤回する場合の手続である。撤回の申出先となる部署および担当者、撤回の申出の方法等その具体的内容を明らかにすることが必要である（指針第3の7(1)イ）。

　この手続は、衆議院における働き方改革法案の審議中に与野党協議で追加されたもので、他の制度にはないユニークな手続である。

(10) 苦情処理制度（8号）

　使用者が苦情処理の措置を実際に講じることが求められているが、3号〜5号と違って適用除外要件とはされていない。

(11) 同意しなかった労働者を不利益に扱わないこと（9号）

　後記3の同意をしない労働者に対し、解雇その他不利益な取扱いをすることの禁止を決議することが必要である。不利益取扱いの禁止は、使用者に対する禁止規範として規定されているものもあるが（たとえば、育介10条・16条）、高プロ制に関しては、労使委員会においてそのような決議をすることが求められているだけで、使用者に対しての直接の禁止規範はない[44]。もっとも、かかる不利益取扱いは、労働契約上の信義則（労契3条4項）に違反することになろう。同意の撤回という枠組みが入ったことから、同意を撤回した労働者に対する不利益取扱いも同様に禁止される（指針第3の7(1)ロ）。

(12) その他厚労省令所定事項（10号）

　決議の有効期間[45]、自動更新は認めないこと、労使委員会の開催頻度および開催時期、常時50人未満の労働者を使用する事業場について健康管理等を行う医師の選任[46]、一定の事項[47]に関する対象者ご

---

44) 企画業務型裁量労働制の場合と同じである（労基38条の4第1項6号）。
45) 企画業務型裁量労働制にかかる労使委員会の決議の有効期間は3年以内とすることが望ましいとされているが、高プロ制のそれは、1年とすることが望ましいとされている（指針第3の10(2)イ）。
46) なお、常時50人以上の労働者を使用する事業場については産業医が選任されている（労安法13条1項、労働安全衛生法施行令5条）。
47) 高プロ労働者の同意とその撤回、職務の内容や賃金の額、健康管理時間の状況、4号〜6号の（広義の）健康・福祉確保措置の実施の状況などである。

との記録を決議の有効期間中およびその満了後3年間保存することが定められている（労規則34条の2第15項）。

2 決議の届出

労使委員会の決議は、所轄の労基署長に届け出なければならない（1項柱書）。なお、所轄の労基署長は、一定の事項に関し、決議をする労使委員会の委員に対して、必要な助言および指導を行うことができる（同条5項）。

3 高プロ労働者の書面等による同意[48]

高プロ労働者の同意は、①同意した場合には労働基準法第4章の規定（具体的には労働時間、休憩、休日および深夜の割増賃金に関する規定）が適用されないこととなる旨、②同意の対象となる期間、③②の期間中に支払われると見込まれる賃金の額を明示した書面に当該高プロ労働者の署名を受けることが必要である（1項、労基則34条の2第2項）[49]。

指針（第2の2）では、これに先立ち、高プロ労働者となる者に対してあらかじめ、①高プロ制の概要、②労使委員会の決議の内容、③同意した場合に適用される評価制度、賃金制度、④同意しなかったときの配置および処遇、⑤同意の撤回ができること、⑥同意しなかったことや同意の撤回が不利益に扱われることがないことについて、書面で明示することが適当であるとしている。このような指針の定めは、高プロ制の適用により得られる利益や失われる利益の内容や程度について十分な情報提供を行い、同意するかどうか熟考する時間を与えるものとして評価できる[50]。たしかに「同意の撤回」は制度的に保障

---

[48] 企画業務型裁量労働制の導入にあたっては、労使委員会で「同意を得なければならないこと」を決議することが求められているが、高プロ制では、より直截に、対象労働者の同意が必要とされている。

[49] 当該高プロ労働者が希望した場合は、署名済みの書面をPDFファイル化して電子メールで送信することでもよい（同項括弧書、高プロ制解釈通達第4の答12）。

されているが、後で撤回できるのだから形式的でも同意があればよい、と解するのは適切ではないであろう。

この同意（合意）の対象となる期間は、長くとも1年ごと（1年未満の短期の有期契約労働者は契約更新ごと）に行い、期間を1か月未満とすることは認められず、使用者から同意を解除することもできない（指針第2の3、4、6）。

V　高プロ制適用の効果

高プロ制適用の主な効果は次の2点である[51]。裏を返せば、使用者としての他の義務はまったく変更されない。なかでも、労働者の生命や健康を職場における危険から保護すべき安全（健康）配慮義務（労契5条）があることは、高プロ労働者との関係でより強く意識される必要がある（附帯決議28項、指針第3の6(1)ロ）[52]。

1　労働時間、休憩、休日および深夜の割増賃金規制の適用除外

適用除外になるのは、労働基準法第4章の各規定のうち「労働時間、休憩、休日及び深夜の割増賃金に関する規定」である。具体的には、年休に関する39条を除いてすべての規定が適用除外となる。また、年少者を高プロ労働者とすることはできない（労基60条1項）。妊産婦は、高プロ労働者とすることはできるが、「第6章の2　妊産婦等」の規定の適用は除外されない。

50）　労働者への十分な情報提供と説明がなされたかを重視する山梨県民信組事件判決（最判平28・2・19労判1136号6頁）以降の流れに沿うものと理解できる。
51）　このほか、労使委員会の決議を労働者に周知させる周知義務がある（労基106条1項）。この違反には罰則がある（同法120条1号・121条1項）。
52）　労働契約の遵守義務および信義則（労契3条4項）、安全確保・配慮義務（同法5条）、定期健康診断等を受けさせる義務（労安66条）、いわゆるストレスチェック（労安66条の10）などがこれにあたる。

2 面接指導義務

　事業者は、1週間当たり40時間を超えた健康管理時間が1か月当たり100時間を超えた高プロ労働者に対して、遅滞なく医師による面接指導を行い（労安66条の8の4第1項、労安則52条の7の4・52条の3第1項）[53]、その結果を記録しなければならない（労安66条の8の4第2項・66条の8第3項）。裁量労働制の対象労働者を含む通常の労働者に対する医師の面接指導義務（労安66条の8、労安則52条の2・52条の3第1項参照）と異なり、上記時間を超えたときは、疲労の蓄積が認められなくても、本人の申出がなくても、実施しなければならないことに注意が必要である。

　事業者は、医師による面接指導の結果に基づき当該労働者の健康を保持するために必要な措置について医師の意見を聴かなければならず、その意見を勘案して必要があると認めるときは、①職務内容の変更、有給休暇（労働基準法39条所定の年休を除く）の付与、健康管理時間が短縮されるための配慮等の措置を講じなければならない。加えて②当該医師の意見の報告その他の適切な措置を講じなければならない（以上につき、労安66条の8の4第2項・66条の8第4項・5項）[54]。

　高プロ労働者には、この面接指導を受ける義務がある（労安66条の8の4第2項・66条の8第2項）。そこで、時間を選ばず忙しく働いている高プロ労働者に、いかにして面接指導を受けさせるかの検討が必要である[55]。仕事の合間にぱっと受診できるほど簡単ではないので、一定の時間を超えたときは先に医師と高プロ労働者の予定をブロックし、高プロ労働者が通常働いている場所の近くで面接指導を実施する

---

[53] この違反には罰則がある（労安120条1号・122条）。
[54] 報告先は「衛生委員会もしくは安全衛生委員会または労働時間等設定改善委員会」であるが、「その他の適切な措置」として、労使委員会（労基41条の2第1項）に報告することも考えられる。
[55] 選択的措置として臨時の健康診断（1項5号ニ）を選択した場合や、健康・福祉確保措置として医師による面接指導（同項6号）を選択した場合にもあてはまる。

など、使用者側で工夫しておくことが必要となろう。

　なお、この時間に満たない高プロ労働者で健康への配慮が必要な者について当該高プロ労働者の申出があった場合は、面接指導等の必要な措置を講ずるよう努めなければならない（労安66条の9、労安則52条の8第1項・3項）。

Ⅵ　高プロ制の問題点

1　対象業務をどのように定めるか

　高プロ制の対象業務は、法文上「高度の専門的知識等を必要とし、その性質上従事した時間と従事して得た成果との関連性が通常高くないと認められるもの」（1項1号）と曖昧に規定されており、「成果に見合った賃金が支払われる業務」と明記されているわけではない。また、高度の専門的知識が要求されるものの、文言上は「等」が入っており、試験に合格した有資格者が就く業務に限られているものではない。したがって、企画業務型裁量労働制と同様に「事業の運営に関する事項についての企画・立案・調査・分析の業務」を対象とすることは、あながち不可能な話ではなかった[56]。さらにいえば、2006年1月の研究会報告書では勤務態様要件として「職務遂行の手法や労働時間の配分について、使用者からの具体的な指示を受けず、かつ、自己の業務量について裁量があること」という要件があったが［→Ⅲ2⑵］、この「指示を受けず」や「裁量により」といったwordingは、法文上からはなくなっていた。そうすると、上司の指示・監督のもとで、期限内に大量の仕事を仕上げることが求められるライン管理職やスタッフ職の業務であっても、厚労省令で高プロ制の対象業務として書き込まれる懸念があった。附帯決議21項が、使用者が始終業時間や

---

56)　2007年1月の法律案要綱についての厚労省の説明でも、企画、立案、研究、調査、分析の業務を対象業務とすることが想定されていたし［→Ⅲ2⑷］、それ以前は、「管理監督者」の範囲を拡大してホワイトカラー労働者を対象とする新制度を制定しようとする議論もあった［→Ⅲ2⑶］。

第1編　長時間労働の是正

　残業についての「業務命令や指示などを行ってはならない」こと、「働き方の裁量を奪うような成果や業務量の要求や納期・期限の設定などを行ってはならない」ことを厚労省令で明記するよう求めていたのは、このような経緯を踏まえたものであった。

　これを受けた厚労省令（労基則34条の2第3項）は、いささか技巧的ではあるが、上司の指示を受けたり、裁量の余地の少ない労働者を高プロ労働者から除外した[57]。加えて、高プロ制の対象業務は、上記厚労省令のほか、指針で相当詳しく定義され（図表1-3-3）、さらには「わかりやすい解説」（前掲注32））（9頁）に具体例が示されており、現状では、対象業務の範囲内外の判定は容易といえる。もっとも、今後対象業務を拡大する場合は、上記のような経緯を踏まえて慎重な対応が必要であろう。

図表1-3-4　高プロ制と裁量労働制との比較

	高プロ制 （労基41条の2）	企画業務型裁量労働制 （労基38条の4）	専門業務型裁量労働制 （労基38条の3）
制度概要	労使委員会の5分の4以上の多数決で所定の事項につき決議したときは、対象業務に従事する労働者につき、労働時間規制（労働時間、休憩、休日、深夜を含む割増賃金の支払）を適用しない	労使委員会の5分の4以上の多数決で所定の事項につき決議したときは、対象業務に従事する労働者の労働時間を決議で定めた労働時間とみなす	労働組合または労働者の過半数代表と所定の事項につき協定したときは、対象業務に従事する労働者の労働時間を協定で定めた労働時間とみなす
対象業務	高度の専門的知識等を必要とし、その性質上従事した時間と従事して得た成果との関連性	事業の運営に関する事項についての企画・立案・調査・分析の業務であって、業務の性質	業務の性質上、その遂行の方法（遂行の手段や時間配分の決定等）を大幅に労働者の裁量

[57]　同項の規定振りは難解であるが、"業務の遂行に関して労働者に裁量があり、使用者が具体的な指示をしない業務"という意味であり、企画業務型裁量労働制の対象業務の定め方（労基38条の4第1項1号）と実質的には同じである。

	が通常高くないと認められる業務	上、その遂行の方法（遂行の手段や時間配分の決定等）を大幅に労働者の裁量に委ねる必要があるため、使用者が業務の遂行に関して具体的な指示をしないこととする業務	に委ねる必要があるため、使用者が業務の遂行に関して具体的な指示をすることが困難な業務
想定される具体的な業務	①金融工学等の知識を用いて行う金融商品の開発の業務 ②資産運用の業務または有価証券の売買その他の取引の業務のうち、投資判断に基づく資産運用の業務、投資判断に基づく資産運用として行う有価証券の売買その他の取引の業務または投資判断に基づき自己の計算において行う有価証券の売買その他の取引の業務 ③有価証券市場における相場等の動向または有価証券の価値等の分析、評価またはこれに基づく投資に関する助言の業務 ④顧客の事業の運営に関する重要な事項についての調査または分析およびこれに基づく当該事項に関する考案または助言の業務 ⑤新たな技術、商品または役務の研究開発の	①経営状態・経営環境等について調査および分析を行い、経営に関する計画を策定する業務 ②現行の社内組織の問題点やそのあり方等について調査および分析を行い、新たな社内組織を編成する業務 ③現行の人事制度の問題点やそのあり方等について調査および分析を行い、新たな人事制度を策定する業務 ④業務の内容やその遂行のために必要とされる能力等について調査および分析を行い、社員の教育・研修計画を策定する業務 ⑤財務状態等について調査および分析を行い、財務に関する計画を策定する業務 ⑥効果的な広報手法等について調査および分析を行い、広報を企画・立案する業務	①新商品・新技術の研究開発、人文科学・自然科学の研究 ②情報処理システムの分析・設計 ③新聞・雑誌等・放送番組の取材・編集 ④衣服・装飾・工業製品等のデザイナー ⑤放送番組・映画等のプロデューサー・ディレクター ⑥広告・宣伝のコピーライター ⑦システムコンサルタント ⑧インテリアコーディネーター ⑨ゲーム用ソフトウェア創作 ⑩証券アナリスト ⑪金融工学に基づく金融商品の開発 ⑫大学における研究 ⑬公認会計士 ⑭弁護士 ⑮建築士 ⑯不動産鑑定士 ⑰弁理士

第1編　長時間労働の是正

	業務	⑦営業成績や営業活動上の問題点等について調査および分析を行い、企業全体の営業方針や取り扱う商品ごとの全社的な営業に関する計画を策定する業務 ⑧生産効率や原材料等にかかる市場の動向等について調査および分析を行い、原材料等の調達計画も含め全社的な生産計画を策定する業務*1	⑱税理士 ⑲中小企業診断士*2
決議(協定)事項	対象業務 対象労働者の範囲 健康管理時間の把握 休日付与 選択的措置 　①勤務間インターバルの確保等②健康管理時間の上限設定③連続2週間の休日確保④臨時の健康診断のいずれか 健康・福祉確保措置(限定) 　選択的措置のいずれか 　医師による面接指導 　代償休日や特別休暇 　健康問題相談窓口 　配置転換 　産業医の助言指導等 同意の撤回の手続 苦情処理制度 不利益取扱禁止	対象業務 対象労働者の範囲 みなし労働時間 健康・福祉確保措置(例示)*3 　代償休日や特別休暇 　健康診断実施 　長期年休取得 　健康問題相談窓口 　配置転換 　産業医の助言指導等 苦情処理制度 不利益取扱禁止	対象業務 みなし労働時間 具体的な指示をしないこと 健康・福祉確保措置(例示)*4 　代償休日や特別休暇 　健康診断実施 　長期年休取得 　健康問題相談窓口 　配置転換 　産業医の助言指導等 苦情処理制度

	厚労省令所定事項*5 決議の有効期間 記録の3年間保存等	厚労省令所定事項*6 決議の有効期間 記録の3年間保存等	厚労省令所定事項*7 決議の有効期間 記録の3年間保存等
同意	必要。撤回可能。	必要	不要
届出	必要	必要	必要
指針	あり*8	あり*9	なし
面接指導義務	週40時間超の健康管理時間が1か月あたり100時間を超えるとき	週40時間を超える労働が1か月あたり80時間を超え、かつ、疲労の蓄積が認められるとき	
周知	義務あり	義務あり	義務あり
時間外割増	なし。深夜割増賃金もなし。	みなし労働時間が法定労働時間を超えた場合あり。深夜割増賃金あり。	

*1 裁量労働指針（第3の1(2)ロ）。
*2 以上につき労基則24条の2の2第2項、平成9年労告第7号、平成12年労告第120号、平成14年厚労告第22号、平成15年厚労告第354号。
*3 例示は、裁量労働指針第2の4(2)ハ。
*4 例示は、厚労省のリーフレット「専門業務型裁量労働制」による。
*5 労基41条の2第1項10号、労基則34条の2第15項。
*6 労基38条の4第1項7号、労基則24条の2の3第3項。
*7 労基38条の3第1項6号、労基則24条の2の2第3項。
*8 前掲注28）の指針が策定された。労使委員会の委員は、決議の内容がかかる指針に適合するものとなるようにしなければならない（労基41条の2第3項・4項）。
*9 裁量労働指針。

2 高プロ労働者の健康は守られるか

　高プロ制のもと、労働時間規制の適用が除外されると、理論上、使用者は「脱時間給」で（つまり三六協定による労働時間の上限規制や割増賃金の支払という金銭的負担なしに）際限なく労働者を働かせることが可能となる[58]。それゆえ、ひとたび労働時間規制を外してしまう

---

58) やや極端な想定ではあるが、高プロ制のもと「時間規制を適用除外される労働者は、使用者から目標設定された成果を上げるまで、週1日の休みを取ることなく、また途中の休憩時間も取ることなく24日間連続して深夜まで（極端にいうと毎日24時間）労働する（労働させる）ことが可能となる」。浜村彰「高度プロフェッショナル制度は働き方改革なのか」法学セミナー2018年7月号17頁。

と、なし崩し的に拡大され際限なく働かせられるという過重労働への警戒、危惧は強い。出勤簿に有休や代休と記載したが実際は仕事のために出勤しているとか、仕事が終わらないので持ち帰って残業（いわゆるサービス残業）をする、といった実態が蔓延しているのが現実であり、激務によるうつ病などの精神疾患や過労死もいくつも発生しているなかで、かかる危惧はもっともといえる[59]。

　高プロ制は、たしかに労働時間と賃金との関係を切り離したが、しかし、だからといって高プロ労働者をいくらでも働かせてよい、というわけではなく、健康や生活時間の確保の要請から労働時間の長さを合理的に制限することが必要であることは疑いがないであろう。この点、高プロ制は、労働者の健康確保の観点から、使用者に、健康管理時間の把握、休日の確保と選択的措置の確実な履行を求め（1項3～5号）、健康管理時間が一定の限度を超えた高プロ労働者に対する医師の面接指導を受けさせる義務を課している（労安66条の8の4第1項）。医師の面接指導については、高プロ労働者にも受診義務を課し、何らかの問題があるときは、適切な措置を講じる義務を使用者に課すなど、すでにあった裁量労働制のそれと同等の規制を及ぼしている[→Ⅴ2]。

　とはいえ、高プロ労働者は、労働時間規制なしで働くはじめての労働者であり、どこまでの健康確保措置をとれば十分であるのか、最初から明確な答えがあるわけではない。

　法はこのほか、労使委員会で健康管理時間の状況に応じた健康・福祉確保措置について決議することや（1項6号）、面接指導の結果を受けた医師の意見を安全衛生委員会等に報告することなどを求めており（労安66条の8の4第2項・66条の8第4項・5項）、指針も、高プロ労働者の健康状態を把握することを使用者に求めているが（指針第3

---

59) たとえば、2006年10月24日労政審労働条件分科会第66回会合で、奥谷禮子委員は、経営者が労働時間を管理する対象者から外れるので、万一従業員が過労死した場合に、従業員の自己責任で片づけられる可能性がある旨の発言をしている。

の3⑵ハ)、その意図するところは、各事業場において存在する高プロ労働者にとってふさわしい健康管理措置を労使自治で決定してほしい、ということである。

その意味で、新時代にあった新しい働き方として高プロ制をいかすも殺すも、健康管理時間や健康・福祉確保措置の拡充、実質化、労使委員会の活性化などにかかっているように思われる。

3　年収要件は下がらないか

2005年の経団連提言［→Ⅲ2⑴］では、年収400万円以上700万円未満の労働者もホワイトカラー・エグゼンプションの対象者となりえた。そのため、産業界の目標は、年収400万円クラスの労働者まで高プロ労働者とすることにあり、いったん高プロ制が導入されれば、後は政治と行政が、国会での審議なしに年収要件を下げるのではないか、という懸念は根強い。

たしかに、もともと高プロ制は「自律的に働き、かつ、労働時間の長短ではなくその成果や能力などにより評価される」労働者を想定した制度であり（研究会報告書）［→Ⅲ2⑵］、支払われる賃金が高いことは論理必然的な要件ではない。実際、米国で Exempt とされる労働者の俸給基準は低く［→Ⅲ1］、したがって労働者の自律が進めば、将来的に年収要件が下げられる可能性はある[60]。

しかし、年収要件の枢要部分である「基準年間平均給与額……の3倍の額を相当程度上回る水準として」という部分は法文の文言であり（1項2号ロ）、厚労省令でこれに適合しない金額を定めることはできないから、国会の関与なしに年収400万円の者が高プロ労働者にされる、というのは冷静な議論ではない。また、今後労働力不足がさらに進むことを勘案すれば、"定額働かせ放題"のような雇用をしていては良い人材を集められないとも考えられ、産業界からとにかく年収要

---

60)　あまり高額の基準を定めると、都市部の大企業であればともかく、地方企業や中小企業では、高プロ制の対象となる労働者がいなくなってしまうとの意見もある。

件を下げろといった声が強まるのか懐疑的にも思える。

　高プロ制は、今後、労働者の自律的な働き方にあった制度を目指す必要があり、そのためには、労使委員会を通じた労使協議の実質化が不可欠であると考えられる。将来的に年収要件の引下げが議論されることは十分ありうると考えられるが、それまでに400万円クラスの労働者が高プロ労働者として働くにふさわしいような業務があるのかないのか、労使間協議、あるいはもっと広い意味で議論して対象業務を洗い出し、コンセンサスを深めておくことが建設的であろう。

4　休日は確保されるか

　休日確保措置（1項4号）は、実際に年間104日以上、かつ4週通じて4日以上休ませることが必要であり［→Ⅳ1⑷］、かつ、適用除外要件であるから［→Ⅳ1⑹］、その不履行は、せっかく導入（しようと）した高プロ制を無効にしてしまう可能性がある。

　しかし、想定されている高プロ労働者は、時間に縛られずに事業場外において労働することもあるとの想定であり、日曜日など法定休日に働いてもよいはずである。情報通信機器が発達し、ビジネスのスピードが増している現代において、休日中に自宅や休養先でメールをチェックしたり、指示を出すことが必要な場合もある。したがって、それがわずか10分であっても、暦日の24時間仕事から解放されていたものではないから「休日」に該当しないとしていては、104日間の休日をとらせることは非現実的であり、せっかく制度化された高プロ制の導入が進まないことが危惧される。この点、この10分を、高プロ労働者が「義務なく自発的に働いた」とすれば、当該働いた日はなお労働義務のない「休日」といえる可能性はある。さりながら、責任が重いゆえに休日も部下に指示を出しているという側面もあり、この10分は「労働」ではなく、健康管理時間としてもカウントしないとしていては、「自発的労働」の名のもとに労働が強制され、「休日」は有名無実化し、労働から一向に解放されない高プロ労働者の健康が阻害されてしまう危険性がある。どのレベルまでの労働からの解放があれば

「休日」となるのか、高プロ労働者の労働の自由度と健康・福祉の確保とが両立するよう適切な線引きが必要である。

5　労使委員会を設定できるほど労使は成熟しているか

　高プロ制の導入には、労使委員会で5分の4以上の多数で決議することが必要であり、この点は、企画業務型裁量労働制の導入要件（労基38条の4）と同じである。しかし、そもそも企画業務型裁量労働制がまったく普及していない原因の1つに、労使委員会の設置、運営に手間がかかることがあると推測される。

　労使委員会は、会議体である（労使協定ではない）からその構成員は最低3人であり、うち半数は労働者側委員である必要があるから、最低2人の労働者側委員が必要である（指針第4の1）。しかも過半数組合がない場合、委員を指名する者は、労使委員会の労働者側委員を選出するための手続であることを明示したうえで実施されるところの投票、挙手など明確な方法によって選出されなければならず（労基41条の2第3項・38条の4第2項1号、労基則6条の2）、使用者の指名などによることは許されない。労働組合の組織率が低下し、過半数代表選出のプロセスも形骸化している企業が多いなか、このような重い手続を経て2人の労働者側委員を選任できるのか懸念される。加えて、多くの組合で管理職は非組合員とされており、また、管理監督者（労基41条2号）（とされている者）は労働者側の委員になれないと明記されているなか（労基則34条の2の3・24条の2の4第1項）、選任された労働者側委員が使用者側委員との間で高プロ労働者の健康・福祉確保措置などについて実質的な協議ができるのかも疑問符がつく。加えて、労使委員会の決議が、指針が具体的に明らかにした解釈に反している場合、決議全体が無効になることが高プロ制施行通達で明らかにされている［→Ⅳ1］。

　そのため、「労使委員会で5分の4以上の多数で決議する」といっても、その実現には高いハードルがあるように思われる。労使委員会ひいては高プロ制が普及・浸透するかどうかは、労使双方が、かかる

ハードルを乗り越えて高プロ制を導入するべく実質的な協議ができるか否かにかかっている。

6 本人同意の撤回は制度を不安定にしないか

同意の撤回により、高プロ労働者には高プロ制からの離脱の自由が保障された。これは最大の健康確保措置であるとの意見もあり[61]、この手続が入ったことの意義は大きい。

同意を撤回した高プロ労働者は直ちに高プロ労働者ではなくなるとされているから（指針第3の7(1)ハ）、撤回後は通常の労働者として時間管理をし、三六協定の範囲内で時間外労働をさせ、時間外の割増賃金を支払うことが必要となる。使用者としては、高プロ労働者がいつ同意を撤回しても構わないよう、引き続き労働時間管理ができるように備えておかなければならず、年度途中に撤回された場合の賃金計算式なども用意しておく必要があるなど負担が大きいように思われる。撤回の効力発生時を、その次の年度からとすれば、使用者にそのような負担はなくなるが、それでは同意の撤回を認めた意味が失われる。同意の撤回後の配置および処遇またはその決定方法についてはあらかじめ労使委員会の決議で定めることができるのであるから（指針第3の7(2)）、撤回した場合の効果（年度途中に即時に有効か、遡及するか将来効か）も決議によって決められるようにすることが望ましいであろう。

7 労働生産性は高まるのか

高プロ制の対象となる労働は働いた時間と成果が比例しないのだとすると、その成果を、10時間かけて出した人も、8時間で出した人も、受け取る賃金は同じである。これが通常の実労時間制では、10時間かけた人に2時間分の時間外割増賃金を支払う必要が生じるから、企業にとっての経済的メリットに差異が生じる。

---

61) 岩出・前掲注16) 174頁。

高プロ制は、このような差異をなくす効果があり、企業にとっては、事業に必要なコスト（人員の配置を含む）を計算しやすくなるというメリットがある。労働者にとっても、労働力の投入量をコントロールすることが可能となり、その職務を深く検討したい若年層は、時間単価が安くなってもしっかり労働力を投入して仕事をすればよいし、経験値の高い高年層は、効率よく仕事を切り上げて、余った時間を家庭生活の時間に、あるいは副業に振り向けることが可能になる[62]。これが実現すれば、日本の労働生産性は高まるはずであり、それこそが高プロ制の目指す道と考えられる。

　しかし、これを実現するには、成果を評価する眼が大切である。わが国には、これまで仕事を成果で評価してきたとはいいがたく、ややもすれば、ホワイトカラーの頭脳労働であっても、かけた時間を評価してしまう傾向があるように思われる。高プロ制を導入しても、この「成果による評価」を行い、より短時間で、あるいはより効率よく成果を挙げたことを評価して、より高い賃金を設定することができなければ、高プロ労働者の市場が活性化しない。高プロ制を導入するのであれば、経営側は、職務（job）を明確にして成果だけを評価し、働き方をとやかくいわないという考え方をもつ必要があり、そのような考え方をもてるかどうかが、高プロ制導入後の課題といえよう。

Ⅶ　おわりに

　高プロ制は、古い労働基準法の実労働時間規制を外し、完全なjob型の働き方を実現する点で画期的な制度である。しかし、高プロ労働者が、これを使いこなすためには、自ら自己管理しながらその職務を遂行できること、成果に見合った適切な賃金を経営側に要求できることが必要であり、その力をつけていくことが必要となってこよう。

62）　日本の企業に多いといわれている、資料の無駄な作り込みによる生産性の低下も防ぎうる。

第1編　長時間労働の是正

　使用者も、どのような人材を高プロ労働者として活用していくのか、その力量が問われる。対象となる業務は限られ、かつ、制度導入のための要件も厳しいが、自己管理ないし自律型の働き方がなじむところに積極的に導入することが、労働生産性の向上や競争力強化につながる可能性を秘めている。自己管理ができるプロフェッショナルな労働者を育て、その仕事を成果で評価することにチャレンジしてみてはいかがだろうか[63]。

---

[63]　令和3年3月末時点で、制度導入企業数は20社、対象労働者数（合計）は552人となっている（厚労省「高度プロフェッショナル制度に関する報告の状況（令和3年3月末時点）」）。

第2編
日本的雇用システムの変化

第1章　無期転換ルール

I　無期転換ルール

　働き方改革実行計画においては、現在全雇用者の4割を占めるとされている、いわゆる非正規雇用労働者と、正規雇用労働者との間の待遇差の解消が1つの大きなテーマとされているところ、かかるテーマに関連する制度の1つが、有期雇用契約のいわゆる「無期転換ルール」である。

　以下では、無期転換ルールについて、その制度内容、留意点のほか、無期転換ルールが今後企業の雇用管理に与えうる影響を概観する。

II　制度の目的および概要

1　概要

　無期転換ルールは、本来は一時的な雇用関係を予定している有期雇用契約において、契約が反復継続して更新され、実質的には無期雇用契約となっているような場合における、有期雇用労働者の雇止めの不安をなくし、有期雇用労働者の雇用の安定を図ること等を目的として、2012年8月に成立した改正労働契約法（労契18条）において定められ、2013年4月1日に施行されている。

　無期転換ルールでは、有期雇用契約の更新により雇用期間が通算で5年を超える労働者が、使用者に対し、現在締結している有期雇用契約の契約期間が満了する日までの間に、期間の定めのない雇用契約の

図表2-1-1　無期転換申込権の発生時

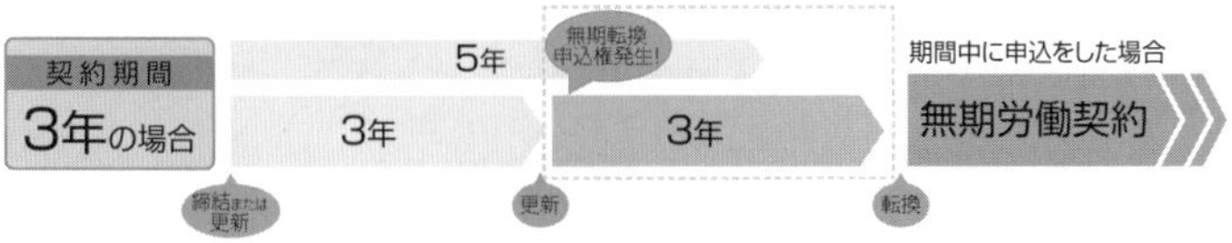

出典：厚労省ウェブサイト「有期契約労働者の無期転換ポータルサイト」。

締結の申込みをしたときは、使用者は当該申込みを承諾したものとみなされ、その労働者との有期雇用契約は、現在締結している有期雇用契約の契約期間が満了する日の翌日から、期間の定めのない雇用契約に転換される（労契18条1項）。

なお、労働者は、「現に締結している有期労働契約の契約期間が満了する日までの間」に使用者に対し無期転換の申込みをしうるものとされていることから、実際の契約期間が5年を経過していなくても、たとえば、**図表2-1-1**のとおり、契約期間が3年の有期雇用契約を更新した場合には、通算契約期間が6年になり、1度目の契約更新後の4年目にはすでに無期転換権が発生していることになる点に留意を要する。

2　クーリング期間

無期転換ルールには、有期雇用契約が満了して退職後、同一の使用者との間で有期雇用契約を締結していない期間である、「無契約期間」が一定の長さ以上にわたる場合、それ以前の契約期間は通算契約期間から除外されるという、いわゆる「クーリング期間」が定められている（労契18条2項）。

たとえば、労働者AがX社で3年間の有期雇用契約に基づき勤務した後、期間満了をもっていったん退職し、その後一定の無契約期間を経て再度X社と有期雇用契約を締結したようなケースで、退職から再度有期雇用契約を締結するまでの無契約期間が6か月以上ある場合には、労働者Aが従前X社で勤務した3年の雇用契約期間は通算され

ず、労働者Aが無期転換権を取得するまでの5年の期間は、X社と再度有期雇用契約を締結した時からあらためて計算されることとなる。

このクーリング期間の具体的な内容は以下のとおりである。

　ア　無契約期間前の通算契約期間が1年以上の場合

無契約期間前の通算契約期間が1年以上の場合、無契約期間が6か月以上あるときは、その期間より前の有期雇用契約は通算契約期間に含まれず、他方、無契約期間が6か月未満の場合には、当該無契約期間の前後の有期雇用契約の期間は通算される。

　イ　無契約期間前の通算契約期間が1年未満の場合

無契約期間前の通算契約期間が1年未満の場合には、その期間に応じて無契約期間は**図表2-1-2**のとおりである。

図表2-1-2　クーリング期間

無契約期間の前の通算契約期間	無契約期間
2か月以下	1か月以上
2か月超－4か月以下	2か月以上
4か月超－6か月以下	3か月以上
6か月超－8か月以下	4か月以上
8か月超－10か月以下	5か月以上
10か月超～	6か月以上

3　適用に関する特例

「専門的知識等を有する有期雇用労働者等に関する特別措置法」（以下、「有期雇用特別措置法」という）は、①一定の期間内に完了する業務に従事する高収入かつ高度な専門的知識、技術または経験を有する有期契約労働者専門的知識等を有する有期雇用労働者（以下、「高度専門職」という）と、②定年に達した後引き続いて雇用される有期雇用労働者（以下、「継続雇用の高齢者」という）について、その特性に応じた雇用管理に関する特別の措置、無期転換権発生までの期間に関す

る特例を定めている。

(1) 高度専門職に関する特例

高度専門職については、①適切な雇用管理に関する計画を作成し、都道府県労働局長の認定を受けた事業主に雇用され、②高収入[1]で、かつ高度の専門的知識等を有し[2]、③その高度の専門的知識等を必要とし、5年を超える一定の期間内に完了する業務に従事する有期雇用労働者については、その業務に従事している期間は、無期転換権が発生しないものとされている（ただし、無期転換権が発生しない期間の上限は10年）。

これらの要件を満たし特例が適用された場合、たとえば高度専門職が8年以内に完了するプロジェクトに従事する場合には、その従事する期間は5年を超えた場合であっても、無期転換権は発生しない。

(2) 定年後再雇用者に関する特例

継続雇用の高齢者については、①適切な雇用管理に関する計画を作成し、都道府県労働局長の認定を受けた事業主のもとで、②定年に達した後、引き続いて雇用される継続雇用の高齢者については、その事業主に定年後引き続いて雇用される期間は、無期転換権が発生しないものとされている。

---

1) 具体的には、事業主との間で締結された有期労働契約の契約期間に、その事業主から支払われると見込まれる賃金の額を、1年間当たりの賃金の額に換算した額が、1075万円以上であることとされている。
2) 高度専門職の範囲は、具体的には、①博士の学位を有する者、②公認会計士、医師、歯科医師、獣医師、弁護士、一級建築士、税理士、薬剤師、社会保険労務士、不動産鑑定士、技術士または弁理士、③ITストラテジスト、システムアナリスト、アクチュアリーの資格試験に合格している者、④特許発明の発明者、登録意匠の創作者、登録品種の育成者、⑤大学卒で5年、短大・高専卒で6年、高卒で7年以上の実務経験を有する農林水産業・鉱工業・機械・電気・建築・土木の技術者、システムエンジニアまたはデザイナー、⑥システムエンジニアとしての実務経験5年以上を有するシステムコンサルタント、⑦国等によって知識等が優れたものであると認定され、上記①から⑥までに掲げる者に準ずるものとして厚生労働省労働基準局長が認める者とされている。

Ⅲ　無期転換後の労働条件等に関する問題

　無期転換ルールの概要は前記Ⅱのとおりであるが、無期転換ルールを実務上運用していくにあたり企業が直面する大きな課題の１つは、有期雇用労働者の無期転換後の労働条件をどのようにするかという点であると考えられる。

　そこで以下では、無期転換ルールによる無期転換後の労働条件に関する、主たる論点を概観する。

1　無期転換申込権の放棄や制限

　有期雇用契約に基づき雇用される労働者（いわゆる契約社員やパートタイム労働者等）は、さまざまな企業において幅広く活用されており、その雇用状況によっては、労働者自身が無期転換を希望していなかったり、企業として無期雇用契約に基づいて雇用することを予定していなかった労働者も存在するものと思われる。

　そこで、そのような労働者が、事前に無期転換ルールに基づく無期転換権を放棄することの可否が問題となりうる。しかし、無期転換を希望しない労働者が、無期転換権発生前に無期転換権を放棄することや、企業が有期雇用労働者との間で、事前に、無期転換権が発生した場合であっても、労働者が無期転換権を行使しないことを合意することは、雇止めによって雇用を失うことをおそれる労働者に対して、使用者が無期転換申込権の放棄を強要する状況を招きかねず、労働契約法18条の趣旨を没却する。そのため、厚労省の通達は、こうした有期雇用労働者の意思表示は、公序良俗に反し無効と解されるとしている[3]。

　また、有期雇用労働者の無期転換権行使に関し、たとえば、会社の定める一定の基準を満たした者についてのみ無期転換権の行使を認め

---

[3]　平成24年8月10日基発0810第2号第5の4(2)オ。

るといったように、無期転換権行使の条件を付すことについても、労働契約法18条の要件を加重するものであって、前記通達の趣旨に照らしても認められないと解される。

　これに対し、無期転換の申込みを行うか否かは労働者の自由であることから、無期転換権発生後に、無期転換を希望しない労働者が無期転換権を放棄することは当然認められる。ただし、労働者によるそのような放棄の意思表示は労働者の自由な意思で任意になされる必要があるところ、誤解や後日の無用な争いを避けるため、無期転換権を放棄する際にはその理由を含め書面で確認をしておくことが望ましいものと思われる。

2　無期転換後の労働条件に関する「別段の定め」

　有期雇用契約が無期雇用契約へと転換された際の労働条件に関し、労働契約法18条1項は、無期転換後の労働条件は、原則として「現に締結している有期労働契約の内容である労働条件（契約期間を除く。）と同一の労働条件」であるとしている。しかしながら、同項は続けて、「当該労働条件（契約期間を除く。）について別段の定めがある部分を除く」と規定しており、通達によれば、この「別段の定め」については、労働協約、就業規則、個々の労働契約が該当するとされている[4]。

　そのため、かりに労働条件について何ら「別段の定め」なく有期雇用契約が無期雇用契約に転換された場合、無期転換権を行使して、有期雇用契約が無期雇用契約に転換された労働者（以下、「無期転換社員」という）には、契約期間の点を除いて、有期雇用契約時の労働条件がそのまま適用されることとなる。他方、たとえば、無期転換社員に適用される無期転換社員向けの規則を設けたうえで、無期転換社員の労働条件については当該規則による旨の「別段の定め」をした場合には、無期雇用契約転換後の労働条件を変更し、かつ明確化することが

---

[4]　前掲注3）・平成24年8月10日基発第5の4(2)カ。

可能となる。

このような点に照らすと、無期転換社員の労働条件に関する規定を設けることは、法律上必須とされているものではないものの、「別段の定め」を設けて無期転換後に労働条件を変更する場合はもちろん、労働条件の変更がない場合であっても、無期転換後の労働条件がどのようになるかについては、明確化の観点から就業規則等において明示しておくことが望ましいものと思われる。

なお、就業規則上、いわゆる正社員について、「当社と期間の定めのない雇用契約を締結した者」といった定義がなされている場合には、無期転換後の労働者も「期間の定めのない雇用契約を締結した者」にあてはまることから、この就業規則が「別段の定め」に該当し、無期転換後の労働者の手当、賞与、退職金といった労働条件が正社員と同じものになる可能性が否定できない点に留意を要する。

また、有期雇用契約の無期転換後に、事後的に「別段の定め」を設けること等により、無期転換社員の労働条件を変更することは、無期転換時に「別段の定め」なく、従前の有期雇用契約と同一の労働条件で無期転換がなされている以上、その変更後の労働条件が従前の労働条件よりも不利になる場合には、いわゆる労働条件の不利益変更の問題が生じる可能性があるものと思われる。この点、労働条件の不利益変更にあたっては、原則として労働者の同意を要し（労契9条）、ただし例外として、使用者が変更後の就業規則を労働者に周知し、かつ、就業規則の変更が、労働者の受ける不利益の程度、労働条件の変更の必要性、変更後の就業規則の内容の相当性、労働組合等との交渉の状況、その他の就業規則の変更に係る事情に照らして合理的なものであるときのみ、労働者の個別同意なくして、当該就業規則に基づき労働条件を変更することが可能となる（労契10条）。

このように、無期転換後の労働条件に関する「別段の定め」を事後的に設けることは、当該労働条件が労働者にとって不利益な場合、労働条件の不利益変更に該当する可能性が否定できないことから、無期転換社員に関する労務管理のあり方等を検討のうえ、事前に無期転換

社員の労働条件等に関する取扱いを決め、必要な「別段の定め」を事前に設けておくことが望ましい。

Ⅳ 無期転換社員の活用

1 総論

　前記Ⅲのとおり、無期転換ルールでは、使用者が無期転換ルールに対応した「別段の定め」を設けずに、契約社員等の有期雇用労働者が無期転換権を行使したような場合、無期転換社員は従前の契約社員としての労働条件のまま、たんに契約期間のみが無期になり、無期雇用の契約社員（以下、「無期契約社員」という）と正社員が混在することとなる。これは、日本の企業において従来一般的であった、無期雇用労働者は正社員、有期雇用労働者は契約社員といった人事管理の構造に歪みを生じさせ、ひいては、契約期間の有期無期を基準に、これに沿って社員の配置、業務内容、賃金、福利厚生等についてその区分に沿った人事管理を行うという従来型の人事管理制度の変更を迫るものといえる。

　すなわち、企業としては、従来の無期雇用社員＝正社員、有期雇用社員＝契約社員といった比較的単純な区分ではなく、無期転換社員をどのように活用するか（正社員と同じ処遇とするか、無期契約社員とするか、限定正社員といった、新たな区分を設けるか等）といった点を検討し、長期的な観点から無期転換社員のキャリアに配慮し、労使双方のニーズや企業の実態にもあった新たな人事管理方針を検討する必要が生じるものと思われる。

　以下では、このような新たな人事管理制度という観点から、無期転換ルールに対応する人事制度見直しのポイントを概観する。

第2編　日本的雇用システムの変化

図表2-1-3　無期転換社員の扱いの選択肢

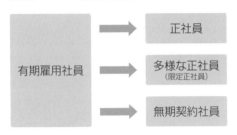

2　無期転換ルールに対応する人事制度見直しのポイント

(1)　社員の状況の把握と社員の多様化へ向けた検討

　前述1のとおり、無期転換ルールは、無期転換社員の扱いを明確にするための就業規則等の変更のみならず、雇用契約の期間の有無を基準とした従来型の正社員・非正規社員といった区分による人事管理制度の見直しを伴いうるものであるが、かかる見直しにあたっては、まず、現状どのような雇用形態の社員がいて、それぞれの雇用形態ごとにどのような労働条件となっているのかを正確に把握する必要がある。そして、そのうえで、現在有期雇用契約を締結している社員の無期転換後の労働条件等をどのようなものにするかについて、社員の長期的なキャリアや、会社の実態、ニーズ等を踏まえて検討する必要があるものと思われる。

　たとえば、現在、無期雇用社員を正社員、有期雇用社員を契約社員と整理している会社であれば、無期転換後の契約社員について、転換後の労働条件や職務内容を正社員と同じとするのか、それとも、雇用期間以外の労働条件は契約社員と同じ、無期契約社員とするかといった選択肢に加え、正社員としての地位を有しつつ、職務内容等に一定の限定が付された、限定正社員とするかなど、複数の選択肢が考えられる。

　この限定正社員とは、いわゆるフルタイム勤務で、職種、職務、勤務時間、勤務地等について何ら制限のない従来の正社員とは異なり、

長期にわたり会社で活躍することが期待される正社員としての地位を有しつつ、その職種、職務、勤務時間、勤務地等について一定の限定が設けられ、それに伴って、正社員とは異なる賃金体系やキャリアパスが予定されているような社員をいう。

　実務上、無期転換社員を一律に正社員へ転換することは予算や労務管理の観点から必ずしも容易でない一方、無期転換社員をたんに無期契約社員として扱うのではなく、より魅力的かつ柔軟なキャリアプランを提供することで、無期転換社員に長期的に活躍をしてもらえる制度を構築したいとの要請は強いものと思われるところ、このような要請を実現する1つの方策として、限定正社員制度を設けることが考えられる。

　無期転換後に無期契約社員としたり、限定正社員制度を設ける場合には、限定正社員・無期契約社員から正社員への転換や、またその逆の転換を認めるか、認める場合にどのような条件で認めるかといった人事制度に関する検討のほか、職種ごとの賃金、賞与、手当、退職金、労働時間等をどのような扱いとするかといった、具体的な労働条件に関する検討、およびそれに伴う就業規則その他関連規程の整備が必要となる。

　この点につき具体的に検討すべき事項としては、以下のような点が考えられる。

(2) 社員の定義の見直し

　前述Ⅲ2のとおり、就業規則上正社員を、「当社と期間の定めのない雇用契約を締結した者」といった定義にしているような場合には、無期転換社員も「期間の定めのない雇用契約を締結した者」に該当することとなる。したがって、無期転換ルールを契機に限定正社員を導入する場合や、無期契約の契約社員を導入するような場合には、就業規則の適用対象者を確認のうえ、社員の定義を見直す必要が生じる。

　具体的には、社員の区分や属性に応じて、正社員就業規則のほか、契約社員就業規則、嘱託社員就業規則、パート社員就業規則といった複数の就業規則を制定しているような場合には、各就業規則における

社員区分・属性に関する定義を検討のうえ、無期転換社員の位置付けに応じた定義の修正や、無期転換社員のための新たな就業規則の制定が必要となる。

(3) 有期雇用社員特有の労働条件の無期転換後の扱い

有期雇用社員については、その性質上、勤務場所、職種、賃金、賞与、退職の条件など、さまざまな点において、無期雇用社員とは異なる労働条件が定められているのが一般的である。そこで、有期雇用社員の無期転換後に、これら従前の労働条件をどのように扱うべきかを検討のうえ、それに応じた就業規則その他規程上の整備を行うことが必要となる。とくに、限定正社員を導入する場合には、どのような点において職務内容等を限定し、どのような労働条件とするかにつき労使で協議のうえ、関連する規程等を整備する必要があるものと思われる。

具体的に検討を要する労働条件等としては以下のような点が考えられる

ア　勤務場所や職種

有期雇用社員については、本来期間の定めのある一時的な雇用関係が予定されていることから、実務上、出向や転勤が予定されず、勤務場所が限定されていたり、職種が限定されているケースが多く見受けられる。

無期転換ルールを踏まえた人事制度の見直しにあたっては、無期転換社員についてもこのような勤務場所や職種の限定を維持するか、それとも、無期転換後には勤務場所や職種を変更できる制度を適用するかを検討することが必要になるものと思われる。

イ　賃金、賞与等

賃金、賞与、手当等についても、多くの会社において、有期雇用社員と無期雇用社員では異なる賃金体系や賞与システムが適用され、また、退職金については無期雇用社員にのみ支給されるといったケースが多くみられる。

そのため、無期転換社員に、どのような賃金体系等を適用するかに

ついても、無期転換社員の職務上の地位や扱いを検討したうえで、就業規則や賃金規程上の必要な手当を行うことが必要とされる。

　なお、賃金制度は、会社全体の等級制度や評価制度とも深く関連し、また、社員のモチベーションにも直結する、会社にとっても社員にとっても、重要な問題であることから、無期転換社員にどのような賃金体系を適用するかについては、とくに慎重かつ戦略的な検討を要するものと思われる。

　　ウ　等級、昇進等

　一般的に、有期雇用社員は、一時的な雇用関係が予定されているという性質上、無期雇用社員とは異なる等級や昇進トラックが予定されており、有期雇用社員について、就業規則上、明確な等級制度や昇進制度が定められている例は稀であると思われる。

　もっとも、無期転換後の社員については、長期の雇用関係が予定されることから、前記賃金体系とも深く関連する検討事項として、無期転換社員を社内の人事等級制度上どのように位置付け、どのような昇進トラックやキャリアプランを示すかが、社員のモチベーションを高め、長期的に活躍をしてもらうためには重要となる。

　　エ　同一労働同一賃金との関係

　同一労働同一賃金との関係では、有期雇用社員と、無期転換社員の待遇は、その職務内容・配置の変更の範囲等に照らして、均等ないし均衡なものである必要がある点に留意を要する。したがって、無期転換後の職務内容や配置の変更の範囲が、有期雇用時と同じであるにもかかわらず、待遇面のみ無期転換社員のほうが有利であるといったケースでは、有期雇用社員との関係で同一労働同一賃金のルールに反する不合理な待遇差とされるリスクがある。なお、同一労働同一賃金の詳細については、次章を参照されたい。

3　多様な働き方と無期転換社員の活用

　前述のとおり、無期転換ルールは、多くの企業において、たんに有期雇用社員の雇用契約期間が無期になるだけではなく、従来契約社員

として採用されてきた社員の活用方法の再検討や、長期的な観点からの無期転換社員への活躍の場の提供といった、人事制度全体の見直しを迫るものである。

　こうした無期転換ルールに基づく新たな人事管理制度の検討・構築の必要性は、企業および労働者のニーズやライフスタイルにあった多様な働き方を検討・整備することを推奨し、もって、多様な人材の活用や労働参加率の向上を目指す働き方改革の流れと合致するものであり、企業としても、無期転換ルールに伴う新たな人事管理制度の構築を契機として、無期転換社員を含む社員の多様な働き方を検討することが望まれているものといえる。

第 2 章　同一労働同一賃金

I 「働き方改革」と同一労働同一賃金

　同一労働同一賃金の導入は、同一企業・団体におけるいわゆる正規労働者（無期フルタイム労働者）と非正規労働者（有期雇用労働者、パートタイム労働者、派遣労働者）との間の不合理な待遇差の解消を目指すものである（働き方改革実行計画第2項）。

　日本における非正規雇用労働者の数は約4割を占める一方、正規雇用労働者と非正規雇用労働者との間に大きな処遇差があることが社会的な問題となっていた[1]。そこで、政府が主導する働き方改革においては、「非正規という言葉を一掃する」という強いメッセージが示され、同一労働同一賃金を推進することで、非正規雇用の待遇を改善し、家庭生活上の制約から非正規を選択する女性や正規雇用に就けない若者等の多様な状況にある人材の働き方の選択肢を広げたり、非正規雇用労働者の意欲・能力の向上による労働生産性の向上を目指した[2]。

　そのうえで、同一労働同一賃金の実現のための具体的な施策として、2018年6月29日付けで、働き方改革法が成立している。この法改正により、均等・均衡待遇の規定の整備と、均等・均衡待遇に関する説明義務が強化され、大企業では2020年4月1日に施行され、中小企

---

1) 「ニッポン1億総活躍プラン」によれば、パートタイム労働者の賃金水準は、欧州諸国においては正規労働者に比し2割低い状況にあるが、日本では4割も低くなっている。
2) 労審発第923号2017年6月16日付け「同一労働同一賃金に関する法整備について（建議）」。

業も2021年4月1日に施行されている。

　一般的に、多くの企業で正規雇用労働者と非正規雇用労働者の待遇に何らかの相違があるのが通常であるため、この法改正の実務的な影響は大きく、多くの企業が、自社における待遇差が不合理なものとして違法とならないかの検証、不合理でないとして相違の理由を労働者側（労働組合・労働者代表、個々の非正規労働者等）に説明するための準備、待遇差を是正する場合の是正内容の検討、是正する場合・しない場合の労働組合・労働者代表との協議等のさまざまな対応を迫られている。こうした対応にあたっては、当然ながらまず、今般の法改正の内容を十分に知ることが必要である。

　次に、こうした各企業の対応にあたり、いかなる待遇差が不合理であり、いかなる待遇差が不合理ではないとして許容されるかの指針を示すため、2018年12月28日付けで同一労働同一賃金ガイドラインが公表されている。したがって、各企業における待遇差の改善は、同一労働同一賃金ガイドラインを参考にして行う必要があり、当然、その内容を十分に理解する必要がある。

　もっとも、同一労働同一賃金ガイドラインはあくまで行政解釈であって、実際に紛争となったときは、最終的には裁判所にて判断が下されることになる。したがって、各企業が同一労働同一賃金への対応を行う場合は、判例の考え方も知っておく必要がある。この点、2018年6月1日に、同一労働同一賃金に関係する2つの最高裁判決（ハマキョウレックス事件[3]、長澤運輸事件[4]）が出ており、その後、2020年10月13日・15日に、5つの最高裁判決（大阪医科薬科大学事件[5]、メトロコマース事件[6]、日本郵便［東京・大阪・佐賀］事件[7]）が出ている。これら判例は、旧労働契約法20条について判断を示したものでは

---

[3]　最判平30・6・1労判1179号20頁。
[4]　最判平30・6・1労判1179号34頁。
[5]　最判令2・10・13労判1229号77頁。
[6]　最判令2・10・13労判1229号90頁。
[7]　（東京）最判令2・10・15労判1229号58頁、（大阪）最判令2・10・15労判1229号67頁、（佐賀）最判令2・10・15労判1229号5頁。

あるが、働き方改革法施行後に同じ均衡待遇について規定しているパート有期法8条の解釈にも影響するものと考えられている。したがって、各企業が同一労働同一賃金への対応を行うにあたっては、これらの最高裁判例の考え方を十分に押さえておく必要がある。

以上から、ここでは、①同一労働同一賃金の基本的な考え方、②今般の法改正の内容、③最高裁判決の内容、④同一労働同一賃金ガイドラインや判例を踏まえた具体的検討、⑤その他の実務上の論点について解説する。

Ⅱ　同一労働同一賃金の基本的な考え方

1　働き方改革は日本版「同一労働同一賃金」である

同一労働同一賃金とは、もともとは、職務内容が同一または同等の労働者に対し、同一の賃金を支払うべきという考え方をいう[8]。

これに対し、働き方改革でいう「同一労働同一賃金」とは、前記の意味そのままではなく、より多様な意味を含んでいるため、日本版「同一労働同一賃金」と呼んだほうがよいという意見がある。むしろ、「同一労働同一賃金」ではなく、「正規・非正規の均等・均衡待遇の確保」と呼んだほうが正確ではないかと思料する。

その主な理由としては、①「同一労働同一賃金」の規制の対象は、賃金だけでなく、賃金以外の労働条件を含む待遇一般が広く対象となっている点、②職務内容が同一・同等の場合は同一の待遇とすべき（裏を返せば、異なる待遇を禁止する）とする均等待遇の考え方のみならず、職務内容等の前提に違いがある場合でも、前提の違いに応じてバランスのとれた処遇を求める均衡待遇の確保が求められている点、③同一労働同一賃金であれば、正規雇用労働者相互間や非正規雇用労働者相互間の待遇差も問題となるはずだが、働き方改革で求められて

---

[8]　水町勇一郎「同一労働同一賃金の推進について」（一億総活躍国民会議第5回資料2）。

いるのは、あくまで、正規雇用労働者と非正規雇用労働者間の格差である点が挙げられる[9]。

2　均等待遇と均衡待遇

　働き方改革法による改正前においても、正規雇用労働者と非正規雇用労働者との不合理な待遇差を禁止する、均等待遇・均衡待遇に関する法制度は存在していた。

　すなわち、改正前労働契約法20条が有期雇用労働者と正規労働者との間の均衡待遇を規定し、パート法8条および9条が短時間労働者と正規労働者との間の均等・均衡待遇について規定していた。

　前記各条項においては、正規雇用労働者と非正規雇用労働者との間の待遇差については、以下の①ないし③の事情を考慮するとされている。

　①　職務の内容（＝業務の内容＋当該業務に伴う責任の程度）
　②　職務の内容および配置の変更の範囲（＝人材活用の仕組み）
　③　その他の事情

　そして、①職務の内容および②人材活用の仕組みが、雇用の全期間において正規雇用労働者と同じ場合には、あらゆる待遇について、同じ待遇が求められ、差別的な取扱いをしてはならないとする、均等待遇が問題となる。

　これに対し、①職務の内容、②人材活用の仕組み、および③その他の事情が正規雇用労働者と異なる場合には、これら①ないし③を考慮して、待遇差が不合理と認められるものであってはならないとする、いわゆる均衡待遇が問題となる。

　もっとも、改正前は、有期雇用労働者について均等待遇についての規定がなかった。

---

9)　水町勇一郎『「同一労働同一賃金」のすべて〔新版〕』（有斐閣、2019）159頁以下では、同一労働同一賃金の政策を進めるにあたり参考とされた欧州の制度と、働き方改革で目指す、いわば日本版の同一労働同一賃金の共通点と相違点が詳しく分析されており参考となる。

Ⅲ　改正法の内容

1　有期雇用労働者・短時間労働者の均等・均衡待遇の規定の整備

　働き方改革法の施行により、**図表2-2-1の改正がなされた**[10]。主な改正点としては、①均等・均衡待遇の規定の整備、②説明義務の強化である。

　改正法では、有期雇用労働者の均衡待遇を規定する旧労働契約法20条が削除されたうえで、パート有期法8条の均衡待遇および同法9条の均等待遇の規定が有期雇用労働者[11]にも拡張され、一本化された。これにより、有期雇用労働者にも、均衡待遇だけでなく、均等待遇の規定が整備された。また、説明義務の対象に不合理な待遇の禁止（パート有期8条）も含まれるようになり、かつ、有期雇用労働者にも適用されるようになった。

---

10) 同一労働同一賃金の考え方は派遣労働者にも及んでおり、働き方改革法の施行による改正点は、①不合理な待遇差をなくすための規定の整備、②派遣労働者の待遇に関する説明義務の強化、③裁判外紛争解決手続（行政ADR）の規定の整備の3点となっている。①について、派遣元は、(i)派遣先均等・均衡方式（派遣先の通常の労働者との均等・均衡待遇）または(ii)労使協定方式（一定の要件を満たす労使協定による待遇）のいずれかの方式で待遇を確保しなければならない。厚労省の実態調査（労働政策審議会〔職業安定分科会労働力需給制度部会〕2020年10月14日開催時（第308回）の資料である「資料1　労働者派遣法第30条の4第1項第2号イに定める同種の業務に従事する一般労働者の平均的な賃金の額に係る通知について」3頁）によると、労使協定方式（88％）、派遣先均等・均衡方式（8％）となっている（両方式併用は4％）。労使協定方式が圧倒的に多い理由としては、派遣先均等・均衡方式の場合、派遣先からの情報提供に基づき派遣労働者に派遣先社員と同等の賃金を支給しなければならないが、労使協定方式の場合、派遣労働者との間で協議して決定することができるため導入がしやすいとされている。また、労使協定方式の場合、派遣先が変わっても待遇を変更する必要がないということも挙げられる。
11) パート有期法はパート法の対象に有期雇用労働者を追加する改正がなされたものである。パート有期法における「有期雇用労働者」とは、事業主と期間の定めのある労働契約を締結している労働者をいう（パート有期2条2項）。

図表2-2-1　同一労働同一賃金に関する改正前と改正後の比較

	差別的取扱いの禁止（均等待遇）		不合理な待遇の禁止（均衡待遇）		待遇の相違等に関する説明義務	
	改正前	改正後	改正前	改正後	改正前	改正後
有期雇用労働者	×	○（パート有期9条）	○（労契20条）	○（パート有期8条）	×	○（パート有期14条）
短時間労働者	○（パート9条）	○（パート有期9条）	○（パート8条）	○（パート有期8条）	△（パート14条）	○（パート有期14条）

2　均衡待遇（パート有期法8条）

> 第8条（不合理な待遇の禁止）
> 　事業主は、その雇用する短時間・有期雇用労働者の基本給、賞与その他の待遇のそれぞれについて、当該待遇に対応する通常の労働者の待遇との間において、当該短時間・有期雇用労働者及び通常の労働者の業務の内容及び当該業務に伴う責任の程度（以下「職務の内容」という。）、当該職務の内容及び配置の変更の範囲その他の事情のうち、当該待遇の性質及び当該待遇を行う目的に照らして適切と認められるものを考慮して、不合理と認められる相違を設けてはならない。

(1)　旧労働契約法20条との関係

　パート有期法施行通達[12]には、「いわゆる均衡待遇規定が整備されてきたが、待遇の相違が不合理と認められるか否かの解釈の幅が大きく、労使の当事者にとって予見可能性が高いとは言えない状況にあったことから、〔パート有期〕法第8条において、待遇差が不合理と認め

---

12)　平成31・1・30基発0130第1号等「短時間労働者及び有期雇用労働者の雇用管理の改善等に関する法律の施行について」。

られるか否かの判断は、個々の待遇ごとに、当該待遇の性質及び当該待遇を行う目的に照らして適切と認められる考慮要素で判断されるべき旨を明確化したものであること。」「また、有期雇用労働者を法の対象とすることとしたことに伴い、労働契約法第20条を削除することとしたものであること。」と記載されており、旧労働契約法20条の解釈は基本的にパート有期法8条に引き継がれるものと考えられている。

また、旧労働契約法20条をめぐる一連の最高裁判決の考え方がパート有期法8条に引き継がれるかどうかについても、「本判決（注：メトロコマース事件最高裁判決）は、ハマキョウレックス事件最判及び長澤運輸事件最判と共に、短時間・有期雇用労働法8条の下においても参考となるものと解される。」と評されているように[13]、旧労働契約法20条をめぐる一連の最高裁判決の考え方は基本的にパート有期法8条に引き継がれるものと考えられる[14]。

(2) 「基本給、賞与その他の待遇」

不合理な相違を禁止する対象は、パート有期法8条では、旧労働契約法20条の「労働条件」という文言から「待遇」という文言に代わっている。この「待遇」には、基本的に、すべての賃金、教育訓練、福利厚生施設、休憩、休日、休暇、安全衛生、災害補償、解雇等のすべての待遇が含まれる[15]。旧労働契約法20条の「労働条件」も「賃金や労働時間等の狭義の労働条件のみならず、労働契約の内容となっている、災害補償、服務規律、教育訓練、付随義務、福利厚生等労働者に対する一切の待遇」とされていたことから[16]、両者の範囲に大き

---

13) 最高裁調査官である大竹敬人「メトロコマース事件最高裁判決の解説」ジュリスト1555号（2021）54頁。

14) ただし、大阪医科薬科大学事件・メトロコマース事件の両最高裁判決は、当該労働条件の性質・目的とは無関係に労働契約法20条所定の諸事情をすべて考慮に入れているとして、当該待遇の性質・目的とは実質的に関連しない事情は考慮しないというパート有期法8条の条文構造には合致しない、とする見解もある（水町勇一郎「不合理性をどう判断するか？——大阪医科薬科大学事件・メトロコマース事件・日本郵便（東京・大阪・佐賀）事件最高裁5判決解説」労判1228号〔2020〕5頁）。

15) パート有期法施行通達第3-3-(6)。

な違いはないと解されているが、範囲が曖昧な「待遇」という文言が用いられたことにより、パート有期法8条の下では労働条件性を問題とすることがなされなくなる可能性がある旨の指摘もある[17]。

(3) 「通常の労働者」

比較対象となる「通常の労働者」とは、正規型の労働者および無期雇用フルタイム労働者がこれに該当する[18]。もっとも、複数のタイプの比較対象者が存在する場合（たとえば、総合職正社員、一般職正社員、無期転換社員など）、どのタイプと比較すればよいかが問題になる（どのタイプと比較するかによって不合理性の判断や損害の範囲等に影響する）。この点につき、パート有期法制定過程では、比較対象となる「通常の労働者」は訴える側がピックアップできると説明されていた[19]。旧労働契約法20条下の下級審の裁判例では判断が分かれていたが[20]、最高裁は、原告労働者が比較の対象として指定した無期契約労働者を比較対象者としており、比較対象者は原告となる労働者の方で選択できるという見解を採用しているものと思われる。もっとも、労働者側が指定した無期契約労働者が少数であり、他に大多数の無期契約労働者が存在しており、そのことが労働条件の相違の不合理性判断に影響を与えるような場合には、「その他の事情」として考慮されうる[21]。

---

16) 平成24・8・10基発0810第2号「労働契約法の施行について」第5-6-(2)イ。
17) 神吉知郁子「パート有期法8条の射程をめぐる一考察」季刊労働法268号（2020）65頁。旧労働契約法20条の下で、大学附属病院の受診に係る「医療費補助」の労働条件性が問題となった事例として大阪高判平31・2・15労判1199号5頁（大阪医科薬科大学事件、労働条件性否定）、決算状況に応じて裁量に基づいて支給される「祝金」の労働条件性が問題となった事例として富山地判平30・12・19労経速2374号18頁（北日本放送事件、労働条件性否定）がある。
18) パートタイム有期法施行通達第1-2-(3)。
19) 「事業主全体の中で働いている中において比較する人をピックアップして、訴える側が選ぶことが出来る」（平成30年5月16日第196回国会衆議院厚生労働委員会第19号における加藤勝信厚生労働大臣答弁）。
20) たとえば、大阪医科薬科大学事件の1審判決（大阪地判平30・1・24判タ1460号74頁）・2審判決では、教室事務員の正社員と比較すべきとする原告の主張に対し、正職員全体を比較対象とするのが相当と判断していたが、メトロコマース事件の2審判決（東京高判平31・2・20労判1198号5頁）では、原告が主張していた売店業務に従事する正社員を比較対象者とした。

(4) 不合理性の判断方法

通常の労働者と短時間・有期雇用労働者との間の待遇差について、①職務の内容、②職務の内容および配置の変更の範囲（以下、「人材活用の仕組み」というが、裁判例では「変更の範囲」と定義して用いるのみで「人材活用の仕組み」と定義するものはないようである）、③その他の事情、という3つの要素を考慮して不合理かどうかが判断される。また、上記①②③の要素は、当該待遇の性質や目的に照らして適切と認められるものだけが考慮される。たとえば、通勤手当は通勤に要する交通費を補填する趣旨で支払われているものである限り、職務の内容や人材活用の仕組みの違いを列挙しても、それらの違いと通勤手当の支給の有無や金額の多寡とは無関係である[22]。そのため、問題となっている待遇の性質や目的と関係なく上記①②③にあたる事情を多数列挙すればよいというものではないことに注意を要する。

上記①の「職務の内容」とは、「業務の内容及び当該業務に伴う責任の程度」をいう。「業務」とは職業上継続して行う仕事を指し、「責任の程度」とは業務に伴って行使するものとして付与されている権限の範囲・程度等を指す。通常の労働者と短時間労働者・有期雇用労働者との間で「職務の内容」が同一かどうかは、まず「業務の内容」が「実質的に同一」であるかどうかを判断し、次いで「責任の程度」が「著しく異なって」いないかを判断する[23]。

上記②の「人材活用の仕組み」については、転勤・昇進を含むいわ

---

[21] 大阪医科薬科大学事件では、人員配置の見直し（アルバイト職員への置き換え）により、業務の内容の難度や責任の程度が高く人事異動も行われていた他の大多数の正職員と比較して、教室事務員の正職員が極めて少数となっていたことが「その他の事情」として考慮されている。メトロコマース事件最高裁判決でも、会社の組織変更に起因して、売店業務に従事する正社員が売店業務に従事する従業員の2割未満となり、他の多数の正社員と職務内容等を異にしていたことが「その他の事情」として考慮されている。

[22] ハマキョウレックス事件同旨。

[23] 詳しくは、パート有期法施行通達第1-4-(2)ロ(ロ)、および、厚労省「不合理な待遇差解消のための点検・検討マニュアル」30頁以下（パート有期法施行通達の内容をチャート化し、具体的な作業手順がわかりやすく解説されている）を参照されたい。

ゆる人事異動や本人の役割の変化等の有無や範囲を総合判断するものである。この同一性の判断手順としては、まず配置の変更に関して転勤の有無が同じかどうか比較し、通常の労働者にも短時間・有期雇用労働者にも転勤がある場合には、転勤により移動が予定されている範囲（全国なのかエリア限定なのか）を比較し、それも実質的に同一である場合は、職務内容の変更の態様について比較する[24]。

上記③の「その他の事情」は、「職務の内容」や「人材活用の仕組み」に関連する事情に限定されず、たとえば、職務の成果、能力、経験、合理的な労使の慣行、事業主と労働組合との間の交渉といった労使交渉の経緯などの諸事情が考慮される[25]。

(5) 違反の法的効果

パート有期法8条に違反した場合の法的効果としては、短時間・有期雇用労働者の待遇が通常の労働者の待遇と同一のものとなるものではないが（補充効の否定）、短時間・有期雇用労働者に係る労働契約のうち、同条に違反する待遇の相違を設ける部分は無効となり、不法行為として損害賠償責任を負う可能性がある[26]。

なお、上述のとおり、同条に違反しても補充効までは認められないと解されているが[27]、個々の事案に応じて、就業規則の合理的な解釈により、通常の労働者の待遇と同一の待遇が認められる場合もありうるとされている[28]。

---

24) 詳しくは、パート有期法施行通達第1-4-(2)ハ(ロ)、および、前掲注23)「不合理な待遇差解消のための点検・検討マニュアル」31頁以下を参照されたい。
25) パート有期法施行通達第3-3-(5)。旧労働契約法20条の「その他の事情」として裁判所が考慮したものとしては、定年退職後の再雇用者であること（長澤運輸事件）、正社員登用制度が設けられていたこと（大阪医科薬科大学事件、メトロコマース事件等）、労働組合との交渉経緯があること（長澤運輸事件等）などがある。
26) パート有期法施行通達第3-3-(7)。旧労働契約法20条下の判例でも、同条に違反した場合、補充効までは認められていないが、不法行為に基づく損害賠償責任は認められている。
27) パート有期法施行通達第3-3-(7)。旧労働契約法20条下の判例でも、補充効は否定されている（ハマキョウレックス事件）。

(6) 同一労働同一賃金ガイドラインの位置付け

　同一労働同一賃金ガイドラインとは、パート有期法15条1項および派遣法47条の12に基づき、2018年12月に厚生労働大臣が定めた指針であり、「通常の労働者と短時間・有期雇用労働者及び派遣労働者との間に待遇の相違が存在する場合に、いかなる待遇の相違が不合理と認められるものであり、いかなる待遇の相違が不合理と認められるものでないのか等の原則となる考え方及び具体例を示したもの」[29]である。

　同ガイドラインには、旧労働契約法20条下で問題となった退職手当・住宅手当・家族手当等については触れられていないが、「ガイドラインに原則となる考え方が示されていない退職手当、住宅手当、家族手当等の待遇や、具体例に該当しない場合についても、不合理と認められる待遇の相違の解消等が求められる」[30]とされている。

　同ガイドラインはパート有期法8条違反になるかどうかについての重要な指針であるが、同ガイドラインは行政指針であって裁判所による法令の解釈適用を拘束するものではない[31]。同ガイドラインにも「事業主が、この〔第3から第5までに記載された〕原則となる考え方等に反した場合、当該待遇の相違が不合理と認められる等の可能性が

---

28) パート有期法施行通達第3-3-(7)。長澤運輸事件では、有期契約労働者と正社員とで別個独立の就業規則が適用されていたとして、正社員との同一の待遇は認められなかったが、逆に言えば、有期契約労働者と正社員とで同じ就業規則が適用されている場合は、正社員と同一の待遇が認められる可能性がある。

29) 同一労働同一賃金ガイドライン「第2　基本的な考え方」、パート有期法施行通達第3-3-(9)。

30) 同一労働同一賃金ガイドライン「第2　基本的な考え方」、パート有期法施行通達第3-3-(9)。

31) 東京地判令2・5・20労経速2429号26頁（トーカロ事件）で、裁判所は、「行政指針であって裁判所による法令の解釈適用を拘束するものではなく、同ガイドラインに違反する待遇の相違があった場合には当該相違が不合理と認められるなどの可能性がある旨定めるにとどまる」と明確に述べている（もっとも、「短時間・有期雇用労働法5条の下においては、……ガイドラインの位置付けについて別途検討する必要があることは当然である」とも述べている）。なお、同事件は、原告労働者側が控訴していたが、棄却されている（東京高判令3・2・25労経速2445号3頁）。

ある」として「可能性がある」という表現にとどまっており、同ガイドラインどおり対応しなければ直ちにパート有期法8条違反となるというわけではない。現に、旧労働契約法20条下のものであるが、裁判所は必ずしも同ガイドラインの考え方どおりに判断しているわけではない[32]。

3　均等待遇（パート有期法9条）

> 第9条（通常の労働者と同視すべき短時間・有期雇用労働者に対する差別的取扱いの禁止）
> 　事業主は、職務の内容が通常の労働者と同一の短時間・有期雇用労働者（第11条第1項において「職務内容同一短時間・有期雇用労働者」という。）であって、当該事業所における慣行その他の事情からみて、当該事業主との雇用関係が終了するまでの全期間において、その職務の内容及び配置が当該通常の労働者の職務の内容及び配置の変更の範囲と同一の範囲で変更されることが見込まれるもの（次条及び同項において「通常の労働者と同視すべき短時間・有期雇用労働者」という。）については、短時間・有期雇用労働者であることを理由として、基本給、賞与その他の待遇のそれぞれについて、差別的取扱いをしてはならない。

　パート有期法9条は、均等待遇を定めた規定であり、①職務の内容が通常の労働者と同一であること、②人材活用の仕組みが、当該事業主との雇用関係が終了するまでの全期間において、通常の労働者と同

---

[32]　たとえば、病気休職に関して、同一労働同一賃金ガイドライン第3-4-(4)では、「短時間労働者（有期雇用労働者である場合を除く。）には、通常の労働者と同一の病気休職の取得を認めなければならない。また、有期雇用労働者にも、労働契約が終了するまでの期間を踏まえて、病気休職の取得を認めなければならない」とされているが、裁判所は、正社員としての有為な人材の確保・定着を図るという観点などから、有期契約社員に休職制度を設けていなくても不合理とはいえないと判断している（東京高判平30・10・25労経速2386号3頁〔確定〕（日本郵便（休職）事件））。

一であること、という2つの要件に該当する場合、すべての待遇について通常の労働者と同じ取扱いをしなければならない[33]。

　働き方改革法の施行により、従来の短時間労働者に加え、有期雇用労働者についても均等待遇の規定が新設された。しかし、このことがどの程度実務に影響するかについては、正規・非正規の間で、雇用の全期間において、職務の内容と人材活用の仕組みが同一という状況は一般的ではなく、均等待遇が問題となる場面は実際は限られているのではないかと考える[34]。

　もっとも、長澤運輸事件のような、定年後再雇用の事案で同じ職務を継続し、配置変更の範囲も変わらないような事案では、改正後は、待遇差が不合理であると争う有期雇用労働者から、均衡待遇に加え、パート有期法9条に基づく均等待遇の主張がなされる可能性がある。この点、パート有期法施行通達[35]には、「継続雇用制度が講じられた事業主においては、再雇用等より定年年齢を境として、短時間・有期雇用労働者となった場合、職務の内容が比較対象となる通常の労働者と同一であったとしても、職務の内容及び配置の変更の範囲（人材活用の仕組み、運用等）が異なっている等の実態があれば、法第9条の要件に該当しないものであるが、法第8条の対象となることに留意が必要であること」とあり、定年の前後で職務の内容および人材活用の仕組みが同一の場合、パート有期法9条が適用されうるようにも読めるが、待遇差は「短時間・有期雇用労働者であることを理由」とするものではなく、パート有期法9条が適用されるのは妥当ではないように思われる[36][37]。もっとも、この点について判断した裁判例はまだ

---

33)　パート有期法施行通達第3-4-(2)。
34)　JILPT「『パートタイム』や『有期雇用』の労働者の活用状況等に関する調査結果　企業調査編」（2021年1月29日）23頁によると、「業務の内容も、責任の程度も同じ者がいて、人材活用の仕組み（転勤や昇進等の有無の範囲）まで同じ者がいる」企業は、フルタイムの有期雇用で7.8％、パートタイムの有期雇用で2.0％となっている。
35)　パート有期法施行通達第3-8。
36)　山川隆一ほか「座談会『同一労働同一賃金』と人事管理・雇用システムの今後」ジュリスト1538号（2019）18頁［山川隆一］参照。同氏は、「長澤運輸

なく、今後裁判所の判断が待たれるところである。なお、仮にパート有期法9条が適用されない場合でも、パート有期法8条は問題になるので、労働者がまったく救済されなくなるわけではない。なお、定年後再雇用の場合の、定年前との労働条件の相違と同一労働同一賃金の問題については、**第4編第3章Ⅲ2(4)**を参照されたい。

4　説明義務の強化（パート有期法14条）

> 第14条（事業主が講ずる措置の内容等の説明）
> 1. 事業主は、短時間・有期雇用労働者を雇い入れたときは、速やかに、第8条から前条までの規定により措置を講ずべきこととされている事項（労働基準法第15条第1項に規定する厚生労働省令で定める事項及び特定事項を除く。）に関し講ずることとしている措置の内容について、当該短時間・有期雇用労働者に説明しなければならない。
> 2. 事業主は、その雇用する短時間・有期雇用労働者から求めがあったときは、当該短時間・有期雇用労働者と通常の労働者との間の待遇の相違の内容及び理由並びに第6条から前条までの規定により措置を講ずべきこととされている事項に関する決定をするに当たって考慮した事項について、当該短時間・有期雇用労働者に説明しなければならない。
> 3. 事業主は、短時間・有期雇用労働者が前項の求めをしたこ

　事件と同じ事案がパート・有期法9条で争われたら、8条では不合理ではないのに9条違反として同一にしないといけないというのは、何か矛盾している感じもしますので、9条では、『理由として』という要件が結構重要になってくるのではないか」と述べている。

37) ビジネスガイド編集部編「水町勇一郎教授講演録　これからの『同一労働同一賃金』」（日本法令、2021）75頁参照。同氏は、「定年後再雇用の人というのは、短時間・有期雇用労働者であることを理由としたものではなく、『有期雇用労働者ではあるのだけども、定年後再雇用である』という特別の考慮の中で制度設計がされているので、有期雇用労働者であることを理由とした差別的取扱いではない、という解釈です」と述べている。

とを理由として、当該短時間・有期雇用労働者に対して解雇その他不利益な取扱いをしてはならない。

(1) 法改正の内容

　パート有期法14条では、短時間労働者について、①同条1項の雇い入れ時の説明義務の対象に、均衡待遇について講ずる措置の内容（パート有期8条）が追加された。また、②パート有期法14条2項の短時間労働者の求めに応じて行う説明義務の対象にも、均衡待遇（パート有期8条）について講ずる措置を決定するにあたり考慮した事項と、「短時間・労働者と通常の労働者との間の待遇の相違の内容及び理由」が追加された。

　さらに、③短時間労働者に課されている前記の説明義務（改正で追加された上記①②も含む）がそのまま有期雇用労働者にも拡張され、有期雇用労働者を雇い入れた事業主は、有期雇用労働者にも短時間労働者と同じ内容の説明を行わなければならなくなった（以上につき、図表2-2-1参照）。加えて、④パート有期法14条3項では、同条2項の説明を求めたことを理由として、当該短時間・有期雇用労働者に対して解雇その他不利益な取扱いをしてはならないことが明示された。

　以上から、パート有期法の下では、短時間労働者・有期雇用労働者を雇い入れる事業主は、前記説明義務の追加や拡張に応じた説明内容を用意しておく必要がある。均衡待遇について求められている説明義務を履行しなかったことは、パート有期法8条の相違の合理性判断にマイナスの影響を与える可能性がある[38]。

(2) 待遇差の説明義務

　パート有期法14条2項の「求めに応じて」行う説明義務については、①待遇差の説明にあたり比較対象となる「通常の労働者」の選定

---

38)　「この待遇差について十分な説明をしなかったと認められる場合にはその事実、そして、していなかったという事実もその他の事情に含まれ、不合理性を基礎づける事情としてこの司法判断において考慮されるものと考えているところであります」（平成30年5月23日第196回国会衆議院厚生労働委員会における加藤勝信厚生労働大臣答弁）。

と、②待遇の相違の内容および理由について、具体的にどのように説明するか、③説明の仕方が実務的な問題となる。

ア 比較対象となる「通常の労働者」の選定[39]

職務の内容等が、短時間・有期雇用労働者の職務の内容等と最も近い通常の労働者が比較対象になる。そして、「最も近い通常の労働者」の具体的な選定方法としては、(i)「職務の内容」および「職務の内容および配置の変更の範囲」が同一である通常の労働者、(ii)「職務の内容」は同一であるが、「職務の内容および配置の変更の範囲」は同一でない通常の労働者、(iii)「職務の内容」のうち、「業務の内容」、「責任の程度」のいずれかが同一である通常の労働者、(iv)「職務の内容および配置の変更の範囲」が同一である通常の労働者、(v)「職務の内容」および「職務の内容および配置の変更の範囲」のいずれも同一でない通常の労働者の順に「近い」と判断することを基本とする。

イ 待遇の相違の内容および理由に関する説明の内容[40]

「待遇の相違の内容」の説明について、事業主は、通常の労働者と短時間・有期雇用労働者との間の待遇に関する基準の相違の有無のほか、通常の労働者および短時間・有期雇用労働者の「待遇の個別具体的な内容」または「待遇に関する基準」を説明する必要がある。「待遇の個別具体的な内容」としては、「通常の労働者」が1人ならその賃金額、複数なら数量的な待遇については平均額または上限・下限額、数量的でない待遇については標準的な内容または最も高い水準・最も低い水準の内容を説明することが考えられる。また、「待遇に関する基準」としては、賃金であれば賃金規程や等級表等の支給基準等の基準を説明する（説明を求めた短時間・有期雇用労働者が、通常の労働者の待遇の水準を把握できる程度である必要がある）ことが考えられる。

「待遇の相違の理由」の説明について、事業主は、通常の労働者と

---

39) パート有期法施行通達第3-10-(6)。
40) パート有期法施行通達第3-10-(7)。

短時間・有期雇用労働者の職務の内容、人材活用の仕組みその他の事情のうち、待遇の性質・目的に照らして適切と認められるものに基づき説明する必要がある。具体的には、待遇に関する基準が同一である場合には、同一の基準のもとで違いが生じている理由（成果、能力、経験の違いなど）、待遇に関する基準が異なる場合には、基準が異なる理由（職務の内容、人材活用の仕組みの違い、労使交渉の経緯など）、およびそれぞれの基準をどのように適用しているかの説明が必要である。

　　ウ　説明の方法[41]

　資料（たとえば、就業規則、賃金規程、通常の労働者の待遇の内容を記載した資料）を活用のうえ、口頭により説明することを基本とし、この他、説明事項をもれなく記載し、容易に理解できる内容の資料を用いる場合には資料を交付する方法でも問題がない。説明資料を作成する場合には、厚労省が「説明書モデル様式」[42]を示しており、参考になる。

Ⅳ　今後必要となる実務的な対応

　今後、具体的に必要となる実務的な対応としては、①現状の把握・整理、②待遇差の検証、③説明義務への対応、④待遇差改善のための施策が想定できる（図表2-2-2参照）。

1　現状の把握・整理

　現状の把握・整理（雇用形態ごと職務内容・人材活用の仕組み整理や、雇用契約ごとの待遇の現状整理等）が不十分であれば、その後の検証・施策がいずれも不適当となる可能性があるため、①はとくに重要である。その際、就業規則・賃金規程その他の規程上の待遇だけでなく、

41）　パート有期法施行通達第3-10-(9)。
42）　厚労省「パートタイム・有期雇用労働法対応のための取組手順書」（2019年1月17日）18頁等。

第2編　日本的雇用システムの変化

図表2-2-2　実務的対応

現状の把握・整理	待遇差改善のための施策
・雇用形態の整理 ・雇用形態ごとの職務内容・人材活用の仕組みの整理 ・雇用形態ごとの待遇の整理	・給与、諸手当等の見直し ・福利厚生・教育訓練の見直し ・職務内容・人材活用範囲の見直し ・上記実現のための労使交渉
待遇差の検証	説明義務への対応
・「通常の労働者」の特定 ・「通常の労働者」との待遇差の確認・検証	・個別の処遇ごとに、客観的・具体的で、実態に沿った説明内容の検討、用意（主観的・抽象的説明では足りない） ・差異の説明文書の作成

実際の運用上の待遇を把握する必要がある点に注意が必要である。

2　待遇差の検証

待遇差の検証においては、比較する「通常の労働者」をどう考えるかが重要なポイントとなる。正規雇用労働者の中でも、たとえば、地域限定正社員や職種限定正社員、無期転換社員のように、人事制度や賃金制度が異なる複数の種類の正社員が存在する場合、このうちのどの正規雇用労働者が比較対象となるかの選択を誤ると、待遇差の検証を誤ることとなる。

「通常の労働者」か否かは、Ⅲ2(4)で述べた判断手順で、同じ区分に複数の労働者が該当する場合には、さらに絞り込む方法として、(i)基本給の決定等において重要な要素（職能給であれば能力・経験、成果給であれば成果など）における実態、(ii)説明を求めた短時間・有期雇用労働者と同一の事業所に雇用されるかどうか等の観点から判断することが考えられ、いずれの観点から絞り込むかは事業主の判断になる[43]。

---

43)　パート有期法施行通達第3-10-(6)。

3 説明義務への対応

　説明義務への対応については、Ⅲ4で述べたとおりかなり具体的な説明が求められている。改正法で追加された説明義務を履行する観点から、さらに、後に労働者から待遇差が不合理であると争われた場合の裁判所の不合理性の認定に大きな影響を与える事情となる（「その他の事項」として考慮されうる）と考えられることから、企業としては、短時間労働者・有期雇用労働者と正規労働者との間の待遇に差異を設ける合理的な説明を、個別の待遇ごとに用意しておく必要がある。さらに、実務的には、雇い入れ時・労働者の求めに応じてスムーズにかつ統一的な説明ができるよう、就業規則や賃金規程といった既存の規程とは別に、あらかじめ説明文書を用意しておくことが望ましいと考える。

4　待遇差改善のための施策

　さらに、現行の待遇差では均等・均衡待遇が果たせないおそれがある場合には、職務内容・人材活用の仕組みの見直しを行うか、待遇の見直しを行う必要がある。見直しを行う場合には、非正規雇用労働者も含めた労使交渉により、労働者の納得を得る必要がある。

　この点、同一労働同一賃金ガイドラインでは、事業主が、①低処遇の雇用管理区分を新設したり職務分離等を行ったりすることで、均等・均衡待遇違反を回避する対策を行っても、不合理な待遇差等を解消することはできないこと、②「通常の労働者」にあたる正社員の待遇引下げは就業規則の不利益変更の要件を満たす必要があること、同一労働同一賃金の目的に鑑みると労使合意なく正社員の引下げによる待遇差の解消は望ましい対応とはいえないことが示されている。

　また、働き方改革実行計画[44]においては、同一労働同一賃金は「非正規雇用労働者を含む労使の話し合いによって」実現を求めるものと

---

44) 前掲注2) の労政審建議でも、労使の対話の重要性が示されている。

あり、判例でも、たとえば長澤運輸事件においては、会社が労働組合との間で、定年退職者の継続雇用制度を導入する労使協定を締結し、その後も交渉により、基本給の2度の引上げ、調整給の支給とその額の引上げなどの改善を行ってきたことを重視していると考えられる。したがって、どのような内容・プロセスで労使交渉を進めるかが実務的に重要な課題となる。

V 重要判例

　最高裁は、旧労働契約法20条に関して7つの判決を出している。2018年6月1日にまずハマキョウレックス事件と長澤運輸事件の2つの最高裁判決が出ているが、これらはいずれも運送ドライバーの事案であり、また、正社員と職務内容に違いがないケースであった。これに対して、2020年10月13日・15日に最高裁判決が出た大阪医科薬科大学事件・メトロコマース事件・日本郵便（東京・大阪・佐賀）事件の5つの事件は、大学職員、売店販売員、郵便職員といったさまざまな業種の事案であり、また、正社員と職務内容等に一定の相違があるケースであった。争われた待遇も、賞与・退職金という金額の大きなものをはじめてとして扶養手当、病気休暇、夏期冬期休暇等さまざまな労働条件が対象となっており、社会的影響が大きい事案であった。

　そこで、以下では、2020年に出された上記5つの最高裁判決について解説する。

1　大阪医科薬科大学事件[45]

(1) 事案の概要

　本件は、大学で時給制のアルバイト職員として教室事務を担当していたXが、正職員との間で、賞与、私傷病による欠勤中の賃金等に相違があったことは労働契約法20条に違反するとして、大学等を経営

45）（1審）大阪地判平30・1・24労判1175号5頁、（2審）大阪高判平31・2・15労判1199号5頁、（最高裁）最判令2・10・13労判1229号77頁。

第2章 同一労働同一賃金

図表2-2-3 各審級の結論

項目	正職員	アルバイト職員	1審	2審	最高裁
基本給	月給制 初任給19万2570円	時給制Xの時給 950円	○	○	−
賞与	年2回支給	なし	○	×	○
年末年始・創立記念日の休日の賃金	減少なし （月給制のため）	減少あり （時給制のため）	○	○	−
年休	採用後6か月10日 採用後1年最大14日 翌年16日 翌々年18日	労基法所定の 日数	○	○	−
夏期特別有給休暇	7月～9月に5日間	なし	○	×	−
私傷病による欠勤中の賃金	6か月間全額支給 6か月経過後休職給支給（賃金2割）	なし	○	×	○
附属病院の医療費補助措置	補助あり （月額4000円上限）	補助なし	○	○	−

○＝不合理ではない、×＝不合理である

しているYに対し、不法行為に基づく損害賠償等求めた事案である。Xは、2013年1月、契約期間を同年3月までとする労働契約を締結し、以後契約期間を1年とする労働契約を3度更新し、2016年3月までYに雇用されているが、2015年3月に適応障害と診断され、有給休暇を取得した後、2016年3月に退職するまで欠勤していた。

Xが不合理と主張していた正職員との待遇差と各審級の結論は以下のとおりである。

(2) 最高裁判所の判断

ア　賞与

Yの正職員に対する賞与の性質・目的について、最高裁は、通年で基本給の4.6か月分が一応の支給基準となっており、その支給実績に照らすと、算定期間における労務の対価の後払いや一律の功労報償、将来の労働意欲の向上等の趣旨を含むものと認められること、正職員

の基本給は、勤続年数に伴う職務遂行能力の向上に応じた職能給の性格を有するものといえるうえ、おおむね、業務の内容の難度や責任の程度が高く、人材の育成や活用を目的とした人事異動が行われていたものであることに照らして、「正職員としての職務を遂行し得る人材の確保やその定着を図るなどの目的から支給されているもの」とした。

そして、①「職務の内容」について、Xの業務は、相当軽易であるのに対し、Xにより比較の対象とされた教室事務員である正職員は、学内の英文学術誌の編集事務等にも従事する必要があるなど、両者の職務の内容に一定の相違があったこと、②「変更の範囲」について、教室事務員である正職員は、就業規則上人事異動を命ぜられる可能性があったのに対し、アルバイト職員の人事異動は例外的かつ個別的な事情により行われており、両者の変更の範囲に一定の相違があったこと、③「その他の事情」について、人員配置の見直し（業務の過半が教室事務員のアルバイト職員へ置き換え）の結果、教室事務員である正職員は、業務の内容の難度や責任の程度が高く人事異動も行われていた他の大多数の正職員と比較して極めて少数となっていたことや、アルバイト職員には正職員等へ職種変更するための登用制度が設けられていたことを認定している。

以上、賞与の性質やこれを支給する目的を踏まえて、教室事務員である正職員とアルバイト職員の職務の内容等を考慮した結果、裁判所は、正職員に対する賞与の支給額がおおむね通年で基本給の4.6か月分であり、労務の対価の後払いや一律の功労報償の趣旨が含まれることや、正職員に準ずるものとされる契約職員に対して正職員の約80％に相当する賞与が支給されていたこと、アルバイト職員であるXに対する年間の支給額が新規採用された正職員の基本給及び賞与の合計額と比較して55％程度の水準にとどまることを斟酌しても、教室事務員である正職員とXとの間の賞与に係る労働条件の相違は不合理とまで評価できないとした。

####　イ　私傷病による欠勤中の賃金

　私傷病による欠勤中の賃金の性質・目的について、最高裁は、正職員が長期にわたり継続して就労し、または将来にわたって継続して就労することが期待されることに照らし、「正職員の生活保障を図るとともに、その雇用を維持し確保するという目的によるもの」とした。

　そして、上記「職務の内容」等に係る事情に加えて、アルバイト職員は、契約期間を1年以内とし、更新される場合はあるものの、長期雇用を前提とした勤務を予定しているものとは言い難いことにも照らせば、上記制度趣旨が直ちに妥当するものとはいえないこと、また、Xは、勤務開始後2年余りで欠勤扱いとなり、欠勤期間を含む在籍期間も3年余りにとどまり、勤続期間が相当の長期間に及んでいたとはいい難く、有期労働契約が当然に更新され契約期間が継続する状況にあったことをうかがわせる事情も見当たらないことから、教室事務員である正職員とXとの間の私傷病による欠勤中の賃金に係る労働条件の相違は、不合理とまで評価できないとした。

2　メトロコマース事件[46]

(1)　事案の概要

　本件は、地下鉄駅構内で売店事業を営むYと有期労働契約を締結して売店における販売業務に従事していたXらが、売店業務に従事している正社員（正社員約600名中18名）との間で、退職金等に相違があったことは労働契約法20条に違反するものであったなどと主張して、Yに対し、不法行為等に基づき、差額相当額等の損害賠償等を求めた事案である。Xら4名は、反復更新によりそれぞれ10年程度勤続し、うち3名は訴訟提起時すでに定年退職（その後再雇用）していた。Yの雇用区分は、正社員（無期、月給制、職務限定なし）、契約社員A（有期、月給制、職務限定あり（後に職種限定社員に名称変更））、契約社員B（有期、時給制、職務限定あり）に分かれており、Xらは契約社員

46）（1審）東京地判平29・3・23労判1154号5頁、（2審）東京高判平31・2・20労判1198号5頁、（最高裁）最判令2・10・13労判1229号90頁。

第2編　日本的雇用システムの変化

図表2-2-4　各審級の結論

項目	正社員	契約社員B	1審	2審	最高裁
本給	月給制 （職務給＋年齢給）	時給	○	○	－
資格手当	支給あり （一定資格以上）	支給なし	○	○	－
住宅手当	扶養あり1万5900円 扶養なし9200円	支給なし	○	×	－
賞与	年2回 （本給2か月分＋一定額）	年2回 （一律各12万円）	○	○	－
退職金	退職時本給×支給月数 （勤続年数による）	支給なし	○	×	○
永年勤労褒賞	支給あり （勤続10年ごと、 定年退職時）	支給なし	○	×	－
早出残業代	2時間まで0.27 2時間超0.35	一律0.25	×	×	－

○＝不合理ではない、×＝不合理である

Bであった。

　Xらが不合理と主張していた正社員との待遇差と各審級の結論は以下のとおりである。

(2) **最高裁判所の判断（退職金）**

　Yの退職金の目的・性質について、最高裁は、本給に勤続年数に応じた支給月数を乗じた金額を支給するものとされているところ、その支給対象となる正社員は、Yの本社や事業所等に配置され、業務の必要により配置転換等を命ぜられることもあり、また、退職金の算定基礎となる本給は、年齢によって定められる部分と職務遂行能力に応じた資格および号俸により定められる職能給の性質を有する部分から成っており、このような退職金の支給要件や支給内容等に照らせば、上記退職金は、職務遂行能力や責任の程度等を踏まえた労務の対価の後払いや継続的な勤務等に対する功労報償等の複合的な性質を有するものであり、Yは、正社員としての職務を遂行しうる人材の確保やそ

の定着を図るなどの目的から、さまざまな部署等で継続的に就労することが期待される正社員に対し退職金を支給することとしたものといえる、とした。

そして、①「職務の内容」について、Xらにより比較の対象とされた売店業務に従事する正社員は、不在販売員の代替業務やエリアマネージャー業務に従事することがあったのに対し、契約社員Bは、売店業務に専従していたものであり、両者の職務の内容に一定の相違があったこと、②「変更の範囲」について、売店業務に従事する正社員については、配置転換等を命ぜられる現実の可能性があったのに対し、契約社員Bは、業務の場所の変更を命ぜられることはあっても、配置転換等を命ぜられることはなかったこと、③「その他の事情」について、売店業務に従事する正社員は、Yの組織変更に起因して、売店業務に従事する従業員の2割未満となり、他の多数の正社員と職務内容等を異にしていたこと、また、契約社員Bから契約社員Aおよび正社員へ段階的に職種を変更するための登用制度を設け、相当数の登用をしていたことを認定した。

以上、Yの退職金が有する複合的な性質やこれを支給する目的を踏まえて、売店業務に従事する正社員と契約社員Bの職務の内容等を考慮すれば、契約社員Bの有期労働契約が原則として更新するものとされ、定年が65歳と定められるなど、必ずしも短期雇用を前提としていたものとはいえず、Xらがいずれも10年前後の勤続期間を有していることを斟酌しても、両者の間に退職金の支給の有無に係る労働条件の相違が不合理とまで評価できないとした。

3　日本郵便事件[47]

(1) 事案の概要

本件は、郵便事業等を営むYと有期労働契約を締結して勤務し、

47）　東京事件：（1審）東京地判平29・9・14労判1164号5頁、（2審）東京高判平30・12・13労判1198号45頁、（最高裁）最判令2・10・15労判1229号58頁、大阪事件：（1審）大阪地判平30・2・21労判1180号26頁、（2審）大阪高判

または勤務していた時給制契約社員または月給制契約社員であるXらが、正社員とXらとの間で、年末年始勤務手当、祝日給、扶養手当、夏期冬期休暇等に相違があったことは労働契約法20条に違反するものであったと主張して、Yに対し、不法行為に基づき、上記相違に係る損害賠償を求めるなどの請求をした事案であるXらは、1名（月給制契約社員）を除いて時給制契約社員であり、大半が複数回更新を繰り返していた。Xらは、特定業務に従事するものとされ、昇任、昇格もなく、職場・職務内容を限定して採用されており、正社員とは職務の内容や人材活用の仕組みが異なっていた。

Xらが不合理と主張していた正社員との待遇差と各審級の結論は図表2-2-5のとおりである。

(2) 最高裁判所の判断

　ア　扶養手当（大阪事件）

Yにおいて支給されている扶養手当の目的・趣旨について、最高裁は、正社員が長期にわたり継続して勤務することが期待されることから、その生活保障や福利厚生を図り、扶養親族のある者の生活設計等を容易にさせることを通じて、その継続的な雇用を確保するという目的によるものと考えられ、使用者の経営判断として尊重しうるとしつつも、上記目的に照らせば、本件契約社員についても、扶養親族があり、かつ、相応に継続的な勤務が見込まれるのであれば、扶養手当を支給することとした趣旨は妥当するというべきであるとした。

そして、Yの契約社員は、契約期間が6か月以内または1年以内で、Xらのように契約更新を繰り返すなど、相応に継続的な勤務が見込まれているといえるとして、正社員と契約社員との間に職務の内容や人材活用の仕組み（＝職務の内容および配置の変更の範囲）その他の事情につき相応の相違があること等を考慮しても、両者の間に扶養手当に係る労働条件の相違があることは不合理であると評価した。

平31・1・24労判1197号5頁、（最高裁）最判令2・10・15労判1229号67頁、佐賀事件：（1審）佐賀地判平29・6・30労判1229号38頁、（2審）福岡高判平30・5・24労判1229号12頁、（最高裁）最判令2・10・15労判1229号5頁。

図表2-2-5　各審級の結論

項目	正社員	契約社員	1審			2審			最高裁		
			東	大	佐	東	大	佐	東	大	佐
基本給	月給制	月給制 時給制	-	-	○	-	-	○	-	-	-
業務精通手当	支給あり	支給なし	○	○	○	○	○	○	-	-	-
外務業務手当	支給あり	支給なし	○	○	○	○	○	○	-	-	-
年末年始勤務手当	支給あり	支給なし	×	×	○	×	×	○	×	×	-
早出勤務等手当	支給あり	支給なし	○	○	○	○	○	○	-	-	-
夜間特別勤務手当	支給あり	支給なし	○	○	-	○	○	-	-	-	-
祝日給	支給あり	支給あり	○	○	○	○	○	○	-	-	-
夏期年末手当	支給あり	支給なし									
住宅手当	支給あり	支給なし	×	×	-	×	×	-	-	-	-
夏期冬期休暇	各3日間（有給）	なし	×	−48)	○	×	×	×	-	-	×
病気休暇	90日間（有給）	10日間（無給）	×	−49)	×	×	×	×	-	-	×
郵便外務業務精通手当	支給あり	支給なし	○	○	○	○	○	○	-	-	-
扶養手当	支給あり	支給なし	-	×	-	-	○	-	-	×	-
通勤手当	支給あり（21日分）	支給あり（所定勤務日数相当）	-	-	○	-	-	○	-	-	-

○＝不合理ではない、×＝不合理である

イ　年末年始勤務手当（東京事件・大阪事件）

　年末年始勤務手当の性質等について、最高裁は、郵便業務の最繁忙期で、多くの労働者が休日として過ごしている期間（12月29日から1月3日まで）における勤務の特殊性から基本給に加えて支給される対価としての性質を有するものであり、正社員の業務内容やその難度等にかかわらず、所定期間において実際に勤務したこと自体を支給要件とし、支給金額も一律である、と認定した。

48）　原告は正社員就業規則が適用される労働契約上の地位確認を求めたため、裁判所は、旧労働契約法20条の法的効果（補充効の否定）に鑑み、旧労働契約法20条に違反する否かについて判断せず、理由がないとした。

49）　前掲注38）と同様に、裁判所は、旧労働契約法20条に違反する否かについて判断せず、理由がないとした。

そして、このような年末年始勤務手当の性質や支給要件および支給金額に照らせば、その趣旨は、郵便業務を担当する契約社員にも妥当するとして、郵便業務を担当する正社員と契約社員との間に職務の内容や人材活用の仕組みその他の事情につき相応の相違があること等を考慮しても、両者の間に相違があることは不合理であると評価した。

　ウ　祝日給（大阪事件）

　年始期間の勤務に対する祝日給の趣旨について、最高裁は、特別休暇が与えられることとされているにもかかわらず最繁忙期であるために年始期間に勤務したことの代償として、通常の勤務に対する賃金に所定の割増しをしたものを支給することとされたものと解される、とした。

　そして、本件契約社員は、契約期間が6か月以内または1年以内とされており、Ｘらのように有期労働契約の更新を繰り返して勤務する者も存するなど、繁忙期に限定された短期間の勤務ではなく、業務の繁閑に関わらない勤務が見込まれていることから、年始期間における勤務の代償として祝日給を支給する趣旨は、契約社員にも妥当するとして、正社員と契約社員との間に職務の内容や人材活用の仕組みその他の事情につき相応の相違があること等を考慮しても、労働条件の相違があることは不合理であると評価した。

　エ　病気休暇（東京事件）

　病気休暇の目的・趣旨について、最高裁は、Ｙにおいて、私傷病で勤務する正社員に有給の病気休暇が与えられているのは、正社員が長期にわたり継続して勤務することが期待されることから、その生活保障を図り、私傷病の療養に専念させることを通じて、その継続的な雇用を確保するという目的によるものと考えられ、使用者の経営判断として尊重しうるとしつつも、上記目的に照らせば、郵便業務を担当する時給制契約社員についても、相応に継続的な勤務が見込まれるのであれば、私傷病による有給の病気休暇を与えることとした趣旨は妥当するというべきである、とした。

　そして、Ｙの時給制契約社員は、契約期間が6か月以内でＸらの

ように更新を繰り返すなど、相応に継続的な勤務が見込まれているといえるとして、正社員と時給制契約社員との間に、職務の内容や人材活用の仕組みその他の事情につき相応の相違があること等を考慮しても、私傷病による病気休暇の日数につき相違を設けることはともかく、これを有給とするか無給とするかにつき労働条件の相違があることは不合理であると評価した。

　　オ　夏期冬期休暇（東京事件[50]・佐賀事件）

　Yにおいて与えられている夏期冬期休暇の目的・趣旨について、最高裁は、年次有給休暇や病気休暇等とは別に、労働から離れる機会を与えることにより、心身の回復を図るという目的によるものであると解され、夏期冬期休暇の取得の可否や取得しうる日数は上記正社員の勤続期間の長さに応じて定まるものとはされていない、と認定した。

　そして、郵便業務を担当する時給制契約社員は、契約期間が6か月以内とされるなど、繁忙期に限定された短期間の勤務ではなく、業務の繁閑に関わらない勤務が見込まれているのであって、夏期冬期休暇を与える趣旨は、上記時給制契約社員にも妥当するというべきであるとして、正社員と時給制契約社員との間に職務の内容や人材活用の仕組みその他の事情につき相応の相違があること等を考慮しても、両者の間に相違があることは不合理であると評価した。

4　最高裁判決のポイント

(1)　不合理性の判断枠組み

　最高裁は、ハマキョウレックス事件・長澤運輸事件において、賃金が複数の項目から構成されている場合、賃金項目の趣旨を個別に考慮して判断すべきであるとして、各賃金項目の趣旨・性質を考慮した不

---

[50]　本文中の最高裁の判示は佐賀事件のものである。東京事件の最高裁でも夏期冬期休暇に触れられているが、その判示内容としては、「夏期冬期休暇を与えられなかったことにより、当該所定の日数につき、本来する必要のなかった勤務をせざるを得なかったものといえるから、上記勤務をしたことによる財産的損害を受けた」として、その損害額についてさらに審理を尽くさせるため原審に差し戻している。

合理性判断を行っていたところ、上記5判決でも、賞与・退職金について、他の労働条件の相違と同様に、当該労働条件の性質・目的を踏まえて、労働契約法20条の諸事情を考慮することにより不合理性を検討すべきであるとしている。また、賃金以外の労働条件についても、賃金と同様に、個々の労働条件の趣旨を個別に考慮すべきであるとしており、労働条件（賃金項目）ごとにその趣旨・目的を考慮して不合理性を判断するという労働契約法20条の不合理性の判断枠組みが確立されたものといえる。なお、パート有期法8条では、条文に「待遇のそれぞれについて」「当該待遇の性質及び当該待遇を行う目的に照らして」ということが明記されている。

(2) **事例判断**

大阪医科薬科大学事件・メトロコマース事件では有期契約社員に退職金・賞与を支給しないことが不合理ではないと判断されたが、これらは事例判断であり、退職・賞与については常に不合理とはならないというわけではない点に注意を要する。退職金・賞与の支給基準・支給要件・支給内容が上記各事件と違えば、退職金・賞与の目的が「正職員としての職務を遂行し得る人材の確保やその定着を図る」ためのものとはならない可能性がある。また、上記2事件では、正社員と有期契約社員との間で職務の内容や人材活用の仕組みが異なっていたうえ、その他の事情として、正社員登用制度の存在等が考慮されており、これらの事情が違えば、違う結論もありうるところである。現に、メトロコマース事件最高裁判決の補足意見[51]の中で、「有期契約労働者がある程度長期間雇用されることを想定して採用されており、有期契約労働者と比較の対象とされた無期契約労働者との職務の内容等が実質的に異ならないような場合には、両者の間に退職金の支給に

---

51) 最高裁判所の裁判書における各裁判官の意見の表示方法としては、全員一致の意見や多数意見は共同に表示され、法廷意見と言われる。これに対して、各裁判官の個別意見の表示方法として、慣例上、「補足意見」、「反対意見」、「意見」の3つがあり、「補足意見」とは、多数意見に加わった裁判官が、共同の意見として述べられたところにつけ加えて自己の意見を述べるものである。

係る労働条件の相違を設けることが不合理と認められるものに当たると判断されることはあり得る」ということが述べられている。

(3) 比較対象者

比較対象となる無期契約労働者に複数のタイプが存在する場合、比較対象となる「同一の使用者と期間の定めのない労働契約を締結している労働者」（旧労働契約法20条、パート有期法8条では「通常の労働者」）は誰になるのかが問題になるところ、これについて、大阪医科薬科大学事件の1審・2審判決では、教室事務員の正職員と比較すべきとする労働者側の主張に対し、裁判所は、正職員全体を比較対象とするのが相当であると判断していたのに対して、メトロコマース事件の2審判決[52]では、裁判所は、労働者側が主張していた売店業務に従事する正社員を比較対象にしており、判断が分かれていた。最高裁は、比較対象者について一般的な見解を明示的に示しているわけではないが、原告労働者が比較の対象として指定した無期契約労働者を比較対象者としており、比較対象者は原告となる労働者の方で選択できるという見解を採用しているものと思われる。

もっとも、大阪医科薬科大学事件最高裁判決では、人員配置の見直し（アルバイト職員への置き換え）により、業務の内容の難度や責任の程度が高く人事異動も行われていた他の大多数の正職員と比較して、教室事務員の正職員が極めて少数となっていたことが「その他の事情」として考慮されている。メトロコマース事件最高裁判決でも、会社の組織変更に起因にして、売店業務に従事する正社員が売店業務に従事する従業員の2割未満となり、他の多数の正社員と職務内容等を異にしていたことが「その他の事情」として考慮されている。このように、最高裁は、比較対象者の選択は原告労働者の方で選択できるとしても、その比較対象者において他の多数の正社員と職務の内容等を異にすること（原告労働者と職務の内容等がより近接する正社員がいること）について、特殊事情や過去の経緯があれば、不合理性を否定する

---

[52] 東京地判平29・3・23労判1154号5頁。

事情として勘案しているものと考えられる。

(4) **有為人材確保論の採用**

有為人材確保論とは、正社員として優位な人材を確保しその定着を図るという目的で正社員を手厚く処遇するというものであり、正社員と有期契約社員の待遇差を正当化する論拠として主張されてきたものである。ハマキョウレックス事件では、2審判決[53]で、有為人材確保論にふれて、住宅手当の待遇差の不合理性を否定していたのに対して、最高裁は結論こそ同じであるものの、有為人材確保論にふれていなかったので、人材確保論に対する最高裁の立場が明確ではなかったが、大阪医科薬科大学事件とメトロコマース事件で、最高裁は、賞与や退職金の趣旨として有為人材確保論を肯定している。

もっとも、上記2事件では、有為人材確保論の前提として、勤続年数に伴う職務遂行能力の向上に応じた職能給制度がとられており、人材の育成や活用を目的とした人事異動が行われていたということが前提としてあるので、そのような前提がない場合には、有為人材確保論は採れない可能性がある。また、最高裁は、賞与・退職金では有為人材確保論を採用しているが、それ以外の労働条件では採用していない。かえって日本郵便（大阪）事件において、2審では有為人材確保論により扶養手当を有期契約社員に不支給とすることは不合理ではないとされていたが、最高裁はこれを破棄している。以上のとおり、その趣旨や性質が多様で複合的な賞与や退職金については、有為人材確保論が採られているが、趣旨が明確な手当や休暇などは有為人材確保論がとられていないことに注意を要する。

(5) **割合的認定の不採用**

大阪医科薬科大学事件2審判決では、同法人の賞与は、正職員として賞与算定期間に在籍し、就労していたことそれ自体に対する対価としての性質を有しており、その趣旨はアルバイト職員にも妥当するとしつつ、賞与には功労、長期就労への誘引という趣旨も含まれている

---

53) 大阪高判平成27・7・31労経速2292号25頁。

ことから、契約社員に正職員の約80％の賞与が支払われていたことを参考にして、60％を下回る場合は不合理とする割合的認定をしていた。また、メトロコマース事件2審判決でも、契約社員Bは原則契約が更新され、65歳定年が定められており、実際にも10年前後の長期間にわたって勤務していたことなどから、退職金に複合的な性格があることを考慮しても、長年の勤務に対する功労報償の性格を有する部分に係る退職金を一切支給しないことは不合理であるとして、正社員の退職金支給基準に基づいて算定した額の4分の1について不合理とする割合的認定をしていた。

　しかし、最高裁はこのような割合的認定を採用せず、賞与・退職金を不支給とすることは不合理ではないと判断している。均衡待遇の趣旨からすると、オールオアナッシングではなく割合的な認定をするのが望ましいものの[54]、割合の数字に明確な根拠を示すのは難しく、数字が独り歩きするおそれもあるので、実際に割合的な認定をするのは難しいものと思われる。もっとも、上述のとおり、上記2事件はいずれも事例判断であり、最高裁が割合的認定を完全に否定したとは解されず、事案によっては今後最高裁レベルで割合的認定がなされる可能性がある。また、民事訴訟法上、「損害の性質上その額を立証することが極めて困難であるときは、裁判所は、口頭弁論の全趣旨及び証拠調べの結果に基づき、相当な損害額を認定することができる」（同法248条）とされており、損害額の立証が困難でも裁判所が相当な損害額を認定することが可能であり、実際に、労働契約法20条が問題となった裁判例で同条に基づき割合的に損害を認定したものがある[55]。

54）　割合的認定を労働契約法20条の趣旨に沿ったものとして評価するものとして、水町勇一郎「判批（大阪医科薬科大学事件高裁判決）」ジュリスト1530号（2019）5頁。
55）　東京地判平29・9・14労判1164号5頁（日本郵便（東京）事件1審判決）では、民事訴訟法248条により、年末年始勤務手当について正社員の支給額の8割を、住居手当について正社員の支給要件を適用として認められる住居手当の6割を損害として認めている。

Ⅵ 具体的検討

1 基本給

(1) 同一労働同一賃金ガイドライン

　ガイドラインは、能力・経験／業績・評価／勤続年数に応じた部分につき、通常の労働者と能力・経験／業績・評価／勤続年数が同一であれば同一、相違があれば相違に応じた基本給を支給しなければならないとするが、この考え方は、通常の労働者と短時間・有期雇用労働者との間の賃金の決定基準・ルールが同じ場合に適用されるものと解されている。一般的には、正社員と短時間・有期雇用労働者の賃金決定基準・ルールは異なる場合が多いので（たとえば、正社員は年功賃金制・月給制、短時間・有期雇用労働者は職務内容に応じた時給制等）、この考え方が適用されるケースはかなり限定的といえよう。

　同ガイドラインは、賃金の決定基準・ルールの相違がある場合の取扱いについても触れており、「通常の労働者と短時間・有期雇用労働者との間に基本給、賞与、各種手当等の賃金に相違がある場合において、その要因として通常の労働者と短時間・有期雇用労働者の賃金の決定基準・ルールの相違があるときは、『通常の労働者と短時間・有期雇用労働者との間で将来の役割期待が異なるため、賃金の決定基準・ルールが異なる』等の主観的又は抽象的な説明では足りず、賃金の決定基準・ルールの相違は、通常の労働者と短時間・有期雇用労働者の職務の内容、当該職務の内容及び配置の変更の範囲その他の事情のうち、当該待遇の性質及び当該待遇を行う目的に照らして適切と認められるものの客観的及び具体的な実態に照らして、不合理と認められるものであってはならない」と述べており、実務的にはこちらの考え方が適用されるケースが多いと思われる。

(2) 裁判例

　本書執筆時点では後述する裁判例を除いて基本給の相違に関する不

合理性は否定されており、たとえば、以下のものがある[56]。

・正社員には長期雇用を前提とした年功賃金的な賃金体系を設け、短期雇用を前提とする有期雇用労働者には異なる賃金体系を設ける制度設計は、企業の人事施策上の判断として一定の合理性があるとしたうえで、職務内容や変更範囲の相違や、金額の相違が25%にとどまっていることなどから、不合理性を否定したもの[57]、時給制契約社員は当然にはフルタイム勤務を前提としておらず勤務体制が異なっていることから、正社員には月給制、期間雇用社員には時給制の相違が設けられていることは不合理ではなく、それに起因する基本賃金の相違は不合理ではないとしたもの[58]。

・アルバイト職員は短時間勤務者が多数を占めることから、正職員に月給制、アルバイト職員に時給制を適用することは不合理な相違とはいえないとしたうえで、職務内容や変更範囲の相違や、正職員は職能給であるのに対して、アルバイト職員の賃金は職務給的な賃金であること、金額の相違が2割にとどまることなどから、基本給の相違は不合理ではないとしたもの[59]。

一方、基本給の相違の不合理性を肯定した裁判例[60]は、大学の臨時職員と正規職員との間の基本給の相違が不合理かどうかが争われた事案であり、1審判決では、職務内容や変更範囲に相違があることを理由に待遇の相違は不合理でないとされていた。しかし、2審判決では、当該臨時職員が30年以上にわたって雇用されていたことをその他の事情として考慮し、それだけ長期にわたって雇用されているにもか

---

[56] その他の裁判例として、東京高判令2・6・24労経速2429号17頁（学校法人中央学院事件）、前掲注32）（トーカロ事件）。
[57] メトロコマース事件1審判決（東京地判平29・3・23労判1154号5頁）・2審判決（東京高判平31・2・20労判1198号5頁）。なお、退職金以外の労働条件については上告不受理となったため、2審判決が確定している。
[58] 日本郵便（佐賀）事件1審判決（佐賀地判平29・6・30労判1229号38頁）・2審判決（福岡高判平30・5・24労判1229号労判1229号12頁）。なお、上告不受理となったため、2審確定。
[59] 大阪医科薬科大学事件1審・2審判決。なお、上告不受理となったため、2審確定。
[60] 福岡高判平30・11・29労判1198号63頁（学校法人産業医科大学事件）。

かわらず、昇給がほとんど行われていないこと、同学歴（短大卒）の正規職員の主任昇格前の賃金水準すら満たしていないこと、同時期に採用された正規職員との基本給の額に約2倍の格差が生じていたことから、「同学歴の正規職員の主任昇格前の賃金水準を下回る3万円の限度において不合理である」とした。この裁判例については、勤続30年以上という特殊な事情による事例判断であり[61]、射程はかなり限定的と解されている。また、当該臨時職員特有の事情までその他の事情に含めるのは労働契約法20条の趣旨を逸脱しているという批判[62]、契約期間の長短を過度に重視する判断であるとする批判[63]などもなされている。

(3) 検討

Ⅶ1(1)で述べたとおり、一般的には、正社員と短時間・有期雇用労働者の間で、賃金決定基準・ルールが異なっており、職務内容または変更範囲にも一定の相違がある場合が多いと思われるので、基本給の相違が不合理となるケースというのはかなり限られるのではないかと考えられる。ただし、その場合でも、裁判例に照らすと、勤続年数がかなり長期間にわたっており、それにもかかわらず正社員の基本給の額との相違が大きい場合などは不合理性が認められる可能性がゼロではないので、その点は注意しておく必要がある。

2　賞与

(1) 同一労働同一賃金ガイドライン

ガイドラインは、**図表2-2-6**のとおりの原則となる考え方や具体例を示している。

---

61) 石嵜信憲編著・石嵜裕美子ほか『同一労働同一賃金の基本と実務』（中央経済社、2020）253頁。
62) 加藤大喜「労働契約法20条違反が争点となった裁判例」経営法曹203号（2019）47頁。
63) 土田道夫「短時間・有期労働法における人事管理の課題と法的課題」ジュリスト1538号（2019）56頁。

図表2-2-6　賞与の考え方・問題となる例

	原則となる考え方	問題となる例
会社の業績等への労働者の貢献に応じて支給するもの	貢献に応じた部分につき、通常の労働者と貢献が同一であれば同一、相違があればその相違に応じた賞与を支給しなければならない。	① 会社の業績等への労働者の貢献に応じて支給しているA社において、通常の労働者であるXと同一の会社の業績等への貢献がある有期雇用労働者であるYに対し、Xと同一の賞与を支給していない。 ② 会社の業績等への労働者の貢献に応じて支給しているA社においては、通常の労働者には職務の内容や会社の業績等への貢献等にかかわらず全員に何らかの賞与を支給しているが、短時間・有期雇用労働者には支給していない。

(2) 裁判例

大阪医科薬科大学事件では、2審において正規職員の賞与の60％を下回る限りで不合理とする判決が出ていたが、上記Ⅳ1のとおり、最高裁で相違の不合理性は否定されている。その他の裁判例も支給の有無や算定方法の相違の不合理性を否定している。裁判所の判断の傾向としては、賞与には賃金の後払い、功労褒賞、従業員の意欲向上等さまざまな趣旨が含まれうるものであり、いかなる趣旨で賞与を支給するかは使用者に裁量があるとし、長期雇用を前提とする正社員に対して賞与の支給を手厚くして有為な人材の確保・定着を図るという目的にも合理性を認めている。そして、職務の内容や人材活用の仕組みの相違に加えて、正社員登用制度により正社員との相違を解消する機会が与えられていたり、有期契約労働者にも寸志が支給されているなど事案に応じてさまざまな事情が考慮され、不合理性が否定されている。

(3) 検討

賞与の相違が不合理にあたらないかどうかは、賞与の算定方法、賞与の算定基礎が基本給になっている場合のその基本給の性質等を踏ま

えて賞与の性質・支給目的にどのような性質・目的があるといえるかや、職務の内容・人材活用の仕組みの相違、その他の事情の有無を分析・確認する必要がある。

賞与の不支給が不合理であると判断した大阪医科薬科大学事件2審判決は最高裁で否定され、それ以外の裁判例でも賞与の相違の不合理性は否定されており、その理由として、長期雇用を前提とする正社員に対して賞与の支給を厚くして有為な人材の獲得・定着を図ることには人事上の施策として一定の合理性があるとされていることからすると、正社員と有期契約社員との間の賞与の相違が不合理と判断されるケースは多くないと考える。

ただし、裁判例ではいずれの事件においても賞与の相違に関する不合理性が否定されているとはいえ、その多くは有期契約社員にも一定の賞与が支給されている事案である[64]。大阪医科薬科大学事件は有期契約社員に賞与がまったく支給されていなかった事案であり、それでも不合理性は否定されているが、上述のとおり事例判断であり、現に最高裁も賞与の支給に関して不合理と認められるものにあたる場合がありうる旨述べていることには留意する必要がある。

3　退職金

同一労働同一賃金ガイドラインでは、原則となる考え方や具体例は示されておらず、「ガイドラインに原則となる考え方が示されていない退職手当、住宅手当、家族手当等の待遇や、具体例に該当しない場合についても、不合理と認められる待遇の相違の解消等が求められ

---

[64] 仙台地判平29・3・30労判1158号18頁（ヤマト運輸事件）では「基本給×支給月数（約2.6〜3.2か月）×成果査定（乗率120〜40％）」、日本郵便事件（東京・大阪・佐賀）1審・2審判決〔確定〕では「月例基本給相当額×0.3×勤務日数の区分に応じた割合（1〜1.8）、新潟地判平30・3・15労経速2347号36頁（医療法人A会事件）では「月給の1か月分」、高松高判令元・7・8労判1208号25頁〔確定〕（井関松山製造所事件）では「5万円の寸志」、高松高判令元・7・8労判1208号38頁〔確定〕（井関松山ファクトリー事件）では「夏季・冬季各8万5000円〜10万円程度」、前掲注32）（トーカロ事件）では「基本給の3か月分」が有期契約社員に対して支払われていた。

る」と書かれているのみである。

　裁判例では、メトロコマース事件2審判決では「正社員と同一の基準に基づいて算定した額の4分の1」の範囲で不合理としていた。しかし最高裁は、退職金が勤続年数に応じた支給月数を乗じた金額となっており、その算定基礎となる基本給が年齢や職務遂行能力に応じて決められていることから、退職金には正社員としての職務を遂行しうる人材の確保やその定着を図る目的があるとしたうえで、職務の内容・人材活用の仕組みの相違や、その他の事情として正社員登用制度が設けられていることなど考慮して、不合理性を否定した。

　退職金についても、賞与と同様に、裁判所は、長期的に育成される正社員の人材の確保・定着を図る目的で退職金を支給するという使用者の経営判断を尊重しており、正社員と有期契約社員との間の退職金の相違が不合理と判断されるケースは多くないと考える。

　もっとも、メトロコマース事件の最高裁判決は事例判断ではあるので、退職金の相違が不合理にあたらないかどうかは、退職金の算定方法、退職金の算定基礎が基本給になっている場合にその基本給の性質等を踏まえて退職金にどのような性質・支給目的があるといえるかや、職務の内容・人材活用の仕組みの相違、その他の事情の有無を分析・確認する必要がある。

4　諸手当

　手当については、ガイドラインでもさまざまな例が挙げられている。もっとも、諸手当の内容や趣旨は、各社各様であり、名称は同じでも、趣旨が同じというわけでもない。そのため、ガイドライン等の問題とならない例・問題となる例を個別に見ても、自社の事案と合致するか否かの照らし合わせが難しいように思われる。そこで、手当については、その趣旨に立ち返って、業務に紐付くものと、生活に紐付くものという整理ができるのではないかと考える。

(1)　業務に紐付く手当

　同一労働同一賃金ガイドラインでは、業務に紐付く手当として、特

殊作業手当、特殊勤務手当、精皆勤手当、時間外・深夜・休日労働手当、通勤手当・出張旅費、食事手当に言及されており、基本的に同一の業務・労働に対しては同一の支給が求められる。もっとも、勤務日数、労働時間の違いとバランスのとれた相違や、その相違があらかじめ時給に反映されている場合はその範囲では問題とならないとされている。

たとえば、深夜休日手当の例では、通常の労働者と時間数および職務の内容が同じ深夜労働または休日労働を行った短時間労働者に対して、深夜労働または休日労働以外の勤務時間が短いことから、深夜休日手当を通常の労働者より低くしても問題とならないとする。

また、特殊勤務手当の例では、交代制勤務への従事が確定していない通常の労働者が交代制勤務に従事した場合は特殊勤務手当が支給されるが、採用にあたり、交代制勤務に従事することが明確にされ、基本給に通常の労働者に支給される特殊勤務手当と同一の交代制勤務の負荷分が盛り込まれており、通常勤務のみに従事するより高い基本給が支給されている短時間労働者について、特殊勤務手当を支給しないことは問題にならないとする。

これまでの判例では、業務に紐付く手当については、相違を不合理とする判例が相次いでいる[65]。実務的には、業務に紐付く手当については、業務が同一または類似していると、人材活用の仕組みの違いは理由とならず、同一の支給が求められると考える。ただし、前記のとおり、勤務日数や労働時間の違いとバランスのとれた相違や、あらかじめ時給に反映されている場合は例外として許容される可能性があ

---

65) 精皆勤手当の相違を不合理としたものとして、ハマキョウレックス事件、井関松山製造所事件2審判決（確定）。年末年始勤務手当の相違を不合理としたものとして、日本郵便（東京・大阪）事件。無事故手当の相違を不合理としたものとして、ハマキョウレックス事件。早出残業手当の割増率の相違を不合理としたものとして、メトロコマース事件1審・2審判決（確定）。通勤手当の相違を不合理としたものとして、ハマキョウレックス事件、福岡地小倉支判平30・2・1労判1178号5頁・福岡高判平30・9・20労判1195号88頁（九水運輸商事事件、確定）、東京高判令3・3・24労判1250号76頁（アートコーポレーション事件）。

る。

(2) 生活に紐付く手当

同一労働同一賃金ガイドラインでは、生活に紐付く手当として、単身赴任手当、地域手当が挙げられ、単身赴任手当については、同一の支給要件を満たす場合は同一の支給が必要であるとする。これに対し、地域手当については、通常の労働者が全国一律の基本給体系で、転勤があることから地域の物価を勘案した地域手当を支給する一方、短時間・有期雇用労働者は地域採用であり、地域の物価が勘案されて基本給が設定されている場合は、短時間・有期雇用労働者への地域手当の不支給は問題とならないとする。裁判例でも、地域手当の趣旨を「初任給の額が全国一律であるという正社員固有の賃金制度に由来する問題を解消するための手当」と認定したうえで、嘱託社員の賃金は個別に決定され、家賃の高さ等地域特有の事情を考慮して採用地区ごとに賃金額を決定することも可能であり、転勤も予定されていないことなどから、嘱託社員に地域手当が支給されていなくても不合理ではないとしたものがある[66]。

住宅手当については、ガイドラインには特に原則となる考え方は示されていないが、ハマキョウレックス事件では、有期契約社員は就業場所の変更が予定されていないのに対して、正社員は転居を伴う配転が予定されているため、有期契約社員よりも住宅費が多額となりうることを理由として、正社員にのみ住宅手当を支給することも不合理ではないとしている。その他の裁判例でも正社員と有期契約社員との間に転居を伴う転勤義務の点で違いがあるか否かが判断のポイントとなっており[67]、この考え方が定着してきているといえる。

家族手当（扶養手当）についても、ガイドラインには特に原則となる考え方は示されていないが、日本郵便（大阪）事件では、扶養手当の目的を、長期継続勤務が期待される正社員の生活保障や福利厚生を

---

[66] 前掲注32）（トーカロ事件）。
[67] メトロコマース事件2審判決（確定）、日本郵便（東京）事件2審判決（確定）、日本郵便（大阪）事件2審判決、井関松山製造所事件2審判決（確定）。

図り、その継続的な雇用を確保する点にあるとしたうえで、契約社員についても、扶養親族があり、かつ、相応に継続的な勤務が見込まれるのであれば、扶養手当を支給することとした趣旨は妥当するとしている。そのため、契約期間や更新実態に照らして相応に継続的な勤務が見込まれる場合に当たらないかどうか注意しておく必要がある[68]。

5 休暇

病気休暇については、ガイドラインで、短時間労働者には通常の労働者と同一の付与をしなければならず、有期雇用労働者にも、労働契約の残存期間を踏まえて付与をしなければならないとされている。判例を見ると、大阪医科薬科大学事件は、正職員には私傷病休暇（6か月間は有給、6か月経過後も2割支給）があるのに対して、アルバイト職員には病気休暇がないという相違がある事案で、最高裁は、私傷病欠勤中の賃金につき、長期継続就労を期待して生活保障を図り継続的な雇用を確保するという性質・目的を踏まえ、職務内容や人材活用の仕組みの相違、原告労働者が比較対象にしている正職員が少数・特殊であること、登用制度の存在、原告労働者の勤続期間が長期でないことを考慮して、相違は不合理ではないと判断した。他方、日本郵便（東京）事件は、正社員には有給の病気休暇が90日間付与されるのに対して、時給制契約社員には無給の病気休暇が10日間のみ付与されるという事案で、最高裁は、有給の病気休暇の目的を大阪医科薬科大学事件と同様に解したうえで、契約更新を繰り返し相応に継続的な勤務が見込まれる契約社員に対し、付与日数の相違はともかく、有給か無給かの相違があることは不合理であると判断している[69]。このよう

---

[68] 最高裁は、相応に継続的な勤務が見込まれる場合とは具体的にどのような場合をいうのか判断基準（具体的な契約期間・更新実態）を示していないが、日本郵便（大阪）事件では、6か月もしくは1年を契約期間とする有期労働契約の通算期間が1名を除いて5年を超えていた。

[69] 日本郵便（大阪）事件でも、日本郵便（東京）事件と同内容の相違が問題となった。2審判決は、病気休暇の趣旨を日本郵便（東京）事件と同様に解したうえで、正社員と契約社員との間で、病気休暇について異なる制度や運

に最高裁の結論が分かれた理由は、大阪医科薬科大学事件の原告労働者は通算雇用期間が3年余り（欠勤期間を除くと2年余り）であったのに対して、日本郵便（東京）事件の原告労働者の通算雇用期間は10年以上であり、このことが長期継続就労への期待による生活保障と継続雇用の確保という病気休暇・賃金保障の目的との関係で大きく影響したものと思われる。したがって、病気休暇の付与およびその期間中の賃金保障については、有期契約社員の通算雇用期間等踏まえて、「相応に継続的な勤務が見込まれているかどうか」が判断の大きなポイントになる。なお、相違が不合理になるとしても、付与日数を正社員と同じすることまで求められているわけではない。

法定外の特別休暇について、ガイドラインでは、勤続期間に応じて取得を認めているものについて、通常の労働者と同一の勤続期間である短時間・有期雇用労働者には、通常の労働者と同一の休暇を付与しなければならないとされている。判例では、日本郵便（佐賀）事件において、最高裁は、夏期冬期休暇は労働からの解放により心身の回復を図るという目的によるものであり、その趣旨は有期契約社員にも妥当するとして、有期契約社員に付与しないことは不合理であるとした。また、大阪医科薬科大学事件の2審判決でも、正職員のみに付与されていた年5日の夏期特別休暇について、裁判所は、同休暇の趣旨を、心身のリフレッシュを図らせる必要があることや、国民的慣習によるものとしたうえで、フルタイムのアルバイト職員との関係で正職員と同様の夏期特別休暇を付与しないことは不合理であると判断しており、この判断は確定している。そのため、夏期休暇や年末年始といった国民慣習的な休暇、心身の疲労回復を目的とした休暇について、その時期限定で採用したような社員を除いて、有期契約社員を一律に対象外とすることは不合理と判断される可能性が高いので、見直しを検討する必要がある。その際、勤務日数や勤務時間に応じて割合

用を採用すること自体は相応の合理性があり、ただちに不合理であると評価することはできないとしつつ、通算契約期間が5年を超えた時給制契約社員との関係では当該相違を設けることは不合理と判断して、確定している。

的に付与することまでは禁止されていないものと解される。

6　福利厚生・教育訓練・安全管理

　福利厚生施設（給食施設、休憩室、更衣室）に関する相違について判断した裁判例は見当たらないが、同一労働同一賃金ガイドラインでは、通常の労働者と同一の事業所で働く短時間・有期雇用労働者には、通常の労働者と同一の福利厚生施設の利用を認めなければならないとされている。また、パート有期法上、給食施設、休憩室、更衣室については、「その雇用する短時間・有期雇用労働者に対しても、利用の機会を与えなければならない」とされているので[70]、注意が必要である。

　その他、同一労働同一賃金ガイドラインでは、転勤者用社宅、慶弔休暇ならびに健康診断に伴う勤務免除・有給保障、教育訓練、安全管理にも言及があり、通常の労働者と同一の支給要件を満たす場合（転勤者用社宅）や、通常の労働者と職務の内容が同一の場合（教育訓練）、通常の労働者と同一の業務環境に置かれている場合（安全管理）等には、同一の支給をしなければならないとされている。なお、教育訓練については、パート有期法上、職務内容が同一の短時間・有期雇用労働者に対しても、原則として実施しなければならない[71]。

7　その他の実務上の論点（無期転換社員）

　正社員と無期転換社員（労働契約法18条に基づき無期転換された元有期契約労働者）との待遇差についても実務上問題となる。同条は、別段の定めがある場合を除き、無期転換当時の有期労働契約と同一の労働条件が無期転換後も引き継がれるとする。したがって、有期労働契約時の労働条件に正社員との待遇差がある場合、これが均等・均衡待遇の観点で不合理とされないかが問題となりうる[72]。

---

70)　パート有期法12条、同法施行規則5条。
71)　パート有期法11条。
72)　無期転換社員における均衡待遇について嘉納英樹＝福井佑理「無期転換社

この点、パート有期法8条および9条の均等・均衡待遇は、有期と無期、正規と非正規の相違の問題であり、無期である正社員と無期転換社員の待遇差は直接は規制の範疇ではない。しかし、無期転換後の正社員との労働条件の相違は、有期労働契約の時代から存在したものであるのが通常のため[73]、無期転換後に、有期労働契約の頃からの待遇差について、同法8条・9条に基づき不合理であると争われる可能性は十分ある。さらに、有期労働契約の頃の待遇差が不合理である場合、同じ職務内容・人材活用の仕組みのもと無期転換されたからといって、その待遇差の違法性が治癒されると考えるのも、均等・均衡待遇の趣旨から妥当な結論ではないため、無期転換後の待遇差についても、同法8条・9条類推適用等の理屈で均等・均衡待遇が問題となることは十分ありうる。

実際に、井関松山製造所事件[74]において、不合理と判断された有期契約社員時代の労働条件が無期転換後も無期転換社員に適用される就業規則で維持されていたところ、裁判所は、就業規則の定めは合理的なものであることを要するとして、労働契約法7条を参照して、無期転換後も支給されていなかった手当の金額を損害として認定している。また、ハマキョウレックス（無期転換）事件[75]において、原告側が、無期転換後の原告らに契約社員就業規則を適用することは、正社員より不利な労働条件を設定するものとして、同条の合理性要件を欠く等主張したところ、裁判所は、無期転換後の原告らと正社員との労

員用の就業規則例で押さえる無期転換運用の実務ポイント──無期転換労働者に対する就業規則作成のポイントと労働条件設定の実務対応」労政時報3954号（2018）41頁。

[73] JILPT「『無期転換ルールへの対応状況等に関する調査』結果」（2020年5月28日）27頁によれば、無期転換後の形態として、労働契約時と比べて働き方や賃金・労働条件が変化しなかった無期転換社員の割合は、フルタイムの有期契約労働者の場合で65.7％、パートタイムの有期契約労働者の場合で72.1％となっている（2018年11月時点）。

[74] 前掲注64）高松高判令元・7・8労判1208号25頁〔確定〕（井関松山製造所事件）。

[75] 大阪地判令2・11・25労判1237号212頁。前掲注3）のハマキョウレックス事件とは別事件であるが、原告らのうち1名は同事件の原告である。

働条件の相違も、両者の職務の内容・人材活用の仕組み等の就業の実態に応じた均衡が保たれている限り、同条の合理性の要件を満たしているとしており[76]、同条を介して無期転換社員と正社員との間の均衡待遇が問題になるように読める。

したがって、無期契約労働者（正社員等）と無期契約労働者（無期転換社員）の間の労働条件の相違については、パート有期法8条・9条のような明文規定がないものの、労働契約法7条等を通じて均衡待遇の問題が生じうる点については注意する必要がある。

Ⅶ　おわりに

旧労働契約法20条のもとでどのような待遇差が不合理となるのか基準が不明瞭で予測可能性を欠いていたが、パートタイム有期法への改正、同一労働同一賃金ガイドラインの作成、2020年10月に出された5つの最高裁判決を含む判例の集積によって、不合理か否かの範囲に一定の線引きができつつある。もっとも、いまなお予測可能性が十分あるとは言えず、また、労働者側は上記5つの最高裁判決の結果に満足しているとは考えにくく、実際に正規・非正規の待遇格差は存在し続けており、格差是正という目的は達成できていない。そのため、今後も同一労働同一賃金をめぐる労使の紛争は止むことはないと予想される。使用者としては、引き続き判例の動向に着目しつつ、自社の正規・非正規の待遇格差に目を配るリスク対応が必要である[77]。

---

76) 裁判所は、正社員と有期契約社員とで職務の内容に違いはないものの、人材活用の仕組みに関しては違いがあり、正社員と無期転換社員にも同様の違いがあるとして、結論的には、労働契約法7条違反の前提を異にするものとして、原告側の労働契約法7条違反の主張を採用しなかった。

77) 実際に企業がそのような対応をとっているかについては、JILPT「『同一労働同一賃金の対応状況等に関する調査』（企業に対するアンケート調査及びヒアリング調査）結果」（2021年11月12日）が参考になる。

第3章　副業・兼業

I　「働き方改革」と副業・兼業

　働き方改革実行計画では、「副業や兼業は、新たな技術の開発、オープンイノベーションや起業の手段、そして第2の人生の準備として有効である。……副業・兼業を認めている企業は、いまだ極めて少なく、その普及を図っていくことは重要である」としており、今後の普及を目指すこととされている[1]。

　厚労省「柔軟な働き方に関する検討会」では副業・兼業の有用性を認めつつ、副業・兼業の活用に向けたモデル就業規則の改定、副業・兼業ガイドラインの策定等の施策を提言しており[2]、これを受けて、2018年1月にモデル就業規則の改定と「副業・兼業の促進に関するガイドライン」(以下、「副業・兼業ガイドライン」という)の策定が実行に移された。その後、2020年9月に副業・兼業ガイドラインが、2021年4月にはモデル就業規則(以下、「新モデル就業規則」という)がそれぞれ改定され、副業・兼業に関する届け出、管理モデル導入(通知)、副業・兼業に関する合意書の様式例が公表された。また、2021年7月には厚労省「『副業・兼業の促進に関するガイドライン』Q&A」(以下、「ガイドラインQ&A」という)が公表された。

　副業・兼業に対しては、いわゆる従来型の「日本型雇用システム」に捉われない柔軟な働き方として、使用者・労働者の双方からの期待

---

[1]　なお、諸外国における副業・兼業の実施状況を調査したものとして、JILPT「(資料シリーズ No.201) 諸外国における副業・兼業の実態調査――イギリス、ドイツ、フランス、アメリカ」(2018) が挙げられる。
[2]　厚労省柔軟な働き方に関する検討会「柔軟な働き方に関する検討会報告」(2017年12月25日)。

が寄せられている。副業・兼業ガイドラインが認めるとおり、従前は、副業・兼業を採用する企業は限定的であったが、新型コロナウィルス感染症の蔓延、リモートワークの採用に伴い、採用する企業が拡大する傾向にあるようにも見受けられる。

たとえば、株式会社リクルートキャリアが2019年に実施した調査によれば、調査対象とされた3514社のうち副業・兼業を認めている企業は30.9％にすぎなかったが[3]、株式会社マイナビが2020年に実施した調査によれば、「緊急事態宣言を境に『在宅勤務・リモートワーク導入』が増加。『副業・兼業』を認める企業は約5割にのぼる」とも報告されており、調査対象の違いはあるものの、拡大傾向が見てとれる[4][5]。

このように副業・兼業が拡大傾向にあるところであるが、**図表2-3-1**のとおり、人材育成、所得増加、自己実現等といったメリットのほか、本業への支障、健康管理、情報漏洩上のリスク等といったデメリットも指摘されるところである[6]。

本稿では、企業が副業・兼業を積極的に活用することを検討する上での参考として、後記Ⅱにおいて現行の法規制等を説明し、後記Ⅲにおいて副業・兼業を導入する際の課題を紹介することとする。

---

3) 株式会社リクルートキャリア「兼業・副業に対する企業の意識調査（2019）」（2020年3月24日）。それでも、前年度に公表された「兼業・副業に対する企業の意識調査（2018）」（2018年10月12日）の28.8％と比べると微増傾向にある。
4) 株式会社マイナビ「働き方、副業・兼業に関するレポート（2020年）」。
5) 2016年から現時点において、ユニ・チャーム、新生銀行、ノバレーゼ、ロート製薬、ソフトバンク、コニカミノルタ等、さまざまな企業で副業を解禁する動きがあることが報じられている。
6) 中小企業庁経営支援部創業・新事業促進課経済産業政策局産業人材政策室「兼業・副業を通じた創業・新事業創出に関する調査事業研究会提言――パラレルキャリア・ジャパンを目指して」（2017年3月）副業・兼業ガイドラインが取り上げる副業・兼業のメリットと留意点もおおむね同じ内容を指摘している。

図表2-3-1　副業・兼業に伴うメリット・デメリット

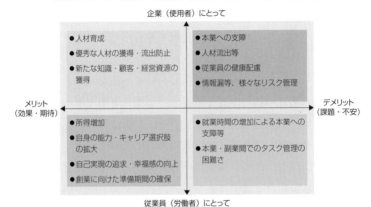

出典：中小企業庁「兼業・副業を通じた創業・新事業創出に関する調査事業研究会提言——パラレルキャリア・ジャパンを目指して」（2017年3月）4頁。

Ⅱ　副業・兼業と現行の法規制等

　副業・兼業に関する法規制については、公務員において副業・兼業を禁止する法令があるにとどまり、民間企業における従業員の副業・兼業を禁止する法令は存在しない[7]。そのため、副業・兼業を行うか否かは原則として従業員の自由に委ねられている。

　従前は、使用者が従業員の副業・兼業に対して消極的であることが多く、就業規則上、副業・兼業を禁止する規定が置かれ、従業員の副業・兼業を制約する事例が多かった。たとえば、厚労省「モデル就業規則（2016年3月30日）」（以下、「旧モデル就業規則」という）は、従業員の遵守事項として、「許可なく他の会社等の業務に従事しないこと」（11条6号）と定めており、副業・兼業を禁止する規定の代表的な例

---

[7]　公務員については、国家公務員法101条・103条、地方公務員法38条などが副業・兼業を規制している（根本到「副業をめぐる法的規制と労働者の私生活の自由——ドイツとの比較から考える」日本労働研究雑誌552号〔2006〕16頁参照）。

とされていた[8]。また、こうした副業・兼業禁止規定の有効性について、裁判例は、副業・兼業に対する全面的な制限については消極的な姿勢をとりつつ、禁止の範囲に限定解釈を行ったうえで、一定の範囲で効力を認めるのが主流とされてきた[9]。

これに対し、働き方改革実行計画において、副業・兼業の普及を推進することが掲げられたことを踏まえ、副業・兼業ガイドライン1(2)も、「労働者が労働時間以外の時間をどのように利用するかは、基本的には労働者の自由であり、各企業においてそれを制限することが許されるのは、例えば、①労務提供上の支障がある場合、②職務上の秘密が漏洩する場合、③競業により自社の利益が害される場合、④自社の名誉や信用を損なう行為や信頼関係を破壊する行為がある場合に該当する場合と解されている」と明記している。

厚労省は、これを受け、旧モデル就業規則に見られた「許可なく他の会社等の業務に従事しないこと」との文言を削除し、2018年1月の

---

[8] ただし、副業・兼業禁止規定については、原則として効力を否定するべきであるという見解も存在したところであり注意が必要である。たとえば、厚労省「今後の労働契約法制の在り方に関する研究会報告書」(2005年9月15日) 48頁は、「労働者は職業選択の自由を有すること、近年、多様な働き方の一つとして兼業を行う労働者も増加していることにかんがみ、労働者の兼業を禁止したり許可制とする就業規則の規定や個別の合意については、やむを得ない事由がある場合を除き、無効とすることが適当である」としている。

[9] 副業・兼業に関する裁判例としては、副業・兼業の申出を4回拒否したことについて、後半2回の拒否ついて不許可の理由がないとして、労働者からの慰謝料請求を認めた京都地判平24・7・13労判1058号21頁(マンナ運輸事件)のほか、東京地判平13・6・5労経速1779号3頁(十和田運輸事件)、東京地決昭57・11・19労判397号30頁(小川建設事件)、名古屋地判昭47・4・28労経速790号3頁(橋元運輸事件)などがある。マンナ運輸事件は、「労働者は、勤務時間以外の時間については、事業場の外で自由に利用することができるのであり、使用者は、労働者が他の会社で就労(兼業)するために当該時間を利用することを、原則として許されなければならない」と判示し、そのうえで、使用者が副業・兼業を制限できる場合として、「労働者が兼業することによって、労働者の使用者に対する労務の提供が不能又は不完全になるような事態が生じたり、使用者の企業秘密が漏洩するなど経営秩序を乱す事態が生じることもあり得るから、このような場合においてのみ、例外的に就業規則をもって兼業を禁止することが許されるものと解するのが相当」としている。

第3章　副業・兼業

図表2-3-2　副業・兼業に関する新旧モデル就業規則の比較

旧モデル就業規則（2016年3月）	新モデル就業規則（2021年4月）
（遵守事項） 第11条　労働者は、以下の事項を守らなければならない。 ⑥　許可なく他の会社等の業務に従事しないこと	（遵守事項） 第11条　労働者は、以下の事項を守らなければならない。 （6号を削除）
（第68条を新設）	（副業・兼業） 第68条　労働者は、勤務時間外において、他の会社等の業務に従事することができる。 2　会社は、労働者からの前項の業務に従事する旨の届出に基づき、当該労働者が当該業務に従事することにより次の各号のいずれかに該当する場合には、これを禁止又は制限することができる。 ①　労務提供上の支障がある場合 ②　企業秘密が漏洩する場合 ③　会社の名誉や信用を損なう行為や、信頼関係を破壊する行為がある場合 ④　競業により、企業の利益を害する場合

改定時以降、副業・兼業についての規定を設けており（その後改定。新旧モデルの主な点を比較すると**図表2-3-2**のとおりである）、さらには、副業・兼業に関する届出様式、副業・兼業に関する合意書様式例を公表している[10)][11)]。

---

10)　厚労省ホームページ：https://www.mhlw.go.jp/stf/seisakunitsuite/bunya/0000192188.html
11)　なお、新モデル規則は、68条の解説において、「労基法の労働時間規制、安衛法の安全衛生規制等を潜脱するような形態や、合理的な理由なく労働条件等を労働者の不利益に変更するような形態で行われる副業・兼業は認められ」ないとしている。

前述のとおり、新型コロナウィルス感染症の蔓延、リモートワークの採用に伴い、副業・兼業を認める企業が増加傾向にあるが、新たに副業・兼業を認める企業においては、これらを参考に就業規則、社内様式を整備していくことになると思われる。

Ⅲ　副業・兼業と今後導入する際の課題

副業・兼業を導入する際にどのような事項に留意する必要があるのだろうか。

副業・兼業については、従前より、懲戒権、労働時間管理、長時間労働、情報漏洩、競業避止義務、社会保険等の保険との関係について議論がなされてきた。以下では、これら懲戒権［→1］、労働時間管理［→2］、長時間労働［→3］、情報漏洩［→4］、競業避止義務［→5］、社会保険等［→6］の各論点について、企業が副業・兼業を普及させるにあたって生じうる課題について取り上げることとしたい[12]。

1　副業・兼業と懲戒権

使用者が従業員の副業・兼業を禁止している場合に、従業員が使用者に無断で副業・兼業を行なった場合には、使用者が懲戒権を行使しうるかが問題となりうる。

懲戒権の行使に関する最判昭54・10・30（労判329号12頁〔国鉄札幌支部事件〕）は、従業員に対する懲戒処分は「規則の定めるところに従い」行うことができると判示しており、ここから企業が懲戒権を行使するためには原則として就業規則上の根拠が必要であると解されている。

前記判例の理解を前提とする限り、就業規則において副業・兼業禁止規定が定められておらず、懲戒事由に該当することが明らかではな

---

[12]　副業・兼業ガイドラインにおいては、労働時間の把握、健康管理、安全配慮義務、労災保険、雇用保険、厚生年金保険、健康保険等の取扱いに関する議論が紹介されている。

い場合には、使用者が従業員の副業・兼業のみを理由として懲戒処分を行うことは困難であるといえよう。

また、使用者が、就業規則において副業・兼業禁止規定を定めており、従業員の副業・兼業が懲戒事由に該当する場合には、使用者の懲戒処分が許容される可能性があるが、その場合でも無制約に許容されるわけではなく、「懲戒に係る労働者の行為の性質及び態様その他の事情に照らして、客観的に合理的な理由を欠き、社会通念上相当であると認められない場合」には、権利の濫用として無効となる（労契15条）。

とくに、従業員の副業・兼業については、原則として従業員の自由でなしうるべきであることから、副業・兼業の禁止に反したことを理由とする懲戒権の行使は、権利の濫用となりやすく、悪質な事例に限定されるべきであるという考え方も存在するところであり、注意を要する[13]。

2　副業・兼業と労働時間管理

(1) 原則的な労働時間の管理

副業・兼業を普及させるにあたり、最も大きな問題は労働時間の管理である。

労働基準法は、「労働時間は、事業場を異にする場合においても、労働時間に関する規定の適用については通算する」と定めており（38条）、この「事業場を異にする場合」については、同一の使用者のもとで異なった事業場で労働する場合だけでなく、使用者を異にする事

---

[13] たとえば、東京地判平20・12・5判タ1303号158頁（東京都私立大学教授事件）は、形式的には、就業規則上の兼業・副業禁止規定に違反することを認めつつも、「兼職（二重就職）」を禁止した就業規則の条項には実質的には違反しない」と判示し、懲戒解雇を無効とした。また、片山雅也「実務に役立つ法律基礎講座㉙兼業・副業」労政時報3928号（2017）付録は、「兼業が不正な競業に当たる場合、営業秘密の不正な使用・開示を伴う場合、労働者の働き過ぎによって人の生命または健康を害するおそれがある場合、兼業の態様が使用者の社会的信用を傷つける場合等」以外の場合には懲戒処分をなすことには慎重になるべきであるとする。

業場において労働する場合も含まれることとされている[14]。

そこで、従業員が副業・兼業をする場合、異なる事業場での労働時間を通算することになり、その結果、時間外労働に該当する場合には割増賃金を負担しなければならないこととなる[15]。この場合、副業・兼業に関わるどちらの企業が割増賃金を負担する必要があるかが問題となる。

この点、副業・兼業ガイドライン[16]によれば、①労働契約の締結の先後の順に所定労働時間を通算し[17]、次に、②所定外労働の発生順に所定労働時間を通算することによって、それぞれの事業場での所定労働時間・所定外労働時間を通算した労働時間を把握し、その労働時間について、自らの事業場の労働時間制度における法定労働時間を超える部分のうち、自ら労働させた時間について、時間外労働の割増賃金を支払う必要があるとしている。

かかる原則的な取扱いについて、ガイドラインQ&Aは実例紹介をしているが、これを簡略化すると、次のとおりとなる（いずれの事例も、従業員が、A社と労働契約を締結した後に、副業・兼業先として、B社との間で新たに労働契約を締結したという事実関係が想定されている。

---

[14] 従前より、昭和23年5月14日基発第769号がかかる解釈を示していたが、令和2年9月1日基発0901第3号「副業・兼業の場合における労働時間管理に係る労働基準法第38条第1項の解釈等について」が、副業・兼業にも同様の解釈があてはまることをさらに明確化した。

[15] ただし、三六協定において定める延長時間が事業場ごとの時間で定められていることから、それぞれの事業場における時間外労働が 三六協定に定めた延長時間の範囲内であるか否かについては、自らの事業場における労働時間と他の使用者の事業場における労働時間とは通算されないこととなる（副業・兼業ガイドライン3(2)ア(ウ)）。

[16] 前述の令和2年9月1日基発0901第3号も同様の解説を置いているが、本稿では、副業・兼業ガイドラインを中心に引用する。

[17] ガイドラインQ&A策定前、厚生労働省労働基準局編『平成22年版労働基準法（上）』（労務行政、2011）529頁〜530頁も、社員との間で後で労働契約を締結した事業主（通常は兼業先）が割増賃金部分を負担するべきとしており、当該ガイドラインと同様の見解が示されていた。その理由については、後で契約を締結した事業主は、契約の締結にあたり、その社員が他の事業場で労働していることを確認したうえで、契約を締結すべきであるからとされている。

図表2-3-3 ガイドラインQ&Aの時間外労働の実例[18]

事実関係	結論
実例(1) （A社）所定労働時間を8時間とする契約を締結し、契約どおりに勤務させた。 （B社）所定労働時間を2時間とする契約を締結し、契約どおりに勤務させた。	（A社）法定時間外労働とならない。 （B社） ①三六協定の締結・届出必要 ②2時間の法定時間外労働となる。
実例(2) （A社）所定労働日を月曜日から金曜日、所定労働時間8時間とする契約を締結し、契約どおりに勤務させた。 （B社）所定労働日は土曜日、所定労働時間5時間とする契約を締結し、契約どおりに勤務させた。	（A社）法定時間外労働とならない。 （B社） ①三六協定の締結・届出必要 ②5時間分の法定時間外労働となる。
実例(3) （A社）所定労働時間を4時間とする契約を締結し、実際には5時間分勤務させた。 （B社）所定労働時間を4時間とする契約を締結し、A社での勤務終了後、契約どおりに勤務させた。	（A社） ①三六協定の締結・届出必要 ②1時間分の法定時間外労働となる。 （B社）A社の所定労働時間と通算しても法定労働時間（8時間）内のため、法定時間外労働とならない。
実例(4) （A社）所定労働時間を3時間とする契約を締結し、実際には5時間分勤務させた。 （B社）所定労働時間を3時間とする契約を締結し、A社での勤務終了後、実際には4時間分勤務させた。	（A社） ・所定労働時間は両社合計で6時間となる。 ・A社の勤務が先であれば、法定時間外労働とはならず、後であれば1時間分が法定時間外労働となる。 （B社） ・所定労働時間は両社合計で6時間となる。 ・B社の勤務が先であれば、法定時間外労働とはならず、後であれば1時間分が法定時間外労働となる。

なお、読みやすさの観点から、本稿では「A事業場」を「A社」、「B事業場」を「B社」と改めた）。

(2) **簡便な労働時間管理の方法（管理モデル）**

前記(1)のような原則的な取扱いは、副業・兼業ガイドライン14頁以下が認めるとおり、労働時間の申告等や通算管理において、労使双方に手続上の負担が伴うことが想定された。そこで、副業・兼業ガイドライン14頁以下（3(2)オ）は、簡便な労働時間管理の方法（以下、「管理モデル」という）を示している。

管理モデルは、自らの事業場および他の使用者の事業場の双方で所定外労働が発生しうる場合に、互いの影響を受けないようあらかじめ時間の枠を設定するものである。ガイドラインQ&Aと同様に、従業員が、A社と労働契約を締結した後に、副業・兼業先として、B社との間で新たに労働契約を締結したという事実関係を基に説明すると、A社とB社が、各々の事業場における労働時間の上限をそれぞれ設定し、A社は自らの事業場における法定外労働時間の労働について、B社は自らの事業場における労働時間の労働について、割増賃金を支払うというものである。

かかる管理方法は、A社が管理モデルにより副業・兼業を行うことを求め、労働者および労働者を通じてB社がこれに応じることによって導入されることが想定されており、厚労省は、管理モデルを導入する際の労働者宛ての通知様式例を公表している。

副業・兼業ガイドラインは、A社、B社ともに、管理モデルを導入し、それぞれあらかじめ設定した労働時間の範囲内で労働させる限

18） 石﨑由希子「副業・兼業者の労働時間管理と健康確保」季刊労働法269号（2020）6頁は、ガイドラインQ&Aは個々の使用者の責任の有無に相違が出ることを前提としているが、労働基準法32条が個々の使用者を名宛人として「労働させてはならない」と規定していることと整合するか疑問であり、また、労働者が「副業」として開始したが、後日、「本業」とすることを希望する可能性もあるところ、この場合には不都合が生じると指摘する。同稿が指摘するとおり、1週間単位の変形労働時間制やフレックスタイム制等の柔軟な労働時間制度の下での通算にも、清算期間を経過しなければ、時間外労働の有無が確定できないという問題が生じうる。

り、他の使用者の事業場における実労働時間の把握を要することなく労働基準法を遵守することが可能となるとしている。

(3) 検討

上記のとおり、原則的な労働時間の管理により労使の負担が重くなる可能性があるため、簡便な労働時間管理の方法として管理モデルが紹介されたところであるが、管理モデルに準拠すれば、すべての問題が解決するというわけではない。

もちろん簡便な労働時間管理の方法が採れるという点は大きなメリットであるが、そのためには、A社、B社が「それぞれあらかじめ設定した労働時間の範囲内で労働させる」ことが条件となっており、その条件自体が、受け入れる側にとってはハードルが高いように思われる。A社としては、最初の雇い主である以上、労働者に対し、ある程度、柔軟に時間外労働を指示する裁量を持ちたいと考えるであろうし、かかる裁量を狭めてまで、他社（B社）での副業・兼業を認めるインセンティブがあるかというと疑問が残る。

また、2020年9月に改定された副業・兼業ガイドライン（3(2)ア(ア)）では、「次のいずれかに該当する場合は、その時間は通算されない」として、通算を要しない類型が新たに付け加えられており、その具体例として、「労基法が適用されない場合（例　フリーランス、独立、起業、共同経営、アドバイザー、コンサルタント、顧問、理事、監事等）」、「労基法は適用されるが労働時間規制が適用されない場合（農業・畜産業・養蚕業・水産業、管理監督者・機密事務取扱者、監視・断続的労働者、高度プロフェッショナル制度）」が挙げられている。

副業・兼業ガイドラインの記載を前提とすれば、労働時間の通算といった煩雑な手続が不要となる分、フリーランスや独立した個人事業主等として行うタイプの副業・兼業の事例が増えるのではないかと予測されるところであるが、会社が、労働者が副業・兼業として行う、フリーランスや独立した個人事業主等としての就業時間を正確に把握することには困難も伴うため、会社の把握しないところで就業時間が長時間に及ぶ可能性もある。次項に記載するとおり、副業・兼業を認

めた結果、業務量・時間が過重となり健康被害につながる可能性もあり、労働者の過労や長時間労働が生じないようにするために、会社としても留意する必要があると思われる。

3　長時間労働

前述のとおり、副業・兼業を許容する場合、使用者の把握しないところで長時間労働が発生する可能性が懸念されるところである。

この点、副業・兼業ガイドライン6頁（3⑴ア）では、副業・兼業の場合には、副業・兼業を行う労働者を使用するすべての使用者が安全配慮義務を負っているとしている。そして、副業・兼業に関して安全配慮義務が問題となりうる場合としては、使用者が、労働者の全体としての業務量・時間が過重であることを把握しながら、何らの配慮をしないまま労働させ、その結果、労働者の健康に支障が生ずるに至った場合等が考えられるとしている。

安全配慮義務を遵守するため、副業・兼業ガイドラインは、①就業規則等において、長時間労働等によって労務提供上の支障がある場合には、副業・兼業を禁止または制限することができることとしておくこと、②副業・兼業の届出等の際に、副業・兼業の内容について労働者の安全や健康に支障をもたらさないか確認するとともに、副業・兼業の状況の報告等について労働者と話し合っておくこと、③副業・兼業の開始後に、副業・兼業の状況について労働者からの報告等により把握し、労働者の健康状態に問題が認められた場合には適切な措置を講じること等が考えられるとしている。また、2021年7月30日の閣議決定により見直しされた「過労死等の防止のための対策に関する大綱」では、副業・兼業等により、過重労働にならないよう企業を啓発していくとの方針が示されており、副業・兼業等が長時間労働の要因にならないかにつき注意が払われている。

4　副業・兼業と情報漏洩

副業・兼業については、情報漏洩のリスクが主なデメリットとして

懸念されている。

　副業・兼業との関係で情報漏洩が問題となる事例としては、①従業員が自社の機密情報を副業先で漏洩してしまう類型（自社情報漏洩型）と、②従業員が副業先の機密情報を自社内で漏洩する類型（他社情報漏洩型）とが考えられる[19]。

　まず、①自社情報漏洩型としては、自社の機密情報を副業先で利用してしまったり、広めてしまったりした事案が想定できる。従業員との関係では、就業規則の規定に従い、懲戒処分・解雇などの処置を検討することになる。その前提として、使用者としては、漏洩した自社情報の内容や漏洩した範囲を可能な限り特定する必要がある。ここでは、どの範囲までが保護に値する機密情報かや、どの範囲までが従業員自身に属する専門知識・経験なのかが問題となる。

　②の他社情報漏洩型としては、副業先で入手した情報を、従業員が自社内で利用してしまったり、広めてしまったりする事案が想定できる。他社の機密情報の漏洩が発生した場合には、他社から不法行為、使用者責任等を根拠として、損害賠償請求を受けるおそれがあるため、注意が必要である。この点、不正競争防止法5条の2は、侵害者が技術上の秘密（ただし、生産方法等に限る）を不正に取得し、あるいは不正取得した秘密を使用した場合に、被侵害者が、その秘密を使って生産することができる製品を侵害者が生産等していることを立証した場合、侵害者が営業秘密を使用したことが推定される旨を定めている。したがって、従業員が副業先で入手した情報と知りつつ、そのままその情報の使用を許したり、他の従業員に共有することを許容したりすることには法的リスクがあるため、企業は、他社機密情報の漏洩があったことを知った場合は速やかに、当該従業員に対する処分を行うとともに、情報利用・共有の禁止と情報の削除等の措置を講ずる必要があると考える。

---

[19] 影島広康＝柳田忍「実務に役立つ法律基礎講座㉚守秘義務」労政時報3931号（2017）付録。

さらに、自社情報漏洩型、他社情報漏洩型の事案を防止するためには、副業・兼業を認めるにあたり、従業員との関係で、自社においても副業・兼業先においても機密情報の漏洩が許容されないことを明確にしておくべきであると考えられる。その具体的な方策として、副業・兼業ガイドラインによれば、ⅰ就業規則等において、業務上の秘密が漏洩する場合には、副業・兼業を禁止または制限することができるようにしておくこと、ⅱ副業・兼業を行う労働者に対して、業務上の秘密となる情報の範囲や、業務上の秘密を漏洩しないことについて注意喚起すること等の方策が示されている。その他、副業・兼業を許可・届出にかからせる場合には許可・届出の際に明示的に注意し、誓約書を提出させることも考えられる。また、自社において貸与する携帯電話、パソコンを副業・兼業先において使用させないようにすること、競業他社や近い職種における副業・兼業を制限すること等の方策も有効であると思われる[20]。

5　副業・兼業と競業避止義務

副業・兼業について、従業員の競業避止義務との関係で問題が生じる可能性もある。副業・兼業との関係で競業避止義務の問題が生じる場合としては、①従業員が副業・兼業を行うことが、当該従業員が自社の競業避止義務に違反するという類型（自社競業避止義務抵触型）と②副業・兼業として自社に応募してきた従業員を採用した場合に、もともと従事していた会社が当該従業員に負担させる競業避止義務に違反するという類型（他社競業避止義務抵触型）とが考えられる。

競業避止義務契約の有効性について、経済産業省資料は、各裁判例が、ⅰ守るべき企業の利益があるかどうか、ⅱⅰを踏まえつつ、競業

---

[20]　木目田裕監修・西村あさひ法律事務所・危機管理グループ編『危機管理法大全』（商事法務、2016）290頁以下は、情報流出を防ぐための方策として、従業員との秘密保持契約の締結、情報流出を不可能・困難にするシステムの構築、監視の強化を挙げている。かかる方策の有用性は、副業・兼業を許容する場合の情報流出対策にもあてはまるものである。

避止義務の内容が目的に照らして合理的な範囲にとどまっているかという観点から、ⓐ従業員の地位が、競業避止義務を課す必要性が認められる立場にあるものといえるか、ⓑ地域的な限定があるか、ⓒ競業避止義務の存続期間やⓓ禁止される競業行為の範囲について必要な制限がかけられているか、ⓔ代償措置が講じられるか、といった項目を重視して判断する旨を紹介しており参考になる[21]。

競業避止義務の問題が生じる場合のうち、①の自社競業避止義務抵触型としては、企業が副業・兼業を広く認めていたところ、従業員が競業他社で副業・兼業を行ってしまい、自社の就業規則の定める競業避止義務に文言上、違反するという事例が考えられる。かかる事例においては、副業・兼業を広く認める運用をしている以上、上記の競業避止義務契約の有効性の基準との関係で、ⓘ守るべき企業の利益があるのか否かという議論になる可能性がある。この場合、文言上は就業規則の競業避止義務に違反したとしても、当該従業員から競業避止義務の範囲が広範であるとして争われる可能性がある。したがって、従業員の副業・兼業が不正な競業にあたる事態が起きないように、副業・兼業を届出制にかからせ、不正な競業にあたる場合には副業・兼業を認めないことが可能である制度としておくことが望ましいと考える。この点、新モデル就業規則においても、「競業により、企業の利益を害する場合」には、従業員の副業・兼業を禁止・制限することを許容している。

次に、②の他社競業避止義務抵触型としては、副業・兼業として自社に応募してきた従業員を採用したところ、他社が当該従業員に負わせる競業避止義務に違反するという事例が考えられる。かかる事案は、基本的には従業員と他社との間で解決すべき問題であると思われるが、従業員と他社との間で紛争が生じた場合に、自社が従業員の競業避止義務違反に加担したとして紛争に巻き込まれる可能性もある。

---

[21] 経済産業省「競業避止義務契約の有効性について」（秘密情報の保護ハンドブック～企業価値向上に向けて～ 参考資料5・3頁〔2016年2月〕）。

かかる可能性を踏まえるならば、従業員の採用時に、副業・兼業として応募する趣旨か、従業員が現在就労する他社は競業他社ではないかを確認することが望ましい。

この点、副業・兼業ガイドラインでは、①の自社競業避止義務抵触型や②の他社競業避止義務抵触型それぞれの手当として、ⓘ就業規則等において、競業により、自社の正当な利益を害する場合には副業・兼業を禁止または制限することができることとしておくこと、ⓘⓘ副業・兼業を行う労働者に対して、禁止される競業行為の範囲や、自社の正当な利益を害しないことについて注意喚起すること、ⓘⓘⓘ他社の労働者を自社でも使用する場合には、当該労働者が当該他社に対して負う競業避止義務に違反しないよう確認や注意喚起を行うこと等の方策が示されている。

6　副業・兼業と社会保険等

(1)　労災保険の給付（休業補償、障害補償、遺族補償等）

事業主は、労働者を1人でも雇用していれば、労災保険の加入手続を行う必要があり、労働者が副業・兼業をしている場合であっても、当然、労災保険に加入させなければならない。副業・兼業をしている労働者について、2つ以上の複数の事業場で労災保険に加入することとなり、いずれの賃金を基に給付額が算定されるのか等、労災保険の適用関係に一部明確ではない点もあったが、この点に対応する改正労災保険法が2020年9月1日から施行された。

当該改正により、①労災保険に係る保険給付の給付額の算定にあたり、災害が発生した就業先の賃金分のみならず、非災害発生事業場の賃金額も合算して労災保険給付を算定すること、②複数就業者の就業先の業務上の負荷を総合的に評価して労災認定を行うこととなり、副業・兼業を行う労働者の保護が図られることとなった。

(2)　雇用保険

雇用保険については、労働者が雇用される事業は、その業種、規模等を問わず、すべて適用事業（農林水産の個人事業のうち常時5人以上

の労働者を雇用する事業以外の事業については、暫定任意適用事業）であるため、適用事業所の事業主は、適用除外にあたらない限り、雇用する労働者について雇用保険の加入手続を行わなければならない。

この点、1週間の所定労働時間が20時間未満である者等については、適用除外とされているが、2022年1月1日より、（まずは65歳以上の労働者を対象として）労働者本人の申出に基づき、一の事業所での週所定労働時間が20時間未満であっても、二の事業所での週所定労働時間を合算して20時間以上であれば雇用保険を適用する制度が試行的に開始されることとなった[22]。

(3) 厚生年金保険・健康保険

なお、社会保険（厚生年金保険および健康保険）については、複数の雇用関係に基づき複数の事業所で勤務する者が、いずれの事業所においても適用要件を満たさない場合、労働時間等を合算して適用要件を満たしたとしても、社会保険は適用されない。また、労働者が複数の事業主の事業所で勤務する場合に、いずれの事業所でも社会保険の加入要件に該当する場合には、労働者がどちらの適用事業所の被保険者となるかを選択し、選択した事業所を管轄する社会保険事務所に「二以上事業所勤務届」または「所属選択届」を提出すべきこととされている。前者の届けをした場合、二以上事業所勤務者については、保険者が双方の事業所の賃金を合算して社会保険料を算出し、保険料はそれぞれが負担する賃金額の割合に応じて納付しなければならない。

Ⅳ　まとめ

副業・兼業の解禁を導入する場合、会社としてどのような制度を整えるかにつき、前記のような法的問題点があることを踏まえて決める必要があり、就業規則の服務規律、懲戒事由、副業・兼業に関する規

---

[22] 兼業・副業を行う労働者への雇用保険の適用関係および本文紹介の改正につき、林健太郎「兼業・副業を行う労働者と雇用保険法の課題」季刊労働法269号（2020）32頁参照。

定の改正、届出書等の社内文書の整備を行う必要がある。

　副業・兼業については、人口減少による労働力の不足、テクノロジーの急速な発展、グローバル化の進展等のさまざまな事情により、もともと、注目が寄せられてきたところであったが、新型コロナウィルス感染症の影響やテレワークの普及に伴い、導入事例が増加傾向にあるように思われる。副業・兼業を導入する場合、副業・兼業ガイドラインが安全配慮義務について明示的に触れていることも踏まえ、副業・兼業を行う労働者にも配慮した運用が望まれると思われる。

第4章 シェアリング・エコノミーと労働法

I　シェアリング・エコノミーとは

　「シェアリング・エコノミー」とは、個人等が保有する活用可能な資産等を、インターネット上のマッチングプラットフォームを介して、他の個人等も利用可能とする経済活性化活動を指し、ここでいう「活用可能な資産等」のなかには、スキルや時間等の無形のものも含まれるとされている[1]。個人等には、企業や自治体も含まれうる。おおむね同様の概念を「プラットフォーム・エコノミー」、「ギグ・エコノミー」等と呼称する例もあり[2]、「コラボレーティブ・エコノミー」、「Peer to peer（P2P）・エコノミー」、「オンデマンド・エコノミー」、「クラウド・エコノミー」といった呼称も関連する概念とされている[3]。シェアリング・エコノミーの代表例として紹介されることが多いのは、Uber[4]、Airbnb[5]等の米国企業の提供するプラットフォー

---

[1] 政府 CIO ポータル内のシェアリングエコノミー促進室の Web Page の定義による。
[2] プラットフォーム・エコノミーに言及するものとして、川上資人「シェアリング・エコノミーに関する法的課題」Business Labor Trend2017年12月号24頁、ギグ・エコノミーに言及するものとして、大内伸哉「ギグエコノミー」ビジネスガイド892号（2018）78頁が挙げられる。新聞報道等では「ギグ・エコノミー」とする用例が増えて来たようにも見受けられる。なお、「ギグ（gig）」とは、音楽業界で単発で行われる演奏会を意味する。
[3] 内閣官房情報通信技術（IT）総合戦略室／シェアリングエコノミー検討会議「シェアリングエコノミー検討会議第2次報告書」（2019年5月）1頁。
[4] Uber は、米国カリフォルニア州サンフランシスコ市に本社を置く Uber Technologies Inc. が提供するプラットフォームであり、主に一般のドライバーと、移動を希望する人をマッチングするサービスを提供している。
[5] Airbnb は、米国カリフォルニア州サンフランシスコ市に本社を置く Airbnb, Inc. が提供する民泊を仲介するプラットフォームであり、宿泊場所を提供

図表2-4-1　シェアリング・エコノミーの類型

類型	サービス内容	代表例
①モノ×シェア型	フリマアプリやレンタルサービス等の個人間で利用していないモノを共有するサービス	メルカリ、ミンネ、ラクマ、ラクサス、モノシェア、airCloset
②空間×シェア型	住宅の空き部屋等を宿泊場所として貸し出す民泊サービスをはじめとしたホームシェアや、駐車場、会議室等の空間に関するシェアサービス	Airbnb、STAY JAPAN、akippa、軒先、スペースマーケット、Spacee
③スキル×シェア型	個人に家事、介護、育児、知識、料理等の仕事・労働を依頼できるサービス	AsMama、TABICA、タスカジ、ランサーズ、ココナラ、クラウドワークス
④移動×シェア型	自家用車の運転者個人が自家用車を用いて他人を運送するライドシェア、カーシェア等の移動に関するシェアサービス	Anyca、Dカーシェア、ドコモバイクシェア、Uber eats、Twidy
⑤お金×シェア型	クラウドファンディングに代表されるお金に関するシェアサービス	Makuake、CAMPFIRE、READYFOR、JAPANGIVING、Maneo、セキュリテ、FUNDINNO

＊一般社団法人シェアリングエコノミー協会「シェアリングエコノミービジネスについて」4頁（2016年5月27日）および株式会社三菱総合研究所「ICTによるイノベーションと新たな エコノミー形成に関する調査研究」31頁（2018年3月）、株式会社情報通信総合研究所「シェアリングエコノミー関連調査2020年度調査結果」4頁（2020年12月10日）参照。

ムであるが、このほかにも、さまざまなサービスの仲介を行うプラットフォームが存在する状況にあり、シェアリング・エコノミーといっても、そのサービスの内容は多岐にわたる。

　かかる現状を踏まえ、シェアリング・エコノミーは、仲介するサー

するホストと宿泊を希望するゲストをマッチングするサービスを提供している。

ビスの内容に応じて、①モノに関するシェア（モノ×シェア型）、②個人の所有するスペースのシェア（空間×シェア型）、③個人のスキル・労働力のシェア（スキル×シェア型）、④移動に関するシェア（移動×シェア型）、⑤資金に関するシェア（お金×シェア型）と、仲介するサービス等の内容に応じて、大きく５つの類型に分類されており、そのなかでもとくにスキル×シェア型のサービスを開始する企業が増加している旨が指摘されている[6]。

II　シェアリング・エコノミーと働き方改革

　シェアリング・エコノミーの市場規模は現在進行形で急拡大しており、わが国における市場規模は、2019年度には1132億円に達しており、2024年度には1806億円になるとも予測されている[7]。このように急成長のただなかにあるシェアリング・エコノミーは、現在、既存リソースを効率的に活用することや個人による多種多様なサービスの提供・享受を可能とするものであり、これにより新しいソリューションやイノベーションの創出を通じた社会課題の解決が期待されている[8]。

　加えて、市場において活性化していない個人の労働力を取り込む方法としても注目を集めている。たとえば、女性は、出産・育児等による離職後の再就職にあたっては非正規雇用労働者となる場合が多いと指摘されており[9]、その結果、離職後に復職を選択しない女性も多く存在する。シェアリング・エコノミーは、その提供する条件が女性にとって好ましいものであれば、出産・育児を機に労働市場から距離をおいていた女性が再度収入を獲得する手段として活用される可能性は

---

[6]　総務省「平成30年版　情報通信白書」71頁。なお、５つの類型に分類したのは、一般社団法人シェアリングエコノミー協会とされる。
[7]　矢野経済研究所「2020 シェアリングエコノミー市場の実態と展望」
[8]　内閣官房情報通信技術（IT）総合戦略室／シェアリングエコノミー促進室・前掲注3) 37頁。
[9]　厚労省「〔平成27年版〕働く女性の実情」。

十分にある。

　現在、内閣官房にはシェアリング・エコノミー促進室が設けられており、シェアリング・エコノミー市場を活発化させる動きがさかんである。具体的には、利用者の安全性・信頼性を確保する観点から、シェア事業者向けのシェアリング・エコノミー・モデルガイドラインの公表や、シェアリングエコノミー協会を通じたサービス認証制度の導入がなされており[10]、この他にも、シェアリング・エコノミーを活用して地域課題解決を行う自治体を支援する事業の実施や、地方創生推進交付金の交付による支援等が行われている[11]。

　その反面で、シェアリング・エコノミーのうち、「スキル×シェア型」「移動×シェア型」の類型においては、従前より、プラットフォームの提供主体（プラットフォーマー）とサービスの提供主体（サービス提供者）との契約関係が、法的に独立事業者間の業務委託・受託の関係にあると整理されてきたことに対し、近年、一部のサービス提供者から、「労働者」として整理するべきではないか、との議論を投げかけられる例がある（後記Ⅲ4のウーバーイーツユニオンによる東京都労働委員会に対する救済命令申立て参照）。また、「労働者」に分類されないとしても、プラットフォーマーとの関係でサービスの提供主体である個人が何らかの形で保護されるべきではないかとの議論も生じている。

　このような議論が生じる1つの理由としては、シェアリング・エコノミーに関連する当事者として、サービス利用者とサービス提供者という二者に加えて、両者間のマッチングを行うプラットフォーマーが存在するところ、プラットフォーマーの果たす役割や、サービス提供者の関わり方等が、個々のサービスごとに、また個々のサービス提供者ごとにも異なっているため、画一的な議論が難しい状況にあること

---

10) シェアリングエコノミー協会のウェブサイトによれば、2021年9月時点で、22のサービスが認証を取得している。
11) 内閣官房情報通信技術（IT）総合戦略室／シェアリングエコノミー検討会議・前掲注3) 11頁。

が挙げられる。そして、このように関係性が異なるなか、さまざまなサービスについてシェアリング・エコノミーの形態が拡大し、シェアリング・エコノミーに参加するサービス提供者の数が急増しているという社会的背景から議論はいっそう複雑化している[12]。

しかし、サービス提供者は、個人事業主である以上、最低賃金や労働時間等に関する労働法上の規制は適用されず、(使用者が一部保険料を負担する)労働保険や社会保険の恩恵を受けられないことになるが、その一方で、スマートフォンのアプリケーション等を通じ、比較的容易に市場に参加することができるというメリットや、個人事業主として時間や場所に制約されない自律的な働き方ができるというサービス提供者側のメリットも無視することはできないというべきである。

以下では、シェアリング・エコノミーのうち、主に「スキル×シェア型」「移動×シェア型」の類型における論点として、「労働者」概念についてふれ［→Ⅲ］、そのうえで、「労働者」概念以外にも問題となりうる議論について紹介する［→Ⅳ］。

Ⅲ　シェアリング・エコノミーと「労働者」概念

1　はじめに

シェアリング・エコノミーに限らず、いわゆる労働事件において、当事者が「労働者」にあたるかどうかをめぐり争われる事案は珍しくない。とりわけ、労働者か個人事業主かの分水嶺が曖昧な職種においては、訴訟まで発展することも少なくない。これは「労働者」に該当するか否かは、契約書のタイトルや文言だけによって形式的に判断されるのではなく、当事者間の実態的な関係を踏まえて実質的に判断さ

---

[12] このような点を踏まえ、シェアリング・エコノミーには、正規雇用と非正規雇用、個人事業主と労働者、労働と余暇の境界を曖昧にすると指摘する文献として、Arun Sundararajan, The Sharing Economy: The End of Employment and the Rise of Crowd Based Capitalism, Cambridge. MIT Press (2016) 参照。

れるため、契約書上は「個人事業主」、「受託者」とされていても労働者に該当する可能性があるためである。この点、当該当事者が「労働者」に該当する場合には、労働基準法、労働契約法、労働組合法等の労働関係法令が適用されることになるが、反面、当該当事者が「労働者」には該当しない場合には、前記の労働関係法令は適用されない。そのため、「労働者」か否かは、当事者間の契約関係に大きな相違をもたらすこととなる。

　プラットフォーマーは、もともとサービス提供者とサービス利用者との間の橋渡しをするという役割が主であり、そこでは、サービス提供者が個人事業主として業務を行うことが当然の前提として理解されていた。しかし、サービス提供者のプラットフォーマーへの依存度が高まるにつれ、サービス提供者が「労働者」のようにみえるという指摘がされはじめたのである。この点、「労働者」か否かは、契約の形式的な名称によってではなく、当事者間の実体的な関係を踏まえて整理されることになるため、判断にあたっては、当事者間の実体的な関係性が重要となる。

　この点、諸外国においては、移動×シェア型を中心として「労働者」概念をめぐる争いが訴訟等に発展しており、すでにいくつかの事例では判断が下されている[13]。

　たとえば、移動×シェア型の代表的企業であるUberのサービス提供者について、英国では、労働審判所が個人事業主（self-employed）ではなく労働者（worker）であると判断し、最高裁においてもその判

---

13) 初版では、米国の裁判例であるBarbara Ann Berwick v. Uber Technologies. Inc., (2015, Labor Commissioner)、Dynamex Operations West, Inc. v. Superior Court of Los (2017, Supreme Court of California)、Patrick Cotter v. LYFT, Inc., (2015, U.S. District Court N.D. California) を紹介したが、その後の議論の進展を踏まえ諸外国の例を紹介する。なお、諸外国の状況を紹介したものとして、英語の資料としてはAriene Reis, Vikram Chand, Uber Drivers: Employees or Independent Contractors?, Kluwer International Tax Blog, Wolters Kluwer、日本語の資料としては第二東京弁護士会労働問題検討委員会編『フリーランスハンドブック』（労働開発研究会、2021）462頁以下 が参考になる。

第 4 章　シェアリング・エコノミーと労働法

断が維持された[14]。フランスにおいても、破棄院が労働者に該当するとの判断を示した[15]。フランスにおいては、Uber の運転手が、サービス利用者との関係を独立して構築したり、公正と考える価格を独自に設定したりできないという事実が重視されたようである。

　これに対し、米国ペンシルベニア州、カリフォルニア州の事案でも、裁判所が Uber の運転手を個人事業主であると判示した例も存在する[16]。ほかにも、ブラジルにおいて、最高労働裁判所が独立した契約主体であると判示した事例が挙げられる[17]。

　また、Patrick Cotter v. Lyft, Inc., (2015, U.S. District Court N.D. California) は、陪審による事実認定を待たずに、Lyft の運転手が労働者に該当するか否かを判断することは難しいとしつつ、個人事業主か労働者かという判別は20世紀のビジネスにあてはまった議論にすぎず、シェアリング・エコノミーのような21世紀型のビジネスには対応できなくなっているという考え方を示し、個人事業主でもなく、労働者でもない第 3 の類型が認められてもよいという点を示唆した。

　現時点においては、移動×シェア型に議論を絞っても、裁判例の動向が一義的に定まったとまではいえないが、英国、フランス等、「労働者」に該当するという整理が確立した法域も存在するところである。

---

14)　労働審判所の判断につき、UK Employment Tribunals, Mr. Y Aslam, Mr. J Farrar & Others v. Uber BV, Uber London Ltd and Uber Britannia Ltd., Case n. 2202550/2015, on 28 October 2016.、最高裁の判断につき、Uber BV and others (Appellants) v Aslam and others (Respondents) [2021] UKSC 5 On appeal from [2018] EWCA Civ 2748.

15)　Cour de Cassation, Chambre Sociale, ECLI:FR:CCAS:2020:SO00374, Uber France, société par actions simplifiée unipersonnelle et autre(s) v. M. A. X., Arrêt n° 374 du 4 mars 2020 (19-13.316).

16)　The United States District Court for the Eastern District of Pennsylvania, Ali Razak, Kenan Sabani and Khaldoun Cherdoud v. Uber Technologies Inc., Civil Action n. 16-573, 11 April 2018.、Third District Court of Appeal of State of Florida, Darrin E. McGillis v. Uber, N. 3D15-2758, Lower Tribunal N. 0026283468-02, 1 February 2017.

17)　Tribunal Superior do Trabalho (TST), Marcio Vieira Jacob v. Uber do Brasil Tecnologia Ltda., RR – 1000123-89.2017.5.02.0038.

第2編　日本的雇用システムの変化

　日本に議論を戻すと、日本の労働法下において、「労働者」に該当するか否かはどのように判断されるのか。この点、「労働者」概念の内容は法律によって若干の相違が存在するところ、以下では、争点とされることの多い労働基準法上の労働者［→(2)］、労働組合法上の労働者［→(3)］についてふれた後、過去に労働者性が争われた裁判例［→(4)］について紹介する。

2　労働基準法上の「労働者」概念

　まず、「労働者」に該当するか否かが最も問題となりやすいのは、労働基準法上の労働者である。たとえば、シェアリング・エコノミーとの関係においては、サービス提供者が、最低賃金を上回る報酬の支払を求めたり、時間外労働に対する割増賃金の支払を求めたりするに際して、自らが労働基準法上の「労働者」に該当すると主張することが考えられる。

　この点、労働基準法上の労働者と労働契約法上の労働者はおおむね同一であると解されており、したがって、労働基準法上の労働者に該当するか否かは、たとえば、労働時間の規制（労基32条等）、時間外労働に対する割増賃金の支払（同法37条）、最低賃金規制（同法28条、最低賃金法）等の労働基準法の各条の適用の有無を判断する基準となるだけでなく、解雇権濫用法理（労契16条）、就業規則の最低基準効（同法7条）、有期契約者の無期転換権（同法18条）等の労働契約法の各条の適用の有無を判断する基準ともなる。さらに、最低賃金法2条1号、労働安全衛生法2条2号、賃金の支払の確保等に関する法律2条2項等は、各法律における労働者は労働基準法上の「労働者」と同一概念だとされているため、労働基準法上の「労働者」に該当するか否かは、これらの法令の適用の有無を判断するにあたっても重要な基準となっている。

　この点、労働基準法は、「労働者」について「職業の種類を問わず、事業又は事務所……に使用される者で、賃金を支払われる者」をいうと定義している（9条）。この条文中にある「使用され」「賃金を支払

図表2-4-2 労働基準法上の「労働者」性の判断基準

①使用従属性に関する判断基準	(a)	「指揮監督下の労働」に関する判断基準 ・仕事の依頼、業務従事の指示等に対する諾否の自由の有無 ・業務遂行上の指揮監督関係の有無 ・(時間的・場所的)拘束性の有無 ・(労務提供の)代替性の有無
	(b)	報酬の労務対償性に関する判断基準 ・労働の結果(成果)による報酬の較差が少ない ・報酬が一定時間労務を提供していることの対価と判断される
②労働者性の判断を補強する要素	(a)	事業者性の有無 ・機械・器具の負担関係 ・報酬の額
	(b)	専属性の程度 ・他社の業務への従事に対する制約や報酬における固定給部分の有無
	(c)	その他 ・採用や委託の際の選考過程 ・給与所得としての源泉徴収が行われているか ・労働保険の適用対象となっているか ・服務規律、退職金制度、福利厚生が適用されているか

＊前掲・労働基準法研究会報告の項目を筆者らが整理したもの。

われる」という点から、それぞれ(a)指揮監督下における労務提供、(b)報酬の労務対償性の２つの要素が労働者に該当するか否かの判断基準であるとされている[18]。これらの判断基準を適用するにあたっては、労働基準法研究会報告「労働基準法の『労働者』の判断基準について」が実務上重要な資料とされている。同研究会報告では、①使用従

---

[18] 労働基準法の「労働者」性に関する判断基準については、労働基準法研究会報告「労働基準法の『労働者』の判断基準について」(1985年12月19日)、三浦隆志「『労働者性』をめぐる裁判例と実務」判タ1377号(2012) 4頁参照。

属性に関する判断基準と、②労働者性の判断を補強する要素に分けて(a)および(b)の判断基準を示している[19]。

シェアリング・エコノミーの場合、対象となるサービスやプラットフォーマーとサービス提供者との関係はさまざまであり、労働基準法上の「労働者」に該当するかの判断はケース・バイ・ケースであると考えられる。

3　労働組合法上の「労働者」概念

次に、労働組合法上の「労働者」も訴訟等の場で該当性が争われることの多い概念である。労働組合法上の「労働者」は、主に、団体交渉等の労働組合法上の保護に値する者であるか否かが問題となって争われる。たとえば、シェアリング・エコノミーとの関係においては、サービス提供者が、プラットフォーマーに対して、団体交渉や不当労働行為の是正を求め、その過程で、自らが労働組合法上の「労働者」に該当すると主張することが考えられる。

この点、労働組合法3条は、労働者について「職業の種類を問わず、賃金、給料その他これに準ずる収入によつて生活する者」をいうと定義している。同条の定義には、労働基準法9条にある「使用され(る)」という要件が存在しないため、労働基準法上の労働者とは同一ではないと解されている。すなわち、労働組合法上の労働者は、労働組合を組織し、集団的な交渉による保護が図られるべき者を指すと解されており、労働基準法上の労働者より幅広く認められる傾向にあると解されている[20]。

労働組合法上の労働者に該当するか否かを判断するにあたっては、労使関係法研究会報告書「労働組合法上の労働者性の判断基準について」が実務上重要とされている。同報告書では、①事業組織への組入れ、②契約内容の一方的・定型的決定、③報酬の労務対価性の3点が

---

[19]　大内・前掲注2）82頁。
[20]　労使関係法研究会報告書「労働組合法上の労働者性の判断基準について」（2011年7月25日公表）、大内・前掲注2) 83頁参照。

図表2-4-3　労働組合法上の「労働者」性の判断基準

基本的判断要素	
①事業組織への組入れ	労務提供者が相手方の事業の遂行に不可欠ないし枢要な労働力として組織内に確保されているか
②契約内容の一方的・定型的決定	契約の締結の態様から、労働条件や提供する労務の内容を相手方が一方的・定型的に決定しているか
③報酬の労務対価性	労務供給者の報酬が労務供給に対する対価またはそれに類するものとしての性格を有するか
補充的判断要素	
④業務の依頼に応ずべき関係	労務提供者が、相手方からの個々の業務の依頼に対して、基本的に応ずべき関係にあるか
⑤広い意味での指揮監督下の労務提供一定の時間的場所的拘束性	労務提供者が、相手方の指揮監督のもとに労務提供を行っていると広い意味で解することができるか、労務の提供にあたり日時や場所について一定の拘束を受けているか
消極的判断要素	
⑥顕著な事業者性	労務提供者が、恒常的に自己の才覚で利得する機会を有し自らリスクを引き受けて事業を行う者とみられるか

＊前掲・労使関係法研究会報告の項目を筆者らが整理したもの。

基本的判断要素となり、補充的判断要素として、④業務の依頼に応ずべき関係、⑤広い意味での指揮監督下の労務提供・一定の時間的場所的拘束性が挙げられ、⑥顕著な事業者性が消極的判断要素（この要素があれば労働者性の判断は消極的に解される）となるとする。

　シェアリング・エコノミーとの関係でも、前記要素等を踏まえて、サービス提供者が労働組合法上の「労働者」に該当するか否かが判断されることになる。ここでも、対象となるサービスやプラットフォーマーとサービス提供者との関係はさまざまであり、労働組合法上の「労働者」に該当するかの判断はケース・バイ・ケースであると考えられる。

第2編　日本的雇用システムの変化

4　過去に「労働者」性が争われた裁判例

　労働基準法上の「労働者」概念と労働組合法の「労働者」概念は同一ではないが、訴訟等の場で争われることが多いという点では共通している。しかしながら、本書執筆時点において、日本国内において、シェアリング・エコノミーのサービス提供者が「労働者」に該当するか否かが争われた事例は、執筆者が知る限り見当たっていない。そこで、以下では、過去に「労働者」性が争われた裁判例について、シェアリング・エコノミーのサービスと類似する可能性のあるものについて紹介したい。

　まず、スキル×シェア型のシェアリング・エコノミーに類似する近時の事案として、大工の一人親方について「労働者」に該当しないと判断された最判平19・6・28（労判940号11頁〔藤沢労基署長事件〕）、県民共済のパンフレットを配布する普及員について「労働者」に該当すると判断された東京地判平20・2・28（労判962号24頁〔千葉労基署長事件〕）、新聞社のフリーランスの記者につき「労働者」に該当しないと判断された東京高判平19・11・29（労判951号31頁〔朝日新聞社事件〕）等が挙げられる。スキル×シェア型のシェアリング・エコノミーにおいては、さまざまな業務についてサービス提供者とサービス利用者とのマッチングが行われるが、大工、パンフレットの配布、記事原稿の執筆等のサービスはマッチングの対象となる可能性が高い業務であると考えられるため、これらの裁判例が参考になるものと思われる。

　次に、移動×シェア型のシェアリング・エコノミーに類似する近時の事案として、バイシクルメッセンジャーについて「労働者」に該当しないと判断された東京地判平22・4・28（労判1010号25頁〔ソクハイ事件〕）、トラック持ち込み運転手について「労働者」等に該当しないと判断されたさいたま地判平23・7・1（労経速2125号13頁〔有限会社甲事件〕）等が挙げられる。移動×シェア型のシェアリング・エコノミーにおいては、現在地と移動場所を指定したうえで、サービス提供者とサービス利用者のマッチングが行われるが、バイシクルメッセン

ジャーやトラック運転手は、移動×シェア型のマッチングの対象となる可能性が高い業務であると考えられるため、これらの裁判例が参考になるものと思われる。

なお、裁判例ではないものの、宅配代行サービス、Uber Eats の配達員らで組成する「ウーバーイーツユニオン」が、2020年3月16日、会社側による団体交渉拒否が不当労働行為にあたるとして、東京都労働委員会に不当労働行為救済命令を申し立てたことが報じられており、東京都労働委員会の判断が待たれるところである[21]。

Ⅳ　シェアリング・エコノミーと今後の議論

シェアリング・エコノミーについては、前記のような「労働者」概念にかかる論点以外にも、①職業安定法・労働者派遣法との関係をどのように整理するか、②独占禁止法、下請法との関係をどのように整理するか、③デジタルプラットフォーム透明化法の適用対象となるか、④必要な業法規制との関係をどのように整理するかといった問題が、働き方改革との関係で議論になりうる[22]。

1　職業安定法、労働者派遣法との関係

スキル×シェア型のシェアリング・エコノミーの例としてよく紹介される Task Rabbit では、サービス利用者が、簡単な日曜大工、引越し、掃除といった作業を委託することを考えた際、顔写真や料金を勘案しつつ、サービス提供者を選べる仕組みとなっている。料金はサービス利用者からサービス提供者に直接支払うのではなく、まず Task Rabbit に支払われ、Task Rabbit が手数料を控除のうえサービ

---

21) 日本経済新聞「ウーバー労組、労働委に救済申し立て　団交拒否『不当』ギグの働き方争点に」2020年3月16日。
22) 内閣官房情報通信技術（IT）総合戦略室「シェアリングエコノミー検討会議中間報告書」14頁～15頁は、「労働者」性の議論や前記に指摘した論点のほか、市場参入要件、法的責任の所在、消費者保護、税制等が論点となりうる旨を指摘する。

ス提供者に支払うことになる[23]。また日本においては、介護業界で、介護資格を有する人材と、1日だけ、あるいは、数時間だけという単発の求人を紹介するマッチングサービスが既に話題を集めつつある[24]。

このようなスキル×シェア型のプラットフォーム、サービス提供を突き詰めると、日本では、サービス提供者が「労働者」に該当するのではないかとの点に加え、職業安定法、労働者派遣法との関係についても検討を要するように思われる。

すなわち、職業安定法4条7項は、労働者派遣事業を除く、供給契約に基づいて労働者を他人の指揮命令を受けて労働に従事させることを「労働者供給」として定義し、所定の許認可を経ずに労働者供給事業を行うことを原則として禁止している（同法44条）。また、労働者派遣法2条1号は、自己の雇用する労働者を、当該雇用関係のもとに、かつ、他人の指揮命令を受けて、当該他人のために労働に従事させることを「労働者派遣」として定義し、厚生労働大臣の許可を得ることを要求しているほか（同法5条1項）、日雇労働者についての労働者派遣を禁止している（同法35条の4）。

この点、シェアリング・エコノミーに関する企業の多いアメリカでは、労働者派遣法に相当する連邦法は存在しておらず[25]、前記のような法規制との関係性は活発には議論されていないように見受けられる。日本においては、かりにサービス提供者が「労働者」に該当する場合、プラットフォーマー、サービス利用者のいずれが「使用者」に該当するかが議論となりうるが、サービス利用者が「使用者」に該当する場合には職業安定法に、プラットフォーマーが「使用者」に該当

---

23) 古い情報ではあるが、TaskRabbitによるマッチングサービスを紹介するものとして、日本経済新聞「掃除・洗濯……全米で『猫の手』借りるサイト人気」2014年11月18日。
24) 吉田由紀子「介護業界で話題！勤務スタイルが自由に選べるシェアリングサービスとは？」ダイヤモンドオンライン2020年5月28日。
25) 石井久子「アメリカにおける労働者派遣の拡大：その実態と展望」高崎経済大学論集43巻2号（2000）29頁等。

する場合には労働者派遣法に違反する可能性がありうる点にも留意が必要である。

2　独占禁止法、下請法との関係

シェアリング・エコノミーのサービス提供者が「労働者」に該当せず、個人事業主に該当する場合、プラットフォーマーとの間で提供する契約について、独占禁止法や下請法等の競争法が適用される可能性がある。

すなわち、独占禁止法19条は、事業者が不公正な取引方法を用いることを禁止しており、同法2条9項および「不公正な取引方法（昭和57年6月18日公正取引委員会告示15号）」によれば、取引拒絶、差別対価・差別取扱い、不当廉売、再販売価格の拘束、優越的地位の濫用、抱き合わせ販売、排他条件付取引、拘束条件付取引、競争者に対する取引妨害、不当顧客誘引、不当高価購入、競争会社に対する内部干渉等が、禁止された不公正な取引方法に該当しうる。

また、下請法4条は、親事業者が下請事業者に対して行ってはならない禁止行為を規定しており、具体的には、受領拒否（同条1項1号）、下請代金の支払遅延（同項2号）、下請代金の減額（同項3号）、返品（同項4号）、買いたたき（同項5号）、購入・利用強制（同項6号）、報復措置（同項7号）、有償支給原材料等の対価の早期決済（同条2項1号）、割引困難な手形の交付（同項2号）、不当な経済上の利益の提供要請（同項3号）、不当な給付内容の変更および不当なやり直し（同項4号）を禁止している。前記禁止行為について定めた下請法4条1項が適用されるためには、元請事業者と下請事業者との間に資本規模の多寡が存在することが要件とされているが（下請2条7項・8項）、シェアリング・エコノミーのサービス提供者体については、その多くが個人事業主であるため、プラットフォーマーの資本金が1000万円を超える場合には、当該要件を満たす可能性が高いといえる[26]。

---

26) シェアリング・エコノミーと下請法に関する分析として大内・前掲注2) 参照。

この点、シェアリング・エコノミーに関しては公正取引委員会も関心を寄せており、シェアリング・エコノミーの市場は、サービス提供者および消費者（サービス利用者）という複数タイプの主体間の取引のマッチングを行うという二面市場であり、事業者の淘汰・サービスの寡占化が進みやすく、かりにシェアの高いサービス運営者（プラットフォーマー）がサービス提供者に専属化を求めることがあれば、サービス運営者間の競争を抑制する可能性があると指摘している[27]。

以上のとおり、シェアリング・エコノミーにおけるプラットフォーマーは、独占禁止法等の法令にも注意する必要があると考える（サービス提供者・プラットフォーマー間の独占禁止法の適用関係については**第2編第5章3(4)も参照**）。

3　デジタルプラットフォーム透明化法の制定

デジタルプラットフォームにおける取引の透明性と公正性の向上を図ることを目的として、「特定デジタルプラットフォームの透明性及び公正性の向上に関する法律」（以下、「透明化法」という）が2020年5月27日に成立し、2021年2月1日に施行された。

透明化法の規制対象となる「特定デジタルプラットフォーム提供者」[28]を指定するための事業の区分および規模について、本稿時点では①物販総合オンラインモール（3,000億円以上の国内売上額）または②アプリストア（2,000億円以上の国内売上額）とされており[29]、特定デジタルプラットフォーム提供者として、2021年4月1日付で、①

[27) 政策上の論点をまとめた近時の分析内容である公正取引委員会競争政策研究センターのディスカッションペーパー「シェアリングエコノミーにおける競争政策上の論点」（吉川満著、2017年3月）による。
28) 前提として「デジタルプラットフォーム」とは、概要①多数の者が利用することを予定してデジタル技術を用いて構築した場であって、②当該場において商品、役務または権利を提供しようとする者の当該商品等に係る情報を表示することを常態とするものを、③多数の者にインターネット等を通じて提供する役務をいい（透明化法2条1項）、「デジタルプラットフォーム提供者」とは、デジタルプラットフォームを単独でまたは共同して提供する事業者をいう（同法2条5項）。

の物販総合オンラインモールについては、アマゾンジャパン合同会社（Amazon.co.jp を提供）、楽天グループ株式会社（楽天市場を提供）およびヤフー株式会社（Yahoo! ショッピングを提供）、②アプリストアについては、Apple Inc. および iTunes 株式会社（App Store を提供）ならびに Google LLC（Google Play ストアを提供）が指定されている[30]。

特定デジタルプラットフォーム提供者には、取引条件等の情報の開示（透明化法5条）および自主的な手続・体制の整備（7条1項）を行い、実施した措置や事業の概要について、毎年度、自己評価を付した報告書を提出することが求められ（同法9条1項）、経済産業大臣は当該報告書の内容を評価したうえで、これを公表しなければならないとされている（同条2項・5項）。

以上のとおり、現時点では、スキル×シェア型等のプラットフォーマーは、透明化法の規制対象となっているわけではないが、将来的にはデジタルプラットフォーム提供者として指定される可能性もあるところであり、今後の運用に着目する必要があると思われる。

4　業法規制との関係

シェアリング・エコノミーのサービスについては、本来、既存の業法による規制を受けるべきではないかという議論が存在する。たとえば、「移動×シェア型」の代表例である Uber は、タクシーと競合関係にあるが、タクシー会社が遵守する業法規制を遵守する必要がないかが問題となりうる。

この点、海外では、Uber は、「運輸事業者」ではなく、同社のタクシー運転手と乗客をマッチングさせる IT サービス事業者であると主張し、「運輸事業者」に課せられる規制を回避してきたところで

---

[29]　令和3年1月29日政令第17号「特定デジタルプラットフォームの透明性及び公正性の向上に関する法律第4条第1項の事業の区分及び規模を定める政令」。

[30]　経済産業省「『特定デジタルプラットフォームの透明性及び公正性の向上に関する法律』の規制対象となる事業者を指定しました」（2021年4月1日）https://www.meti.go.jp/press/2021/04/20210401003/20210401003.html。

あったが、EU の司法府である欧州司法裁判所は、2018年12月20日、Uber の主張を排斥し、「運輸事業者」にあたると認定し、EU 各国や域内自治体の労働法や事業免許制度が課せられることとなった[31]。

わが国でも、シェアリング・エコノミーにおけるプラットフォームの提供主体は、既存の業法の規制を受けないと整理したとしても、司法判断によりかかる整理が否定される可能性がある点に注意する必要があると思われる。

---

31) ECJ C-434/15, Asociación Profesional Élite Taxi v. Uber Systems Spain SL, Judgment of the Court (Grand Chamber) of 20 December 2017.

第5章　フリーランスの拡大と
その課題

I　はじめに

　個人の働き方の多様化や柔軟な働き方の拡大に伴い、使用者との間で雇用契約を締結して働く、労働基準法上の労働者とは異なる働き方をする者が近年増加している。

　このような働き方は、働き方改革実行計画において「雇用類似の働き方」と呼ばれており、その中でも、企業等に所属せずに個人で仕事を受注して働く、いわゆるフリーランスのあり方についての注目が高まっている。

　なお、フリーランスについては、厚労省をはじめさまざまな国や民間の団体で議論がなされているが、「フリーランス」という用語は法令上の用語ではなく、現状フリーランスに関する公式ないし統一的な定義は存在しない。もっとも、内閣官房、公正取引委員会、厚労省の連名で策定された、2021年3月26日付「フリーランスとして安心して働ける環境を整備するためのガイドライン」(以下、「フリーランスガイドライン」という)においては、同ガイドラインにおける定義として、「実店舗がなく、雇人もいない自営業主や一人社長であって、自身の経験や知識、スキルを活用して収入を得る者を指す」とされており、このような定義は一般的な「フリーランス」の理解に近いものであるように思われ、本稿においても、「フリーランス」の用語についてはこの定義を前提とする。

　本章では、拡大するフリーランスの現状を概観したうえで、フリーランスに関する法的問題点と今後の展開について考察する。

II　フリーランスの現状と提起される問題点

1　フリーランス人口の拡大

　フリーランスについては、前述のとおり統一的な定義が存在していないこともあり、フリーランスとして働く者の人口についても正確な統計等は存在しない。もっとも、2019年4月に厚労省の有識者会議である「雇用類似の働き方に係る論点整理等に関する検討会」において公開された、JILPTの報告では、雇われない働き方をしている者（約188万人）と、法人経営者、個人事業主で店主ではない者（約202万人）の合計が約390万人、そのうち発注者から業務作業の依頼を受けて行う仕事をしている者が約288万人との試算が出されている。

　上記試算からも見てとれるように、フリーランスは近時急速に拡大をしており、その背景としては、ライフスタイルや価値観の多様化に伴い、特定の雇用主に属しない自由な働き方が広がっていること、発注者と人材をインターネット上でマッチングする、いわゆるデジタル・プラットフォーマーの拡大などが挙げられている。

　ライフスタイルの多様化や、人材のマッチングをはじめとする雇用分野のIT化は日々進展をしており、フリーランスを含む多様な働き方は、今後も広がっていくことが予想されている。

2　フリーランスの法的保護

(1) フリーランスの法的保護

　このようなフリーランスを含む多様な働き方の拡大は、個人のライフスタイル等に合った柔軟な働き方を広げ、もってさまざまな背景を持った人材の労働市場への参加を促すことで、少子高齢化に伴う生産年齢人口の減少といった、わが国が直面する問題に対応していくという、働き方改革の目的に沿うものであるといえる。

　もっとも、フリーランスについてはその性質上、労働基準法上の労

働者性が原則として認められないという特殊性がある。

すなわち、すでに詳しく述べたとおり［→本編第4章Ⅲ］、労働基準法9条の「労働者」とは、雇用主の指揮監督下において労務提供をし、その対価として報酬を得る者をいうところ、フリーランスは、個人として発注者から仕事を受注し、発注者との間の請負契約や業務委託契約に基づいて働くものであって、仕事の遂行につき発注者の指揮命令には服さないことから、原則として労働基準法上の労働者性が認められない。

そのため、フリーランスは労働者性が認められる例外的場合を除き、労働関連法令の適用対象とならず、発注者との関係等において労働基準法上の労働者に比してその保護に欠けるのではないかという問題が生じる。具体的には、個人という企業に比して弱い立場でありながら、労働時間規制等の労働基準法の保護はもちろん、雇用保険、労災保険、最低賃金といったセーフティネットの対象とならず、ともすれば、安価で契約解除が容易な外部労働力として利用されてしまう可能性も否定できない。

そこで、このようなフリーランスという自由で柔軟な働き方を促進する一方で、その法的保護をいかに図るべきかという議論が近時活発になされている。

なお、このようなフリーランスの法的保護に関する議論の1つの特徴としては、スマートフォンアプリ等のIT機器を利用した発注者と受注者のデジタル・プラットフォーマーの成長等に伴い、類似の問題提起と議論が日本のみでなく世界各国で盛んに行われているという点が挙げられる。

(2) **日本における議論の発展と状況**

日本においては、働き方改革の一環として、フリーランス等の法的保護に関する議論が省庁を横断するさまざまな組織においてなされてきている。

すなわち、2016年9月に公表された「働き方改革実行計画」を受け、2017年10月に厚労省の有識者会議である「雇用類似の働き方改革

に関する検討会」が設置され、同検討会では、まずフリーランス等として、「雇用」と「自営」の中間的な働き方をする者に関する実態の把握、分析、課題整理等が行われ、2018年3月30日にその検討結果をまとめた、「『雇用類似の働き方に関する検討会』報告書」が取りまとめられた。

　同報告書では、比較法的見地からの検討を含む労働者性に関する分析のほか、フリーランスを含む雇用類似の働き方をする、いわゆる雇用類似就業者に関する実態調査結果等に基づき、その法的保護を要する項目と課題の整理等がなされた。

　また、雇用類似の働き方に関する検討会報告書に引き続く形で、2018年10月19日に「雇用類似の働き方に係る論点整理等に関する検討会」が設置、開催され、2019年6月28日に、雇用類似の働き方をする者の保護のあり方に関する中間整理が公表された。

　この中間整理においては、上記「雇用類似の働き方に関する検討会」報告書で示された各種課題についての整理がなされた。具体的には、①本検討会で特に優先的に取り組むべき課題、②専門的・技術的な検討の場において優先的に取り組むべき課題、③①および②の検討状況や雇用類似の働き方の広がり等も踏まえつつ必要に応じ検討すべき課題の3つに整理された。そして、この整理を踏まえて、契約条件の明示や締結等に関するルールの明確化、報酬の支払確保・報酬額の適正化等、就業条件、紛争が生じた際の相談窓口等が上記①の本検討会において優先的に検討すべき課題とされ、また、就業者のスキルアップ・キャリアアップ支援、発注者との集団的な交渉、仕事が打ち切られた際の支援、社会保障、出産・育児・介護等の両立、マッチング支援については、上記③の必要に応じて検討していくべき課題とされた。

　さらに、仕事が原因で負傷しまたは疾病にかかった場合等の支援については、労災保険に関する専門家等による課題の整理等が必要として、専門的な検討を開始することが適当とされた。また、ハラスメント対策については、労働政策審議会雇用環境・検討分科会における、

第5章　フリーランスの拡大とその課題

均等法に基づく指針等の議論中で検討をしていくことが適当とされた。

　中間整理では、上記個別の課題に関する整理に加え、雇用類似就業者の労働政策上の保護のあり方に関し、①労働者性を拡張して保護を及ぼす方法、②自営業者のうち保護が必要な対象者を、労働者と自営業者との間の中間的な概念として定義し、労働関係法令の一部を適用する方法、③労働者性を広げるのではなく、自営業者のうち一定の保護が必要な人に、保護の内容を考慮して別途必要な措置を講じる方法といった考え方が示された。もっとも、このうち①の労働性の範囲を拡張することについては、労働者性の見直しは、これまでの労働者性の判断基準を抜本的に再検討することとなるため、諸外国の例等を踏まえて幅広く検討を重ねていくことが必要な課題であって、短期的に結論を得ることは困難であるとの慎重な姿勢が示されている。

　加えて、上記のような厚労省における議論と並行して、独占禁止法との関係では、公正取引委員会競争政策研究センターが、2018年2月に、「人材と競争政策に関する検討会報告書」をまとめ、その中で、個人の役務提供者と発注者との取引に関する競争政策上の論点を整理し、フリーランス等の個人として働く者については、発注者との関係で優越的地位の濫用や下請法といった、競争政策の観点からの規制が適用されうる旨の指摘がなされた。

　さらに、このような流れを踏まえ、2020年7月17日に閣議決定された、「成長戦略実行計画」では、DXやオープン・イノベーションといった日本の今後の成長戦略に関する横断的な項目において、新しい働き方について1つの章が割かれ、その中で、フリーランスとして安心して働ける環境を整備するため、政府として一体的に保護ルールの整備を行う旨が示された。

　具体的には、前記「人材と競争政策に関する検討会報告書」において、従前働き方に関して独占禁止法の適用に慎重であった公正取引委員会がこのようなその姿勢を変更していることも踏まえ、フリーランスとの取引について、独占禁止法や下請法の適用に関する考え方を整

理の上、実効性のあるガイドライン等により明確にする必要があるとされた。

　なお、雇用関係によらずに、注文者から委託を受け、情報通信機器を活用して自宅等で勤務する者（いわゆる自営型テレワーカー）については、従前より、自営型テレワーカーの保護等に関する、厚労省作成の「自営型テレワークの適正な実施のためのガイドライン」（以下、「自営型テレワークガイドライン」という）が存在する。自営型テレワークガイドラインとフリーランスガイドラインは、フリーランスの保護方針を示したガイドラインとして多くの点で重複や類似性も見られるものの、フリーランスガイドラインは、発注者とフリーランスとの関係において独占禁止法上問題となりうることを明示するなど、労働法、独占禁止法、下請法といった法の適用関係を明らかにしていること、自営型テレワークガイドラインは、フリーランスのうち、情報通信機器を活用して自宅等で勤務する者のみを対象としている点等に相違があり、両ガイドラインはフリーランスの保護に関するガイドラインとして並存していくものと考えられる[1]。

3　フリーランスガイドラインの概要

(1)　総論

　前記「成長戦略実行計画」において、フリーランスの保護にあたり発注者とフリーランスとの間に独占禁止法や下請法を適用するという方針が明確化され、そのためのガイドラインを策定することが示されたことを受け、2021年3月にフリーランスガイドラインが公表された。

　フリーランスガイドラインでは、独占禁止法、下請法、労働関係法令の適用関係が明らかにされるとともに、フリーランスと取引先事業者が遵守すべき事項、発注者とフリーランスとの間の仲介業者が遵守

---

[1]　自営型テレワークガイドラインの詳細については、本書初版204頁以下参照。

すべき事項、労働者性の判断基準が示され、それぞれの場合におけるフリーランス保護の方針が示された。

(2) **フリーランスに対する法の適用関係**

まず、フリーランスに対する法の適用関係については、概要、独占禁止法は発注者とフリーランス全般との取引に適用されうること、下請法は、発注者が資本金1000万円超の事業者であれば、個人のフリーランスとの関係において適用されること、そして、フリーランスであっても、その者が発注者の指揮命令のもとで労務を提供している場合など、その実態において労働者性が認められる場合には、雇用に該当し、労働関係法令が適用されることが明示された。

この点、独占禁止法および下請法については、本ガイドラインの策定以前より、法的には発注者である事業主とフリーランスとの間に適用することは可能であったものの、公正取引委員会や中小企業庁は、フリーランスのような働く個人との関係では従前積極的な適用をしてきておらず、「人材と競争政策に関する検討会報告書」における検討とそれに引き続くフリーランスガイドラインにより適用の方針が明確にされたという点において、実務上の意義は非常に大きいものと思われる。

なお、下請法は、一定の要件を満たす下請取引[2]に関し独占禁止法を補完する独占禁止法の特別法であるところ、独占禁止法の優越的地位の濫用の観点から事業主が遵守すべき事項と、下請法上の親事業者が下請取引にあたり遵守すべきとされている事項の内容は相当程度重複しており、フリーランスガイドラインもそのような前提で、独占

---

[2] 下請法は、①物品の製造委託、物品の修理委託、情報成果物作成委託、役務提供委託を行う下請取引の場合には、親事業者の資本金が3億円を超え、下請事業者の資本金が3億円以下の場合（個人を含む）、または、親事業者の資本金が1000万円を超え3億円以下で、下請事業者の資本金が1000万円以下の場合（個人を含む）に、②情報成果物作成・役務提供委託を行う下請取引の場合には、親事業者の資本金が5000万円を超え、下請事業者の資本金が5000万円以下の場合（個人を含む）、または、親事業者の資本金が1000万円を超え5000万円以下で、下請事業者の資本金が1000万円以下の場合（個人を含む）に適用される。

禁止法上事業主が遵守すべき事項を中心に整理のうえで、下請法が適用される場合の下請法上の扱いについての整理を加えている。なお、独占禁止法と下請法のいずれも適用が可能な場合については通常下請法が適用されると述べられている。

(3) 事業主がフリーランスとの取引において遵守すべき事項

取引先事業主がフリーランスとの取引において遵守すべき事項として、フリーランスガイドラインではまず、フリーランスへの発注時において取引条件を書面にて明示することが優越的地位の濫用との関係では望ましい（なお、下請法の適用がある場合には同法3条に従った書面交付が必要である）ことを述べた上で、独占禁止法および下請法上それぞれ問題となる行為類型とその想定例等を示している（図表2-5-1）[3]。

なお、独占禁止法上の優越的地位の濫用については、発注者の上記行為類型に該当する行為について、フリーランスこれを受け入れざるをえず、フリーランスに対して正常な商慣習に照らして不当に不利益を与えることが要件となる。

図表2-5-1　フリーランスとの取引において独占禁止法上問題となりうる行為類型

	問題となる行為類型	概　要	下請法が適用される場合
1	報酬の支払遅延	正当な理由なく、発注者が支払期日に報酬を支払わない場合や、発注者が一方的に支払期日を遅く設定する場合。	下請代金の支払遅延の禁止（法4条1項2号）
2	報酬の減額	契約後に、正当な理由なく、発注者が報酬を減額する場合や、報酬を変更せずに仕様を変更するなどし、実質的に報酬を減額する場合。	下請代金の減額の禁止（法4条1項3号）

---

[3]　なお、本章ではフリーランスガイドラインの概要を述べるにとどまるが、同ガイドラインについては、当局者による詳細な解説が公表されており（松下和生＝五十嵐俊子＝宮下雅行＝尾田進＝田村雅「『フリーランスとして安心して働ける環境を整備するためのガイドライン』について」NBL1195号〔2021〕13頁）、ガイドラインの解説についてはそれらを参照されたい。

第5章　フリーランスの拡大とその課題

3	著しく低い報酬の一方的な決定	発注者が一方的に著しく低い報酬での取引を要請する場合。下請法との関係では買いたたきとして問題となる。	買いたたきの禁止（法4条1項5号）
4	やり直しの要請	発注者が正当な理由なく、納品後等にやり直しを要請する場合。	不当なやり直しの禁止（法4条2項4号）
5	一方的な発注取消し	発注者が正当な理由なく、フリーランスに通常発生する損失を払うことなく発注を取り消す場合。	不当な給付内容の変更の禁止（法4条2項4号）
6	役務の成果物に係る権利の一方的な扱い	委託業務に関して発生する、著作権等の権利の扱いを発注者が一方的に決定し、フリーランスに不当な不利益を与える場合。	不当な経済上の利益の提供要請の禁止（法4条2項3号）
7	役務の成果物の受領拒否	正当な理由なく、発注者がフリーランスからの契約に基づく成果物の納入を拒みその受領を拒否する場合。	受領拒否の禁止（法4条1項1号）
8	役務の成果物の返品	返品の条件等の定めその他正当な理由なく、発注者がフリーランスに対し納入物を返品する場合。	返品の禁止（法4条1項4号）
9	不要な商品または役務の購入・利用強制	発注者がフリーランスに対し、フリーランスが希望しない商品等の購入や利用を強制する場合	購入・利用強制の禁止（法4条1項6号）
10	不当な経済上の利益の提供要請	正当な理由なく、発注者がフリーランスに対し、協力金の負担や無償の役務提供等を求める場合	不当な経済上の利益の提供要請の禁止（法4条2項3号）
11	合理的に必要な範囲を超えた秘密保持義務等の一方的な設定	発注者がフリーランスに対し、合理的な範囲を超えて、秘密保持義務や競業避止義務等を一方的に課す場合	―
12	その他取引条件の一方的な設定・変更・実施	上記の行為類型に該当しない場合であっても、取引上の地位が優越している発注事業者が、一方的に、取引の条件を設定し、もしくは変更し、または取引を実施する場合に、当該フリーランスに正常な商慣習に照らして不当に不利益を与えることとなるとき	―

第2編　日本的雇用システムの変化

(4) 仲介事業者が遵守すべき事項

　フリーランスガイドラインは、発注者である事業主と受託者であるフリーランスとの間の取引上遵守すべき事項のほか、デジタル・プラットフォーマー等を含む、発注者とフリーランスとの間を仲介する事業者が遵守すべき事項についても定めている。

　具体的には、仲介事業者が、自己の提供する仲介サービスの規約その他取引条件を一方的に変更することにより、フリーランスが支払う手数料が増額されたり、フリーランスの報酬が減額されるような場面では、それが正常な商慣習に照らして不当にフリーランスに不利益を与えるような場合、優越的地位の濫用が問題となる旨が明示された。

(5) 現行法上「雇用」に該当する場合の判断基準

　フリーランスガイドラインは、上記の雇用によらないフリーランスに対する、独占禁止法および下請法上問題となる行為類型に加え、フリーランスに労働関係法令が適用される場合、すなわち、フリーランスの労働基準法および労働組合法上の労働者性の判断基準を示している。

　もっとも、この点については、労働者性に関する従前の議論を整理したにとどまっており（労働者性の判断基準については、**本編第4章Ⅲ**を参照）、特段フリーランスに関する新たな判断基準等を示すものではない。

(6) フリーランスガイドラインについての考察

　以上のとおり、フリーランスガイドラインはフリーランスの保護に関する種々議論を踏まえたうえで、各関連省庁横断的にフリーランス保護に関する方向性を正式に示した最初のガイドラインであり、フリーランス保護のための法の適用関係を明確にしたという点においてその意義は大きいと考えられる。

　また、フリーランスの保護につき独占禁止法を利用し、公正取引委員会という競争法当局がその執行を行うという方針が示された点は、比較法的にみても特徴的であり、世界的にも稀有な方針であるように思われる。

第5章　フリーランスの拡大とその課題

　もっとも、今回フリーランスガイドラインにおいて明確化された、独占禁止法および下請法を用いたフリーランス保護という方針に従って、フリーランスの十分な法的保護が図れるかについては、以下のような諸点に照らし、ただちに十分であると考えることには躊躇を覚える。

　ア　法の執行体制の問題

　法の執行という点に関し、公表データによれば、公正取引委員会が優越的地位の濫用に関し指導等を行った例としては、2020年度のデータで、確約措置の認定が3件、注意が47件にとどまっており[4]、また、下請法違反についても、2020年度における勧告件数はわずか4件にしかすぎない[5]。これに対し、厚労省労働基準局発行にかかる、労働基準監督年報（https://www.mhlw.go.jp/bunya/roudoukijun/kantoku01/dl/31-r01.pdf）によれば、全国の労基署が2019年度・2020年度に行った監督実施数は、定期監督等、申告監督、再監督の合計で約16万7000件となっている。

　また、法の執行を行う拠点数についても、公正取引委員会の地方事務所は公正取引委員会本庁を含め全国9か所であるのに対し、労働基準監督機関については、厚労省の下に、都道府県労働局47局、労基署321署、および支署が4署設置されている。

　このように、市場における競争を監視、監督することを本来的な役割とする公正取引委員会という組織と、日本全国の労働基準行政を行う労基署とでは、組織の規模、体制、その他さまざまな面において著しい差があり、独占禁止法および下請法を用いたフリーランス保護という方針が示されたとしても、労基署による労働者保護のための監督、指導といった活動、機能を公正取引委員会に求めることは、現在の体制ではきわめて困難であると思われる。

　もっとも、下請法違反については、公正取引委員会とともに中小企

---

4)　https://www.jftc.go.jp/houdou/pressrelease/2021/may/210526.html
5)　https://www.jftc.go.jp/houdou/pressrelease/2021/jun/210602.html

業庁がその執行に当たっており、いわゆる下請Ｇメンと呼ばれる取引調査員を中心に、企業へのヒアリング等を含む積極的な活動が行われており、2019年時点において下請Ｇメン約120名で下請法違反の調査等を行っており、今後は、公正取引委員会のみでなく、下請Ｇメンの拡充等を含む指導、監督体制の強化が課題の１つになろう。

　このような諸点を踏まえると、フリーランスガイドラインに基づいたフリーランス保護については、優越的地位の濫用違反に関し、人員体制を含む、公取委による監視、執行機能が十分であるかという課題がある。また、下請法違反については、下請Ｇメンといった監督、執行体制はあるものの、下請法には、当事者の資本金に関する要件があることに加え、その適用は、発注者が業として行う業務等に関する、物品の製造委託、物品の修理委託、情報成果物作成委託、役務提供委託のみに限定されており、たとえば、「役務提供委託」の場合には、「発注事業者が顧客から役務提供の委託を受け、その全部または一部を再委託する場合」のみを指すなど、さまざまな取引が想定される発注者とフリーランスとの間の契約の中の一定範囲にしかその保護が及ばないという課題があると思われる。

　　イ　行為規範性があるかの問題
　また、前述のとおり、フリーランスガイドラインは、雇用関係の取引に独占禁止法は適用されないという従来の方針の転換を明確にしたという点において重要な意義を要するものの、他方で、その内容については、独占禁止法、下請法、労働法のいずれの観点からも特段目新しい議論や指摘はなく、すでに確立している考え方を整理したにとどまる点が多く見受けられる。これは、フリーランスガイドラインがあくまでも指針であって、新たな立法や改正がなされたものではないという点からすればやむをえないものの、たとえば、アプリをインストールさえすれば、自由に複数の事業者と取引することが可能なフリーランスの配達員について、どのような場合であれば、フリーランスが発注者との取引に依存しており、優越的地位の濫用における「優越的地位」が認められるのかといった具体的点はなお不明確であり、

今後大いに議論の余地があるように思われる。

　　ウ　簡易迅速な救済手段の整備に関する問題
　また、使用者による労働法違反の場合、労働者には、民事訴訟手続による使用者対する損害賠償請求や地位確認請求といった救済の手段のほか、労働審判や労働局によるあっせんなど、比較的迅速かつ利用しやすい救済手段と制度が存在する［→第5編第2章Ⅶ］。しかしながら、独占禁止法は、主として公正取引委員会による行政処分を中心に運用、執行される法律であり、同法25条において、違反事業者に対する無過失損害賠償責任が定められてはいるものの、これも公正取引委員会の確定審決が存在することを条件としており、迅速な被害救済とはなりえない。また、違反事業者に対する民法709条に基づく損害賠償請求等、被害者による直接の救済も認められうるものの、公正取引委員会による調査、審決等を経ない場合には、実務上、立証のハードルが非常に高くなることが想定される。

4　フリーランスのセーフティネット

　前述のとおり、フリーランスについては、基本的に労働者性が認められないことから、原則として労災保険、雇用保険には加入資格が認められない。さらに、フリーランスガイドラインも、フリーランスに関する独占禁止法、下請法、および労働関連法令の適用関係を整理したものであり、社会保障等に関する事項には触れられていない。

　しかしながら、一般社団法人プロフェッショナル＆パラレルキャリア・フリーランス協会の調査結果をまとめた「フリーランス白書2021」[6]によれば、社会保障が提供される必要性を感じているフリーランスは95.7％に及んでおり、フリーランスからは社会保障制度の拡充についての強い要望のあるところである。

　また、上記成長戦略実行計画においても、「フリーランスとして働

6）https://blog.freelance-jp.org/wp-content/uploads/2021/03/2021_hakusho.pdf

く人の保護のため、労働者災害補償保険の更なる活用を図るための特別加入制度の対象拡大等について検討する」ことが明記され、フリーランスの社会補償拡充の必要性が示されている。

　このような流れを受け、フリーランスの労災保険について、一定のフリーランスに対し労災保険の特別加入制度[7]の範囲を拡大する方針で労政審の労働条件分科会労災保険部会等において議論がなされ、2021年4月1日からは、特別加入の対象が、芸能関係作業従事者、アニメーション制作作業従事者、柔道整復師および創業支援等措置に基づき事業を行う方向に拡大された。

　さらに、同部会ではこれら3業種に加え、近年急速に増加をしているフードデリバリーサービスに従事する者や、IT業務を行うフリーランスも、特別加入の対象とすることが決定され、2021年9月（予定）からは、「原動機付自転車又は自転車を使用して行う貨物の運送の事業」および「情報処理システムの設計等の情報処理に係る作業」も特別加入の対象となった。

　なお、特別加入の場合の保険料については、これを雇用主が負担する労働者の場合と異なり、フリーランスの自己負担とするものとされており、この点については批判や発注者が負担をすべきとの主張も見られるところである。

　このように、労災保険の点については、特別加入の対象拡充という形で業種ごとではあるものの、フリーランスのセーフティネットに関する議論が進んでいるものの、雇用保険や、雇用保険に基づく育児休業給付金、介護休業給付金、その他給付金等に関する議論は、現時点ではそれほど進んでいないように思われる。フリーランスがあくまでも個人事業主であるという点に照らせば、労働者と同等の社会保障制度を整備することは必ずしも容易でなく、またその必要性に乏しい場面も存在すると思われるが、少子高齢化が大きな社会問題となってい

　7）　労働者以外の者のうち、業務の実態、災害の発生状況等に照らし、労働者に準じて労働者災害補償保険により保護することがふさわしい者につき、一定の要件の下に同保険に特別加入することを認めている制度。

第5章　フリーランスの拡大とその課題

ることや、今後のフリーランスの拡大を考えると、フリーランスであっても安心して子育てや家族の介護を行える環境を整備することが望ましいように思われる。

5　フリーランスと独占禁止法に関するその他の論点

　今後、労働人口の減少により深刻な人材不足が起こると、人材の獲得をめぐる競争（奪い合い、囲い込み）が激化するおそれがあり、フリーランスについてもその獲得競争が行われる可能性がある。人材獲得競争に当たり、企業がよりよい条件を提示して競争を行えばよいが、前記「人材と競争政策に関する検討会報告書」によれば、企業がフリーランスを獲得するにあたって、複数の発注者（ケースによっては雇用契約上の使用者を含む。以下同じ）が共同して、フリーランスに対して支払う対価その他の取引条件を取り決めることは、人材獲得市場における競争を制限するものであり、原則として独占禁止法上問題となる（図表2-5-2）。また、複数の発注者が取引条件を曖昧な形で提示するといった行為も、協定がなくても事実上条件面での競争を回避するものであり、競争政策上望ましくないとされている（図表2-5-3）。

　複数の発注者が共同して引き抜き防止の協定を結ぶなど、フリーランスの移籍・転職を制限する内容を取り決めることも、人材獲得競争を回避するもので、独占禁止法上問題となる場合がある（図表2-5-2）。なお、このような協定は、移籍・転職の制限は育成に必要な費用を回収するために必要と主張されることもあるが、複数の発注者（使用者）が共同で移籍・転職を制限する取決めをする場合には、通常、育成費用の回収という目的を達成する手段としては他に適切な手段があり、なお独占禁止法上問題とされうる。

　このような複数の発注者による共同は、設計業務の発注であれば建設会社間、インターネット記事の執筆であればニュース配信事業者間など、同業者による共同が想定されうるが、AIを用いたシステム開発であるとか匿名加工情報を用いたマーケティングなど、今後、業界

第2編　日本的雇用システムの変化

図表2-5-2　発注者が共同して人材獲得競争を制限する行為

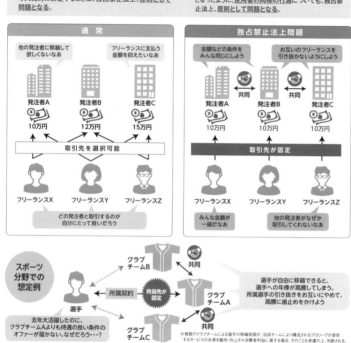

〔出所〕　人材と競争政策に関する検討会事務局（公正取引委員会経済調査室）リーフレット「人材と競争政策に関する検討会報告書のポイント」。

図表2-5-3　人材獲得市場において取引条件を曖昧な形で提示していること

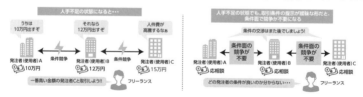

〔出所〕　人材と競争政策に関する検討会事務局（公正取引委員会経済調査室）リーフレット「人材と競争政策に関する検討会報告書のポイント」。

を超えてフリーランスの獲得競争が始まると、異業種間での共同が問題となることも起こりえよう。

Ⅲ　フリーランスの今後の展望

　前述のとおり、フリーランスは人材の活躍の場を広げ、多様な働き方を実現するものであって、働き方改革の理念に合致するものであるが、一方、労働関連法規の適用を受けず、企業等の発注者との関係において弱い立場に立つフリーランスは、使い捨てのできる安い労働力として安易に利用され、新たな格差の温床となるリスクをはらむものであり、適切な保護が図られるべきことは明らかであろう。

　そのため、上記で概観をしたとおり、現在さまざまな観点からフリーランスの保護に関する議論がなされているところであり、セーフティネットの点等を含め、このような議論は今後とも多方面で行われていくことが想定される。

　もっとも、フリーランスの拡大に関する議論においては、フリーランスの法的保護という点が中心となることが多く、厚労省等における議論もフリーランスの保護に関する議論が主であるように思われる。

　しかしながら、日本におけるフリーランス人口は、増加の傾向にあるものの、その数は288万人（前記Ⅱ1の試算結果）ほどであるのに対し、日本の雇用者（役員を除く）は5601万人であり[8]、フリーランスの割合はわずか5％程度にとどまっている。今後フリーランスという自由な働き方がさらに広がり、日本の労働市場における有力な選択肢として定着をするには、フリーランスの法的保護だけではなく、仕事に対する旧来の考え方の大きな変化、まさに働き方改革の実現がより大きな要素であるように思われる。

---

[8]　総務省統計局「労働力調査（詳細集計）2021年（令和3年）1～3月期平均」（2021年5月14日公表）（https://www.stat.go.jp/data/roudou/sokuhou/4hanki/dt/pdf/gaiyou.pdf）。

この点、米国の民間調査[9]によれば、2020年における米国のフリーランス人口は5,900万人に上り[10]、実に労働力全体の36％に該当しており、その割合は今後も伸びることが予想されている。また特徴としては、フリーランスのうち、フリーランスを専業で行っている者の割合は36％となっており、2014年からのわずか6年の間で19％増加しているのに対し、フルタイムの仕事をしながら副業としてフリーランスの仕事をしている者も14％存在する。また、フリーランスのうちの47％が長期的なキャリアとしてフリーランスを選択することを考えていると回答している。

　さらに、興味深い点として、フリーランスの約6割が過去6か月間の間に、自己のスキルアップのための何らかの教育やトレーニングを受けたと回答をしており、個々人のスキルを重視していることがうかがえる。さらに、フリーランスの86％が将来的にフリーランスという働き方はよりよくなると思うとの回答をしており、また71％がフリーランスをキャリアとすることへの一般的な評価は向上していると回答をしている。

　このような米国の調査結果からは、米国ではすでにフリーランスが雇用と並ぶキャリア選択肢の1つとして広く確立しており、また、個人のスキル、能力を基礎として、副業としてフリーランスを行ったり、雇用からフリーランス、フリーランスから雇用という柔軟なキャリア設計を考えていることが認められる。また、フリーランスという働き方について多数が肯定的に捉え、スキルを磨き、自己の価値を高めるなど、フリーランスであることをポジティブに考えていることがうかがえる。

　これは、米国をはじめとする多くの国では、必要とされる職務内容が採用時に明確化され、労働者はその職に就き、その職務のスキルを

---

[9] Freelance Forward 2020 (https://www.upwork.com/i/freelance-forward)。
[10] この調査において「フリーランス」とは、過去12か月間の間に、副業、一時的、プロジェクト単位または個別契約に基づいて、個人として業務を行った者をいうとされている。

上げていくという、いわゆるジョブ型雇用が一般的であり、人材の評価もスキルを中心として行われ、個人のスキルと必要な職をマッチングする形での転職も一般的であるという、労働市場における慣行が大きく影響をしているものと思われる。

　このようなジョブ型雇用が一般的な労働市場においては、社内における地位や肩書ではなく、個人のスキルが労働市場における価値として評価されやすいため、労働者はより高い評価を求めて転職するという意欲が強く、自ずと労働者は独立し、自己の求める評価や職場、ライフスタイルを獲得するため、その能力を企業に所属して発揮するか、フリーランスとして発揮するかは、日本におけるほど大きな違いや障壁として認識はされず、実際に双方向での人材の行き来が存在しているものと考えられる。

　特に、インターネットを通じた仕事とスキルのマッチングや、IT技術による場所に固定されない働き方の急速な広がりとともに、特定の使用者に雇用される労働者とフリーランスの垣根はさらに低くなり、フリーランスは今後ますます増えていくことが予想される。

　他方、日本では従来、労働者の多くは、年功序列や終身雇用を基本としたいわゆる日本型雇用の中で、新卒一括採用を経て職務内容や勤務地を限定せずに特定の企業に就職し、その企業の中で職位を上げていくという、いわゆるメンバーシップ型と呼ばれる考え方が優先されてきた。

　メンバーシップ型雇用においては、各企業内における社歴や年齢が重視される傾向にあり、労働者は特定の専門性を磨くのではなく、さまざまな部署を異動することで、ゼネラリストとして、主としてその会社の業務全般についての知識やスキルを身につけ、社内における地位、職位を上げていくことが追求されてきた。このような日本型雇用慣行には、長期的、計画的な人材の育成、社内における柔軟な人材の活用、社員と会社間における一体感や忠誠心の醸成といった種々のメリットも存在し、高度成長期における日本企業躍進の原動力となったことは否めない。しかしながら、年功序列や終身雇用を基礎とするシ

ステムの中では、専門性の高い優秀な若手の登用等を通じたイノベーションを促進する風土が醸成されづらく、むしろ労働生産性の低さといった問題が叫ばれるようになり、また、個々人のライフスタイルに合わせた多様な働き方が広まり、年功序列や終身雇用といった制度が変容していくことに伴い、近時日本においても、ジョブ型雇用が大きな注目を集めている。

この点、ジョブ型雇用においては、企業側は、企業が必要とする職務、ポジションに適合する能力や経験を労働者が有しているか否かという観点からの採用を行うことが想定され、既存の新卒一括採用という制度の変容が予想されるところ、労働者においても、既存の年功序列や終身雇用といった雇用システムから自立をし、自らのスキルを磨き、能力を向上することで、社内外を問わず、自己の能力にあったスキルや経験を求める職への就職、転職をすることで、キャリアアップを図るといった、キャリアや働き方に関する根本的な意識改革が求められることになろう。

新卒一括採用や終身雇用制度が広く定着している日本において、今後このようなジョブ型雇用が広まり定着していくかについてはなお不透明と言わざるをえないが、ジョブ型雇用が広まり、労働者個々人のスキルを礎とした使用者からの自立が進むに伴い、そのような労働者にとって、自身の能力次第でさまざまな発注者と自由に仕事をするという、フリーランスの魅力は高まっていくものと思われる。

Ⅳ　最後に

本章では、フリーランスの現状とその課題、および日本におけるフリーランスという働き方の今後の展望について述べてきたが、一口にフリーランスといっても、その取引先や仕事内容、スキル、動機、働き方等は多種多様であり、そのようなフリーランスについて、法的保護の名のもとで一律に過度な規制を課したりすることとなれば、企業がフリーランスと取引をすることを躊躇し、ひいてはフリーランスの

特徴である、個人のライフスタイルに応じた自由な働き方が阻害されるという本末転倒の結果を招きかねない。

　フリーランスについて、一定の法的保護やセーフティネットの構築が必要であることは明らかであり、引き続き慎重な検討を要するが、一方で、フリーランスの今後の展望の中で述べたような、自己のスキルや経験を磨き、そのスキル等を必要とする発注者との間で自由な働き方で仕事をしていくというキャリアを自ら進んで選択する、いわゆるポジティブなフリーランスが拡大し、活躍をしていくには、法的に保護に加えて、日本の労働市場の大きな転換が求められているものと思われる。

　そのため、現在行われているフリーランスの法的保護に関する議論や、働き方改革は、いかにフリーランスの法的保護を図りつつ、フリーランスの活躍の場を広げ、企業にとってもフリーランスにとってもWin-Winの関係となる市場を将来に向け作っていくかという土台作りの段階にあり、日本におけるフリーランスの今後の広がりを促進するために適正な法整備がなされるかについては、今後とも注視していく必要があろう[11]。

---

11) なお、岸田内閣総理大臣を議長とする、新しい新主義実現会議が2021年11月8日に公表した緊急提言では、新たなフリーランス保護法制の立法や公正取引員会の執行体制整備が謳われており、今後の動向が注目される。

第3編
ワークライフバランスの実現

第1章　休暇制度

Ⅰ　休暇制度と取得の現状

1　日本の年休の取得率

　2019年に労働者が取得した年次有給休暇（以下、「年休」という）は10.1日、取得率は56.3％であり、取得日数、取得率とも過去最高となった[1]。企業の規模別では、従業員数1000人以上の企業では、それぞれ11.9日、63.1％であるが、企業規模が小さくなるほど取得日数、取得率が低くなる。

　政府は、2010年、当時5割に満たなかった年休の取得率を2020年までに70％に引き上げるという目標を掲げ、上記のとおり取得率は向上したが[2]、残念ながら政府目標の達成は見込めない状況である。

2　海外の年休の取得率

　オンライン旅行会社であるエクスペディアジャパンのWebsiteには、毎年「有給休暇国際比較調査」が掲載されている。コロナの影響がなかった2019年版をみると、世界19か国1万1217名を対象としたインターネットリサーチの結果、日本人の有給休暇消化（取得）率（50％）は、統計数値が公表されている12か国中最下位であり、過去11年間の同種調査で最下位の年が9回あり、近時毎年ほぼ100％であ

---

[1]　厚労省「令和2年就労条件総合調査の概況」（2020年10月30日）7頁。この「労働者」とは、常用労働者数が30人以上の民営企業で無期フルタイムで働く労働者をいう。
[2]　閣議決定「新成長戦略」（2010年6月18日）77頁。

第 1 章　休暇制度

るフランス、スペイン、ブラジルなどとは歴然とした差がある。

3　年間休日数の国際比較

データがやや古いが、2016年の日本の年間休日数は138.2日（うち年休付与は18.2日。以下同じ）となっている[3]。海外では、イギリス137日（25日）、フランス137日（25日）、イタリア139日（25日）、ドイツ141日（30日）となっており、付与日数ベースでは"休暇大国"といわれているドイツやフランスと大差ないが、日本は年休の取得率が低いので実際の取得日数にはかなりの差があると考えられる。

4　日本の年休制度の歴史と現状

(1)　労働基準法上の年休制度

1947年に制定された労働基準法は、1936年にILOで採択されたILO 52号条約に倣い、使用者は1年間継続勤務した労働者に「6労働日の有給休暇を與えなければならない」と規定した（制定当時の労働基準法39条1項。年休付与義務）。この有給休暇は「労働者の請求する時季に與える」ものとされ（同条3項。時季指定権）、「時季」とは、文字どおりseasonの意味であり、立法過程では欧州型の長期休暇を指向していたようであるが[4]、規定上は「継続し、又は分割した」となっており（同条1項）、必ずしも継続、一括して付与しなくてもよいこととされた[5]。ILO 52号条約は、1970年に改正され（ILO 132号条約）、休暇日数は6か月継続勤務の者につき3労働週とすること、3労働週のうち少なくとも2労働週は一括付与すべきこととされた。しかし日本では、長期間の継続的な休暇よりはむしろ、短期・細切れでも有給休暇を取得することが指向され、2008年の改正では、労使協定

---

[3]　JILPT『データブック国際労働比較（2019年版）』（2019）242頁。
[4]　和田肇「いつになったら先進国並みの年休制度に」季刊労働法258号（2017）31頁～33頁。
[5]　全労働日の8割以上出勤した者に付与する旨の定めも制定当初からあった。この8割出勤要件は、ILO条約にはない日本独自の要件である。

207

に基づく年休の時間単位付与が認められた（労基39条4項）。このように、ILO条約が年休の一括付与を謳い、労働基準法39条5項も「時季」と明定しているにもかかわらず、日本の年次休制度は、制定以来これまで、字義どおりの「時季」の休暇を原則としたことはない。

(2) 年休制度の近時の改正

年休制度は、1987年に大規模な改正があり最低年休日数（6日→10日）が変更され、パートタイム労働者への年休の比例割合付与（労基39条3項）や、5日を超える年休は労使協定によって計画付与ができる計画年休制度（同条6項）が導入されている。さらに2008年の改正では、前記(1)のとおり、年休の時間単位付与制度が導入された。

(3) 年休取得と不利益取扱い

労働基準法附則136条は、「使用者は、……有給休暇を取得した労働者に対して、賃金の減額その他不利益な取扱いをしないようにしなければならない」と規定している。1987年の改正当時、年休を取得した場合は精皆勤手当などの手当、賞与、昇級などにマイナスの影響がある事業所が依然としてかなりみられたことから、これらの不利益取扱いは年休保障の趣旨に反することを確認するために設けられた規定である[6]。努力義務規定とされており、私法上の効果（たとえば、労働者が使用者に減額された賃金の支払を求める権利）はないとされている[7]。しかし、子の看護休暇や介護休暇の申出や取得理由とする不利益取扱いは禁止されており（育介10条・16条の4・16条の7等）、年休取得の不利益取扱いの禁止が努力義務にとどまるのは均衡を欠く。労働基準法附則136条はすでに時代遅れの規定で改正が必要であろう。現状でも、年休を取得したことを理由に手当、賞与、昇級などでマイナスに査定することは、公序良俗に反するとして無効とされうる[8]。

---

[6] 菅野和夫『労働法〔第12版〕』（弘文堂、2019）576頁。
[7] 最判平5・6・25労判636号11頁（沼津交通事件）。
[8] 前掲注7）最判平5・6・25も公序良俗に違反すれば無効となるという判断枠組みは認めている。

Ⅱ　休暇取得が進まないことの問題点と課題

1　休暇をとらないことの問題点
　年休に限らず休暇をとらないことは長時間労働の大きな原因の１つであり、次のような問題がある。
　(1)　心身の健康を害する
　労働者は仕事だけをして生きているわけではない。食事・入浴の時間や、休息し睡眠をとる時間がなければ、健康を維持し、長く働くことはできない。労働時間の短縮も進まず、過労死や、精神疾患の発症などメンタルヘルスへの悪影響が大きく、働き手の確保という意味でもマイナスである。労働時間の長さと幸福度には負の相関関係がある（労働時間が長くなると幸福度が下がる）ことも指摘されている[9]。
　(2)　毎日フルタイムの労働が困難な者の働く機会を失わせる
　育児や介護をしながら働く労働者は、育児や介護の時間に充てるために休暇が必要となることがある。年休の制度趣旨は、労働者の健康で文化的な生活の実現に資するため、休日のほかに、有給の休暇を保障することにあり[10]、育児や介護のためには子の看護休暇や介護休暇を充てるのが本来であるが（育介16条の２・16条の５）、現状では、突発的ないし短期の育児や介護のニーズには年休が利用されているのが実態であり、年休が取得できないことは、育児や介護のニーズがある者の就労に障碍となる[11]。通院などの必要性がある高齢者についてもおおむね同様のことがあてはまるであろう。
　(3)　労働生産性が向上しない
　年休を取得できない理由の１つとして、上司や同僚が働いており休

---

[9]　小野浩「日本の労働時間はなぜ減らないのか？――長時間労働の社会学的考察」日本労働研究雑誌677号（2016）15頁・17頁～18頁。
[10]　菅野・前掲注6）557頁。
[11]　働き方改革実行計画でも、仕事と家庭生活の両立を困難にし、少子化の原因や女性のキャリア形成、男性の育児参加を阻む原因になっている長時間労働の是正を重要な目標の１つにしている。

みづらい雰囲気があって休めないといったものが挙げられる[12]。この場合、その労働者が行っていた仕事は、休暇を取得しても回る程度の仕事であって、時間当たりの仕事の密度が薄く、労働生産性が落ちている。年休を取得しても仕事を回していけるなら、どんどん休暇を取得してリフレッシュしてもらって、あるいは、休暇中にいろいろなものを吸収してもらって、休暇後の仕事に注力してもらったほうが、労働生産性は向上するはずである。日本の就業1時間あたり労働生産性はOECD諸国の平均値を下回っており[13]、これを向上しなければ国際競争力の強化は覚束ないのであるから、年休の取得率が上がらないのは、労働生産性が向上していないことの証左と捉える必要があろう。

(4) **国際的に活躍する人材を国内に確保できない**

グローバル化の進展に伴って人材獲得競争が激化しているが、日本のフルタイムの常用労働者の年間総実労働時間数は長年2000時間を超えて推移しており[14]、欧米諸国のそれに比べて著しく長い。加えて、長期の有給休暇がとれないとなると、海外にいる優秀な人材を国内に確保することは望めない。自分の時間を大切にしたい、という価値観は若い世代ほど顕著であると考えられ、海外からきた優秀な留学生が日本の企業で働きたいと思っても、年休がまともにとれないことが理由で日本での就労を諦めるとしたら、それは大きな損失である。

---

12) JILPT「年次有給休暇取得に関するアンケート調査（企業調査・労働者調査）」（2021）63頁によれば、「職場の周囲の人が取らないので年休が取りにくいから」と回答した者の割合は25.6％である。
13) 日本生産性本部「労働生産性の国際比較（2020）」9頁。これによれば、2019年の日本の時間当たり労働生産性（就業1時間当たり付加価値）は、47.9ドルで、OECD加盟37か国中21位である。
14) 厚労省「令和3年版過労死等防止対策白書」2頁〜3頁。もっとも令和元年が1978時間、令和2年が1925時間であり、減少傾向にある。

2 なぜ休暇の取得が進まないのか

(1) 調査結果から看取される要因

　JILPTが発表した調査結果[15]によると、正社員が年休を取り残す理由（各項目の肯定割合の合計）は、「急な用事のために残しておく必要があるから」が74.1％で最も多く、次いで「病気のために残しておく必要があるから」(70.5％)、「休むと職場の他の人に迷惑になるから」(51.7％)、「休みの間仕事を引き継いでくれる人がいないから」(39.7％)、「仕事の量が多すぎて休んでいる余裕がないから」(38.5％)、「職場の周囲の人が取らないので年休を取りにくいから」(25.6％)、「勤務評価等への影響が心配だから」(16.1％)などとなっている[16]。

　調査結果からは、特定の傾向というより、むしろ多様な要因が絡み合っていることを読み取るべきであろう。その要因としては、①職場環境要因が挙げられよう。上司や同僚が働いており休みづらいという旨のものであり、日本人特有の同調圧力への弱さ、あるいは勤勉性が根底にあるのかもしれない。

　次に②勤務評価要因が挙げられる。休暇もとらず滅私奉公的に働くことが大切でそれが昇進・昇格の早道ということであれば、働かざるをえない。このような考え方はまだ残っており、職場環境要因とは別の独立した要因と捉えておくべきであろう。

　次に無視できないのは③多忙要因であろう。職場によっては、人手不足などによる加重労働が顕著となっていたり、取引先からの急な依頼や無理な短納期に対応せざるをえないといった事情が、年休の取得を阻んでいる。労働力人口の減少で働き手の確保は重要課題であり、いかに業務の効率性を高めて多忙からの脱却を図るかが課題である。

　しかし、最も大きな原因は、やはり、病気や怪我などの治療による

---

[15] JILPT・前掲注12) 63頁。
[16] 前記Ⅰ2で言及した「有給休暇国際比較調査」でも、緊急時のためにとっておく、人手不足、仕事する気がないと思われたくない、職場の同僚が休んでいないなどが上位に来ている。

欠勤時のセーフティガードが乏しいことであろう（④不安性要因）。昔から慶弔休暇を設けている企業は多く、近時は、育児・介護のための休暇制度が整備されてきている。リフレッシュ休暇やボランティア休暇がある企業もある。しかしながら、病気や怪我などの治療による欠勤時に充てるための病気休暇を導入している企業はまだ少なく[17]、半日や1日の病欠には年休を充てなければならない労働者は多い。年休を取得しない理由として緊急時にとっておく旨の回答が上位にきてしまうのは、こういった短期の治療に充てられる休暇制度が整備されていない制度的な問題と捉える必要がある。

(2) 労働者は年休の意義を忘れたのか

(1)でみたさまざまな要因のうち、勤務評価要因、多忙要因、不安性要因は、自力では改善しようがない要因であり、職場環境要因も含め、これらがないまぜになって1つの要因となっているように思われる。そして、年休がとれないことが常態化し、いつしか日本の労働者は、休暇を用いて趣味や社会貢献あるいは能力開発を行い、心身をリフレッシュしてまた仕事に精勤するという、年休があることの本来の意義を忘れ去ってしまったように思われる[18]。これこそが年休の取得が進まない隠れたもう1つの原因であり、労働者の自覚と自律を促す今般の働き方改革実行計画の理念[19]との乖離も大きく、これを契機に、あらためて労働者への啓発が必要と考えられる。

---

17) JILPT「企業における福利厚生施策の実態に関する調査—企業／従業員アンケート調査の結果（調査シリーズ No.203）」（2020年7月31日）によれば、施策がある企業の割合は、慶弔休暇制度が90.7％、病気休職制度が62.1％に対し、病気休暇制度は40.1％にとどまる（13頁）。

18) JILPT・前掲注12) 64頁によれば、「休んでもすることがないから」と回答した者が11.4％もある。

19) 働き方改革実行計画は、働き方改革の意義や今後の取組みの基本的考え方として「労働者が自分に合った働き方を選択して自らキャリア設計できるようになる」ことを挙げており（働き方改革実行計画1(2)）、これを通じて労働者に付加価値の高い産業への転職・再就職を促し、労働生産性を向上させることを指向している。

第1章 休暇制度

Ⅲ これまでの休暇の取得促進策

労働基準法39条の改正の経緯は前記Ⅰ4で述べたので、ここでは、労働時間設定改善法と行政の施策についてまとめておく。

1 労働時間設定改善法

労働時間設定改善法は、1992年に施行された時短促進法を全面的に改正し、2006年4月1日に施行された法律で、労働者の労働時間等の設定の改善を図るため、年休を取得しやすい環境の整備をはじめとする必要な措置を講じることを事業主の努力義務として定めている（労時2条1項）。「労働時間等の設定」とは、「労働時間、休日数、〔労働基準法39条所定の〕年次有給休暇を与える時季、深夜業の回数、終業から始業までの時間その他の労働時間等に関する事項を定めること」をいう（同法1条の2第2項）[20]。

また、労使間の話合いの機会を整備するため労働時間等設定改善委員会を設置することが推奨されており（労時6条）、一定の要件を満たす委員会の決議には、労使協定代替効果、届出免除といった労働基準法の適用の特例を認めている（同法7条）。

2 労働時間等設定改善指針

労働時間設定改善法は、厚生労働大臣が労働時間等の設定の改善のための指針を定めることを規定しており（同法4条1項）、これに基づいて労働時間等設定改善指針が策定されている[21]。同指針は、労働時間等の設定を改善するために必要と考えられる事項が広く盛り込ま

---

[20] 下線部は、労働者の健康および福祉の確保をより一層進めるため働き方改革法で改正された部分である。なお、終業から始業までの時間（勤務間インターバル）については、**第1編第1章Ⅴ2**参照。
[21] 平成20年3月24日厚労告第108号、平成30年10月30日〔改正〕「労働時間等見直しガイドライン（労働時間等設定改善指針）」。

れており、休暇の取得促進に向け、子供の学校休業日や地域のイベント等に合わせて年休を取得できるように配慮することや、ワークシェアリング・在宅勤務・テレワーク等の活用、国の支援の活用することなどが挙げられている。

3　働き方・休み方改善ポータルサイト

　厚労省はこのほか、長時間労働の抑制・年休の取得促進を推進するため、2015年1月30日に「働き方・休み方改善ポータルサイト」を開設している。同サイトでは、働き方・休み方の改善に関する厚労省の取組みが網羅され、企業の取組事例も豊富に紹介されている。このうち、「休み方」、なかでも休暇の取得促進に関するものとしては、次のようなものがある。

(1)　働き方・休み方改善指標

　働き方・休み方改善指標は、企業の人事・労務担当者が労働時間や休暇取得の実態や、これに関連する自社の取組みや制度を再確認するための指標であり、ポジションマップとレーダーチャートによって、働き方や休み方に関する問題の有無を把握し、実態や課題を分析してもらおうというものである（図表3-1-1）。

(2)　働き方・休み方改善コンサルタント

　中小企業の事業主等から労働時間制度や年休取得等に関する相談に応じることにより、企業等における労働時間等の設定の改善等の効率的な推進に資することを目的として、各都道府県労働局に「働き方・休み方改善コンサルタント」が配置されている。

(3)　働き方改革推進支援助成金

　生産性を高めながら労働時間の短縮等に取り組む中小企業・小規模事業者等に対する助成金として、働き方改革推進支援助成金がある。いくつかのコースがあるが、特別休暇（病気休暇、教育訓練休暇、不妊治療のための休暇）の規定の新規導入、時間単位の年休の規定の新規導入、勤務間インターバルの新導入や拡大などの成果を達成した場合に支給されることとされている。

図表3-1-1　休み方改善指標を活用した対策の検討

No	指標	休み方の改善に関する対策の方向*
1	Vision 方針・目標の明確化	・経営トップによるメッセージの発信 ・人事の方針として年休の取得促進を明文化 ・全社・部署・個人等での年休取得日数、取得率等に関する数値目標の設定
2	System 改善推進の体制づくり	・年休の取得促進に向けた社内体制の明確化 ・休暇取得に関する相談窓口の設置 ・年休取得促進に関する労使協議の機会の設定
3	System 改善促進の制度化	・業務繁閑に応じた休業日の設定 ・誕生日・記念日等を年休とする等の制度の設定 ・ゴールデンウィークや夏季・冬季等の機会を捉えた年休の計画的付与制度の導入 ・時間単位での年休制度等の導入 ・5営業日以上の連続休暇
4	System 改善促進のルール化	・部下の年休取得状況を管理職の人事考課に反映 ・管理職に部下の年休取得状況の把握・管理を義務づけ
5	Action 意識改善	・年休取得促進に関する教育・研修 ・年休取得促進のための周知・啓発
6	Action 情報提供・相談	・年休残日数の社員への通知 ・制度の利用促進のための情報提供 ・年休取得率の低い社員に対する個別の取得奨励
7	Action 仕事の進め方改善	・休暇・休業時の業務フォローアップ体制の構築（顧客・取引先情報の共有等） ・年休を取得しやすくなるよう業務プロセスの見直し ・業務計画、要員計画、業務内容の見直し ・年休取得促進を目的とした取引先との関係見直し
8	Check 実態把握・管理	・社員の意識や意向の定期的な把握 ・管理職による年休の取得日数の把握

＊働き方の改善に関する対策の方向も掲げられているが割愛する。

4　改善効果

もっとも、年休の取得率はあまり向上しておらず、これらの施策によって十分な成果が上がっているとはいいがたい。

Ⅳ　働き方改革で休暇の取得は促進されるか

1　使用者による年休の時季指定の義務化

働き方改革法では、労働者に一定日数の年休を確実に取得させるため、時季を指定して年休を付与することを使用者に義務付けた（時季指定義務）[22]。具体的には、基準日に付与される年休の日数が10日以上の労働者（短時間労働者を含む）に対し、その5日分について、基準日（雇入れ日から6か月経過した日から1年ごとに区分した各期間の初日[23]）から1年以内に、労働者ごとに時季を指定して年休を付与することを使用者に義務付けた（労基39条7項）[24]。

使用者の時季指定に対しては、労働者の拒否権・異議申立権や時季変更権は観念されず、使用者が指定した日は、当然に時季指定の効果が発生する[25]。そのため、使用者が時季指定するにあたっては、あらかじめそのことを明らかにしたうえで労働者の意見を聴取する義務があり、その意見を尊重する努力義務があるとされた（労基則24条の6）。時季指定義務は罰則つきであるが、労働者の時季指定または計

---

[22] この改正は、もともと2015年労働基準法改正案にあったもので、働き方改革実行計画とは関係していない。

[23] 基準日については、労基則24条の5参照。法定の基準日より前に年休を付与する場合や付与日を統一している場合の時季指定義務の取扱いについては、働き方改革法（労基法）施行通達第3の2(2)に詳しく記載されている。

[24] 半日単位の年休は付与した日数（0.5日）にカウントされるが、時間単位の年休は付与した日数にカウントされない。働き方改革法（労基法）解釈通達第3の問3。

[25] 労働者の変更希望意見に応じて使用者が指定年休日を変更することは可能である（働き方改革法（労基法）解釈通達第3の問5）。

第1章　休暇制度

画年休制度により使用者が年休を与えた場合は、当該与えた日数分の時季指定義務はなくなる（労基39条8項）。そのため、基準日から1年間経過した時点で、使用者による時季指定日、労働者による時季指定日、計画年休制度により特定された日を合わせて、労働者に4日以下しか年休を与えなかったとき（つまり労働者が4日以下しか取得していなかったとき[26]）は、使用者は、労働基準法39条7項違反として、30万円以下の罰金に処せられる（同法120条1号・121条1項）[27]。5日分の年休を指定したが、このうちの1日に労働者が自らの判断で出勤し、使用者がこれを認めた（労働を受領した）場合は、同項違反となる[28]。そのため、労働者の年休取得が5日に満たないときは、指定年休日は労働者を確実に休ませる必要がある。

　労働基準法の定める年休は、労働者の権利であり[29]、使用者は労働者からの請求（時季の指定）がない限り、年休の付与義務を履行できない。このような仕組みは、労働者が自由に年休を取得することを可能にし、労働者の自律に資するのであるが、残念ながら日本では時季指定権が行使されず［→Ⅱ］、年休をあまり（極端な例ではまったく）取得しない労働者を生み出していたことは否めない。今回の改正で、わずか5日分だけであるが、労働者の時季指定権を使用者の時季指定義務に、それも罰則つきで転換した意義は大きい。

---

26)　半日単位の年休は取得した日数（0.5日）にカウントされるが、時間単位の年休は取得した日数にカウントされない（働き方改革法（労基法）解釈通達第3の問11）。繰り越し年休を使ったときは、その日はカウントされるが（同問4）、法定の年休とは別に設けられた特別休暇を取得しても、その日はカウントされない（同問12）。
27)　同法39条7項違反以外の同条違反については、従前どおり、6か月以下の懲役または30万円以下の罰金に処せられる（同法119条1号）。
28)　厚労省パンフレット「年5日年次有給休暇の確実な取得 わかりやすい解説」21頁のQ10・Q11。
29)　年休を取得する権利（年休権）は、労働基準法39条1項～3項の要件を充足すれば当然に発生する。もっとも、実際に時季指定権（同条5項）を行使して休暇を取らなければ実現しない。同項は「請求」という字句を用いているが、これは「時季の指定」の意味であり、年休の成立要件として労働者による「休暇の請求」や、これに対する使用者の「承認」が必要となるものではない（最判昭48・3・2労判171号16頁〔白石営林署事件〕）。

使用者が、具体的にどのような日を時季指定義務に基づく指定年休とするかは使用者に委ねられているが、年末年始やお盆期間中の特別休暇や創立記念日休暇と同様、使用者から指定された休暇日であれば、ほとんどの労働者が休むことになると考えられ、少なくとも、これまでまったく年休をとらなかったような労働者を中心に、5日分の年休の取得が進むと考えられる。加えて、使用者の側でも、現に就労している労働者が年休を取得することを前提として業務や要員の計画をせざるをえない。規模の大きな事業所では、複数担当制であるとか、部門ごとの一斉休日を設けるとか、業務の仕組み自体を見直さざるをえなくなると考えられ、それほど規模の大きくない事業所でも、受注計画や業務内容を見直して効率化し、キーマンでもきちんと休みがとれるよう調整することになる。そして、そのような仕組み自体の変更や調整の結果がうまくいけば、さらなる休暇取得の促進も期待できよう。

2　労働時間設定改善法の改正

労働時間設定改善法は、労働時間の設定の改善を図るための事業場ごとの委員会で一定の要件を満たすものの決議に労使協定代替効果等を定めていたが、働き方改革法の施行によって、一部の事項は労働時間等設定改善企業委員会の決議によって同等の効果が認められることとなり（労時7条の2）、休暇の取得促進が図られている（図表3-1-2参照）[30]。

3　官邸によるキッズウィークの創設

キッズウィーク[31]は、地域ごとに、夏休みや冬休みといった学校の長期休業日から一部の休業日を他の日に移して休日を分散化するもので、このような休日に大人も有給休暇を取得して子供と共に休日を

---

[30] このほか、労働時間等設定改善指針に、事業主が講ずべき措置の例として、深夜業の回数の制限、勤務間インターバル、朝型の働き方が追加された。
[31] 2017年7月5日の内閣総理大臣決裁。

図表3-1-2　労働時間等設定改善企業委員会等の決議による代替効果

	労働時間等設定改善委員会＊1	（新設）労働時間等設定改善企業委員会＊2
代替休暇、年次有給休暇の時間単位取得および計画的付与制度に関する事項（労基37条・39条関係）	○	○
変形労働時間制、フレックスタイム制、専門業務型裁量労働制に関する事項（労基32条の2・32条の3・32条の4・32条の5・38条の3関係）	○	―
三六協定などに関する事項（労基34条・36条・38条の2関係）	○	―

＊1　事業場
＊2　全部の事業場を通じて一の委員会を設置

過ごし、大人と子供が向き合う時間を確保することを目標としている[32]。具体的には、夏休みの第1週や最終週を6月や10月に移動し、その期間を「県民の休日」など都道府県単位の休日にすることなどが想定されており、「親子で一緒に月〜金を休みとし9連休に」[33]などと謳われているが、いくつかの地方公共団体で学校休業日が新設された程度で大きな動きにはなっていない。今後どこまで浸透するかは不透明であるが、たとえ都道府県単位でも公式に休日が設定されれば、労使ともきちんと休むことになると考えられるので[34]、休暇に限っていえば即効性があるであろう。

---

[32]　官邸に「大人と子供が向き合い休み方改革を進めるための『キッズウィーク』総合推進会議」が設置されているが、わずか2回（2017年7月18日、2018年4月24日）の会議が行われたのみである。
[33]　2017年7月18日の第1回会議配付資料4-1『「キッズウィーク」の推進について（案）』。
[34]　前後が祝日である平日は「国民の休日」となるが（国民の祝日に関する法律3条3項）、そうなると労使は揃って休むことになる。

V 休暇取得をさらに促進するためには

休暇の取得促進については、長期にわたって重要な政策課題とされているものの、実際はほとんど改善されていない。働き方改革法でも、大幅な改正がされたわけではない。そこで今後のさらなる改正の方向性を見通しておきたい。

1 年休の時季指定義務の拡大

労働基準法上、使用者が時季指定義務を負うのは、年休が10日以上の労働者に対してその5日分である。これは、2015年の労働基準法改正法案の立案時に、年休を1日も取得していないような労働者に焦点を絞って導入しようとしたものであり、小幅で控えめな内容となっている。

しかし、従来の「年休権」の考え方に1つの穴を開けたことは大きく、この点は、まさに「改革」といえる。働き方改革法の施行後、使用者側の対応が一段落し、時季指定義務の仕組みがうまく機能して年休の取得率が向上すれば、時季指定年休の日数拡大が俎上に乗ることになると考えられる。たとえば、付与日数が10日に満たない労働者についても付与日数に応じて一部を付与することが考えられる。また、有給休暇の最大付与日数は20日となっているので、付与日数が10日以上の労働者には、その半数を時季指定義務の対象とすることも考えられる[35]。

2 期間当初の計画的付与の義務化の可能性

年休の時季指定義務は、基準日から始まる1年間の期間内に時季を指定して年休を付与することを義務付けているが、期間前や期首に指定することまで義務付けておらず、期間途中に行うことも可能であ

---

[35] なお、現行では5日を超える日数を指定することはできない(働き方改革法(労基法)解釈通達第3の問7)。

る[36]。そのため、年度途中までは労働者の時季指定による年休の取得を待ち、その取得状況に応じて足りない年休を年度後半や年度末に指定するという対応が行われる可能性がある。労働者の時季指定により年休が消化された場合は使用者の時季指定義務はなくなるので、このような対応ではすでに5日以上の年休を取得している労働者については、年休の取得が促進されない可能性がある[37]。

　このような事態に陥らないためには、年度当初に時季を指定させる必要がある。時季指定義務の履行にあたり、使用者には、あらかじめ労働者の意見を聴取する義務が定められたが、これを基準日前に行わせ、基準日に付与義務のある向こう1年間に時季指定義務のある年休の全部の指定を義務付けるという仕組みは、改正労働基準法を一部改正することで容易に導入できる[38]。すでにドイツでは、使用者は、年度当初に（したがって前年度中に労働者の意向を聴いて）年休付与計画を職場ごとに設計し、決定しなければならない制度設計になっているとのことであり[39]、導入のためのお手本も存在している。このような指定義務が義務化されれば、すでに5日以上の年休を取得している労働者が、これまで取得していた5日以上の年休に加えて時季指定年休日も休むということも考えられ、そうなれば、年休の取得促進効果は大きい。

3　年休の早期付与

　このほか、2017年10月に、労働時間等設定改善指針が一部改正され、年休の早期付与の検討が使用者の努力義務に盛り込まれている［→Ⅲ2］。具体的には、転職した労働者に不利にならないよう、雇入

36）　働き方改革法（労基法）解釈通達第3の問1。
37）　桑村裕美子「労働時間の法政策的検討――2015年労働基準法改正案を中心として」日本労働研究雑誌679号（2017）10頁。
38）　現状では、働き方改革法（労基法）施行通達第3の2(1)が、時季指定の方法の例示として「年度当初に労働者の意見を聴いた上で年次有給休暇取得計画表を作成し、これに基づき」付与する方法が考えられるとしているにとどまる。
39）　和田・前掲注4）34頁。

れ後初めて年休を付与するまでの継続勤務期間（6か月）を短縮すること、最大付与日数（20日）に達するまでの継続勤務期間（6年半）を短縮することの検討を求めるものであるが、年休の取得促進のため、これらの努力義務の一部が将来的に法定義務化される可能性も視野に入れていたほうがよいであろう。

4　病気有給休暇の制度化

　年休を取得しない理由として、病気になったときのためにとっておく、という理由が多く挙げられることはすでに述べた。今回の改正で5日分の年休が時季指定されるということは、労働者からみると、リザーブしておいた年休権をその日数分強制的に剥奪されることになり、受けが悪いかもしれない（2で述べた期首の計画的付与が行われるとなおさらである）。そうなると、結局は年休の消化は進まないので大きな問題である。病欠に備えた年休のリザーブは心理的な問題ではあるが、労働者に病欠する場合に使える年休以外のカードを持たせることで、制度的に解消できる可能性がある。

　現行の健康保険法では、労災ではない私傷病による欠勤の場合、欠勤4日目以降に傷病手当金が支給されるが、はじめの3日間は「待機日」とされて支給されない（同法99条1項）。しかもこの待機日は、連続3日の欠勤でなければならず、かりに2日連続で病気欠勤したとしても3日目が休日であった場合などは要件を満たさない。また、支給が開始されても傷病手当金の額は標準報酬月額ベースで3分の2になってしまう（同条2項参照）。このほか、労災と異なり、私傷病による欠勤が長引けば解雇事由となりうる。そのため、1日・2日の病欠は年休を使って処理しておきたい、4日目以降の病欠も年休を使ったほうが経済的に楽だ、長期間病欠しても安心していられるよう年休は貯められるだけ貯めておこう、という気持ちになりがちである[40]。

　病気有給休暇は、行政もその制度化を推奨しているが努力義務にと

40）小倉一哉「年次有給休暇の実態と課題」連合総研レポートDIO 332号（2017）4頁。

どまっており[41]、導入は進んでいないが[42]、導入済みの企業では人材の獲得・引留め策として機能している例もあるようである。働き方改革の流れのなかで、有給休暇の取得が進まない大きな理由の1つとして認識されれば、将来的に制度的な手当てをして一部義務化されることも考えられる。

5　働き方改革時代の労働者の意識変化

Ⅳ1で述べたとおり、年休は労働者の権利であり、本来、労働者が自ら権利行使をする必要がある。労使間の力の差があるので、使用者が労働者の権利行使を妨げることがないように労働基準法が規制する必要があるとしても、それは年休権行使のための環境整備が本来の姿であり、法令が過度に労働者の年休権に介入することは適切ではない。しかし、それでは年休権の行使がまったく進まなかったのが現実であり、結局、国民の祝日を増やしたりキッズウィークを設定したりといった法令上の休日の拡大や、働き方改革法により時季指定義務の創設に至ったわけであって、労働者からみれば、いずれも与えられた休日である。Ⅴ1～4でみたものも、使用者への規制強化や社会保障の要素を含むものである。

しかし、労働者に年休その他の休日をとらせるための施策が進みすぎると、年休の権利性が失われかねないし、労働者の自主性を失わせるという意味でも弊害は大きい。働き方改革時代は、労働力不足の時代であり、企業間の人材獲得競争の時代である。副業・兼業が解禁され、労働者・労働力の流動性が増すことは疑いがない[43]。それはつまり、労働者がより働きやすい環境を目指し、自ら主体的に判断して

---

41)　労働時間等設定改善指針で「特に健康の保持に努める必要があると認められる労働者」への配慮の1つとして、法定外休暇として病気休暇を付与することが想定されている。

42)　厚労省「平成31年就労条件総合調査の概況」（2019年10月29日）によると、特別休暇として病気休暇を導入している企業の割合は25.7％、このうち休暇中に賃金を全額支給する企業の割合は45.5％にとどまっている（結果の概要4頁）。

行動する時代、ということになる。その際、給与や労働時間と並んで、休日の充実といったことも、労働者が選択し判断する重要な要素となっていく[44]。そして、こういった労働者が選択や判断をする、その意識変化が、年休権を労働者に取り戻し、年休の取得促進を後押しする、そういった時代が到来することを期待したい。

---

43) 野田名誉教授によれば、労働者が退職直前に保有年休を使い果たして転職するのはわが国の「特異な慣行」であり、労働者が年休権を持ったまま転職するポータビリティー制の導入が提示されている(野田進「年休の時季決定における使用者の関わり──『不作為を基本とする義務』からの脱却」季刊労働法266号〔2019〕107頁)。将来的に労働者の流動性が増すと、年金と同じようなポータビリティー制も検討課題となってこよう。
44) 青少年の雇用の促進等に関する法律では、事業主による職場情報の提供が義務化され(同法13条)、提供すべき職場情報の選択肢の1つとして、前年度の年休の平均取得日数が挙げられている。

第 2 章　テレワーク

Ⅰ　総論

1　概要

　テレワークとは、一般に、情報通信技術を活用して、時間や場所を有効に活用する柔軟な働き方のことをいう。働き方改革の大きな目的の1つは、将来へ向かって働き手の減少が見込まれるなかで、労働参加率を向上させるとともに、労働生産性を向上させることにあるが、テレワークは、会社等のオフィスにおける勤務に比べ、労働者が働く時間や場所を柔軟に活用することを可能とし、通勤時間の短縮およびこれに伴う精神的・身体的負担の軽減、仕事に集中できる環境での就労による業務効率化およびこれに伴う時間外労働の削減といった生産性の向上につながるメリットがあることに加えて、育児や介護等、事業場での勤務が困難な場合であっても、勤務が可能となるといったメリットがある。

　また、使用者にとっても、業務効率化による生産性の向上、育児・介護等を理由とした労働者の離職の防止や、遠隔地の優秀な人材の確保、オフィスコストの削減等のメリットがある。

　他方、テレワークには、使用者による労働時間管理が困難であり、長時間労働につながるおそれがあること、また、労働者の評価や健康管理といった労務管理が困難であるといったデメリットも指摘されている。

　働き方改革においては、テレワークの導入促進が課題の1つに挙げられており、テレワークに関するガイドラインの策定等が行われた

が、その後、新型コロナウイルスの感染拡大を経て、同ガイドラインが改訂される等活発に議論が展開される状況となっている。

2 テレワークに関する議論の状況

(1) 2020年以前の議論状況

テレワークについては、働き方改革実行計画において、「ガイドラインの制定など実効性のある政策手段を講じて、普及を加速させていく」とされたことを受け、2017年10月、厚労省の「柔軟な働き方に関する検討会」が発足した。同検討会は、2017年12月25日、その検討結果を公表し、そのなかで、雇用型テレワーク[1]については「情報通信技術を利用した事業場外勤務の適切な導入及び実施のためのガイドライン」案を、自営型テレワーク[2]については「自営型テレワークの適正な実施のためのガイドライン」案をそれぞれ公表した。その後、これらの案をもとに、2018年1月から2月にかけて、雇用型テレワークに関する、「情報通信技術を利用した事業場外勤務の適切な導入及び実施のためのガイドライン」、および、自営型テレワークに関する、「自営型テレワークの適正な実施のためのガイドライン」をそれぞれ策定、公表した。

なお、これらいずれのガイドラインについても、従前より、雇用型については「情報通信機器を活用した在宅勤務の適切な導入及び実施のためのガイドライン」が、自営型については「在宅ワークの適正な実施のためのガイドライン」があり、上記ガイドラインは、柔軟な働き方に関する検討会における議論を踏まえた、それらガイドラインの改正であった。

---

1) 雇用型テレワークとは、労働者として会社に雇用されている従業員等が情報通信技術等を用いて行う事業場外労働のことをいう。
2) 自営型テレワークとは、フリーランス等の形で発注者から業務の委託を受け、情報通信機器等を活用して、自宅等の自ら選択した場所において、成果物の作成やサービスの提供を行うことをいう。

(2) 新型コロナウイルス（COVID-19）の感染拡大に伴う雇用型テレワークの普及と With/After コロナにおける議論状況

　ア　新型コロナウイルスの感染拡大に伴うテレワークの普及とその後の利用状況

　2020年2月以降、新型コロナウイルスの感染拡大が本格化し、テレワーク、特に雇用型テレワークを取り巻く状況は一変した。同年4月の緊急事態宣言発令およびそれに伴う外出自粛により、多くの企業においてオフィスに出社して業務を行うことが難しくなり、テレワークの普及が一気に進むこととなった。事実、JILPTが同年8月26日に発表した調査[3]では、新型コロナウイルスの感染拡大前は回答者の7割超がテレワークを「行っていない」と答えていたのに対し、緊急事態宣言下の5月第2週では、「行っていない」と答えたのは回答者のわずか5.7％にとどまり、1週間のうち「5日（以上）」テレワークを行ったとの回答が全体の35％を占めるに至り、テレワークの急速な広がりが明らかにされた。

　イ　With/After コロナにおけるテレワークに関する議論

　上記のとおり、テレワークには通勤時間の短縮や生産性の向上、家事・育児等の私生活との両立等、さまざまなメリットが認められる。今般のコロナ禍でのテレワークの経験を通し、このようなメリットを改めて実感した労働者も少なくなく、引き続きテレワークを続けていきたいと考える企業も当然存在するであろう。他方で、テレワークを実践したからこそ、新たな課題が明らかになったこともまた事実である。テレワークでの従業員の働きぶりをどう評価するか、オフィス勤務と比較した場合のコミュニケーションの「漏れ」にどう対応するか、仕事と私生活の混和に伴う過剰労働をはじめとするリモートで働く労働者の労務管理、セキュリティや情報管理の体制づくりの問題[4]や組織の一体感の醸成等、テレワークを継続するために解消すべき課

---

[3]　JILPT「『新型コロナウイルスの感染拡大の仕事や生活への影響に関する調査』（一次集計）結果（6〜7月の変化を中心に8月に調査・4月からの連続パネル個人調査）」（2020年8月26日）14頁。

題は多くあり、これらの課題を解消するコストや各企業のテレワークとの親和性等に鑑み、新型コロナウイルスの感染拡大直後と比べると、オフィス勤務への回帰に舵をきる企業も出てきている。

コロナ禍の経験を踏まえ、After/Withコロナを見据えた議論は数多くなされているところであり、各企業においては、これらの議論と各企業ごとの実情を考慮しつつ、各自の望ましいあり方を模索しているところである〔1つの検討の方向性として、→5参照〕。

　ウ　雇用型テレワークに関する新たなガイドラインの公表

このような流れを踏まえ、厚労省では2020年8月に「これからのテレワークでの働き方に関する検討会」が設置され、テレワークにおける人事評価や人材育成、労務管理のあり方等について議論が行われた。そして、同年12月25日付けで同検討会から報告書（以下、「テレワーク検討会報告書」という）が提出され、2021年3月25日には、従前のガイドラインを改定し「テレワークの適切な導入及び実施の推進のためのガイドライン」（以下、「新テレワークガイドライン」といい、従前の「情報通信技術を利用した事業場外勤務の適切な導入及び実施のためのガイドライン」を「旧ガイドライン」という）が公表されるに至った。

なお、ここまでテレワークのうち雇用型テレワークについて主に論じているところ、自営型テレワークについては下記Ⅲおよび**第2編第5章**を参照願いたい。

4）　情報セキュリティについては、2021年5月に総務省から「テレワークセキュリティガイドライン第5版」（以下、「本ガイドライン」という）が公表されている。本ガイドラインにおいては、経営者、システム・セキュリティ管理者およびテレワーク勤務者の各立場ごとに、テレワークにおいて実施すべきセキュリティ対策を一覧化しており、さらに実施の優先度に応じて「基本対策」および「発展対策」を区別して示している。また、同じく同年5月に総務省から発表された「中小企業等担当者向けテレワークセキュリティの手引き（チェックリスト）第2版」では、本ガイドラインを踏まえつつ予算等の中小企業等の実情を考慮し、テレワークを実施する際に最低限必要となるセキュリティ対策がチェックリスト形式で説明されている。

Ⅱ 雇用型テレワーク

1 雇用型テレワークとは

　旧ガイドラインにおいて、雇用型テレワークは、「労働者が情報通信技術を利用して行う事業場外勤務」と定義され、当該定義は新ガイドラインにおいても「テレワーク」の定義として受け継がれている。テレワークについては、前述のとおり、従来の会社等での勤務に比して、テレワークを利用して働く労働者が働く時間や場所を柔軟に活用することを可能とし、通勤時間の短縮およびこれに伴う精神的・身体的負担の軽減、仕事に集中できる環境での就労による業務効率化およびこれに伴う時間外労働の削減、育児や介護と仕事の両立の一助となる等、労働者のワークライフバランスの実現等にとってのメリットがあるとされている。

　新テレワークガイドラインは旧ガイドラインと同様に、テレワークの形態を、在宅勤務、サテライトオフィス勤務、モバイル勤務という3形態に分類し、それぞれにつき以下のような特徴とメリットがあるとしている。

　(1)　在宅勤務

　通勤を要しないことから、事業場での勤務の場合に通勤に要する時間を有効に活用できる。また、たとえば、育児休業明けの労働者が短時間勤務等と組み合わせて勤務することが可能となること、保育所の近くで働くことが可能となること等から、在宅勤務は仕事と家庭生活との両立に資する働き方である。

　(2)　サテライトオフィス勤務

　自宅の近くや通勤途中の場所等に設けられたサテライトオフィス（シェアオフィス、コワーキングスペースを含む）での勤務は、通勤時間を短縮しつつ、在宅勤務やモバイル勤務以上に作業環境の整った場所で就労可能な働き方である。

第3編　ワークライフバランスの実現

(3) モバイル勤務

労働者が自由に働く場所を選択できる、外勤における移動時間を利用できる等、働く場所を柔軟に運用することで、業務の効率化を図ることが可能な働き方である[5]。

2　新テレワークガイドラインの概要

(1) 基本的な発想

新テレワークガイドラインはその名称に「テレワーク」という単語が含まれていることにはじまり、旧ガイドラインと比べて、よりテレワークに特化した内容となっている。また、「使用者が適切に労務管理を行い、労働者が安心して働くことができる良質なテレワークを推進するため、テレワークの導入及び実施に当たり、労務管理を中心に、労使双方にとって留意すべき点、望ましい取組等を明らかにしたものである」ことがその趣旨として明示されている。これは、旧ガイドラインがテレワークの場合における労働時間管理に関する留意点を中心に記載されており[6]、ともするとテレワークでの働き方をいかに既存の労働関連法制のなかで「管理」するかを意識しているようにも見受けられたこととは対照的である。もちろん、テレワークを実施する場合にも、基本的には、労働基準法をはじめとする労働関連法制がオフィス勤務の場合と同様に適用されるのであり、新テレワークガイドラインもこの点を変更するものではない。他方、新テレワークガイドラインにおいては、テレワークにおける労働時間管理の留意点にとどまらず、たとえば人事評価や人材育成に係るポイント等についても言及されており、テレワークのよりいっそうの「利用・普及」に対する意識が強まっていることが見てとれる[7]。

---

5) なお、新テレワークガイドラインにおいては、テレワーク等を活用し、普段のオフィスとは異なる場所で余暇を楽しみつつ仕事を行う、いわゆる「ワーケーション」についても、情報通信技術を利用して仕事を行う場合には、サテライトオフィス勤務やモバイル勤務の一形態に分類できるとされている。
6) テレワーク検討会報告書4頁においても、同様の指摘がなされている。
7) テレワーク検討会報告書4頁に同旨。

以下では、新テレワークガイドラインの内容について、各項目ごとに概観する。

(2) **テレワーク導入に際しての留意点**

新テレワークガイドラインでは、まずはじめにテレワークを導入する対象業務および対象者の特定について言及されている。その際、いわゆるエッセンシャルワーカー等、性質上テレワークの実施が難しい業種・職種が存在することや、新入社員や中途採用社員等、テレワークの実施にあたって不安を抱く場合がある等、テレワークの実施に際して特段の配慮を要する者が存在することが明らかにされている。

このようにテレワークを導入・実施することが容易または適切ではない場合がありうることを認めつつも、他方でテレワークの導入・実施を契機として、既存の業務の内容や進め方そのものを見直し（たとえば不必要な押印の廃止やペーパーレス化の推進等）、従前の職場慣習にとらわれすぎない柔軟な工夫を行うことが望ましい旨も指摘されている。

なお、テレワークの対象者の選定にあたっては、正社員と非正規労働者・派遣労働者[8]との間で雇用形態に基づく不合理な待遇差が生じないようにすべきであるとされている。

(3) **労務管理上のポイント**[9]

新テレワークガイドラインはテレワークが非対面での働き方であるため、成果物ができあがるまでのプロセス（業務の進捗や業務遂行過程

---

8) 派遣労働者のテレワーク実施にあたっては、厚労省から「派遣労働者等に係るテレワークに関するQ&A」が公表されている。
9) 下記に述べる人材マネジメントに関する事項のほか、新テレワークガイドラインでは、テレワークに係る費用負担についても言及されている。すなわち、業務の遂行に係る費用を労働者に負担させる場合は、その旨を就業規則に規定しなければならず（労基89条5号）、テレワークの実施に伴い通信費や電気料金等が増加する場合には、実際の費用のうち業務に要した実費分を算出して至急することも考えられると指摘されている。なお、テレワークに係る費用負担に関する源泉所得税の課税関係については、2021年1月15日付けで国税庁から「在宅勤務に係る費用負担等に関するFAQ（源泉所得税関係）」が公表されている。

で発揮される労働者の能力等）が把握しづらい面があるとの指摘に着目し、使用者において人事評価の手法を検討するとともに、適切な運用がなされるよう、人事評価者に対して訓練の機会を与える等の工夫が考えられるとしている。この点に関連し、テレワークの実施頻度が労働者に委ねられている場合に、オフィスに出勤していることを高く評価するのは、労働者がテレワークを行おうとすることの妨げになるものであり、適切な人事評価とはいえないと注意喚起されている。

　他方、情報通信技術を活用して非対面で行われるテレワークにおいては、社内研修等の人材育成をオンラインで行うことができ、オンラインならではの利点（たとえば他の社員の営業方法を大人数がいつでも学ぶことが可能）を享受しうる旨も指摘されている。そして、このようなテレワークの特性を踏まえると、労働者が自律的に業務を遂行することがテレワークの効果的な実施に適しており、使用者としては労働者がそのような業務遂行が可能となるよう人材育成に取り組むとともに、労働者を管理する管理職に対しても、労働者の自律性を尊重できるようマネジメント能力の向上を図ることが望ましいとされている。

(4)　労働時間管理上のポイント
　ア　さまざまな労働時間制の活用
　オフィス勤務においては、労働者一律に始業・終業時刻を定め、休憩時間も一斉に付与する（労基34条2項参照）ことが通常であるが、テレワークの場合は上記のとおり時間および場所に関して柔軟な働き方を可能にする点に特色があり、このようなテレワークの利点を損なうことなく、既存の労働時間法制に即した労働時間管理を行うことが重要となる。

　この点について新テレワークガイドラインでは、前提として労働基準法の定めるすべての労働時間制度でテレワークが実施可能であることを確認したうえで、テレワークを行う労働者については必ずしも一律の時間に労働する必要まではなく、就業規則の定めによって、労働者が始業および終業時刻を変更し、各労働者ごとに自由度を認めるこ

第2章 テレワーク

とも考えられるとされている[10]。

　始業および終業時刻を自由に決定できるという観点からは、フレックスタイム制（労基32条の3）は「テレワークになじみやすい制度である」（新テレワークガイドライン6(2)イ）ということができ、新テレワークガイドラインでも、フレックスタイム制の活用により労働者のワークライフバランス実現に最大限資することが可能になると指摘されている[11]。

　また、オフィス以外の場所での勤務（事業場外勤務）について柔軟な働き方を実現するという観点からは、事業場外みなし労働時間制（労基38条の2）も有用であり、新テレワークガイドラインにおいても、柔軟なテレワークの実施に資するものであることが指摘されている（6(2)ウ）。事業外みなし労働時間制は、労働者が事業場外で業務に従事した場合において、「労働時間を算定し難い」場合（労基38条の2第1項本文）に所定労働時間労働したものとみなす制度であるところ、いかなる場合に「労働時間を算定し難い」といえるかが問題となる。旧ガイドラインでは、「労働時間を算定し難い」といえるためには、①情報通信機器が、使用者の指示により常時通信可能な状態におくこととされていないこと、および、②随時使用者の具体的な指示に基づいて業務を行っていないことの2つの要件がいずれも満たされる必要があるとしており、この点は新テレワークガイドラインにおいても同様である。このうち、①の要件に関しては、明示黙示を問わず、パソコンやスマートフォンを通じた使用者の指示に即応する義務

---

10) また休憩時間についても、労使協定の定めによって、休憩時間の一斉付与の原則の適用除外とすることが可能である（労基34条2項ただし書参照）。

11) なお、フレックスタイム制はあくまで始業および終業の時刻を労働者の決定に委ねる制度であり、使用者が労働者の労働時間を適正に把握すべき義務が免除ないし軽減されたり、時間外労働等の割増賃金の支払が免除されるといった制度ではない点には留意が必要である。また、フレックスタイム制の導入にあたっては、労働基準法32条の3に基づき、制度に関する就業規則等の定めを設けるとともに、労使協定において、対象労働者の範囲、清算期間、清算期間における総労働時間、標準となる1日の労働時間等を定めることが必要となる。

がない状態であることを指すとされているが、インターネットの常時接続が一般的となっている今日において、どのような状態であれば、即応する義務がない状態であるといえるのか判然としない状況にあった。そこで新テレワークガイドラインでは、次の場合にはいずれも①の要件を満たしており、情報通信機器を労働者が所持していることのみをもって、事業場外みなし労働時間制が適用されないことはないと明記され、事業場外みなし労働時間制が活用できる場合が明確化された（6⑵ウ①）[12]。

・勤務時間中に、労働者が自分の意思で通信回線自体を切断することができる場合
・勤務時間中は通信回線自体の切断はできず、使用者の指示は情報通信機器を用いて行われるが、労働者は情報通信機器から自分の意思で離れることができ、応答のタイミングを労働者が判断することができる場合
・会社支給の携帯電話等を所持していても、その応答を行うか否か、または折返しのタイミングについて労働者において判断でき

---

[12] なお、事業場外みなし労働時間制が適用される場合、テレワークを行う労働者は、原則として所定労働時間を労働したものとみなされるが、労働者が与えられた業務を遂行するために、通常所定労働時間を超えて労働することが必要となる場合には、その通常必要とされる時間を労働したものとみなされる（労基38条の2第1項）。なお上記の場合、当該業務に関し労使協定を締結して所轄の労基所長に届け出ることにより、当該労使協定で定める時間を「その通常必要とされる時間」とすることも可能である（同項ただし書・2項・3項）。他方、みなし労働時間が所定時間を超えない場合についても、テレワークの適正な導入および実施、また、テレワークが長時間労働を誘発しやすいという観点からは、労使間でみなし労働時間や労働者の健康管理の方法等について、テレワークの実態を踏まえて協議をし、労使協定を締結しておくことが望ましいものと思われる。
　さらに1日の労働時間のうち一部を事業場内・一部を事業場外で労働した場合、事業場内労働における実労働時間と事業場外労働における「当該業務の遂行に通常必要とされる時間」を合算して労働時間を把握することが必要となる（昭和63年1月1日基発第1号、婦発第1号）。このような点を踏まえ、事業場外みなし労働時間制は「適正な運用が難しい制度である」との指摘もなされている（小鍛治広道「改正テレワークガイドラインの実務ポイント」労務事情1426号〔2021〕6頁）。

る場合
　イ　労働時間の把握
　使用者は、労働者の労働時間について適正に把握する責務を負い、厚労省の定めた「労働時間の適正な把握のために使用者が講ずべき措置に関するガイドライン」（2017年1月20日策定。以下、「労働時間適正把握ガイドライン」という）に基づき、適切に労働時間管理を行う必要がある。これはテレワークにおいても同様であるが、他方でテレワークにおいては使用者が労働者を現認することができないため、労働時間の把握に工夫が必要となる。

　この点について、新テレワークガイドラインでは、労働時間適正把握ガイドラインも踏まえ、テレワークにおける労働時間把握として①パソコンの使用時間の記録等の客観的な記録により把握する方法と、②労働者の自己申告により把握する方法が挙げられている。このうち②の方法は、パソコンの使用時間の記録等が労働者の始業および終業時刻を反映できない場合の労働時間把握方法として挙げられているが、このような方法による場合、使用者は次のような措置等を講じる必要があるとされている。

・労働者に対して労働時間の実態を記録し、適正に自己申告を行うことなどについて十分な説明を行うことや、実際に労働時間を管理する者に対して、自己申告制の適正な運用等について十分な説明を行うこと
・労働者からの自己申告により把握した労働時間が実際の労働時間と合致しているか否かについて、パソコンの使用状況など客観的な事実と、自己申告された始業・終業時刻との間に著しい乖離が把握した場合には、所要の労働時間の補正をすること
・自己申告できる時間外労働の時間数に上限を設けるなど、労働者に労働時間の適正な申告を阻害する措置を講じてはならないこと

　上記の自己申告制に係る措置については、旧ガイドラインおよび労働時間適正把握ガイドラインでもおおむね同様の指摘がなされていたところ、新テレワークガイドラインでは、「パソコンの使用状況など

客観的な事実と、自己申告された始業・終業時刻との間に著しい乖離が把握した場合」に関し、より踏み込んだ言及がなされている。すなわち、このような場合の例として「申告された時間以外の時間にメールが送信されている、申告された始業・終業時刻の外で長時間パソコンが起動していた記録がある等の事実がある場合」を挙げたうえで、「申告された労働時間が実際の労働時間と異なることをこのような事実〔筆者注：客観的な事実〕により使用者が認識していない場合には、当該申告された労働時間に基づき時間外労働の上限規制を遵守し、かつ、同労働時間を基に賃金の支払等を行っていれば足りる」との指摘がなされている（7(2)イ）。かかる指摘は、労基法が定める刑事罰が故意犯のみを対象としていることからも導かれうる帰結と思われるが、一方で、自己申告制において、パソコンの使用状況等の客観的な事実を使用者が把握しないことを許容するかのような記載ぶりとなっている。新テレワークガイドラインの上記指摘によって、テレワークにおける労働時間管理がどの程度まで緩和されうるものなのか、現時点では判然としない部分も残されているように思われ、今後の実務の蓄積が待たれるところである。

　　ウ　テレワークに特有な事象への対応
　新テレワークガイドラインにおいては、テレワークに特有の事象として中抜け時間の扱い、勤務時間の一部についてテレワークを行う際の移動時間の考え方、休憩時間の取扱い等が挙げられているが、旧ガイドラインからの変更点としては、長時間労働への対策が注目に値する。

　長時間労働対策について旧ガイドラインにおいては、「業務の効率化やワークライフバランスの実現の観点からテレワークの制度を導入する場合、その趣旨を踏まえ、時間外・休日・深夜労働を原則禁止とすることも有効である」とされていた。しかしこの記載については、「所定労働時間内の労働を深夜に行うことまで原則禁止としているという誤解を与えかねない表現」（テレワーク検討会報告書10頁）であると批判されており、この点を踏まえ新テレワークガイドラインでは、

項目の見出しが「時間外・休日　所定外深夜労働についての手続」と改められ、本文についても「労使の合意により、時間外等の労働が可能な時間帯や時間数をあらかじめ使用者が設定することも有効である」との記載ぶりに修正された。もっとも、テレワークにおける長時間労働の抑制が重要である点は従前から変わりはなく、引き続き対応策について検討が必要であると思われる。

(5)　小括

上記のほか、新テレワークガイドラインでは、テレワークにおける安全衛生の確保[13]、労働災害の補償、ハラスメント[14]への対応、およびセキュリティ対策等についても言及しており、企業が実際にテレワークを導入・実施するに際し、より良質なテレワークを推進するためのポイントがまとめられている。

他方で当然のことながら、新テレワークガイドラインはテレワークの導入・実施に係る論点を網羅的に検討するものではなく、各企業においては新テレワークガイドラインを踏まえつつ、各社の事情に即してテレワークの導入・実施を具体的に検討していくことが必要となる[15]。以下では、この点について詳述する。

---

[13]　テレワークを行う労働者の安全衛生を確保するため、事業者用および労働者用のチェックリストが新テレワークガイドラインの別紙として策定されている。なお、情報機器を使用して作業を行う場合の労働衛生管理については、従前2002年4月5日付基発0405第001号「VDT作業における労働衛生管理のためのガイドラインについて」(以下、「VDTガイドライン」という)に基づいてなされていたところ、情報機器の技術革新に対応するため、VDTガイドラインを廃止し、新たに2019年7月12日付基発0712第3号「情報機器作業における労働衛生管理のためのガイドラインについて」が発出され、新テレワークガイドラインにおいても参考にされている。

[14]　テレワーク特有のハラスメントとして、「リモートハラスメント(リモハラ)」の存在が指摘されている(日本経済新聞電子版2020年5月31日「テレワークに潜む『リモハラ』の危険」https://www.nikkei.com/article/DGXMZO59671970Y0A520C2000000/ 最終閲覧2021年10月29日)。テレワークの事例ではないもの、密に報告を求めることがパワハラに該当するとした裁判例も存在する(東京地判令和2・6・10労判1230号71頁〔アクサ生命事件判決〕)。

[15]　新テレワークガイドラインでは中抜け時間を使用者が把握せず、始業および終業時刻のみを把握することも労働基準法上許容される旨の記載がされているが、これは中抜け時間も含めて労働時間として扱い、賃金を支払うこと

3　テレワークの行方

(1)　総論

　働き方改革が推進された当初、テレワークは、時間や場所に縛られず、また育児や介護といった労働者の家族生活との両立も可能にする柔軟な働き方として脚光を浴び、ある種の先進的な働き方として、その優位性に着目して語られることが多かったように見受けられる。一方で、現実にテレワークを導入している企業は多くはなく、普及・定着しているとは言い難い状況であった。

　しかし、すでに述べたとおり、2020年2月以降の新型コロナウイルス感染の本格化によって状況は一変した。同年4月に発令された緊急事態宣言を契機として、オフィスへの出社を禁止または大幅削減してテレワークを導入する企業が多くなり、テレワークの普及が各企業において急ピッチで進められていった。そして、いわゆるエッセンシャルワーカーを除き、多くの労働者は、テレワークでの業務遂行を経験することとなる。このようなコロナ禍での経験を通し、もはやテレワークは先進的な働き方ではなくなり、現に存在する働き方の選択肢の1つとなった。そして、これまではその優位性に着目されることが多かったが、実際にテレワークを経験することによって、さまざまな課題も浮き彫りとなった。たしかに、テレワークの課題として認識されたもののなかには、新型コロナウイルスの感染拡大やそれに伴う外出自粛に起因するものもあったかもしれないが、たとえばテレワークによって生産性が下がったという調査もあり[16]、これはコロナ禍に

につながりうる。この点については、企業経営の観点からすれば財務上ルーズにすぎると株主から批判されかねない対応であるとの指摘がなされており（豊岡啓人「労働時間把握・管理のための制度と対応上の留意点」ビジネス法務2021年7月号18頁）、新テレワークガイドラインの各記載の適否については、今後の実務の進展等も踏まえつつ検証されるべきものであると思われる。

[16]　日本経済新聞電子版2020年10月7日「テレワークの生産性、分かれる評価・向上31％・低下26％――伊藤忠はオフィス回帰、日立は多様な働き方へ継続本社調査」によれば、回答者の26.7％がテレワークによって生産性が「下がった」と回答している。その他、森川正之「コロナ危機下の在宅勤務の生

かかわらずテレワーク導入に伴う課題といえるであろう。

　このようにテレワークは、メリット・デメリットを併せ持つ1つの選択肢となったのであり、その他の制度や働き方と同じ平面に存在するようになったといえる。そうだとすれば、今後テレワークについては、たとえば人事制度が各企業の実情に応じて多種多様であるのと同じように、なんらかの緩やかな傾向は認められるにせよ、各企業においてテレワークの（当該企業における）メリットや課題を考慮し、各社の事業も勘案したうえで、テレワークに対する態度を決定していくというプロセスが行われていくことになるであろう。場合によっては、各企業ごと、という判断枠組みよりもさらに粒度を高め、各部署ごとに態度決定をしていくこともあるかもしれない。加えて、テレワークの実施が少なからず労働者の私生活に影響を及ぼすものであることも踏まえると、各労働者においても、それぞれの事情を勘案し、テレワークでの働き方を十分に検討する必要がある。

　上記Ⅰ2(2)で述べた調査結果等を踏まえると、一部の企業ではこのような検討および態度決定がすでに行われているようにも思われるが、テレワークのメリットや課題について一定の体系性をもった分析を行うことは、依然として労使双方の態度決定に資するものであり、有用な作業であることに変わりはない。コロナ禍の経験を通し、労使双方はテレワークに関する多様な経験知を得たわけであるが、当該経験知の分析や体系化は道半ばといえるだろう。後述するとおり、テレワークに関する問題は非常に裾野の広いものであり、さまざまな観点からの検討を要するため、すべてを本稿で論じきることは困難だが[17]、以下ではコロナ禍の経験を通して明らかになりつつあるテレワークの課題のうち、企業組織や人材マネジメントに関する問題につ

　　産性：就労者へのサーベイによる分析」（2020年7月）も参照。
17）　なお、総務省の「ポストコロナ」時代におけるテレワークの在り方検討タスクフォースから、2021年7月12日付けで「提言書」が公表されており、ICTツールの積極的な活用、ソーシャリゼーションへの配慮およびウェルビーイングの向上等を内容とする「日本型テレワーク」が、ポストコロナ時代において定着を目指していくべきものとして示されている。

いて検討を試みる。

(2) テレワークの本質的特徴

　テレワークについては、コミュニケーションがとりづらい、人事評価やマネジメントが行いにくい、生産性が下がる場合がある等の課題が指摘されているところである[18]。そのような課題が存在すること自体はあまり異論がないと思われるが、他方でなぜテレワークを行うと、上記のような問題が生じるのかについては、踏み込んだ分析が行われていないと思われる。そこでまず、テレワークというのがどのような特徴をもつ働き方であるのかを確認する。

　テレワークとは一般に、情報通信技術を活用し時間や場所にとらわれずに行う柔軟な働き方であるとされているが、本稿ではテレワークの本質的特徴は、勤務する企業のオフィス以外の場所で働く点にあると考える[19]。これはテレワークガイドラインが、業務を行う場所に応じてテレワークの分類（在宅勤務、サテライトオフィス勤務、モバイル勤務）を行っていることとも親和的であり、情報通信技術を活用することや時間にとらわれず私生活との両立が可能となることは、オフィスから離れて（特に自宅で）作業をすることに付随する特徴であると位置付けられる。

　テレワークの本質がオフィス以外の場所で働くことにあると捉える場合、テレワークを導入すると当然ながら、労働者はオフィス勤務とは異なる環境で働くことになる。そして労働者がオフィスで働く場

---

18) 三菱UFJリサーチ＆コンサルティングが実施した2020年11月16日付「テレワークの労務管理等に関する実態調査（速報版）」によれば、調査対象となった企業の48.4%がコミュニケーションのとりづらさを課題して感じており（同調査40頁）、従業員の場合は対象者の半数以上が上司や同僚、部下とのコミュニケーションの難しさをテレワークのデメリットとして挙げている（同調査49頁）。他方で、テレワーク活用のために必要なこととしては、ペーパーレス化や電子化のほか、「職場の方針としてテレワークを積極的に活用すること」といった点を指摘する従業員が多く、テレワークを円滑に行えるそもそもの環境整備から取り組む必要があることがうかがえる。

19) 同様に、テレワークの本質が「離れた場所での勤務」にあることを指摘するものとして、末啓一郎『テレワーク導入の法的アプローチ――トラブル回避の留意点と労務管理のポイント』（経団連出版、2020）15頁〜16頁。

合、基本的には、当該労働者は上司や先輩、同僚、部下や後輩に囲まれて仕事をすることになるので、テレワークを行う労働者の観点から捉えると、テレワークは（目に見える範囲に）①上司・先輩がいない、②部下・後輩がいない、③同僚がいない環境で仕事をすることに繋がるといえる。このように、テレワークの導入によって、オフィスで働く場合にたしかに存在していた人たち（およびそのような人たちがオフィスにいることに付随して存在していたもの）がいなくなるという観点から、議論を進めていく。

(3) 上司・先輩がいないことに起因する問題

　ア　簡易・適時な相談機会の欠如と生産性の低下

　仕事をするにあたり、上司や先輩というのは自分が業務を行ううえで都度生じる迷いや悩みを相談する相手であるとともに、自身の仕事の内容（成果物のみならず遂行過程も含む）について、判断を仰ぐ存在であるといえる。オフィスであれば自席から少し歩けば自分の上司や先輩が仕事をしているため、適時に相談や決裁を行うことができ、業務をスムーズに進めることができるが、テレワークの場合は事情が異なる。

　ただし上司や先輩がいないと言っても、一切連絡が取れないわけではなく、メールや電話はもとより、近時はチャットアプリや各種Web会議ツールを用いることによって、直接顔を合わせなくともコミュニケーションをとること自体は可能である。そうすると、テレワークになって上司や先輩がいなくなったとしても、そのような人たちとのコミュニケーションそのものがなくなるわけではない。他方で、メール等を用いて上司や先輩に連絡する場合、メールの返信を待つ時間や相手の都合によっては電話がつながらない場合があるため、オフィスで直接席に赴いて、また、上司や先輩の繁忙状況等を直接、自らの目で確認しながら、相談する場合と比べると、自分が想定するタイミングで上司や先輩の判断を仰ぐことが相対的に難しくなる。その結果、業務の進捗を自分の想定どおり管理することがオフィス勤務に比して難しくなり、明確な見通しを立てようとすれば事前に上司や

先輩にアポイントメントをとるという新たな作業が生じることになる。このような不具合や手間が積み重なれば、オフィス勤務に比してテレワークは仕事が進めにくい、すなわち生産性が下がったと感じる労働者がいても不思議ではない。テレワークによって、自分が想定するタイミングで上司や先輩の判断を得られる機会がなくなり、その結果として、生産性の低下という問題が生じていると考えられる。

　もちろん、オフィス勤務の場合も上司や先輩が離席しているという場合は十分ありうる。しかしその場合は、メールの返信を待つ場合と異なり、「いまは判断を仰げない」ということが明確になるため、それを前提として作業の段取りを組み替えることができるので、進捗の見通しは立てやすくなる。この点電話であれば、同じような効果が得られると思われるが、いきなり電話をかけることは、相手の状況等を考慮するとはばかられる場合がある（年次や役職に開きがあるような場合はなおさらであろう）。このように、オフィス勤務において上司や先輩の席を訪ねるというのは、最も負担の少ない方法であるといえ、それとの比較において、テレワークでは進捗管理の面でやりにくさを感じてしまうのであろう。

　　イ　評価者の視線の欠如と過剰労働
　上司は相談相手・決裁者であることに加え、労働者の評価者でもある。オフィス勤務の場合は、常に自分の働きぶりを見られていることを意識しながら、業務を行っていると思われる。そして当該意識が労働者の集中力を高めることはもちろんだが、それだけでなく、業務に励む姿を示す（上司にとっては目にする）ことができることによって、お互いの安心感を生むことにつながっている面もある。

　しかしテレワークにおいては、そのような評価者の視線がなくなってしまう。これによりオフィス勤務の場合と比べてどうしても気が緩んでしまい、生産性が下がってしまうということもあるだろう。また逆に、自身の頑張りが評価者に十分に伝わるのか不安になるあまり、オフィス勤務の場合に比して、働きすぎてしまうこともあると思われる。

ただし、このような思考は、オフィスにいることが業務に励んでいることを意味するという暗黙の前提を敷いており、少なくとも当該労働者においてはオフィスにいることが自身が果たすべき責務になっている。その意味でこの問題は、当該企業における労働者の職分は何か、それを労使ともに正確に認識し共有できているかという問題にもつながるものであり、後述する人事評価とも関連する課題であるといえる。

(4) 部下・後輩がいないことに起因する問題

ア　評価に用いる情報の減少

テレワークはオフィス勤務とは異なる環境で働くという結果をもたらすが、これを上司の立場から見た場合、評価やマネジメントの対象である部下が自分の目に入る範囲からいなくなることを意味する。部下が自分の目に入る範囲で仕事をしている場合、部下の表情等を観察することによって部下の業務量が適正であるかを把握できるし、たとえばパソコンを前に難しそうな顔を続けていれば、仕事で行き詰まっているのではないかと気づき、助け船を出すきっかけを得ることができる。誰かが目の前で作業をしているとき、その者は上記のとおりさまざまな非言語的な情報を発しているのであり、上司としてはこのような情報も活用しながら部下の評価やマネジメントを行っていると思われる。テレワークの導入によって、上司はこのような情報を得ることが難しくなるわけであるが、これがどのような影響をもたらすのだろうか。

一般に人事評価の項目としては、業績評価、能力評価および情意評価があるといわれているところ[20]、テレワークであっても成果物はこれまでと変わらずに部下から提出されてくるので、業績評価につい

---

[20] 寺崎文勝「人事マネジメントのパラダイムシフトと評価制度の在り方」労務行政研究所編『企業競争力を高めるこれからの人事の方向性』（労務行政、2020）149頁～151頁、青木昌一「アフターコロナの人事評価の変革～変化する人事評価とマネジメント～」（2020年7月20日 https://www.jri.co.jp/page.jsp?id=36783　最終閲覧2021年10月6日）。

てはさほど問題とならないと考えられる。また能力評価も、当該労働者のこれまでの経験や実績をもとに行うことができるので、テレワークによって直接的に影響を受ける項目ではないと思われる。他方、情意評価はやる気や積極性といった定性的な評価を行うものであり、そもそも部下に関する情報のすべてを完璧に把握できたとしても、評価が難しい項目である。にもかかわらず、テレワークによって部下の評価に資する情報が減少してしまい、さらに情意評価に関連する考慮要素は成果物のなかに現れにくいものも多いため、テレワーク下での情意評価はいっそう困難なものとなる。実際、テレワークを導入した場合の人事評価方法について、悩みをもらす声も多く見受けられる[21]。

しかしたとえば、成果物のクオリティだけで人事評価を行う企業が存在すると仮定した場合、そのような企業がテレワークを導入したとしても、従前とさほど変わらずに人事評価を行えると予想される。テレワークに伴って人事評価が行いにくくなるということは、情意評価に一定の重みをもたせる評価制度になっていることを裏付けている。

では、これを機に、情意評価を廃し、業績評価や能力評価を中心とする人事評価制度を構築すれば問題は解決するのであろうか。理屈のうえではそのような考えもありうるかもしれないが、実際は、情意評価なしに人事評価制度を運用することに困難を感じる企業が多いのではないだろうか。そもそも、人が人を評価すること自体が構造的な限界を抱えており、人事評価に絶対的な正解は存在しない。各企業ごとに個別具体的な事情を考慮し、可能な限り望ましい人事評価制度を模索し続けているのが実状であり、人事評価者としては、果たして適切に評価できているのか一抹の不安を抱えながら考査に臨んでいるところであろう。また「業績や能力を中心に評価する人事評価制度」は考え方としてはわかりやすいが、実際に運用するとなれば、十分に公平な評価ができているのかという懸念も生じうる。上記のような構造的

---

21) 日経BP総合研究所イノベーションICTラボ『テレワーク大全――独自調査と徹底取材で導くアフターコロナ時代の働き方』（日経BP、2020）36頁。

な不安を抱えながら情意評価なしで労働者の評価をするというのは、評価する側にとって容易なことではなく、現実の企業においては情意評価もうまく織り交ぜながら、評価結果の適正さや納得感を担保しているものと思われる。このように解する場合、テレワーク導入に伴う人事評価に関する悩みというのは、情意評価に関する材料が乏しくなり、業績評価や能力評価が中心となる制度に移行してしまうことへの不安感であるともいえ、この場合に、業績や能力に基づく人事評価をさらに進めるという提案は、少なくともこのような不安感への解決策とはなりにくい。現在テレワークの導入を検討する企業の前にある課題は、従来の前提と異なる働き方において、どのように人事評価制度を調整あるいは再構築するかという問いであり、これは各企業が人事評価に期待する役割や狙い、当該企業において労使双方が納得感を感じられる制度とはどのようなものかという問いにつながるものといえ、最終的には、経営判断の範疇に入る課題であると言える。

イ　新入社員教育の難しさ

テレワークの導入は自分の目に入る範囲から後輩がいなくなることを意味するが、後輩のなかでも特に気にかけるべきなのが新入社員である。テレワークに関する課題としても、新人社員へのOJTが行いにくいという課題が指摘されており[22]、コロナ禍において多くの企業が新入社員のテレワークでの教育に苦心したことがうかがえる。他方、OJTの難しさとテレワークの関係性については、検討の余地があると思われる。

OJTとは仕事をこなすなかで業務に必要なスキルを身につけていくことであり、その力点は仕事を離れた座学とは異なるという点にある。そしてテレワーク下においても、オフィス出勤の場合と業務の進め方等が異なるにせよ、仕事を行うこと自体は可能であるため、テレワークでの仕事をこなしながら業務に必要なスキルを身につけていく

---

22) 日沖健「新入社員ほど『コロナで損する』日本企業の失態」（東洋経済ONLINE2020年10月5日 https://toyokeizai.net/articles/-/378491　最終閲覧2021年10月6日）。

ことは、理屈のうえでは可能なように思われる。一方で、多くの企業がOJTに苦心する事態に陥ったのもまた事実である。

　この点を考えるにあたっては、オフィス勤務、テレワークにかかわらず、新入社員が1人で仕事を行うためのスキルを、十分に身につけていない点に着目する必要がある。すなわち、新入社員1人で仕事を行わせようとしても、右も左もわからない状況になりやすく、そのため新入社員に対しては、先輩社員が状況を都度見守りながら作業を行うことが求められる。しかし、テレワークでは先輩社員と新入社員が同じ場所で働いているとは限らず、上記のような体制で業務を行うことが難しい。結果、1人で仕事を行うためのスキルが十分に身についていない新入社員に仕事を与えることができず、当該スキルがオンライン教材やマニュアル等で自学自習できるほど言語化・体系化されていない企業においては、新入社員に仕事を与えることを前提とするOJTが機能不全に陥ったと解される。

　この問題は、新卒一括採用でOJTによって企業内スキルを身につけさせるという伝統的な日本の採用スタイルとテレワークの親和性への疑問を感じさせるものではあるが、他方で採用を中途即戦力採用（ある程度仕事を任せられるのでテレワーク下のOJTでも機能しうる）のみとすることも現実的ではないため、当該企業内スキルの観点からみて「白紙」の労働者を教育する必要性が変わるものではない[23]。その点では、新入社員に限ってはテレワークを禁止するというのも1つの解決策であり、当該企業においてテレワークを導入する範囲を検討する契機となりうる。

　また、仮に企業内スキルを自学自習が可能な程度にまで体系化できたとすれば、新入社員も体系化された教材やマニュアルでの学習を通して最低限のスキルを身につけることができ、仕事を任せる側も当該教材を修了していることを根拠に、安心して仕事を任せることが可能

---

[23]　なお、中途採用者といえども、企業内スキルの習得という観点からは、新入社員と同様「白紙」の労働者に該当する場合もままある。

となろう。なお、このような教材やマニュアルを作成し、さらに企業内慣行の変化に応じて適時に更新するためには、相応の労力が必要となるところ、AIを活用する等の工夫により、効率的にマニュアル作成を行うことも考えられる[24]。

(5) 同僚がいないことに起因する問題

同僚が目に入る範囲にいないということは、もちろん業務に直接関係するコミュニケーションもとりづらくなるが、それ以上にいわゆる「雑談」をする機会が失われてしまうことになる。

「雑談」といってもオフィスは仕事をする場なので、純粋にプライベートな話というよりは、業務と何らかの関係性をもつような話をする場合が多いであろうが、ここで重要なのは、会議等の機会を設定してまで話す必要はなく、そこに相手が存在したから話す類いのものであるという点である。たしかにテレワークによってコミュニケーションの総量が減少することを懸念し、チャットツール等を用いて社員の交流スペースを設ける例も見受けられるが、上記のとおり雑談というのは相手が現に存在するから話すものであるので、上記のような交流スペースにおいて、オフィスおける雑談と同じようなコミュニケーションが生まれるとは言いにくい[25]。

この問題は同僚との間のみならず、上司・先輩や部下・後輩との間にもあてはまる。このようにテレワークによって職場の人たちの存在感を感じる機会が減少し、雑談を通したコミュニケーションが少なくなると、最終的に、1人で業務をこなしているだけという感覚を労働者が抱いてしまうかもしれない。このような状態では企業への帰属意識も希薄化してしまい、その結果として、帰属する組織へのコミットメントも低下してしまうおそれがある。このような事態を改善する

---

24) 近時、AIにより業務手順等のマニュアルが自動作成し、また、AIによりチャットベースで、都度、必要な情報を伝達する旨のサービスを提供する会社が台頭している。
25) なお、この点を考慮してか、単なるチャットスペースではなく、オフィスに見立てたデジタル空間に従業員が自らのアバターを作成して「出社」できるサービスも存在する。

ための一助として、労働者が当該企業への帰属意識を実感するのはいかなる場面なのか、また、帰属の対象となる当該企業の特徴は何なのかを把握することが有用であり、それはつまるところ、当該企業の一員であるとはどういうことか、「各企業らしさ」とは何かを明らかにし労働者と共有することにつながりうる。

(6) 小括――対応の方向性

ここまで述べたとおり、テレワークに関する課題についてその問題の所在を紐解いていくと、単なる労務管理の問題にとどまらず、当該企業において労働者に期待するものは何か、何を狙いとして人事評価を行うのか、当該企業における公平さや納得感とは何か、従業員の教育はどのように行うべきか、当該企業の一員であるとはどういうことか、および当該企業らしさとは何かというような、企業の経営や価値観の根幹に関わる問題に突き当たる。そして労働者の側でも、自身の業務を自らマネジメントすることがよりいっそう求められ、当該企業の価値観等について使用者と認識を共有することが必要となってくる。加えて、自宅で仕事を行うという点を踏まえると、仕事と私生活のバランスや切替えをどのように管理するのかという問いについても、各労働者がそれぞれの解答をもつことが要請され、労働者の側でも自身の働き方とは何かという問題に対応することになる。

このような問題に対して、従前の働き方そのものを見直すことも1つの対応策であり、どのような方針を採用するか各企業ごとに判断すべき事項であるが、その際注意すべきなのは、現代社会における人材や価値観の多様化の流れである。

たとえばテレワークに伴う人事評価情報の減少を補うため、テレワーク中の状況を常に「みえる化」しようとすれば、プライバシーを重視する労働者からの反発が想定される。また、会社を仕事をするための場として割り切っている労働者にとっては、そもそも会社に対する帰属意識という問題設定自体がナンセンスかもしれない。現代において、企業にはさまざまな雇用形態の労働者が存在し、同じ雇用形態であったとしてもたとえば想定しているキャリア設計は千差万別であ

る。労働者の家庭にまで視野を広げれば、各労働者が背負う家族責任の内容・程度もさまざまであり、それに伴って求めるワークライフバランスの程度も同じではない。さらには仕事に対する姿勢はもちろん、何を是とするかといった人生に対する価値観もまちまちである。

　テレワークに関する課題は、その多くが、根本的には企業のあり方／労働者の働き方の再検討を促すものであり、これはわが国における従来の働き方が、いかに「オフィスで働く」ことに紐付けられていたかの証左である。もちろん、このような大所高所からの検討だけで問題が解決するわけではなく、各企業が具体的に態度決定するにあたっては、各企業における実務上の課題を1つひとつ丁寧に乗り越える必要があるし、わが国の労働法制に適するよう留意する必要がある。その意味で、テレワークの導入は、各企業において経営者・従業者が一丸となって将来の働き方を考え実現する格好の機会であると思われる。

Ⅲ　自営型テレワーク

　自営型テレワークは、非雇用型テレワークともいわれ、発注者から業務委託を受けた個人事業主（フリーランス）・小規模事業者等によるテレワークであって、発注者と自営型テレワークに従事するテレワーカーとの間に雇用契約関係がない点に特徴がある。近時、フリーランスの急激な増加を受け、コロナ禍での経験も踏まえながら、自営型テレワークという位置付けを超えたさまざまな議論が展開されている［→第2編第5章参照］。

第 3 章　育児休業・介護休業

I　「働き方改革」と育児休業・介護休業

　日本の総人口は、長期減少局面を迎えており、2029年に人口1億2000万人を下回った後も減少を続け、2053年には1億人を割って9924万人となり、2065年には8808万人になると推計されている[1]。このように、少子高齢化が進み、労働人口が減少することが予想されているなか、妊娠・出産・育児期や家族の介護が必要となる時期に男女ともに離職することなく働き続けるよう、「子育て・介護と仕事の両立」を図ることはきわめて重要である。

　2017年3月の働き方改革実行計画では「子育て・介護と仕事の両立」が重点項目の1つに掲げられていたが、育児・介護のあり方については、その後も各種の提言が行われ、さまざまな施策が進められている。

　本章では、育児休業・介護休業に関する近時の法改正の概要について解説した後、育児休業・介護休業制度の課題や、ポスト「働き方改革」として望まれる方向性について若干の私見を述べる。

II　育児休業・介護休業に関する近時の法改正の概要

　育児介護休業法は、育児期や家族の介護が必要な時期に、男女ともに離職することなく働き続けることができるよう雇用環境を整備し、仕事と家庭を両立できる社会の実現を目指し、繰り返し改正されてき

---

1)　内閣府「令和3年度版高齢社会白書」3頁。

た。そして、最近では、希望に応じて男女ともに仕事と育児等を両立できるようにするため、出生時育児休業（産後パパ育休）の創設などを内容とする改正法が2021年6月に成立したところであるが、本改正法を含む近時の育児介護休業法の主たる改正内容は以下の**図表3-3-1**のとおりである。

図表3-3-1　育児介護休業法に関する近時の法改正の概要

2016年3月改正（2017年1月1日施行）	
育児	介護
有期契約労働者の育児休業の取得要件の緩和 　期間を定めて雇用される者の育児休業の取得については一定の要件が課せられており、改正前は、①当該事業主に引き続き雇用された期間が1年以上であること、②子が1歳になった後も雇用継続の見込みがあること、③子が2歳になるまでの間に更新されないことが明らかである者を除く、という3つの要件を満たす必要があった。改正後は要件②を削除し[2]、また、要件③を若干修正し、①当該事業主に引き続き雇用された期間が1年以上であること（この点は、改正前から変更はない）、②子が1歳6か月になるまでの間に更新されないことが明らかである者を除くこと（この点は、「2歳」が「1歳6か月」に短縮された）、の2つの要件に緩和された（育介5条1項ただし書）。すなわち、有期雇用労働者の場合、1年以上勤務していて、子が1歳6か月になるときまでに必ず契約	**有期契約労働者の介護休業の取得要件の緩和** 　期間を定めて雇用される者の介護休業の取得要件についても、育児休業と同じく、①当該事業主に引き続き雇用された期間が1年以上であること、②介護休業開始予定日から93日経過する日から6か月を経過する日までに労働契約（更新される場合には、更新後の契約）の期間が満了することが明らかでないことの2つの要件に緩和された（育介11条1項ただし書）。
	介護休業の分割取得 　改正前は、介護を必要とする家族（対象家族）1人につき、一の要介護状態ごとに原則1回、通算93日まで取得可能だったところ、改正後は、対象家族1人につき、通算3回、93日までを上限として、分割取得することが可能となった（育介11条2項）。
	介護のための所定外労働の制限（新設） 　要介護状態にある対象家族を介護す

2）　1歳以降も雇用が継続されるかは企業にとっても労働者にとってもわからない場合がほとんどである。そのため要件②は、労働者にとっては非常にハードルが高く、企業にとっては曖昧な要件となっていた。

が終了するということが明らかである場合以外は、育児休業を取得することができるようになった。	る労働者について、介護終了まで、残業の免除が受けられる制度が新設された（育介16条の9）。
	短時間勤務等の選択的措置の柔軟化 改正前は、選択的措置（*1）について、介護休業と通算して93日の範囲内で取得可能とされていたが、改正後は、介護休業とは別に、利用開始から3年の間で2回以上の利用が可能となった（育介23条3項、育介則74条）。
子の看護休暇の半日単位（*2）の取得 小学校就学前の子を養育する労働者は、事業主に申し出ることにより、1年度において5労働日（その養育する小学校就学の始期に達するまでの子が2人以上の場合にあっては、10労働日）を限度として取得できるが、改正前は、1日単位での取得しか認められていなかった。改正後は、半日（所定労働時間の2分の1）単位での取得が可能となった（育介16条の2、育介則34条）。	**介護休暇の半日単位（*2）の取得** 要介護状態にある対象家族の介護を行う労働者は、事業主に申し出ることにより、1年度において5労働日（要介護状態にある対象家族が2人以上の場合にあっては、10労働日）を限度として取得できるが、改正前は、1日単位での取得しか認められていなかった。改正後は、子の看護休暇と同様、半日単位での取得が可能となった（育介16条の5、育介則40条）。
育児休業・介護休業に関する就業環境の整備 改正前においても、育児休業・介護休業等を理由とする不利益取扱いが禁止されていたが、改正後は、当該規定に加え、上司・同僚からの育児休業・介護休業等に関する言動により労働者の就業環境が害されることがないよう防止措置を講じることが、事業主の義務として課せられることとなった。当該防止措置義務の内容の詳細については、**本章Ⅳ3**、**第4編第2章**を参照されたい。	

（*1） 事業主は、対象家族1人につき、①週または月の所定労働時間の短縮措置（短時間勤務）、②フレックスタイム制度、③始業・終業時刻の繰上げ・繰下げ（時差出勤の制度）、または④労働者が利用する介護サービスの費用の助成その他これに準ずる制度のうちいずれかの措置を講じなければならないとされている。

（*2） 2019年12月に育児休業、介護休業等育児又は家族介護を行う労働者の福祉に関する法律施行規則（以下、「育介法施行規則」という）および子の養育又は家族の介護を行い、又は行うこととなる労働者の職業生活

と家庭生活との両立が図られるようにするために事業主が講ずべき措置等に関する指針（令和元年厚労告第207号による改正後の平成21年厚労告第509号、以下「育介指針」という）が改正され（2021年1月1日施行）、1時間単位で取得することが可能となった（育介則40条）[3]。

2017年3月改正（2017年10月1日施行）	
育児	介護
育児休業期間の延長 　改正前の育児休業期間は、原則として子が1歳に達するまで、例外的に保育所に入れない等の場合に子が1歳6か月に達するまで延長できたところ、改正後は、1歳6か月に達した時点で保育所に入れない等の場合に再度申出することにより、子が2歳に達するまで延長できるようになった（育介5条4項）。また、これに伴い、育児休業給付の支給期間も延長されることとなった。	
育児休業等制度の個別周知 　事業主が、労働者またはその配偶者が妊娠・出産した場合、家族を介護していることを知った場合に、当該労働者に対して、個別に育児休業・介護休業等に関する定めを周知する旨の努力義務が定められた（育介21条、2021年6月改正後は育介21条の2）[4]。 　なお、周知の際に、パパ休暇[5]、パパ・ママ育休プラス[6]、その他の両立支援	

---

3) この改正ではこのほか、1日の所定労働時間が4時間以下の労働者は半日単位の子の看護休暇や介護休暇を取得できないとしていた規定（改正前育介法施行規則33条・39条）が削除され、すべての労働者が時間単位での子の看護休暇や介護休暇を取得することができることとされた。なお、時間単位で子の看護・介護休暇を取得することが困難と認められる労働者を労使協定で定め、時間単位での子の看護・介護休暇の規定の適用を除外することは、引き続き可能である。

4) この改正の趣旨は、育児休業等の取得を希望しながら、職場が育児休業等を取得しづらい雰囲気であることを理由に、育児休業の取得を断念することがないよう、事業主が対象者に育児休業取得の周知・勧奨するための規定を整備することで、育児休業等を取得しやすくすることにある（厚労省「平成29年改正法の概要」2頁）。

5) 2021年6月改正前まで存在した、父親が、子の出生後8週間以内に育児休業を取得し、かつ終了した場合、特別な事情がなくても、再度育児休業が取

制度も周知することが望ましいとされた。

育児目的休暇の導入促進（新設）　事業主に対し、小学校就学の始期に達するまでの子を養育する労働者が、育児に関する目的で利用できる休暇制度の措置を設けるよう努めることを義務付ける規定が設けられた（育介24条）。この休暇は、子の看護休暇、介護休暇および年次有給休暇とは別に設ける必要がある[7]。	

2021年6月改正（2022年4月1日より順次施行[8]）	
育児	介護
(ｱ) 出生時育児休業（新設）　子の出生後8週間以内に4週間まで取得することができる（改正育介9条の2第1項）柔軟な育児休業の枠組みを創設する。	
(ｲ) 育児休業等制度の個別の周知と意向確認の措置等の義務付け（新設）　①育児休業の申出・取得を円滑にするための雇用環境の整備に関する措置（改正育介22条1項）②妊娠・出産（本人または配偶者）の申出をした労働者に対して個別の制度周知および休業の	

　　得できる制度（通常は取得は原則1回まで）（2021年6月改正前の育介5条2項）。
6) 両親がともに育児休業する場合に、①配偶者が子が1歳に達するまでに育児休業を取得し、本人の育児休業予定日が、子の1歳の誕生日以前であり、かつ、配偶者の育児休業の初日以降である場合は、対象となる子の年齢が1歳2か月になるまで育児休業が延長される制度（通常は1歳まで）（育介9条の2、2021年6月改正育介法の施行後は9条の6）。
7) この改正の趣旨は、とくに男性の育児参加を促進することにある。具体的な例としては、いわゆる配偶者出産休暇や、入園式、卒園式などの行事参加も含めた育児にも利用できる多目的休暇が挙げられている（厚労省「平成29年改正法に関するQ&A」（2017年12月6日更新）3-1）。
8) 施行期日は、(ｲ)(ｵ)が2022年4月1日、(ｱ)(ｳ)が2022年10月1日、(ｴ)は2023年4月1日とされている。

第3章 育児休業・介護休業

取得意向の確認のための措置（改正育介21条1項）を講ずることを事業主に義務付ける。	
(ウ) 育児休業の分割取得 　分割して2回まで育児休業を取得することを可能とする（改正育介5条2項）。	
(エ) 育児休業の取得の状況の公表の義務付け（新設） 　常時雇用する労働者数が1000人超の事業主に対し、育児休業の取得の状況について公表を義務付ける（改正育介22条の2）。	
(オ) 有期雇用労働者の育児・介護休業取得要件の緩和 　有期雇用労働者の育児休業および介護休業の取得要件のうち「事業者に引き続き雇用された期間が1年以上である者」という要件を廃止する。ただし、労使協定を締結した場合には、無期雇用労働者と同様に、事業主に引き続き雇用された期間が1年未満である労働者を対象から除外することを可能とする（改正育介5条1項・11条1項）。	

Ⅲ　育児休業制度の課題

　前記Ⅱのとおり、育児休業制度は、近時の改正により労働者の権利や保障が拡張されているものの、なお、以下の課題がある。

1　育児休業期間の延長

　2017年3月改正により導入された「育児休業期間の延長」の趣旨は、待機児童問題の深刻化を踏まえ、保育所に入れない等の理由でやむをえず離職する等雇用継続に支障が出る事態を防ぐことにある。
　もっとも、育児休業期間を最長2歳までにしたからといって、待機児童問題が深刻化する都市部においては、子が保育所に入所できるとは限らない。また、育児休業期間を長期とすることで労働者のキャリ

アの断絶も長期化するため、雇用継続に実効性があるのか疑義があるところである。

　労働者のキャリアの断絶は、当該企業において蓄積された労働者の経験を失わせしめるものでもあり、当該企業にとっても大きな損失となりうるものである。そのため、育児休業期間を延長するだけではなく、復帰後の仕事と子育ての両立支援の施策を充実させることが望ましいものと思われる。

　また、育児休業期間を延長した場合、育児休業期間中の労働者は、日々移り変わる企業の経営状況や人事情報など、社内の情報へのアクセスが事実上困難となるため、長期間の育児休業から復帰した後、スムーズに業務に復帰することが難しくなるという事態も想定される[9]。そこで、電子メールのほか、私用のスマートフォン等からでもアクセス可能なアプリ（たとえば、チャットワークやSlackなど）を活用し、育児休業期間中にのみ必要な情報に適確にアクセスできるような仕組みを構築し、育児休業期間中の労働者が、育児休業期間明けにスムーズに業務に復帰できるような情報を提供することが考えられる。もっとも、育児休業期間中には、使用者は、労働者を労働させることはできないため[10]、育児休業復帰後に必要な情報であったとしても、その情報へのアクセスを義務付けることはできず、推奨することが可能であるにすぎない。そのため、育児休業期間中に労働者が、当該システムを用いて社内情報にアクセスしたか否かによって、人事評価や休業復帰後の扱いを異にすることは控えるべきである。

---

[9]　なお、労働者の事情やキャリアを考慮して、早期の職場復帰を促すことは育児休業等に関するハラスメントに該当しない旨、育介指針に明記されているが（育介指針第2の14(1)ニ(ロ)②）、企業としては、早期の職場復帰を促す場合であっても職場復帰の時期は労働者の選択に任されていることに留意する必要がある。

[10]　2(3)ア記載のとおり、2021年6月改正育児介護休業法にて創設される出生時育児休業（産後パパ育休）においては、労使協定を締結している場合に限り、労働者が合意した範囲で休業中に就業することが可能とされている。

第3章 育児休業・介護休業

図表3-3-2　男性が育児する意義

男性が育児する意義
①　育児や家事に関わりたい男性や、パートナーに仕事と育児を両立する生き方を望む男性が増えていることを踏まえると、人々が<u>望むような生き方ができる</u>ようになる。 ②　男性も育児をすることで、男性が家庭での責任を女性と分かち合うようになれば、その分、女性が社会に参画していくためのハードルは低くなるため、<u>働く女性がより活躍</u>できる。 ③　育児休業を取得した男性は、復帰後にも育児・家事意識が向上することに加え、効率的に仕事をこなし残業を削減する意識が高まるとの調査結果も出ており、男性の育児は<u>男性自身の働き方改革</u>にもつながる。 ④　女性1人が育児をするいわゆる「ワンオペ育児」が少子化や女性活躍の阻害要因となっており、男性が育児を行うことで女性の子育て環境が改善し、<u>少子化対策</u>にも寄与する。

2　男性の育児参加の促進

(1)　男性の育児参加の意義

　働き方改革実行計画は、「女性の就業が進む中で、依然として育児・介護の負担が女性に偏っている現状や男性が希望しても実際には育児休業の取得等が進まない実態を踏まえ、男性の育児参加を徹底的に促進するためあらゆる政策を動員する。このため、育児休業の取得時期・期間や取得しづらい職場の雰囲気の改善など、ニーズを踏まえた育児休業制度の在り方について、総合的な見直しの検討に直ちに着手し、実行していく」としている[11]。

　これを受け、厚労省は、2018年3月30日、「仕事と育児の両立支援に係る総合的研究会報告書」（以下、「両立支援報告書」という）を公表した。両立支援報告書は、男性が育児をする意義を、**図表3-3-2**のとおり捉えたうえで、子育て期間を通して男女で育児をする社会の実現に向け、仕事と家庭の両立支援をめぐる現状を把握し、とくに男性による育児の促進を中心とした仕事と家庭の両立のための方策等につ

---

[11]　働き方改革実行計画23頁。

第3編　ワークライフバランスの実現

figure 3-3-3　男女がともに育児をする社会にするための具体的な対応方針

男女がともに育児をする社会にするための具体的な対応方針

◎働き方・休み方改革の推進、企業風土の改善、労働者の意識改革、社会全体の育児に対する意識改革
　男女がともに育児をする社会にするための前提として、働き方改革による育児を正及び「休む」意識の浸透が重要。企業において、働き方を見直して長時間労働が是正され、メリハリのある働き方と併せて「休む」意識が醸成されれば、様々な理由での休暇取得が進むことなど、男女とも育児を理由として休みやすくなると考えられる。

企業による男性の育児促進
・先進的な企業の好事例の横展開
・各企業における、男性による育児促進の取組状況の見える化も考えられる

女性のキャリアに対する意識付け
・女性自身のキャリアに係る検討及び配偶者と互いのキャリアを意識した話し合いの推奨
・企業による女性労働者のキャリアを考える機会の提供を推進

女性のキャリア形成のための対策

【ステップ1】**育児に関わる男性の増加**

当事者意識の醸成
○産後休業期間における休業の呼びかけ
　女性の産後休業期間における男性による育児休業等を利用した育児のための休業、休暇を「男性産休」と銘打ち、これまで以上に推進。社会全体に「産後8週間は男性も一定期間休んで育児を行う期間」との共通認識を作る

自治体による育児関連事業
・妊娠、出産、育児等に関する教室・講習会への男性の参加促進
・男性がこんにちは赤ちゃん事業の対象である旨の明確化

【ステップ2】**男性の育児への関わり方の改善**

育児休業取得の促進
・育児休業制度、育児休業給付等の周知
・育児休業取得による好影響の周知
・育児・介護休業法の履行確保

パターンの提示
・男性の育児の関わり方について、家庭の状況等に応じた様々なパターンの提示

両立支援制度の利用促進
○フルタイムで働けるフレックスタイム制度、時差出勤制度の利用が促進されるよう、企業において制度の整備及び活用が進むよう推奨

【制度・指標面の検討課題】

両立支援制度の検討
○中長期的に議論する必要があるが、男性が育児をしやすくするため、法制的な改善策として、次のような項目が挙げられる
・取得可能期間（1年間）は変えずに、育児休業の取得可能年齢を引き上げ
・育児休業の分割取得
・中小企業に配慮した仕組み
・小学校入学前後の両立困難な状況に対応出来る仕組み

男性の育児に係る指標の検討
○育児休業等以外にも多様な育児の関わり方があることを踏まえ、男性の育児の状況を測る適切な指標を検討

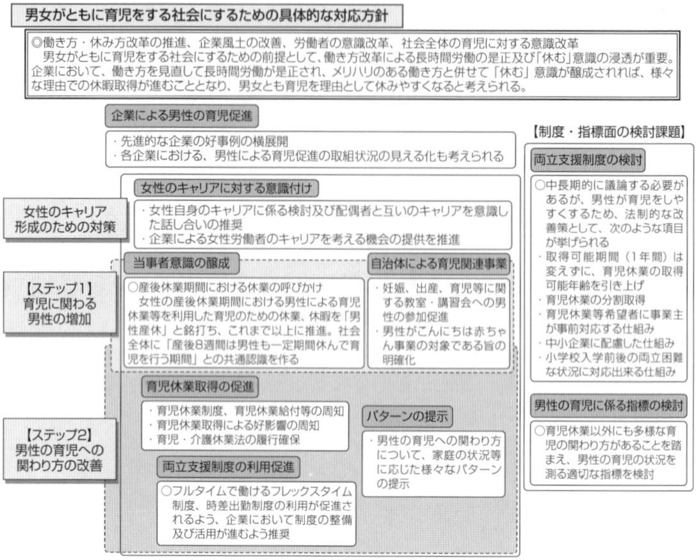

出典：両立支援報告書　別添1「概要」2頁。

いて検討を行ったものである[12]。

(2)　具体的な対応

　両立支援報告書は、①育児に関わる男性の増加、②育児に関わる男性の育児への関わり方の改善、および③女性のキャリア形成のための対策を、男女で育児をする社会にするための今後の仕事と育児の両立支援に向けた基本的な考え方として掲げ、figure 3-3-3のとおり、具体的な対応方針を提示している。この中では、女性の産後8週間の期間、男性による育児のための休業、休暇を「男性産休」と銘打ち、その取得を奨励することが提言されている[13]。

---

12)　両立支援報告書1頁～2頁。
13)　これは、総務省統計局「平成28年社会生活基本調査結果」において、共働き家庭、専業主婦家庭に限らず、約7割の男性が育児を行っていないことや、男性の育児休業の取得率が3.16％にとどまることが示されたという現状に鑑み、男性が育児について当事者意識をもつための第一歩として提言されている（両立支援報告書11頁～12頁）。

その後、「少子化社会対策大綱」(2020年5月29日閣議決定) では、子育てと仕事の両立の観点から、①男女が共により柔軟な働き方で、子育てしながらキャリアを築けるよう、働き方改革を推進し、長時間労働を是正するとともに、1人ひとりの実情に応じて多様で柔軟な働き方を選択できるようにすること、②男性の家事・育児参画促進のため、男性の育休取得30％目標に向けた総合的な取組を推進すること等が掲げられ、さらに「全世代型社会保障改革の方針」においては、男性の育児休業の取得促進のために、出生直後の休業の取得を促進する新たな枠組みを導入することとされた[14]。これを受けて、2021年1月、労政審の雇用環境・均等分科会において、「男性の育児休業取得促進等について（報告）」が取りまとめられ、同年2月、出生時育児休業の創設などを内容とする育児介護休業法の改正案が国会に提出され[15]、その後、参議院、衆議院の順に可決され、同年6、改正法が成立した。

(3) 2021年6月改正育児介護休業法の概要

2021年6月改正育児介護休業法の主な内容は以下のとおりである（全体像は**図表3-3-1**も参照）。

ア　出生時育児休業制度（産後パパ育休制度）の創設

まず、現行の育児休業とは別に、主として男性労働者を念頭に、出生時育児休業の制度が創設されることとなった。すなわち、男性が育児休業を取得しない理由としては、業務の都合や職場の雰囲気といったものが挙げられるところ、業務ともある程度調整しやすい柔軟で利用しやすい制度として、実際に男性の取得ニーズの高い子の出生直後の時期について現行の育児休業よりも柔軟で取得しやすい新たな制度として、出生時育児休業の制度が創設されることとなった。

出産時育児休業の対象期間については、現在育児休業をしている男

---

[14] 全世代型社会保障検討会議「全世代型社会保障改革の方針」（2020年12月15日）4頁。
[15] 正式には「育児休業、介護休業等育児又は家族介護を行う労働者の福祉に関する法律及び雇用保険法の一部を改正する法律案」。

性の半数近くが子の出生後8週間以内に育児休業を取得していること、出産した女性労働者の産後休業が産後8週間であること（労基65条2項）等を踏まえ、子の出生後8週間とする（改正育介9条の2第1項）とされた。また、取得可能日数については、年次有給休暇が年間最長20労働日（労基39条1項・2項）とされていることを参考に4週間とすることとされた。そのうえで、①休業の申出期限については現行の育児休業より短縮し、原則休業の2週間前までされ（改正育介9条の3第3項）、②分割して取得できる回数は2回までとすること（同法9条の2第2項1号）、③過半数組合または過半数代表との労使協定を締結している場合には、労働者と事業主の個別合意により事前に調整した上で出生時育児休業中の就業を可能とすること（同法9条の5第4項）など柔軟な取得が可能とされている。

　　イ　育児休業制度の個別の周知と意向確認の措置等の義務付け

　また、職場の雰囲気や制度の不知等を理由として、現行の育児休業や、新制度である出生時育児休業の申出がなされないことを防ぐため、事業主において、本人および配偶者の妊娠・出産の申出をした労働者に対して、育児休業に関する制度等を知らせる措置、および、育児休業や出生時育児休業を取得するかどうかの意向確認を行うことが義務付けられることとなった（改正育介21条）。具体的には、個別の働きかけとして、面談での制度説明、書面等による制度の情報提供等の複数の選択肢からいずれかを選択すること、取得意向の確認については育児休業の取得を控えさせるような形での周知および意向確認は認めないこと等が規則や指針において示された（改正育介則69条の2〜69条の4、改正育介指針第2・5の2）。そして、育児休業申出が円滑に行われるようにする措置を講じることが事業主に義務付けられ、研修、相談窓口設置、制度や取得事例の情報提供等の複数の選択肢からいずれかを選択することとされた（同法22条1項1〜3号、改正育介則71条の2）。このように、事業主は、育児休業および出生時育児休業を取得しやすい環境を整備することが求められる。

ウ　育児休業の分割取得

さらに、現行の育児休業についても、出生直後の時期に限らずその後も継続して夫婦でともに育児を担うためには、夫婦交代で育児休業を取得しやすくする必要があるため、分割して2回取得することできるようになった（改正育介5条2項）[16]。

(4)　男性育休の義務化

上記(3)のとおり、出生時育児休業（男性育休）の制度が創設されることとなったが、その取得には労働者からの申出が必要であり、男性育休の義務化は見送られた。男性育休の義務化については、労政審の雇用環境・均等分科会においても審議されたが、反対論が根強く[17]、また、育児休業ではなく有給休暇の利用により、現在においても柔軟な休暇の取得が可能であるとの指摘もなされていた[18]。

育児休業には、所得ロスとキャリアロスのデメリットがあるといわれている。前者については、育児休業は多くの企業で無給とされており、育児休業給付金が雇用保険から支給されるものの、育児休業を取得せずに勤務する場合と比べて所得が低下することになると言われている。後者については、育児休業期間中は、業務に従事することができないため、仕事を覚える機会や将来のつながる仕事のチャンスを見送らざるをえず、育児休業を取得していない者と比較してキャリアロスが生じることとなると言われている。男性育休を義務化した場合には、これらのロスというデメリットを一方的に強制することとなり、「子の誕生を理由に出勤停止を命じ、賃金の支払を止めることと大き

---

[16]　**ア**と**ウ**を合わせて最大4回まで育児休業の取得が可能となる。また、**ア**および**ウ**の改正を踏まえて育児休業給付についての所要の規定を整備することとされている。

[17]　日本商工会議所＝東京商工会議所「多様な人材の活躍に関する調査」結果概要（2020年9月24日）12頁によれば、70.9％もの企業が「義務化は反対」「義務化はどちらかといえば反対」と回答し、運輸業ではこれらの回答の合計が81.5％にのぼるなど、人手不足感の強い業種ほど反対と回答した企業の割合が多くなっている。

[18]　労政審雇用環境・均等分科会「第30回議事録」20頁［杉崎委員発言］（2020年9月29日）。

く違わない。育休がベネフィットどころかペナルティになりかねない」との指摘がある[19]。このような状況の中、育児休業の義務化が労働者に不利益にならないよう、男性育休は、あくまでも本人の意思に基づき、取得する／しないの自由を保障したうえで、事業主に取得を働きかける義務を課すというのが、今回の法改正の落としどころとなったと考えられる。

(5) 望ましい男性育休の制度設計

もっとも、育児休業のデメリットとされている所得ロスとキャリアロスが生じないのであれば、今後、男性育休を義務化することも十分に考えられる。

まず、キャリアロスについては、育児休業による家庭生活への関与の変化は、育休取得後の仕事のやり方に影響を及ぼし、おおむね好影響を与えているとの分析結果がある[20]。また、男性の育休取得による周囲の環境に関するJILPTの調査結果によれば[21]、男性の育児休業取得率の向上を目指す取組みを進める中で、取得者本人、職場、会社それぞれについて仕事の分担の見直し、仕事の属人化の排除、義務の見える化・標準化など仕事の進め方の変化や、助け合う風土やお互い様の意識の醸成など風土の変化、人材確保にあたってのPR効果を男性の育児休業の取得のポジティブな側面として挙げる企業が多く、

---

19) たとえば、池田心豪「義務化より対話を　男性育休推進の現状・課題・あり方」ビジネス法務20巻1号（2020）129頁。
20) 尾曲美香「育児休業取得による父親の変化——職業生活と家庭生活に着目して」生活社会科学研究26号（2019）29頁以下は、10名の父親を対象に、「育休を取得しようと思った理由やきっかけ」「育休取得への準備や経緯」等を質問し、そこから得られた回答に基づき、父親が育児休業取得後において、仕事のやり方（①段取り力の向上、②時間のマネジメント、③仕事の生産性の向上）や職場の人間関係（④他の社員への好影響、⑤育児期の社員への理解の深まり、⑥子どもがいることの周知）においてそれぞれどのような変化があったと認識しているか、その変化が家庭生活にどのような影響をもたらしたのか（⑦家事・育児参加の日常化の困難）を分析し、おおむね好影響を与えている旨結論付けている。
21) JILPT「男性労働者の育児休業の取得に積極的に取り組む企業の事例」（2020）25頁。

第3章 育児休業・介護休業

男性の育児休業の取得により、さまざまな正の効果を生んでいると感じる企業が多いのではないかと考えられる。このように、育児休業をキャリアロスと考えるのではなく、労使双方にとって正の効果を生む制度であると捉えるのであれば、男性育休を義務化することは望ましいものといえよう。

一方、所得ロスについては、育児休業給付金の給付割合を、現行の67％から100％に引き上げることが考えられるものの、雇用保険の財源が限られており、現状では引上げは困難と思われる。そのため、各企業が独自に、残りの33％を賃金として支給し100％の所得保障を実現する制度を導入するケースがあるが[22]、かかる制度の導入が企業のインセンティブとなるよう、このような制度を導入した企業に助成金を交付し、また、社会保険料の優遇や、法人税の減税措置を講じるような制度とすることが考えられる。

以上からすれば、男性育休の義務化については、さまざまな議論があるものの、育休のデメリットとされている所得ロスとキャリアロスに配慮した制度設計が望まれているといえよう。

3　育児休業給付金の支給調整

前記2(5)の所得ロスの問題は、両立支援報告書でも採り上げられており、改善策として「育児休業給付については、男女ともに休業開始から6ヶ月間は67％の給付割合とされており、この期間は、育児休業中の社会保険料免除や所得税等の非課税措置を考慮すると、賞与等を除けば就労時の8割程度の収入が確保される制度となっていることの周知を重ねて行う」ことが提言されている[23]。

もっとも、雇用保険法上、育児休業給付金は、その支給期間に雇用主から賃金が支払われた場合、賃金の支払額に応じて減額されること

---

22)　JILPT・前掲注21) 23頁の調査結果によれば、育休の取得促進に当たって特に効果的であるとして各企業が回答したものとしては、(給付率は不明なものの)「有給の仕組み」が一番多くなっている。
23)　両立支援報告書13頁。

第3編　ワークライフバランスの実現

があるため（雇用保険法61条の7第6項、2021年6月改正雇用保険法では7項）、企業が100％の所得保障を実現する制度を導入しようとしても、これが実現できない可能性がある点に注意する必要がある。このような点にかんがみると、企業の負担と金銭面のサポート施策とのバランスをとり、育児休業取得を促進するためには、育児休業給付金と賃金の合計金額が100％を超える場合にのみ、育児休業給付金を減額するといった制度にすることも検討に値するものと思われる。

4　保育所における多様な保育の必要性

両立支援報告書では、「男性産休」のみならず、男性が育児をしやすくするための法制的な改善策として、「取得可能年齢の引上げ」、「小学校入学前後における仕事と育児の両立が困難となる状況に対応するための柔軟な勤務制度を検討する」こと等が掲げられている[24]。

「柔軟な勤務制度」の1つとして、週休3日制を導入することにより、育児をする時間を増やすことも考えられる。しかしながら、週休3日としたがゆえに、保育所への入所が困難になるケースが想定され、かかる制度は自治体によっては現時点では必ずしも有効な対策でないとも考えられる。すなわち、多くの地方自治体では、保育所入所の基準として、いわゆるポイント制を採用しており、週5日以上就労した者に高い点数（指数）を与え、点数の低いものに比して保育所への入所を優先しているところ、週4日の就労では週5日以上就労した者と比べて低い点数しか与えられず、待機児童問題が解消していない都市部では、事実上、保育所への入所が困難となることが想定される[25]。したがって、週休3日とした場合であっても、たとえば、1週

---

24)　両立支援報告書15頁。
25)　たとえば東京都千代田区の「令和3年度保育園・こども園等の入園案内」によれば、週5日以上の居宅外の労働では就労時間に応じて、8点から10点の指数が与えられるが、週4日の就労では、週5日以上の就労と比較して、1日の労働時間が同じであっても、指数が1点低く抑えられている。
　　倉田賀世「働き方改革における育児・介護支援の意義と課題」ジュリスト1525号（2018）84頁においても、このような就労形態による調整指数の取扱

間の労働時間が週5日以上就労した者と同程度であれば、保育所の入所において不利に取り扱わないような仕組みとすることが望まれる。このように、仕事と育児の両立支援をより実行的なものとするためには、育児休業制度等を充実させるだけではなく、保育所における多様な保育、すなわち、週5日以上の就労を前提としないより柔軟な保育を充実させる必要がある。保育所における多様な保育は、柔軟な働き方の促進にも寄与するものであり、自営業者等のフリーランスにおける仕事と育児の両立支援にとっても望ましいと思料される［→Ⅴ］。

Ⅳ　介護休業制度の課題

1　働き方改革における介護の位置付け

　働き方改革実行計画では、子育てと仕事の両立と並べて「介護等と仕事の両立」が掲げられたが[26]、具体的な施策は育児との両立に関するものが多く、同計画に基づく大きな動きはない。

2　仕事と介護の両立支援のための制度のポイント

(1)　分割取得

　過去の育児介護休業法の改正（図表3-3-1参照）の中から介護休業の分割取得を例に、仕事と介護の両立支援のポイントについて考えてみたい。

　2016年3月改正前の育児介護休業法は、介護休業について、介護を必要とする家族（対象家族）1人につき、一の要介護状態ごとに原則1回、通算93日まで取得可能とされていた。このため、一度介護休業を取得した場合、同じ要介護状態に関して再度の休業を取得すること

いについては、「自治体ごとに対応は様々であり、依然として、自営やフリーランスのような就業形態にある保護者が、相対的に不利な取扱いを受ける場合が少なからず存在している」との指摘がなされている。

26)　働き方改革実行計画22頁。

ができず、先のことを考え取得をためらうケースや、一度取得してしまったがゆえに再度の休業を取得できず離職を余儀なくされるケースがあった。そこで改正後は、対象家族１人につき、通算３回、93日までを上限として、分割して取得可能となった（育介11条２項）。このように、介護休業の分割取得が認められたが、改正前は要介護状態ごとに介護休業の取得が可能か判断されたところ、改正後は要介護状態の個数にかかわりなく、対象家族ごとに取得が可能か判断がなされるという点で異なっている。すなわち、改正前は、異なる要介護状態であれば、介護休業がそれぞれ（原則１回であるが）通算93日まで取得できたが、改正後は異なる介護状態にあったとしても、対象家族が同一であれば（３回まで分割取得は可能なものの）通算93日までしか介護休業を取得できないこととなる。そのため、改正後は、異なる要介護状態となった場合に、改正前と比べて介護休業期間が短くなってしまうのではないかとの懸念がある。

　もっとも、この点については、同じ要介護状態にあるのか、別の要介護状態にあるのかの区別が困難であり、使用者側で管理しきれる情報ではないため、改正後の制度のほうがむしろ合理的であるとの評価がなされている[27]。すなわち、新制度では、要介護状態ごとに判断するのではなく、対象家族ごとに判断することにより、使用者にとって、労働者が介護休業を取得できる場合が明確となり、また、労働者にとっては、３回までの分割取得が認められ使い勝手のよい制度となることで、実質的には有利となる側面が少なくないため、介護休業を取得しやすくし介護離職を防ぐという本改正の趣旨に照らしても、改正後の制度は不合理ではないと考えられる。

　このように、労働者にとって使い勝手のよいものとなっているか、また、使用者にとって明確なものとなっているかが、仕事と介護の両立支援のための制度のポイントとなるといえる。

27）　菅野淑子「改正育児介護休業法の評価と課題──介護休業制度を中心に」季刊労働法253号（2016）47頁。

(2) ソフト面の整備

　介護と仕事の両立に関する近時の JILPT の報告書は、仕事と介護の両立支援の今後の検討課題の1つとして、労働時間管理（休暇・休業、勤務時間短縮）、介護サービス（在宅、施設）、健康管理、経済的支援等といったハードウェアによる支援のみならず、上司・同僚や家族との人間関係、相談相手・情報提供元といったソフトウェアによる支援を整備することが重要であると指摘している。これはたとえば、育児介護休業法に基づく介護休業制度は、ハードウェアによる支援に該当し、介護離職の防止のために一定の効果を有しているものの、近時の介護休業法改正についての認知度は高くはなく、改正法の実効性を確保するためには、企業から従業員の制度周知が重要であり、また、従業員がどのような状況に置かれているか（介護の状況や、介護を担う従業員自身の健康状態など）、従業員の実態把握を行い、従業員へ情報提供するといった企業と従業員のコミュニケーションを活発に行うが重要であるということである[28]。

　より具体的には、①介護はある日突然始まることもあるところ、従業員向けセミナーやリーフレット等を通じて、仕事と介護の両立に必要な情報提供を事前に行い、介護に関する心構えを従業員に持つよう促すこと、②日頃から、仕事の分担や情報提供の過程で、介護に限らず、私生活に配慮した働き方・休み方ができるよう職場で話し合っておくこと等が重要であると考えられる[29]。

　このように、介護休業制度をはじめとするハードウェアの整備だけでなく、従業員と企業のコミュニケーションを通じたソフトウェアの整備が重要である。

---

28) JILPT 編「再家族化する介護と仕事の両立――2016年改正育児・介護休業法とその先の課題」労働政策研究報告書 No.204（2020）90頁～91頁。
29) 池田心豪『シリーズ　ダイバーシティ経営　仕事と介護の両立』（中央経済社、2021）131頁以下。

第3編 ワークライフバランスの実現

図表3-3-4 ケアハラスメントの防止措置の対象となる言動

介護に関するもの
○介護休業　　　○介護休暇　　　○所定労働時間の短縮等　　　関係

事由	行為者	行為類型
利用の請求等をしたい旨を相談した	上司	解雇その他不利益な取扱いを示唆 請求等をしないように言う^{（※1）}
利用の請求等をした		解雇その他不利益な取扱いを示唆 請求等を取り下げるように言う^{（※1）}
利用した		解雇その他不利益な取扱いを示唆 繰り返しまたは継続的に嫌がらせ等をする^{（※2）}
利用の請求等をしたい旨を伝えた	同僚	繰り返しまたは継続的に請求等をしないように言う^{（※1）}
利用の請求等をした		繰り返しまたは継続的に請求等を取り下げるように言う^{（※1）}
利用した		繰り返しまたは継続的に嫌がらせ等をする^{（※2）}

※1　客観的にみて、労働者の制度等の利用が阻害されるものが該当。
※2　客観的にみて、労働者の能力の発揮や継続就業に重大な悪影響が生じる等、労働者が就業するうえで看過できない支障が生じるようなものが該当。

※厚労省「防止措置義務の対象となる言動について」より作成。

3　ケアハラスメント

(1) ケアハラスメントの意義

　仕事と介護の両立支援のための制度が充実したとしても、上司や同僚の言動で利用が妨げられるのであれば、当該制度は画餅に帰す。
　この点について、育児介護休業法16条および16条の7は、介護休業申出および介護休業ならびに介護休暇申出および介護休暇（以下、「介護休業等」という）に関し、育児休業申出または育児休業を理由とする不利益取扱いに関する同法10条の規定を準用しており、そのため、介護休業等を理由とする労働者に対する不利益取扱いについては、育

30）　2021年6月改正後は、育介16条に介護休業申出または介護休業を理由とす

児休業と同様の枠組みで判断される[30]。そして、2016年3月の育児介護休業法の改正により、上司・同僚からの介護休業等に関する言動により労働者の就業環境を害することがないよう防止措置を講じることが、事業主の義務として課せられることとなった（育介25条1項）。また、2020年6月からは、労働者が事業主に育児休業等の相談をしたこと等を理由として不利益取扱いをしてはならないこと等が、事業者に義務付けられている（同条2項）。これら防止措置義務の内容の詳細については第4編第2章に記載しているが、ケアハラスメント（ケアハラ）の防止措置の対象となる言動は図表3-3-5のとおりである。

ケアハラは、「マタハラ」（マタニティハラスメント）ほど広く認知はされていないが、法令や指針・ガイドライン上は、マタハラと同様の対策が取られている（後述する「状態への嫌がらせ型」を除く）。

要介護者は増加の一途をたどっており、とくに、団塊の世代が75歳以上の後期高齢者となる2025年には、要介護者は約830万人になると予想される一方、少子化や夫婦共働きに伴い、働き盛りの労働者が介護の担い手となる場面はますます増加するだろう。要介護者および介護の担い手となる労働者の増加に伴い、今後、ケアハラに関する問題が増加することが予想されるところであり、企業としては今からしっかりとした対策を準備しておく必要がある。

(2) ケアハラスメントの留意点

介護は、子どもが成長して一段落する出産・育児とは異なり、「終わりがない」「いつ終わるのかわからない」ともいわれており、また、介護の態様も、要介護者ごとに千差万別となっている。そのため、介護に理解があり、また、自らも介護を経験した「ケアボス」であったとしても、介護の態様が異なることについて思いをめぐらせなければ、働き盛りの部下が抱える仕事と介護の両立の悩みを理解できず、たとえば、自らの介護の経験に基づき、「介護をするのであれば、○日程度の介護休業期間となるべき」などとして、介護休業の取得を抑

る不利益取扱いをしてはならないとの規定が新設され、介護休暇申出または介護休暇については同法16条の7が同法16条を準用している。

制してしまうといったケースも発生しうるところである。

　また、ケアハラには、状態への嫌がらせ型のハラスメントが認知されていないという問題がある。すなわち、マタハラにおいては、制度利用等への嫌がらせ型（法令上認められた制度の利用に対する言動により就業環境が害されるもの）および状態への嫌がらせ型（女性労働者が妊娠したこと、出産したこと等に関する言動により就業環境が害されるもの）の2類型が解釈通達で定められているが[31]、ケアハラにおいては、制度利用等への嫌がらせ型のみが定められている[32]。これは、妊娠または出産の場面では、これに起因する症状により労務提供が困難となりまたは労働能率が低下することが想定されるのに対して、介護の場面では、介護をしている状態それのみによって労務提供が困難となりまたは労働能率が低下することは、一見して想定されないためだと思われる。

　しかしながら、介護の疲労やストレスにより、健康状態が悪化し、事故や過失のリスクが高まるとの調査結果も出ているところであり[33]、ケアハラにおいても、制度利用等への嫌がらせ型だけでなく、状態への嫌がらせ型のハラスメントは起こりうるものと思われる。例としては、上司または同僚が「介護をしている者はいつも疲れているし、また、いつ休むかわからないから重要な仕事は任せられない」と繰り返しまたは継続的に言い、仕事をさせないなど就業をするうえで看過できない程度の支障が生じる状況となっているケースが挙げられる。また、状態への嫌がらせ型は、言葉によるものだけではなく、必要な仕事上の情報を与えない、これまで参加していた会議に参加させないといった行為もこれあたりうる。たとえば、介護をしながら長時間労働をしている部下に対して、「介護で疲れているうえに、長時間労働をするには負担が大きいだろうから、業務分担の見直しを行い、

---

31)　セクハラ防止指針2(1)。
32)　育介指針第2の14(1)イ。
33)　JILPT編「育児・介護と職業キャリア――女性活躍と男性の家庭生活」労働政策研究報告書 No.192（2017）212頁〜214頁。

第 3 章　育児休業・介護休業

あなたの業務量を減らす」と命じることがこれにあたりうるケースもある[34]。いずれも現在の解釈通達では、ケアハラスメント防止措置の対象とはなっていないが、企業としては慎重な検討を要する。

このように介護においては、介護の必要性の程度や、必要な介護の内容が、要介護者、ひいては労働者ごとに大きく異なることから、企業において、ケアハラスメントの適切な防止措置を講じるにあたっては、労使間の円滑なコミュニケーションをよりいっそう深める必要があるといえよう。

V　働き方の多様化と育児休業・介護休業

1　雇用関係によらない働き方と育児・介護等との両立

近年、個人の働き方が多様化し、フリーランス等の雇用関係によらない働き方が注目されている。「働き方改革実行計画」では、「多様で柔軟な働き方を選択可能とする社会を追求する」ことを今後の取組みの基本的考え方として掲げ、厚労省の「雇用類似の働き方に関する検討会」、その後の「雇用類似の働き方に係る論点整理等に関する検討会」においても、雇用類似の働き方の法的保護の必要性について検討がなされてきたが、2021年3月26日、内閣官房、公正取引委員会、中小企業庁、厚労省の連名で「フリーランスとして安心して働ける環境を整備するためのガイドライン」が策定された。

---

34)　一方、客観的に見て労働者の体調が悪い場合に業務量の調整を行うことは、企業に課せられている安全配慮義務の観点からも重要であり、ケアハラにはあたらないと考えられる。この点について、厚労省が作成したパンフレットにおいても、マタハラの例ではあるが、上司が長時間労働している妊婦に対して、「妊婦には長時間労働は負担が大きいだろうから、業務分担の見直しを行い、あなたの残業量を減らそうと思うがどうか」と配慮することは、妊婦本人にはこれまでどおり勤務を続けたいという意欲がある場合であっても、客観的にみて妊婦の体調が悪い場合は業務上の必要性があり、マタハラにはあたらないとされている（厚労省「職場におけるパワーハラスメント対策が事業主の義務になりました！」〔2020年2月〕15頁）。

フリーランスは、発注者等との間に雇用契約関係が存在しないため、育児介護休業法が適用されず、育児休業・介護休業等がないほか、雇用保険法に基づく育児休業・介護休業給付金等の支給もなく、これら法令に従った育児介護に関する保護がなされない。このような、労働者であるか否かによってオールオアナッシングになる現行労働法令上の扱いは、自ら進んでフリーランスの道を選んだ者は、そのような状況を理解したうえでこれを甘受しているとの見方もあるが、仕事と育児・介護の両立のために、柔軟な働き方を選択する必要が生じ、やむをえずフリーランスの道を選ぶ者もおり、現行の制度がフリーランス等の働き方を選んだ者の保護として十分であるかについては、議論の余地があるところである。

前記「雇用類似の働き方に関する検討会」の報告書（2018年3月30日。以下、「検討会報告書」という）においても、検討すべき保護の内容として「出産、育児、介護等との両立」を掲げている[35]。検討会報告書では、労働者については、労働基準法に基づく産前・産後休業、育児介護休業法に基づく育児介護休業、健康保険法に基づく出産手当金、雇用保険法に基づく育児休業給付金といった保護が与えられている一方、雇用関係によらない働き方をする者については、これらの保護は与えられず、育児・介護と仕事の両立のための方策について検討を行うとされている。また、前記「雇用類似の働き方に係る論点整理等に関する検討会」の中間整理（2019年6月28日）でも、育児・介護と仕事の両立について、「特に育児については社会一般的に保護すべきではないか」との意見が紹介される一方、「対象者の人数規模にも留意すべき」「財源の問題が大きい」といった意見も紹介され、対象者の範囲や人数規模、働き方の広がり等も踏まえつつ、必要に応じ検討していくこととされており、今後の展開が注目される。

---

35) 検討会報告書43頁。

2 雇用関係によらない働き方と社会保障（セーフティネット）

　民間団体の調査によれば、妊娠・出産・育児を経て仕事を継続しているフリーランスの職務復帰のタイミングは、産後2か月以内が59%に上るとのことである[36]。フリーランスの早期復帰の背景としては、休業期間中、出産手当金や育児休業給付金といった所得補償がなされておらず、また、労働者であれば免除される社会保険料の支払を行う必要があることが挙げられる。そのため、一定のフリーランスに対して、①労働者の産前産後休業期間と同等の一定期間中は社会保険料の支払を免除すること、および、②出産手当金を支給することにより、雇用関係によらない働き方をするフリーランス等の者の保護を図ることも考えられる。この点、①については、2016年12月に年金改革法が成立し、2019年4月より、フリーランス（国民年金第一号被保険者）の産前産後期間（出産予定日の前月から4か月間）は国民年金保険料が免除されることとなったが、国民健康保険料は依然として納付する必要があり、国民健康保険料の免除についても検討がなされるべきである。また、②については、国民健康保険法上、出産手当金の支給は任意給付と位置付けられているが（同法58条2項）、法定給付とされている出産育児一時金（一児につき、出産時に42万円の支給）と同様、出産手当金についても法定給付と位置付けることが可能か、検討がなされるべきである[37]。

　厚労省は、フリーランスなど、働き方の多様化を踏まえた今後の社会保障制度の課題や対応について検討すべく、「働き方の多様化を踏

---

[36] 2018年2月28日付日本経済新聞15頁。なお、労働基準法上、母体保護の観点から、原則として、産後8週間を経過しない女性を就業させてはならないとしており（同法65条2項）、産後2か月以内の復帰は、母体保護の観点からも問題がある。

[37] 前記検討会報告書においても、「雇用関係によらない働き方の者は、健康保険に加入しないことから、国民健康保険に加入することとなるが、国民健康保険の出産手当金については、各保険者の判断により支給を行うこととされている。なお、実際に出産手当金の支給を行っている市町村はない」との指摘がなされている（43頁注91）。

まえた社会保険の対応に関する懇談会」を設置して議論してきた。2019年9月20日付けで公表された議論のとりまとめでは、フリーランスのうち、被用者性が高い者については被用者保険適用による保障を検討すべきとの意見や、いまや柔軟な働き方を選べる時代であり、誰もがフリーランス的な働き方になる可能性があることから、働き方に中立な社会保険制度を目指すべきとの意見が紹介される一方、自営業者との公平性の問題も考慮し、均衡を失しない制度とすべきとの意見も紹介されている。そして、被用者性の高い個人事業主の保護を図る観点から、制度上・実務上の課題も踏まえつつ、働き方の多様化の進展に応じてどのような対応ができるか、引き続き議論する必要がある旨指摘されている[38]。

　このように、フリーランスと育児・介護の両立は、フリーランスのセーフティネットとして社会保障全般に関わる問題となっている。折しも、新型コロナウィルスの流行を受けてこの問題は顕在化しており、今後の議論の活発化が見込まれる。

---

38)　「『働き方の多様化を踏まえた社会保険の対応に関する懇談会』における議論のとりまとめ」（2019年9月20日）48頁～49頁。

第4章　病気治療と仕事の両立支援

I　治療と仕事の両立支援が求められる背景・意義

1　医療技術の進歩と治療と仕事の両立

　近年、診断技術や治療技術の進歩により、かつては「不治の病」と考えられていた疾患についても生存率が向上し、治療を受けながら仕事を続ける人が増えてきている[1]。

　国立がんセンターの2017年の推計では、年間約97万7000人が新たにがんと診断されており、このうち約4分の1が就労世代（20歳から64歳）とされている。2019年国民生活基礎調査に基づく推計では、仕事をもちながらがんで通院している人の数は約44万8000人に上る[2]。

　また、脳血管疾患（脳梗塞や脳出血等）についても、治療や経過観察のため通院している患者数は118万人と推計されており、そのうち約14％（17万人）が就労世代である[3][4]。

　このように、労働者が重い病気に罹患した場合でも、すぐに退職し

---

[1] たとえば、現在、日本人の2人に1人が生涯のうちに一度はがんになるといわれているが、2009年から2011年にがんと診断された人の5年生存率は約64％となっている（独立行政法人国立がん研究センター統計）。

[2] 「令和元年国民生活基礎調査」に基づく推計。厚生労働省健康局がん・疾病対策室労働基準局安全衛生部労働衛生課「がん患者・経験者の治療と仕事の両立支援施策の現状について」3頁。

[3] 厚労省「事業場における治療と職業生活の両立支援のためのガイドライン（全体版）」（2021年3月）27頁。

[4] 脳血管疾患についても死亡率は低下しており、とくに就労世代など若い患者においては、リハビリテーションを含む適切な治療により職場復帰が可能な場合も少なくなく、脳卒中発症後の最終的な復職率は50〜60％と報告されている。（厚労省・前掲注3））。

なければならない状況ではなくなってきており、治療を受けながら仕事を継続したり、一定期間休職して療養したうえで職場復帰を目指すケースが増えている。

2　病気を抱える労働者のニーズ

(1)　就労継続へのニーズ

厚労省が行った「治療と職業生活の両立等の支援対策事業」のアンケート調査によれば、がん、脳・心臓疾患、ストレス性疾患などの病気を抱える労働者の92.5％が就労継続を希望し、現在仕事をしていない人でも70.9％が就労を希望している[5]。多くの人が就労継続を希望するのは、家庭の生計を維持するためや、治療代のためはもちろんのこと、働くことが自身の生きがいであったり、社会のなかで役割を果たしているという実感が病気と闘う支えとなっていることもあるものと考えられる。

その一方で、同アンケート調査でも、正規雇用労働者の14.2％、非正規労働者の25.0％が、病気に伴い退職した（転職を含む）と回答している。退職理由については、退職者のうち、29.5％が「治療しながら仕事を続けることに対して職場の理解がなかったため」と回答している。また、「現在治療と仕事の両立ができていない」「どちらかというとできていない」と回答した人の割合は、正規雇用労働者では14.7％、非正規労働者では25.6％となっており、とくに非正規労働者において、治療と仕事の両立に困難を抱えている人が多いことがわかる。

(2)　病気や治療への理解の必要性

病気治療と仕事の両立が可能な環境を整備するためには、その前提として、病気や治療への理解が必要である。

がん患者の多くに、体力低下（がん関連疲労〔Cancer-related-Fatigue〕）の症状が生じるといわれているが、この体力低下は職場や家族のように身近な人でも気づきにくい症状であるため、周囲との軋轢

---

[5] 厚労省パンフレット「治療を受けながら安心して働ける職場づくりのために」（2014年3月）2頁。

や孤立を生み、就労継続が困難となるケースも少なくない[6]。職場復帰後に、経済的な不安などから、体調が悪くても無理をして負担やストレスを感じるケースもある[7]。また、患者数の多い糖尿病についても、定期通院を自己中断した主な理由としては、仕事が多忙であるとの理由が多くを占め（51%）、男性・若年・サラリーマン・専門職に中断が多くなっている[8]。

このように、病気を抱える労働者が、自身のキャリアへの影響や、職場の理解を得られにくいこと等を理由に、治療のための配慮や支援が必要であることを職場に伝えられず、無理をしたり、治療を放置・中断して、重症化させる例も少なくない。

3　企業にとっての両立支援の重要性

(1)　疾病リスクを抱える労働者の増加

前述の「治療と職業生活の両立等支援対策事業」のアンケート調査によれば、疾病を理由として1か月以上連続して休業している従業員がいる企業の割合は、メンタルヘルス38%、がん21%、脳血管疾患12%となっている。また、労働安全衛生法に基づく労働者の定期健康診断における有所見率は、年々増加傾向が続いており、2008年には51.3%だったものが2020年には58.5%に達している[9]。とくに、脳・心臓疾患につながるリスクのある血圧や血中脂質に何らかの所見のある者の割合が多くなっており、今後も、労働力人口の高齢化等を背景に、疾病リスクを抱える労働者が増えることが予想される。

(2)　企業にとっての両立支援の意義

このように、疾病やそのリスクを抱える労働者が増加するなか、治

---

[6]　遠藤源樹「がん罹患社員の就労継続に向けた休職・復職への実務対応」労政時報3921号（2016）82頁。
[7]　「がんの社会学」に関する研究グループ「2013がん体験者の悩みや不安等に関する実態調査報告書概要版」（2013年）37頁。
[8]　厚労省「治療と職業生活の両立等の支援に関する検討会報告書」（2012年8月8日）4頁。
[9]　厚労省「令和2年定期健康診断結果・項目別有所見率の年次推移」。

療と仕事の両立支援は、労働者にとってメリットになるだけでなく、企業にとっても、労働者の健康確保の推進や継続的な人材確保の観点から重要な経営課題となるものである。また、労働者の健康を維持し、誰もが安心して働ける環境を提供することにより、労働者のモチベーション向上による人材の定着や生産性の向上[10]、多様な人材の活用による組織や事業の活性化、企業のイメージアップ・リクルート効果など[11]、企業価値の向上に資するものと考えられる。

少子・高齢化社会において、有能な人材を確保し企業活動を継続していくためには、従業員が健康で安心して活躍できる環境を整備することが必須であり、従業員の健康保持への取組みは「コスト」ではなく「投資」と捉える必要があるだろう。すでに雇用している従業員の健康確保や治療と仕事の両立支援はもちろんのこと、治療等のためいったん離職した者の積極的な採用と配慮も重要な課題になってくるものと考えられる。

(3) 「健康経営」に対する社会的要請

従業員の健康管理を、たんに労務管理の観点からだけでなく、経営的な視点で捉えて戦略的に取り組むことは、生産性や企業価値の向上につながる「健康経営」として、政府も推進するところとなっている。健康経営による従業員の健康保持・増進は、生産性や企業価値の向上だけでなく、企業レベルの取組みをさらに広く社会に普及させることにより、国民のQOL（生活の質）の向上や疾病の重症化予防による医療費の抑制など、社会全体の課題解決に資するものになると考えられている。

優良な健康経営に取り組む法人の社会的認知・評価を高めるための取組みとして、「健康経営銘柄」の選定や「健康経営優良法人認定制

---

10) 従業員の心身の不調は生産性を低下させることが明らかになっている（黒田祥子＝山本勲『企業における従業員のメンタルヘルスの状況と企業実績──企業パネルデータを用いた検証』〔経済産業研究所、2014〕）。
11) 「従業員の健康や働き方への配慮」を就職先に望む条件等として挙げる就活生・親はそれぞれ4割を超えている（経済産業省「健康と経営を考える会シンポジウム（第4回）健康経営の推進」資料〔2017年5月〕7頁）。

度」が導入され、選定企業がメディアで取り上げられるなど、健康経営への社会的な注目も高まっている。

Ⅱ 治療と仕事の両立支援の法的位置付け

1 労働安全衛生法上の健康確保・配慮義務等

　労働安全衛生法では、「職場における労働者の安全と健康を確保する」ことが同法の目的として掲げられており（同法1条）、具体的には、以下のように、事業者による労働者の健康確保や健康配慮に関する規定が定められている。

(1) 健康診断・診断後の措置

　労働安全衛生法は、事業者に、①定期的な一般健康診断および一定の有害業務に従事する労働者に対する特殊健康診断を実施すること（労安66条）、②健康診断結果に異常の所見がある労働者について医師の意見を聴取すること（同法66条の4）、③当該医師の意見を勘案し、その必要があると認めるときは就業上の措置（就業場所の変更、作業の転換、労働時間の短縮、深夜業の回数の減少等）を講じること（同法66条の5）を義務付けている[12]。なお、③の義務（健康診断後の就業上の措置義務）は、労使間の合意や特段の事情がない限り、労働者が事業者に対して直接履行を請求できるような具体的義務とは考えられておらず[13]、罰則も設けられていないが、かかる措置を怠って疾病が発生または増悪した場合は、事業者の安全配慮義務違反を問われる可能性がある。
　また、④事業者は、健康診断の結果、とくに健康の保持に努める必要があると認める労働者に対し、医師または保健師による保険指導

---

[12]　これらの義務に関し、「健康診断結果に基づき事業者が講ずべき措置に関する指針」（平成8年10月1日公示、平成29年4月14日最終改正）において、就業上の措置の決定・実施の手順と留意点が定められている。
[13]　大阪地判平2・11・28労経速1413号3頁（高島屋工作所事件）。

（日常生活面での指導、健康管理に関する情報提供、受診勧奨等）を行うよう努めるものとされている（労安66条の7）。さらに、⑤労働者に対する健康教育および健康相談その他労働者の健康の保持増進を図るため必要な措置を、継続的かつ計画的に講ずることも、事業者の努力義務とされている（同法69条）[14]。

(2) 病者の就業禁止

労働安全衛生法および労働安全衛生規則では、事業者は、「心臓、腎臓、肺等の疾病で労働のため病勢が著しく増悪するおそれのあるものにかかった者」については、その就業を禁止しなければならないとされている（労安68条、労安則61条1項2号）。しかし、この規定は、その労働者の疾病の種類、程度、これについての産業医等の意見等を勘案して、できるだけ配置転換、作業時間の短縮その他の必要な措置を講ずることにより就業の機会を失わせないようにしたうえで、やむをえない場合に限り就業を禁止する趣旨であり、種々の条件を十分に考慮して慎重に判断すべきものとされている[15]。

(3) 労働災害防止のための配慮

労働安全衛生法では、事業者は、中高年齢者や身体障害者等、労働災害の防止上とくに配慮を要する者に対しては、これらの者の心身の条件に応じて適正な配置を行うよう努めなければならないとされている（労安62条）。

これらを踏まえると、事業者が疾病を抱える労働者を就労させる場合には、業務により疾病が増悪しないよう、治療と仕事の両立のために必要となる一定の就業上の措置や治療に対する配慮を行うことは、労働安全衛生法において事業者に求められる健康確保対策等の1つとして位置付けられる[16]。

---

[14] 「事業場における労働者の健康保持増進のための指針」（昭和63年9月1日公示、令和3年2月8日最終改正）において、かかる当該健康保持増進措置の原則的な実施方法が定められている。

[15] 昭和47年9月18日基発第601号の1。

[16] 厚労省・前掲注3) 2頁。

2 安全（健康）配慮義務

(1) 安全配慮義務の1つとしての健康管理義務

使用者は、労働契約上の付随的義務として、労働者に対する安全配慮義務を負う（労契5条）[17]。

安全配慮義務の具体的内容は、労働者の職種、地位、労務内容、労務提供場所等、安全配慮義務が問題となる具体的状況等によって異なるが、使用者が労働者の健康管理について配慮すべき義務（健康管理義務）も安全配慮義務の1つと考えられている[18]。労働者の健康は、本来労務を提供する労働者自身で整えるべきものであるが（自己保健義務）、有害物質による疾病や作業の機械化による振動障害・頸肩腕障害といった典型的な職業病のほか、長時間労働や職場のストレスによる脳血管疾患・心疾患、メンタルヘルス疾患等の私傷病増悪型の疾病の増加により、使用者の健康管理義務が問題にされるようになった。

(2) 労働安全衛生法上の義務との関係

安全（健康）配慮義務と労働安全衛生法上の事業者の義務との関係については、同法は行政的な取締規定であって、使用者の国に対する公法上の義務を定めたものと解されるが、同法およびその関連規則に規定される内容は、使用者の労働者に対する私法上の安全配慮義務の内容ともなり、その基準となると解されている[19]。他方で、安全配慮義務の具体的内容は、安全配慮義務が問題となる具体的状況によって異なるものであり、同法で規定される事業者の義務と必ずしも同一ではない。具体的状況によっては、同法で規定されていない範囲で

---

[17] 労働契約法には罰則はないが、使用者が安全配慮義務を怠った場合、民法415条（債務不履行責任）、同法709条（不法行為責任）や同法715条（使用者責任）等に基づいて損害賠償責任を負うこととなる。

[18] 菅野和夫＝安西愈＝野川忍編『論点体系判例労働法(3)』（第一法規、2014）292頁。

[19] 大阪地判平16・3・22労判883号58頁（喜楽鉱業〔有機溶剤中毒死〕事件）等。

あっても、使用者の安全配慮義務が認められる場合がありうることに留意が必要である。

(3) 両立支援と安全配慮義務

　安全配慮義務は、前記Ⅱ1で述べた労働安全衛生法が定める事業者の義務に加え、使用者において、疾病を抱える労働者を就労させる場合に、業務により疾病が増悪しないよう、治療と仕事の両立のために必要となる就業上の措置や治療に対する配慮を行うことの根拠となるものと考えられる[20]。その一方で、使用者が安全配慮義務を過度に意識するあまり、仕事と治療の両立を希望する労働者の復職や就労継続を認めないケースなど、安全配慮義務の拡大解釈が両立支援の障壁となりうるとの指摘もある[21]。安全配慮義務は、労働者が業務に従事することによって、疾病を発症したり増悪することを防止するために必要な配慮を行うべき義務であって、疾病を抱える労働者を一律に職場から排除する根拠となるものではないことに留意が必要である。

3　解雇規制との関係

　労働契約は労働者が労務を提供しそれに対する賃金が支払われるという契約であるため、本来、労働者が傷病のため労務を提供することができなければ、賃金は支払われず、労働契約自体も解消（解雇）されるのが原則である。しかし、解雇は労働者の生活の基盤を失わせる重大な結果をもたらすものであるため、法により一定の制限が設けられており、労働者が傷病のため労務を提供できない場合であっても、解雇が「客観的に合理的な理由」を欠き、「社会通念上相当」と認められないときは、権利濫用により無効となる（労契16条）。さらに、傷病が業務上のものである場合は、当該傷病による休業期間およびそ

---

[20]　例として、東京高判平11・7・28労判770号58頁（システムコンサルタント事件）では、使用者は、高血圧症の基礎疾患を有する労働者について、同疾病を増悪させる可能性のある業務に就かせてはならない旨の判断がなされている。

[21]　労働者健康安全機構「脳卒中に罹患した労働者に対する治療と就労の両立支援マニュアル」（2017年3月）14頁。

の後30日間は当該労働者を解雇することができない（労基19条）。

　私傷病のため労務を提供できない労働者の解雇が、「客観的に合理的な理由」があり、かつ「社会通念上相当」といえるかは、①傷病が労働能力に与える影響の大きさ、②傷病の回復可能性、③他の業務への配転可能性等を踏まえ判断されることとなるため、使用者においては、解雇に先立ち、回復可能性を判断するために療養の機会を与えたり、業務内容・勤務時間の配慮を行うなど、一定の解雇回避努力を行うことが必要となる。とくに、2013年の障害者雇用促進法改正により、障害者に対する合理的な配慮が事業主に義務付けられており（同法36条の3）、同法の「障害者」に該当する労働者に対しては、障害の内容に応じた合理的な配慮を行うことで雇用を維持できる場合には、解雇は認められないこととなる[22]。

　このような観点から、企業においては、解雇の検討に先立ち、私傷病により業務遂行が困難となった労働者に対し、業務内容・勤務時間の配慮や、病気休暇・私傷病休職等の休職制度により療養の便宜と機会を与え、病状の回復・改善を待つことが一般的な対応となっている（私傷病休職制度についてはⅣ2(2)において詳述する）[23]。

Ⅲ　厚労省の両立支援ガイドライン

1　両立支援ガイドラインの概要

　2016年2月に厚労省から「事業場における治療と職業生活の両立支援のためのガイドライン」（以下、「両立支援ガイドライン」という）が

---

[22]　菅野和夫『労働法〔第12版〕』（弘文堂、2019）789頁。なお、ここでいう「障害者」とは、身体障害、知的障害、精神障害（発達障害を含む）その他の心身の機能の障害があるため、長期にわたり、職業生活に相当の制限を受け、または職業生活を営むことが著しく困難な者をいい（障害雇用2条1号）、疾病の原因や種類に限定はなく、また、障害者手帳を保持している者に限定されない。障害者に対する合理的配慮の詳細については、**第4編第4章**を参照されたい。

[23]　菅野・前掲注22）789頁。

公表された[24]。

両立支援ガイドラインにおいては、図表3-4-1のとおり、治療と職業生活の両立支援を行うにあたっての留意事項や、環境整備として取り組むことが望ましい事項、両立支援の望ましい進め方等が示されている[25]。

2 両立支援ガイドラインの位置付け

両立支援ガイドラインは、その内容に照らすと、事業場において疾病を抱える労働者に対し適切な就業上の措置や治療に対する配慮が行われるようにするため、「望ましい」取組みをまとめたものであり、ただちに、事業者に対し、当該ガイドラインに記載された内容の両立支援を行うことを義務付けるものではないと考えられる。

もっとも、疾病を抱える労働者に対する使用者の安全配慮義務違反が争われる場面や、労働者が私傷病により労務提供ができないことを理由とする解雇の有効性が争われる場面においては、安全配慮義務の具体的内容や解雇が「社会通念上相当」といえるかは、その時点における病気と治療の両立に関する社会意識や政策、多くの企業で一般的に取り組まれている支援の内容・水準等も踏まえて判断されるものであるため、裁判所等の判断において両立支援ガイドラインが一定の参考とされる可能性も否定できない。事業者において、完全に両立支援ガイドラインに沿った対応を行わなければならないものではないが、当該ガイドラインの内容も踏まえ、職場環境に合わせた合理的な対応

---

24) 両立支援ガイドラインは、2021年3月に改訂がなされている。
25) ガイドラインには参考資料として、①様式例集（両立支援のために主治医の意見を求める際の様式例や両立支援プランの作成例等）、②治療と職業生活の両立に関する支援制度・機関、③がん、脳卒中、肝疾患、難病、心疾患および糖尿病に関する留意事項（各疾病の症状や治療の特徴を踏まえてとくに留意すべき事項等）、ならびにガイドライン別冊として④企業・医療機関連携マニュアル（事業者と医療機関との連携に関する留意事項や様式例集の記載事例等）が掲載されており、実際の両立支援の場面において、事業主（人事労務担当者）や医療機関関係者（産業医を含む）および労働者本人や家族が活用できるものとなっている。

図表3-4-1　両立支援ガイドラインの概要

(1) 両立支援を行うにあたっての留意事項

- 就労によって疾病の増悪、再発や労働災害が生じないよう、就業場所、作業内容、労働時間等につき適切な就業上の措置や治療に対する配慮が必要である。
- 労働者本人が主治医の指示等に基づき適切に取り組むことが重要である。
- 事業場内ルールの作成・周知、研修による意識啓発、相談窓口の明確化等、申出が行いやすい環境を整備することも重要である。
- 対象者には、時間的制約に対する配慮だけでなく、健康状態や業務遂行能力も踏まえた措置等が必要となる。
- 個人ごとに取るべき対応やその時期等は異なるため、個別事例の特性に応じた配慮が必要である。
- 両立支援を行うためには、症状、治療の状況等の疾病に関する情報が必要となるが、これらの情報は機微な個人情報であることから、取得にあたっての労働者の同意に加え、取り扱う者の範囲や第三者への漏えい防止等の適切な情報管理体制を整備することが必要である。
- 両立支援のためには、医療機関との連携が重要であり、本人を通じた主治医との情報共有や、労働者の同意のもとでの産業医等の産業保健スタッフや人事労務担当者と主治医との連携が必要である。

(2) 両立支援を行うための環境整備として取り組むことが望ましい事項

- 事業者による基本方針等の表明と労働者への周知
- 研修等による両立支援に関する意識啓発
- 相談窓口や申出が行われた場合の情報の取扱い等の明確化
- 両立支援に関する制度・体制等の整備（(i)休暇制度・勤務制度の整備、(ii)労働者から支援を求める申出があった場合の対応手順、関係者の役割の整理、(iii)関係者間の円滑な情報共有のための仕組み作り、(iv)両立支援に関する制度や体制の実効性の確保、(v)労使等の協力）

(3) 両立支援の望ましい進め方

① 両立支援を必要とする労働者からの情報提供
② 就業継続の可否、就業上の措置および治療に対する配慮に関する産業医の意見聴取
③ 主治医および産業医等の意見を勘案し、就業継続の可否を判断
　→ 入院等による休業を要さない場合は、就業上の措置および治療に対する配慮の内容・実施時期等を検討・決定し実施する
　→ 入院等による休業を要する場合は、(i)休業開始前の休業に関する制度や職場復帰の手順等に関する情報提供等、(ii)休業中のフォローアップとして復帰に向けた情報提供等、(iii)主治医・産業医等の意見や本人の意向、復帰予定部署の意見等を総合的に勘案し配置転換も含め職場復帰の可否を判断、(iv)職場復帰後の就業上の措置および治療に対する配慮の内容・実施時期等を検討・決定し実施、等の対応を行う

を行うことが望ましいと考えられる。

Ⅳ　治療と仕事の両立支援における取組みと留意点

1　両立支援において必要とされる取組み等

　「治療と職業生活の両立等の支援対策事業」における労働者向けアンケート調査結果では、「治療と仕事を両立する上で必要だと感じる支援」として、①体調や治療の状況に応じた柔軟な勤務形態（47.8％）、②治療・通院目的の休暇・休業制度等（45.2％）、③休暇制度等の社内の制度が利用しやすい風土の醸成（35.0％）などの回答が上位を占めている[26]。また、がん体験者へのアンケート調査でも、「がんになっても安心して仕事を続けるために必要な支援」として、①短時間勤務、②長期の休職や休暇制度、③がん・後遺症等についての周囲の理解、④柔軟に配置転換できる制度などが挙げられている[27]。

　前述のとおり、両立支援ガイドラインにおいても、休暇制度や勤務制度の整備として、時間単位の年次有給休暇、傷病休暇・病気休暇、時差出勤制度、短時間勤務制度、在宅勤務（テレワーク）、試し出勤制度等の検討・導入が望ましいとされている。これらの取組みは、法令で義務付けられているものではなく、基本的には事業者が自主的に導入する任意の制度ではあるが[28]、事業者においては、治療と仕事の両立支援の必要性や意義、疾病を抱える労働者を就業させる場合には労働安全衛生法および労働契約法5条等に基づき一定の配慮を行うことが求められていることなどを踏まえ、各事業場の実情に応じて積極的な検討を行うことが望ましい。

---

26)　厚労省・前掲注5）2頁。
27)　「がんの社会学」に関する研究グループ・前掲注7）33頁。
28)　時間単位の年次有給休暇については、導入に労使協定の締結が必要であり、1時間単位で取得できる年次有給休暇は1年間に5日分が上限となる（労基39条4項）。

2 両立支援における実務上の留意点

(1) 両立支援にあたって取得する労働者の個人情報の取扱い

両立支援ガイドラインでも指摘されているとおり、両立支援を行うためには、症状、治療の状況等の疾病に関する情報が必要となるが、これらの情報は機微な個人情報であるため、労働安全衛生法に基づく健康診断において把握した場合を除いて、事業者が本人の同意なく取得してはならない点に留意が必要である。本人からの情報提供では両立支援の観点から十分でない場合は、産業医等の産業保健スタッフや人事担当者が主治医に問合せを行い、必要な情報を収集することもできるが、必ず事前に本人の同意を得る必要がある。また、健康診断または本人の申出により事業者が把握した健康情報については、機微な個人情報であることを踏まえ、これを取り扱う者を必要最小限の範囲にとどめるとともに、第三者への漏えい防止の措置を講じるなど、適切な情報管理体制の整備が必要である。

この点、働き方改革法により、労働安全衛生法に労働者の心身の状態に関する情報（以下、「健康情報」という）の取扱いに関する定めが追加された（労安104条。2019年4月1日施行）。同条では、事業者は、同法またはこれに基づく命令の規定による措置の実施に関し、労働者の健康情報を収集、保管、または使用するにあたって、本人の同意がある場合その他正当な事由がある場合を除き、労働者の健康の確保に必要な範囲内で労働者の健康情報を収集し、かつ当該収集の目的の範囲内でこれを保管および使用しなければならない旨が定められている（同条1項）。また、事業者は、労働者の健康情報を適正に管理するために必要な措置を講じなければならないこととされている（同条2項）。

この事業者が講ずべき措置に関しては、労働安全衛生法104条3項に基づき、「労働者の心身の状態に関する情報の適正な取扱いのために事業者が講ずべき措置に関する指針」[29]が公表されている。同指針は、事業者において健康情報の適正な取扱いのための規程（以下、

「取扱規程」という）を策定することにより健康情報の取扱いルールを明確化することが必要であるとしたうえで、健康情報の取扱いに関する原則を明らかにするとともに、事業主が策定すべき取扱規程の内容、策定方法、運用等について定めている。同指針が示す内容はあくまで原則であり、事業者は、事業場の状況に応じて、同指針とは異なる取扱いを行うことも可能とされているが[30]、同指針を参照しながら、衛生委員会等を活用し労使協議のうえ取扱規程の策定を進めることが望ましい。

(2) 私傷病休職制度

現在、多くの会社で、業務外の傷病により労務提供ができない労働者に対し、一定期間の休職を認める私傷病休職制度が導入されている。労働者が入院や自宅療養のため労務を提供できない場合であっても、私傷病休職制度を利用することにより、離職せずに一定期間治療に専念できるため、治療と仕事の両立支援という観点から有益な制度であるが、他方で、休職により収入が減少することや、一定の休職期間中に回復しない場合は退職となることなどから、就業継続や復職を求める労働者とこれを認めない使用者との間で、休職命令の有効性や復職の可否（休職期間満了による退職・解雇の有効性）を巡って紛争が生じるケースも少なくない。私傷病休職制度については、以下の点に留意が必要と考えられる。

ア　私傷病休職制度の導入

私傷病休職制度は、法令で定められたものではなく、個々の企業が任意に設定する制度である。導入するか否か、導入する場合どのような内容とするかは、原則として各企業の裁量に委ねられるが、導入す

---

[29] 平成30年9月7日労働者の心身の状態に関する情報の適正な取扱い指針公示第1号。その後、2019年3月に厚労省より「事業場における労働者の健康情報等の取扱規定を策定するための手引き」が公表されており、健康情報に関する取扱規定に定める事項等につき解説がなされている。

[30] ただし、その場合は、労働者に対し、当該事業場における健康情報の取扱方法および当該方法を採用する理由を説明したうえで行う必要があるとされている（同指針1頁）。

る場合は就業規則に定める必要がある（労基89条10号）。また、いったん導入すると、それを不利益に変更する場合は、労働条件の不利益変更の問題が生じるため、制度内容の設計は慎重に行う必要がある。

　イ　私傷病休職制度の内容

　私傷病休職制度の内容は企業によってさまざまであるが、労働者が業務外の傷病により労務提供ができない場合に、使用者が一定の期間（休職期間）を定めて休職を命じ（休職命令）、当該休職期間中に回復すれば復職を命じるが（復職命令）、休職期間満了時点で回復せず復職できない場合は、当該労働者は退職（自然退職または解雇）となる旨を定めることが一般的である。

　具体的には、①対象者（一定の勤続年数以上とするなど）、②休職事由（私傷病により一定期間欠勤した場合に休職を命じるなど）、③休職期間（勤続年数に応じて休職期間を定めるなど）、④休職中の処遇（無給か有給か、勤続年数への通算等）、⑤復職の条件・手続（産業医その他使用者が指定する医師の診断書を要する旨を定めるなど）、⑥リハビリ勤務を認める場合はその条件（リハビリ勤務の内容、賃金等）、⑦休職期間の通算や利用回数の制限（復職後一定期間内に同一または類似の傷病により欠勤した場合は休職期間を通算する旨を定めるなど）等について内容を検討し、就業規則またはその付属規程に定めることが必要となる。

　ウ　休職の必要性や復職可能性の判断

　休職命令や復職命令は、使用者が人事権の行使として行うものであり、主治医の診断書、産業医等の意見、労働者本人や家族、同僚等の意見も踏まえ、「傷病等の状況に照らし労務提供が可能か否か」という観点から、休職の必要性や復職可能性を判断することとなる。

　「労務提供が可能か否か」の判断については、職種や業務内容が特定されていない労働者の場合は、「現に就業を命じられた特定の業務について労務提供が十全にはできないとしても、その能力、経験、地位、当該企業の規模、業種、当該企業における労働者の配置・異動の実情および難易等に照らして当該労働者が配置される現実的可能性があると認められる他の業務について労務の提供をすることができ、か

つ、その提供を申し出ているならば、なお債務の本旨に従った履行の提供があると解するのが相当である」とされている[31]。また、復職の可否が争われた裁判例においても、「治癒があったといえるためには、原則として、従前の職務を通常の程度に行える健康状態に回復したことを要するというべきであるが、そうでないとしても、当該従業員の職種に限定がなく、他の軽易な職務であれば従事することができ、当該軽易な職務へ配置転換することが現実的に可能であったり、当初は軽易な作業に就かせれば、程なく従前の職務を通常に行うことができると予測できるといった場合には、復職を認めるのが相当である」とされるなど[32]、代替業務への就労の可能性を検討することが求められている。

これに対し、職種や業務内容が限定されている労働者については、基本的には、その特定された業務を支障なく遂行できる状態であるかが、「労務提供が可能か否か」の判断基準になると考えられる。もっとも、職種や業務内容が限定された労働者についても、「直ちに従前業務に復帰ができない場合でも、比較的短期間で復帰することが可能である場合には、休業又は休職に至る事情、使用者の規模、業種、労働者の配置等の実情から見て、短期間の復帰準備時間を提供したり、教育的措置をとるなどが信義則上求められるというべき」と判示する裁判例もあり[33]、一定の範囲で代替業務や軽易業務を検討するなどの配慮が求められる。

また、両立支援ガイドラインでも、就業継続の可否や具体的な就業上の措置等の検討にあたっては、疾病に罹患していることをもって安易に就業を禁止するのではなく、できるだけ配置転換、作業時間の短縮その他の必要な措置を講じることによって、就業の機会が失われないよう留意すべきことが強調されている[34]。

---

31) 最判平10・4・9労判736号15頁〔片山組事件〕。
32) 東京地判平16・3・26労判876号56頁〔独立行政法人N事件〕。
33) 大阪地判平11・10・18労判772号9頁〔全日本空輸〔退職強要〕事件〕。
34) 厚労省・前掲注3) 7頁。

休職の必要性や復職可能性は、職種や業務内容、疾病等の内容や治癒の状況、職場環境、本人の希望等に応じて、ケース・バイ・ケースで判断せざるをえないが、前記の裁判例や両立支援ガイドラインも踏まえると、可能な限り、配置転換や軽易業務への転換も含めた柔軟な調整を行ったうえで労務提供の可否を判断する必要があると考えられる。休職命令の発令や復職の可否の判断は、紛争が生じやすい局面でもあるため、主治医や産業医等と連携し、労働者本人と十分な話合いを行ったうえで、了解を得ながら進めることが望ましい。

エ 非正規労働者の私傷病休職制度

従来は、私傷病休職制度の適用対象を正社員のみとし、パートタイム労働者や有期雇用労働者等の非正規労働者については、長期継続雇用を前提としていないことなどから私傷病休職制度を適用しないこととする例も一般的であった。前記Ⅰ2(1)のとおり、非正規労働者が、正規労働者と比較して、より治療と仕事の両立困難を抱えているのも、このような慣行が1つの要因となっているものと考えられる。

これに対し、2018年12月28日に厚労省から発表された「同一労働同一賃金ガイドライン」では、「短時間労働者（有期雇用労働者である場合を除く。）には、通常の労働者と同一の病気休職の取得を認めなければならない。また、有期雇用労働者にも、労働契約が終了するまでの期間を踏まえて、病気休職の取得を認めなければならない」と明記された。今後は、私傷病休職制度の適用対象を正社員に限定する取扱いは、原則として、パート有期法8条で禁止される不合理な労働条件の相違に該当すると考えられる[35]。

なお、「同一労働同一賃金ガイドライン」でも「問題とならない例」として示されているとおり、有期雇用契約労働者の休職期間を契約期間の終了日までとすることは、労働契約の残存期間を踏まえた休職の付与として合理的なものと認められる。

---

[35] もっとも、正社員としての有為な人材の確保・定着を図るという観点を重視し、有期契約社員に休職制度を認めなくても不合理とはいえないとした裁判例がある（東京高判平30・10・25労経速2386号3頁〔日本郵便（休職）事件〕）。

V　病気治療に関連する近時の問題点

1　感染症への対応

　前記ⅠないしⅣで述べた中長期的な病気治療と仕事の両立とは異なるものだが、新型コロナウイルス（COVID-19）の流行に伴い問題となった職場における感染症対策についても、本章において触れておきたい（かかる対策は、今後別の感染症が流行した場合にも参考となるものと考えられる）。

(1)　従業員の休業および賃金・休業手当に関する留意点

　まず、新型コロナウイルス等の感染症に関連して従業員を休業させる必要が生じた場合の対応と、賃金および休業手当の支給の要否について整理する。

ア　休業と賃金・休業手当の支給に関する一般的な規律

　使用者の故意・過失または信義則上これと同視しうる事由による休業の場合には、使用者の「責めに帰すべき事由」（民法536条2項）[36]による労務提供の履行不能として、労働者は賃金請求権を失わず、使用者は労働者に対し休業中もその賃金の100％を支払う必要がある。また、使用者の故意・過失またはこれと同視し得る事由が認められない場合でも、休業が労働基準法26条の定める「使用者の責に帰すべき

---

[36]　いかなる場合がこれに該当するかにつき、判例において明確な基準が示されているわけではないものの、経営不振の企業において従業員を交代で休業させていた事例において、少数組合に対して、使用者が真剣かつ公正な方法で誠実に交渉したとはいえないこと等を理由に、使用者の帰責性を肯定し、賃金全額の請求が認められた事例がある（横浜地判平12・12・14労判802号27頁〔池貝事件〕）。また、リーマンショックによる経済情勢の急速な悪化の中で、有期契約の従業員に対して合意解約を申しつけ、これに応じなかった者を休業扱いとした一方で、正社員には基本給の100％が支払われていた事例において、有期雇用契約においてはその期間における賃金債権の維持の期待が高いことや、正社員との著しい均衡の欠如等を理由に、賃金全額の支払が認められた事例がある（東京高判平27・3・26労判1121号52頁〔いすゞ自動車事件〕）。このように、裁判例においては、交渉に際しての手続的な公正等も考慮したうえで、従業員の不利益の程度や休業の必要性等の諸事情を総合して、使用者側の帰責性の有無を判断しているものと考えられる。

事由」による場合には、使用者は労働者に対し、その平均賃金の60％以上の休業手当を支給する必要がある。労働基準法26条の「使用者の責に帰すべき事由」は、民法536条２項よりも広く、使用者側に起因する経営、管理上の障害を含むものとされている[37]。

これに対し、休業が不可抗力による場合には、使用者は労働者に対し賃金および労働基準法26条の休業手当を支給する必要はないと解されている。ここでいう不可抗力とは、①その原因が事業の外部より発生した事故であること、および、②事業主が通常の経営者としての最大の注意を尽くしてもなお避けることができない事故であることの２つの要件を満たすものでなければならないと解されている[38]。

イ　従業員が感染した場合

従業員が新型コロナウイルス等に感染し、法令に基づく就業制限[39]により休業する場合には、通常は「使用者の責に帰すべき事由」による休業には該当しないと解され、賃金および休業手当を支払う必要はないものと解されている[40]。その場合、当該従業員が被用者保険の健康保険に加入しており、要件を満たせば、傷病手当金が支給されることとなる[41]。

ウ　従業員の感染が疑われる場合

従業員に発熱等の症状があり当該従業員が自主的に休む場合には、

---

37)　最判昭62・7・17民集41巻５号1283頁（ノースウエスト航空（会社側上告）事件）。

38)　厚生労働省労働基準局編『〔平成22年版〕労働基準法（上）』（労務行政、2011）366頁。

39)　新型コロナウイルス感染症は、指定感染症として、感染症の予防及び感染症の患者に対する医療に関する法律18条２項、同法施行規則11条２項３号に基づき、都道府県知事の通知による就業制限の対象となる。なお、労働安全衛生法68条に基づく病者の就業禁止の措置の対象とはされていない（厚労省「新型コロナウイルスに関するQ&A（企業の方向け）（令和３年10月14日時点版）」〔以下、「厚労省Q&A」という〕6-1）。

40)　厚労省Q&A　4-2。ただし、就業規則に病欠中も一定の賃金や手当を支払う旨の定めがある場合は、当該規定に従う必要がある。

41)　療養のために労務に服することができなくなった日から起算して３日を経過した日から、直近12か月の平均の標準報酬日額の３分の２に相当する傷病手当金が支給される。

基本的には通常の病欠と同様に扱い、病気休暇の活用等を検討してもらうこととなるが、使用者側の判断で休業させる場合には、原則として、労働基準法26条の「使用者の責めに帰すべき事由」に該当し、休業手当の支給が必要となる[42]。

また、同居の家族が新型コロナウイルスに感染した場合に、使用者の判断で、濃厚接触者である従業員を感染の有無が判明するまで休業させる場合も、同様に休業手当の支給が必要となると考えられる（従業員本人に症状がなく労務の提供が可能な場合は、可能な限り、休業ではなくテレワーク等による就業継続を認めることが望ましいだろう）。

エ　事業休止に伴う休業の場合

新型コロナウイルス等の感染症を原因として会社の事業を休止し、それに伴い従業員を休業させる場合であっても、前記アの①および②の要件に照らして、不可抗力による休業といえなければ、労基法26条の休業手当の支給が必要となる。

例えば、海外の取引先が新型コロナウイルス感染症を受け事業を休止したことに伴う事業の休止の場合には、当該取引先への依存の程度、他の代替手段の可能性、事業休止からの期間、使用者としての休業回避のための具体的努力等を総合的に勘案して判断する必要があるとされている[43]。

また、新型インフルエンザ等対策特別措置法に基づき、営業自粛への協力依頼や要請などを受け、従業員を休業させる場合においても、同様に前記アの①および②の要件に照らして不可抗力による休業と認められるか否かが問題となる。新型インフルエンザ等対策特別措置法に基づく協力依頼や要請などを受けた場合は、外部的要因によるものとして①の要件を満たすと考えられるが、②については、諸般の事情

---

[42]　厚労省Q&A 4-4。ただし、休業が出社の拒否に留まらず、自宅での待機を義務付ける業務命令（例えば、会社からの連絡に即座に応じることを義務づけた場合等）として行われた場合には、自宅待機が業務内容となるため、通常どおりの賃金の支払が必要となるとの見解もある（小鍛治広道『新型コロナウイルス影響下の人事労務対応Q&A』〔中央経済社、2020〕66頁）。

[43]　厚労省Q&A 4-5。

を考慮して、使用者として休業を回避するための具体的努力を最大限尽くしていると言えるか否かが考慮されることになる[44]。

(2) 安全配慮義務の内容としての感染症予防

前記Ⅱ2で述べたとおり、使用者は、労働契約上の付随義務として、労働者に対する安全配慮義務を負うところ、新型コロナウイルス等の感染症が流行する状況においては、労働者に対して、適切な感染症予防の対策を講ずることも、使用者の安全配慮義務の内容として要求されるものと考えられる。

具体的な新型コロナウイルス感染症の予防については、国や行政から示される種々の要請や指針を参考に、各企業において実現可能な対応を模索しているものと思われるが、基本的な対策としては、マスク着用・手洗い等の感染防止の基本に加え、3つの密の回避等の徹底（咳エチケットやこまめな換気等）、日常的な健康状態の確認、「働き方の新しいスタイル」の取組み（テレワークやローテーション勤務、時差通勤、オンライン会議等）等が挙げられる[45]。

使用者がどこまでの対策を従業員に義務づけることができるかについては、例えば、従業員に対し職場でのマスク着用を求め、または、社内会議・取引先との会議・会食等を禁止することは、職場における感染症対策として合理性・必要性が認められ、業務命令として可能であると考えられる。その一方で、従業員のプライベートな飲み会や旅行については、職務遂行との関連性を欠くため、業務命令ではなく、あくまでも任意での自粛を要請するにとどめざるをえないだろう[46]。また、従業員に対して出勤前の検温を求めることは可能であるものの、検温結果に関する情報は健康状態に関するプライバシー性の高い

---

44) 厚労省Q&A 4-7。
45) 厚労省「職場における新型コロナウイルス感染症の拡大を防止するためのチェックリスト」（2021年5月31日版）。
46) 裁判例においても、企業秩序に関係を有するものでない限りは、「労働者は、その職場外における職務遂行に関係のない行為については、使用者による規制を受けるべきいわれはないものと解するのが相当」とされている（最判昭58・9・8労判415号29頁〔関西電力事件〕）。

情報であり、不適切な情報拡散等がなされた場合には不法行為が成立しうるため、従業員に報告を義務づける場合には、情報共有の範囲をごく一部の者に限定する等の慎重な配慮を要すると考えられる。

以上のとおり、使用者は、業務命令として一定の感染症対策を実施することは可能であるものの、その場合には労働者の権利に対する侵害等が生じないよう、十分な配慮が必要となる。

また、新型コロナウイルスの感染拡大等が生じている状況下では、行政による解釈や、事業主向けのQ&Aも日々アップデートされるため、事業主としては、安全配慮義務を履践するため、適時にそれらの内容を確認したうえで、健康管理のための措置を講じる必要がある。

2 不妊治療と仕事の両立

(1) 両立支援の必要性

近年の晩婚化・晩産化に伴い、働きながら不妊治療を受ける人は年々増加している[47]。不妊症は必ずしも「病気」によるものだけではないが、不妊治療と仕事の両立支援が重要な社会課題となっていることから、本章において触れておきたい。

近年、不妊治療への保険適用の拡大等に関する報道もあり、不妊治療の認知度は高まっていると考えられる。他方で、デリケートな問題であるため当事者が治療を受けていることを周囲に話さないことも多く（それゆえ当事者以外はその実態を知る機会が少ない）、また、妊娠はがん等の疾病と異なり自己の選択であるとの認識が根強くあり、仕事と不妊治療の両立支援の必要性について社会や職場における理解が十分に深まっているとはいえないのが現状である。令和2年3月19日に厚労省から不妊治療と仕事の両立に関するマニュアルおよびハンド

---

47) 2019年に日本で生殖補助医療により誕生した子供の数は6万0598人で、全出生児の7％に当たり、14.3人に1人の割合になる（日本産婦人科学会「日産婦誌」73巻9号（2021年9月1日）厚労省「令和元年（2019）人口動態統計（確定数）の概況」〔2020年9月17日〕）。また、働き方改革実行計画においても、「不妊治療への支援については、医療面だけでなく就労・両立支援にまで拡大して実施する」として、重要な課題の1つと位置付けられた。

ブックが公表されたが[48]、当該資料によれば、日本において、不妊の検査や治療を受けたことのある夫婦は18.2％、不妊治療と仕事の両立ができなかったとの回答が34.7％であるのに対し[49]、不妊治療に係る実態について「ほとんど知らない、全く知らない」と回答した労働者は77％、不妊治療を行っている従業員を把握できていない企業は67％、何らかの支援を実施している企業は30％となっている。このような状況を踏まえ、内閣府および厚労省の検討チームが2020年12月3日に「不妊治療を受けやすい職場環境整備に向けた今後の取組方針」を取りまとめるとともに、2021年4月23日付で日本経済団体連合会等の経済団体に対して、不妊治療と仕事の両立ができる職場環境整備について要請を行った。

　女性の活躍推進と少子化対策という社会課題を両立させるためには、子供をもつことを望む従業員がキャリア形成と並行して各自のライフプランに沿って妊娠・出産することができるよう、社会全体で支援を行うことが必要となる。企業としても、有能な人材やダイバーシティの確保の観点から、育児休業制度などの仕事と育児の両立支援だけでなく、不妊治療と仕事の両立支援についても理解を深め、従業員が働きやすい環境を整えることが望ましいと考えられる。

(2) 両立支援の取組み

　不妊治療は、頻繁に通院する必要があるものの、1回の治療にかか

---

[48] 厚労省「事業主・人事部門向け　不妊治療を受けながら働き続けられる職場づくりのためのマニュアル」、「不妊治療と仕事の両立サポートハンドブック」。

[49] 具体的には、「両立できず仕事を辞めた」が16％、「両立できず不妊治療をやめた」が11％、「両立できず雇用形態を変えた」が8％となっている（厚労省「不妊治療と仕事の両立に係る諸問題についての総合的調査研究事業報告書（概要）」(2018年3月16日)）。また、同調査によれば、不妊治療と仕事を両立している人でも、87％は両立が難しいと感じており、その理由は、「通院回数が多い」「精神面で負担が大きい」「待ち時間など通院時間にかかる時間が読めない、医師から告げられた通院日に外せない仕事が入るなど、仕事の日程調整が難しい」が多くなっている。また、NPO法人Fine「仕事と不妊治療の両立に関するアンケートPart 2」では、96％が「仕事との両立が困難」と回答し、「仕事と不妊治療の両立が困難で、働き方を変えざるを得なかった」と回答した2232人のうち、約半数の1119人が「退職した」と回答している。

る時間は治療内容等によりさまざまである。そのため、「通院に必要な時間だけ休暇をとることができるよう、年次有給休暇を時間単位で取得できるようにする」、「不妊治療目的で利用できるフレックスタイム制を導入して、出退勤時刻の調整ができるようにする」など、柔軟な働き方を可能とすることが、治療と仕事の両立支援の1つとなるものと考えられる。

　前述の厚労省の不妊治療と仕事の両立に関するマニュアルにおいても、支援のための制度や取組みとして、①不妊治療のために利用可能な休暇制度の導入、②不妊治療のための休職制度、③両立を支援する柔軟な働き方に資する制度（フレックスタイム制度、テレワーク制度、再雇用制度）、④不妊治療に係る費用の助成制度等が挙げられており、各企業による実際の取組内容の紹介もなされている。

(3)　プライバシー等への配慮

　不妊治療を行っていることは、当該従業員のプライバシーに属する問題であり、極めてセンシティブな情報である[50]。従業員から相談や報告があった場合でも、不妊治療を行っているとの情報が本人の意思に反して職場に広まることのないよう、プライバシーの保護には十分配慮する必要がある。また、不妊治療の目的であることが特定されずに休暇取得や柔軟な勤務が可能となる制度設計や、プライバシーに配慮した相談窓口の設置も有益であると考えられる。

　また、両立支援の制度を利用しやすくするためには、不妊治療に対し理解のある職場風土づくりや、不妊や不妊治療を理由としたハラスメントが生じることのないような意識啓発を行うことも重要である[51]。子供を持つかどうかを含めライフプランについてはさまざまな価値観の人がいるなかで、制度の利用に関し、従業員間で不公平感が生じたり、疑問をもつ人が出てくる可能性もあるが、そのような場

---

50)　前掲注49）の厚労省の調査でも、約6割が「不妊治療をしていることを職場では一切伝えていない（伝えない予定）」と回答しており、その理由は、「不妊治療をしていることを知られたくないから」「周囲に気遣いをして欲しくないから」が多くなっている。

合を想定して、当事者ではない従業員に対しても両立支援措置について丁寧な説明を行うことで、当該制度を応援する雰囲気の醸成につながったとの取組事例も報告されている。

このように、それぞれの立場を考慮しながら、職場全体で治療と仕事の両立について理解を深めることが重要と考えられる。

Ⅵ　まとめ

以上のとおり、医療技術の進歩、労働力人口の減少や高齢化等を背景に、治療と仕事の両立支援へのニーズは今後ますます高まることが予想される。現段階では、休暇制度の充実や勤務制度の整備、入院・自宅療養等のための病気休暇・休職制度等、治療と仕事の両立支援として望まれている具体的な取組みの多くは、導入の是非・内容ともに使用者の判断に委ねられているものではあるが、労働安全衛生法および労働契約法に基づく健康確保・安全配慮義務や、昨今の健康経営に対する社会的評価の高まり、労働者の健康確保・職場環境の整備による生産性の向上や人材の確保などの効果を踏まえると、治療と仕事の両立支援を経営課題の1つと捉え、各企業の実情に応じて積極的な検討・導入を行うことが望ましい。

また、具体的な両立支援を行うには、労働者からの申出や病気や治療に関する情報提供が不可欠であるため、疾病を抱える労働者が安心して申出や情報提供ができる環境整備を行うことが重要である。まずは、会社としての治療と仕事と両立支援に関する方針を明らかにし、経営層からのメッセージや研修等を通じて、職場全体で両立支援を行う風土を醸成することが、誰もが安心して働ける環境の実現に向けた大きな一歩となるものと考えられる。

---

51)　マタハラ防止指針が一部改正され（2020年6月1日から適用）、当該指針においても、職場における妊娠・出産等に関するハラスメントの発生の原因や背景に、不妊治療に対する否定的な言動を含む妊娠・出産等に関する否定的な言動があることなどが考えられることから、事業主の方針等を明確化し周知することが求められている。

第4編
ダイバーシティーの実現

第4編　ダイバーシティーの実現

第1章　女性の活躍推進

I　日本の女性活躍の現状

　2020年は、政府がこれまで女性の活躍推進の目標として掲げてきた「社会のあらゆる分野において、2020年までに、指導的地位に女性が占める割合が、少なくとも30％程度となるように期待する」（にいまる・さんまる）の試金石となる年であった。しかし、厚労省の調査によれば、2020年度における課長相当職以上の管理職に占める女性の割合は12.4％[1]と、前記目標には到底とどかない結果であった。そして、2020年12月に閣議決定された第5次男女共同参画基本計画においては、「指導的地位に占める女性の割合が2020年代の可能な限り早期に30％程度となるよう目指して取組を進める」と控えめな目標がに修正されており、その実現が見通し不透明であることを示している。

　また、2021年3月には、世界経済フォーラム（World Economic Forum）から、日本のジェンダー・ギャップ指数の順位は先進国の中で最低レベルの156か国中120位というショッキングな結果が公表されている[2]。同指数は、女性の地位を経済、教育、政治、健康の4分野で分析し、ランキング化したものであるが、日本は健康寿命や初等教育への就学率といった項目では上位を記録する一方で、国会議員や大臣の女性割合、管理職数・専門職数といった項目ではいずれも100位以

---

1) 厚労省「『令和2年度雇用均等基本調査』の結果の概要（企業調査）」（2021年7月30日）5頁。
2) 世界経済フォーラム（World Economic Forum）「ジェンダー・ギャップ指数2021（The Global Gender Gap Report 2021）」。なお、内閣府男女共同参画局「共同参画」（令和3年5月号）に、各分野のジェンダー・キャップ指数の日本の順位と諸外国との比較が掲載されている。

302

第1章　女性の活躍推進

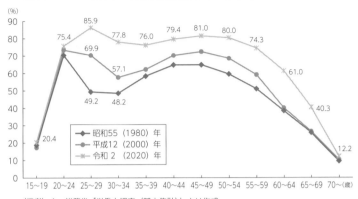

図表4-1-1　女性の年齢階級別就業率の推移（1980年〜2020年）

（備考）1．総務省「労働力調査（基本集計）」より作成。
2．労働力率は、「労働力人口（就業者＋完全失業者）」／「15歳以上人口」×100。

出典：内閣府男女共同参画局「男女共同参画白書 令和3年版」100頁。

下となっており、日本の政治・経済分野での女性活躍にはいまだ多くの課題が残されていることがわかる。

　そのなかでも、就労分野における日本の女性活躍の状況についてみると、総務省の調査によれば、近年日本における女性の就業率は上昇し、2019年時点の15〜64歳の女性の就業率は70.9％と、比較可能な1968年以降最高となった[3]。とくに、女性の就業率を年齢段階別に見た場合、25歳から39歳までの就業率が大きく上昇しており、かつて日本の女性の就業状況を特徴づけていた、いわゆるM字カーブについては、底上げが図られている。もっとも、出産・育児・介護等を理由にいったん離職する女性は依然として多く、離職した後に再就職する場合もパートタイマー等となる場合が多いことから、女性労働者の5割以上が非正規労働者となっている[4]。加えて、男女別に年齢段階別の賃金上昇率をみると、賃金がピークとなる55歳から59歳の平均賃金

---

[3]　総務省「労働力調査（基本集計）令和2年（2020年）平均結果の概要」（2021年1月29日）5頁。
[4]　総務省「労働力調査（詳細集計）令和2年（2020年）平均結果」統計表第1表。

は男性で420.1万円と20歳から24歳の平均賃金の約2倍に上昇する一方で、女性は賃金がピークとなる50歳から54歳の平均賃金でも274.7万円と1.3倍程度にしかならず、全世代の平均賃金を比較しても女性の平均賃金は男性の約7割にとどまっている[5]。

このような状況を踏まえると、日本においては働く女性が増える一方で、ライフイベントにかかわらず就業を継続し、キャリアアップを図ることには困難を抱えている場合が多く、それゆえ働いても「非正規」、「出世せず」、「賃金上昇せず」の状況を生み出しているといえる。

そこで、本章では、女性労働者の就労継続とキャリア形成を促し、女性の活躍推進を図るために必要とされる、仕事と家庭の両立支援および女性の管理職登用について説明したうえで、2016年4月に施行・2019年6月に改正された女性活躍推進法のもとでの各企業の取組事例について紹介する。

Ⅱ　仕事と家庭の両立支援

1　柔軟な働き方の普及

国立社会保障・人口問題研究所の調査によれば、2015年時点においても第1子出産後約半数の女性労働者が退職している[6]。退職理由について調べると、多くの女性が「仕事と育児の両立の難しさ」を挙げており、そのなかでも「育児と両立できる働き方ができなさそうだった（できなかった）」、「勤務時間があいそうにもなかった（あわなかった）」との声が多く占める[7]。さらに、家庭との両立が難しくなるこ

---

[5]　厚労省「令和2年賃金構造基本統計調査の概況」（2021年3月31日（同年5月14日改訂））2頁。

[6]　国立社会保障・人口問題研究所「現代日本の結婚と出産――第15回出生動向基本調査（独身者調査ならびに夫婦調査）報告書」52頁。

[7]　三菱UFJリサーチ＆コンサルティング「平成30年度仕事と育児等の両立に関する実態把握のための調査研究事業報告書労働者アンケート結果」（2019年2月）27頁。

第 1 章　女性の活躍推進

とは、女性が昇進や管理職として働くことを望まない理由としても多く挙げられる。もちろん、働く女性のなかでもライフプランやキャリア形成についてはさまざまな考え方がありうるところではあるが、このような現状に照らすと、従来の固定化された勤務時間や長時間労働を前提とした働き方が、仕事と家庭の両立を困難にし、女性の就業継続やキャリア形成を阻む大きな要因となっていることは明らかといえる。

そこで、女性の活躍推進を目指す企業においては、育児休業等を取得しやすい環境を整えるとともに、長時間労働を是正し、テレワークや時短勤務等、ライフスタイルに合わせた柔軟な働き方を選択できる制度を設けることが必要と考えられる[8]。

また、仕事と家庭の両立は、女性だけではなく、女性とともに生活するパートナーも含めて支援し、取り組まなければ解決しえない課題である。ところが、日本の男性の育児休業取得率は2020年においてもわずか12.65％にとどまり[9]、介護離職者についても約10万人のうち女性がその7割近くを占めるなど[10]、仕事と家庭の両立は主として女性の役割であるという性役割分担意識が根強く残ったままとなっている。この点は、新型コロナウイルス感染症の拡大により多くの企業でテレワークの導入や勤務時間の柔軟化等が進んだものの、緊急事態宣言下における家事分担割合は、それ以前に比べて男性の分担割合が増加傾向にはなっているが、依然として女性の家事分担割合が「9〜10

---

8) 育児休業等の取得促進については**第3編第3章**、長時間労働の是正については**第1編第2章**、テレワーク等の柔軟な働き方については**第3編第2章**においてそれぞれ取り上げているので、詳細についてはそちらを参照いただきたい。

9) 厚労省「『令和2年度雇用均等基本調査』の結果の概要（事業所調査）」（2021年7月30日）17頁。

10) 内閣府男女共同参画局「男女共同参画白書 令和3年度版」114頁。なお、同資料によれば、6歳未満の子供をもつ共働きの夫婦の1日当たりの家事・育児関連時間（2016年時点）は、妻が6時間程度であるのに対し、夫が1時間20分程度と、家庭内における性役割分担意識も根強く残っていることがわかる。

割」が最も多く、男性の家事分担割合は「0〜2割」が最も多いままであったことからもうかがえる[11]。したがって、企業としては、今後各種の両立支援制度を設置するのみならず、男女を問わずその制度の利用を促すことにより、性役割分担意識を取り除くことも、女性の活躍推進を図るうえで重要となる。

2 転勤制度の見直し

(1) 転勤制度に関する規制

　JILPTの調査によれば、夫の転勤に際して就業中の妻が会社を辞めた割合は、国内転勤で30.3％、海外転勤で50.7％（同調査によれば、反対に、妻の転勤に際して就業中の夫が会社を辞めた割合は、国内転勤で2.5％、海外転勤で0％）となっており[12]、とくに女性にとっては、出産・育児・介護といったライフイベント自体よりも、自己または配偶者の転勤により家庭と仕事の両立が困難となることが離職の原因となることも多い。

　そもそも、転勤を含む配置の変更は、労働契約上の職務内容・勤務地の決定権限（配転命令権）に基づき行われている。判例（最判昭61・7・14労判477号6頁〔東亜ペイント事件〕等）では、就業規則に定めがあり、労働契約に勤務地を限定する旨の合意がない場合には、使用者が労働者の同意なしに勤務地の変更を伴う配置転換を命じることが広く認められているのが現状である。これに対し、育児介護休業法26条は、事業主が就業場所の変更を伴う配置の変更をしようとする場合に、これにより育児や介護が困難となる労働者がいるときは、その育児や介護の状況に配慮しなければならないと規定している。

---

11) 三菱UFJリサーチ＆コンサルティング「緊急事態宣言下における夫婦の家事・育児分担」（2020年5月26日）1頁。また、同調査では、緊急事態宣言下において女性の家事・育児の「分担割合」が減少しても、学校等の休校措置などによりそれまで家庭外で担われてきた家事・育児を家庭内で行う必要性が生じたため、家事・育児にまつわる「負担」自体は軽減されていない可能性があると指摘されている。

12) JILPT「企業の転勤の実態に関する調査（調査シリーズNo.174）」（2017年10月）。

(2) 転勤制度と性別による間接差別

また、均等法7条は、性別による間接差別[13]を禁止し、間接差別となりうる措置として「労働者の募集若しくは採用、昇進又は職種の変更に関する措置であって、労働者の住居の移転を伴う配置転換に応じることができることを要件とするもの」を挙げている（均等則2条2項）。

もっとも、たとえば総合職の採用にあたり、転勤要件を選考基準としている場合であっても、合理的な理由があれば間接差別として禁止されるものではない。そして、合理的な理由がないと認められる例としては、①広域にわたり展開する支店、支社等がない場合、②広域にわたり支社等はあるが長期間にわたり、転居を伴う転勤の実態がほとんどない場合、③異なる地域の特殊性を経験すること等が幹部としての能力の育成・確保にとくに必要であるとは認められない場合等が挙げられている[14]。裏を返せば、広域展開する支社間の転勤の実態があり、人材育成上の必要性が認められる限り、合理的な理由があるものとして、比較的容易に採用選考基準に転勤要件を課すことが可能ともいえ、これが女性の総合職コースへの進出を抑制する一因となっていると考えられる。

(3) 転勤制度を見直す際のポイント

このような現状を踏まえて、厚労省は、従業員の転勤を検討する際の参考として、「転勤に関する雇用管理のヒントと手法」（2017年3月30日）を公表している。当該文書は、企業に直接の法的義務を課すものではないものの、持続可能な形での人材確保・育成・能力発揮を目指すためには、企業が有する配転命令権や事業上の必要性と、仕事と家庭生活の両立に関する労働者のニーズ（育児・介護、配偶者のキャリ

---

[13] 間接差別とは、①性別以外の事由を要件とする措置であって、②他の性の構成員と比較して、一方の性の構成員に相当程度の不利益を与えるものを、③合理的な理由なく講じることをいう。

[14] 「労働者に対する性別を理由とする差別の禁止等に関する規定に定める事項に関し事業主が適切に対処するための指針」（平成18年10月11日厚労告第614号）第3の3(3)。

ア等)との調和を図ることが必要との観点から転勤に関する雇用管理上のポイントが整理されている。

そして、今後、女性の就業継続を促し、多様な人材の確保を目指す企業としては、女性社員が自己または配偶者の転勤に際して退職を余儀なくされる事態を避けるために、①転勤の目的・効果の検証、②転勤の態様に関する原則や目安を明確化、③労働者の事情や意向の事前調査、④一時的な転勤の制限や職種転換制度など転勤が困難なケースに対応する制度の整備等を行い、転勤制度の見直しに取り組むことが必要となる。新型コロナウイルス感染症対策としてリモートワークが浸透したことに伴い、各企業においては、リモートワークを前提にした転勤制度の検討も始まっており[15]、今後、転居や単身赴任を伴う転勤については、より一層その必要性が問われることとなる。

加えて、また、転勤制度そのものではないが、転勤に伴い、いったん離職したとしても復職が可能となる制度を設けたり[16]、育児・介護等による離職者の積極的な中途採用を行うことも、女性の活躍推進を図るうえで効果的と考えられる。

Ⅲ 女性の管理職登用とポジティブ・アクション

1 女性の管理職登用の現状

冒頭で述べたとおり、日本における女性管理職割合は2020年度において12.4%と、国際的に見ても低い水準にとどまっている。とくに上

[15) 日本経済新聞電子版「リモートワークで『転勤』三菱地所子会社の試みとは」(2020年7月29日)、同「JTB、転勤でも単身赴任せず異動 勤務日数短縮も」(2020年10月29日)。
[16) 国家公務員については、2014年2月21日から配偶者同行休業制度として、配偶者が外国での①勤務、②事業経営等、③修学により6か月以上継続して外国に滞在する場合の休業については、休業期間が満了したときに職務に復帰できる制度が施行されており、企業において同種の制度を設ける際の参考となる。

位の役職ほど女性の割合が低くなっており、日本の上場企業の役員については、女性の割合はわずか6.2％（2020年）となっている[17]。

　女性管理職割合が伸び悩む現状を踏まえ、コーポレートガバナンス・コード（東京証券取引所が上場企業向けに定める企業統治指針）では、取締役会における「ジェンダーや国際性、職歴、年齢の面を含む多様性」の確保が明記されている[18]。また、2021年6月11日の改訂によって、社内の女性の活躍促進に関し、管理職・中核人材の登用等における多様性の確保についての考え方と自主的かつ測定可能な目標を示すとともに、その状況の開示が求められるようになった（補充原則2-4①）。

2　女性の管理職登用が進まない要因と対応策

　少し前にはなるが、厚労省の調査において、女性の管理職登用が進まない理由を企業に聞くと、「現時点では、必要な知識や経験、判断力を有する女性がいない（58.3％）」が最も多く[19]、企業側は管理職候補に適する人材を確保することが難しいと認識していることがわかる。また、別の調査では、女性の活躍推進における課題として、「幹部（管理職・役員）となることを望む女性が少ない」との回答が46.3％で最多となっており[20]、企業側に女性の管理職登用を進めたい

---

[17]　東洋経済「役員四季報2021年版」1749頁。
[18]　さらに、コーポレートガバナンス・コードの付属文書として位置付けられる金融庁の「投資家と企業の対話ガイドライン」（2021年6月11日改訂）では、企業と投資家が重点的に議論することが期待される事項として、「取締役会が……ジェンダーや国際性、職歴、年齢の面を含む多様性を十分確保した形で構成されているか」、「取締役として女性が選任されているか」といった点が指摘されている。
[19]　厚労省「『平成25年度雇用均等基本調査』の結果概要」（2014年8月19日）4頁。また、2020年3月8日にエンワールド・ジャパン株式会社が実施したアンケート調査でも、女性管理職登用のネックとなっていることの第1位は、「管理職を任せられる女性の人材がいない」（外資系企業で49％、日系企業で59％）となっている（同社の2020年3月9日付ニュースリリース「女性管理職実態調査」）。
[20]　日本商工会議所『『働き方改革関連施策に関する調査』集計結果」（2018年2月1日）12頁。

第4編　ダイバーシティーの実現

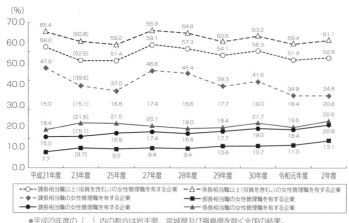

図表4-1-2　役職別女性管理職割合の推移（企業規模10人以上）

＊平成23年度の［　］内の割合は岩手県、宮城県及び福島県を除く全国の結果。

出典：厚労省『令和2年度雇用均等基本調査』の結果概要4頁。

意向があっても、女性社員の働き方の希望との間で差が生じているケースも少なくない。

　もっとも、これまで日本企業の多くが、採用の段階で長時間・残業ありの勤務時間や転勤を前提とした総合職コースとそれ以外の一般職コースを区分し[21]、人材育成の段階では、総合職社員を中心に企業内での配置転換を繰り返しながら職務経験を積ませ、これに勤続年数や年功序列を前提とした人事評価を加えることで管理職登用を行ってきた。こうした枠組みのなかで女性社員が管理職候補となるには、その能力や適性よりも前に、総合職社員として採用され、自らのライフイベントにかかわらず長時間のフルタイムで働き続けられることや、転勤に応じられることが必要となる。そのため、そもそも管理職の候補を目指せる（目指したいと思う）女性社員は非常に限られていたのではないだろうか。また、企業としても、統計的に女性の離職率が高

---

[21]　総合職・一般職などコース別の雇用管理の設置および運用については、「コース等で区分した雇用管理を行うに当たって事業主が留意すべき事項に関する指針」（平成25年厚労告第384号）がその留意点等をまとめている。

い以上、女性に職務経験や教育の機会を与えても割にあわないと判断する傾向にあり（統計的差別といわれる）、女性が管理職に適した能力や適性を身に付ける機会が男性に比べて限定されていたことも、管理職候補の女性社員が育たない要因として挙げることができる。

したがって、女性を積極的に管理職に登用し、その能力を活かすためには、前記Ⅱ2で述べた転勤制度の見直しに加えて、①女性社員に対する積極的な職務経験や教育の機会の提供、②キャリア形成の方法の多様化、③勤続年数や時間労働よりも成果や効率性を求めるような人事評価基準の導入、④管理職の長時間労働の防止といった全社的な人材育成や人事評価制度・働き方の見直しが必要と考えられる。

3　ポジティブ・アクションの導入

(1)　是正措置としてのポジティブ・アクション

固定的な性別による役割分担意識や過去の経緯から、労働者の間に事実上生じている差を解消するために必要かつ有用とされるのがポジティブ・アクションである[22]。ポジティブ・アクションは、単に女性だからという理由だけで女性を「優遇」するものではなく、これまでの慣行や性別による役割分担意識等が原因で、女性が男性よりも能力を発揮しにくい環境に置かれている場合に、こうした状況を「是正」するための手段である。そして、均等法も募集・採用・配置・昇進等において女性労働者を男性労働者に比べて優先的に取り扱う取組みについては、同法が禁止する性別を理由とする差別にはあたらないことを定めている（均等8条）。もっとも、このような優先的取扱いが認められるのは、一定の区分・職務・役職において女性労働者が男性労働者と比較して相当程度少ない（女性の割合が4割を下回っている）等の場合に限られる[23]。したがって、たとえば、全社員の8割を女

---

[22]　厚労省ウェブサイト「ポジティブ・アクション（女性社員の活躍推進）に取り組まれる企業の方へ」では、「ポジティブ・アクション実践的導入マニュアル」や取組事例集などが掲載されており、新たに制度を導入する際には参考となる。

性が占めるものの女性管理職の割合は5割弱と相対的に低い水準にとどまっている会社においても、ある雇用管理区分において女性の管理職割合が4割を超えている場合には、当該雇用管理区分において女性を優遇的に昇進させる措置を講ずることは均等法違反となる（ただし、この場合も、女性社員の割合と同程度まで女性管理職の割合を引き上げる、といった目標設定であれば違法ではない）[24]。

(2) ポジティブ・アクションの留意点

また、ポジティブ・アクションは、その制度設計次第では、女性を優遇することに対する男性からの反発、女性だから優遇されたという女性へのスティグマの危険が生じる可能性もあるため、導入にあたっては慎重な検討を要する面もある。すなわち、本来、配置転換や管理職登用といった人事権には企業の幅広い裁量が認められるため、女性を積極的に登用する制度やそれに基づく人事権の発動がただちに違法とされる可能性は少ない。しかし、社員のポジティブ・アクションへの理解を高めて定着を図るためには、たとえば毎年一定以上の割合で女性管理職を登用する目標を設定した場合であっても、①登用基準は従来の社内基準を逸脱しない合理的なものとし、管理職候補となるための要件等を事前にアナウンスしておくこと、②登用される女性の意思を尊重し、管理職への就任を無理強いしないようにすることには留意すべきである。また、③取組期間を明示し暫定的措置であることを明らかにすること、④ポストに見合った能力や職務経験を有する女性社員の育成にも積極的に取り組むこと、⑤老若男女問わず能力のある社員を評価し登用する制度を設けることによって、全社員が能力を発揮できる環境を整備することもポジティブ・アクションへの理解を高めるうえで有用と考えられる。

---

[23] 前掲注14) 第2の14(1)イないしハ、「改正雇用の分野における男女の均等な機会及び待遇の確保等に関する法律の施行について」（平成18年10月11日雇児発1011第002号、最終改正平成28年8月2日雇児発0802第1号）第2の3(6)。

[24] 厚労省・都道府県労働局雇用環境・均等部（室）「男女雇用機会均等法のあらまし」（令和元年7月）51頁。

第1章 女性の活躍推進

Ⅳ 女性活躍推進に向けた法整備と政府の取組み

1 女性活躍法の概要と企業の取組事例

　2016年4月、より多くの女性が個性と能力を発揮できる社会の実現を目的として女性活躍推進法が施行され、2019年6月に改正がなされている（以下、「2019年改正」という）。そして、2019年改正においては、これまで常時雇用する労働者301人以上[25]の事業主に対して義務付けられていた、①行動計画の策定・届出・公表（労働者への周知含む）および②女性の活躍推進に関する情報の公表が、2022年4月1日より、同101人以上の事業主にまで拡大される（改正女性活躍8条1項）[26]。また、常時雇用する労働者301人以上の事業主は、①の行動計画（2020年4月1日以降が始期となるもの）を策定する場合には、ⅰ職業生活に関する機会の提供に関する実績、ⅱ職業生活と家庭生活との両立に資する雇用環境の整備に関する実績の各区分から1項目以上の項目を選択し、それぞれに関連する数値目標を定めなければならず、また、2020年6月1日以降は、②女性の活躍推進に関する情報の公表として、前記各区分から1項目以上を選択して2項目以上の情報公表が必要となる（改正女性活躍20条1項）。なお、前記①および②の公表は、自社ホームページではなく厚労省の「女性の活躍推進企業データベース」に掲載することによって公表することもでき、2021年6月時点において、①については1万8438社、②については1万4405社の取組事例が掲載されている。**図表4-1-3**において、女性活躍推進法施行下での各企業の取組事例をいくつかご紹介する。

---

[25] パートや契約社員であっても、1年以上継続して雇用されているなど、事実上期間の定めなく雇用されている労働者も含まれる。
[26] 前記義務に違反した事業主に対しては、厚生労働大臣（都道府県労働局長）による報告徴収または助言・指導もしくは勧告が行われる可能性がある（改正女性活躍30条）。

2 えるぼし認定制度

女性活躍推進法に基づき行動計画を策定して届出を行った事業主のうち、女性の活躍推進に関する状況等が優良な事業主は、都道府県労働局への申請により、厚生労働大臣の認定を受けることができる。えるぼし認定は、基準を満たす項目数に応じて3段階あり、さらに2019年改正により、えるぼし認定企業のうち、一般事業主行動計画の目標達成や女性の活躍推進に関する取組の実施状況がとくに優良である等の一定の要件を満たした場合には、「プラチナえるぼし」の認定が受けることができることとなった（2020年6月1日施行）。えるぼし認定又はプラチナえるぼし認定を受けた企業は、認定マーク「えるぼし」または「プラチナえるぼし」を商品や広告、名刺、求人票などに使用することができる。企業にとっては、女性の活躍を推進している事業主であることをPRし、優秀な人材の確保や企業イメージの向上等につながることが期待できることから、2021年9月30日時点で認定を受けた企業は1473社（うちプラチナえるぼし認定を受けた企業は18社）となっている。また、認定を受けた事業主は、公共調達における加点評価や日本政策金融公庫による低利融資の対象となる。

3　女性活躍加速のための重点方針

さらに、内閣府男女共同参画局からは、2015年以降毎年、「女性活躍加速のための重点方針」が公表されている。2020年7月に公表された「女性活躍加速のための重点方針2020」では、この7年間で女性就業率の上昇や上場企業における女性役員の倍増など日本の女性活躍は着実に進展してきたとしながらも、働く女性が増える一方で長時間労働の慣行や育児休業制度を利用しづらい職場の環境風土などが、仕事と育児や介護等の両立の妨げとなっている現実があることも指摘されている。また、新型コロナウイルス感染症に起因する外出自粛や休業等が行われるなか、平時の固定的な性役割分担意識にひきずられて、増大する家事、子育て、介護等の家庭の責任が女性へ集中すること

第1章 女性の活躍推進

figure 4-1-3 女性活躍推進法の施行下での各企業の取組事例

> **採用段階における取組み**
- 女子学生向けの説明会を開催する等の取組みを行い、「採用者数に占める女性の割合を20％以上とする」という数値目標を毎年達成している（運輸業・従業員数約6万8000人）
- 採用面接官に女性を入れたり、新卒採用広報媒体に女性社員を掲載する等、女性の積極的な採用を実施（卸売業・従業員数約3800人）

> **働き方に関する取組み**
① 労働時間・就業場所
- 裁量労働制やフレックスタイム、在宅勤務やテレワーク等により、効率的な働き方を推進（情報・通信業・従業員数約12万2000人）
- 職場が駅から遠いため、育休復帰後の女性社員のために、駅の近くにサテライトオフィスを設置（製造業・従業員数約250人）

② 人事評価・人材登用
- 労働時間を重視する評価方法から、時間当たりの生産性を重視する評価方法に変更。育休や時短勤務制度を利用することにより一律に評価が下がることを防止するため、休業前後の業績や働き方で評価するなどしている（教育・学習支援業・従業員数約530人）
- 一般職の登用範囲を広げて、地域型の総合職に移行することができたり、部長相当職まで登用できるように制限を撤廃（保険業・従業員数約4万1000人）

③ 育児・介護休業の取得、復職支援
- 産休育休前に取得予定者向けのガイダンス、育休中の社員に対するフォローアップ（復職に向けてのお役立ち情報や会社の最近の動き、先輩子育て社員の活躍等を紹介する社内報の配布等）、育休後のフォローアップセミナーによりできる限りフルタイム勤務に戻ることを推奨。男性社員に対しても、子育て参画を促進し、育休を取得する男性社員が約2割になった（製造業・従業員数約5300人）
- 育休による休職期間を勤続年数に換算（運輸業・従業員数約6万8000人）

> **転勤等に伴う離職防止への取組み**
- 総合職について、全国型と地域型の相互変更を可能とすることで、ライフイベントがあっても働き続けられるようにした（保険業・従業員数約4万1000人）
- 配偶者の転勤等で退職した元社員について、退社後6年以内であれば復職可能とする制度を導入。原則として元いた部署に復職できるよう配慮（卸売業・従業員数約3800人）

> **管理職登用における取組み**
> ・グループ社内報でロールモデルとして複数の女性管理職へのインタビュー記事を掲載し、グループ全体での女性活躍推進を進める一助としている（製造業・従業員数約1万2000人）
> ・管理職（課長級以上）に占める女性割合を25％以上にするために、女性社員に対しアンケートを実施し、アンケート結果を基に決定したキャリア研修を実施（食料品製造業・従業員数約220人）

や、とくに大きな打撃を受けている飲食、観光、サービス分野では雇用者に占める女性の割合が高いことから、女性がより深刻な雇用の危機にさらされることなどが懸念されている[27]。当該文書では、こうした環境下で今後政府が重点的に取り組むべき事項として、①「男の産休」や男性の育児休業等の取得の促進、②長時間労働の是正によるワーク・ライフ・バランスの推進、③テレワークの推進、④ライフイベントに対応した多様で柔軟な働き方の推進、⑤女性の復職・再就職等に向けた「学び直し」の拡充、⑥あらゆる分野における女性の参画拡大・人材育成等が挙げられている。当該文書は、企業に対して何らかの法的義務を課すものではないが、今後企業において各種制度整備を行っていくうえで参考になるものと考えられる。

V　まとめ

これまでみてきたとおり、女性の活躍推進にあたっては、従来の日本の雇用慣行・雇用環境に由来する課題が多く残されており、それゆえ、働き方改革を通じた女性の活躍推進は、まさにこれらを見直すことにより、より一層女性が活躍できる社会をつくろうとするものであ

---

27) 内閣府男女共同参画局が開催する「コロナ下の女性のへの影響と課題に関する研究会」は、2021年4月28日に報告書を取りまとめた。そのなかでも、緊急事態宣言が出された2020年4月の女性の就業者数は前月対比で約70万人の減少し（男性の約2倍）、休業者数の増加幅も男性に比べて女性のほうが大きいなど、コロナ下の就業状況は女性に特に厳しいものとなっていることが報告されている。

る。

　また、企業にとっても、少子高齢化が進むなかで、多様な人材を確保し発展的な企業活動を続けていくためには、柔軟な働き方やキャリアプランを設け、ライフイベントにかかわらず働き続けられる環境を整えることや、能力や成果に基づく公正な評価によって従業員の労働意欲と能力発揮を促していくことが、今後取り組むべき重要な経営課題になるものと考えられる。とくに、新型コロナウイルス感染症の拡大による人々の働き方や生活様式の変化は、これまで女性の就業継続やキャリア形成を阻んでいた要因を改めて浮き彫りにする機会でもあり、女性活躍推進の取組をより一層進めるチャンスにもなりうるものである。

　そして、すでに固定化された役割分担や事実上の差異を解消するには、ポジティブ・アクションによる是正を図ることが有用であると考えられるが、その場合も女性の活躍推進が、女性だけでなく、企業でともに働く男性や、ともに家庭を営むパートナーを含めて取り組むべき課題であることを意識し、全社的な働き方の見直しや意識改革に資するものとすべきである。そして、ここでご紹介した取組事例をはじめとする各企業の熱意あふれる取組みが1つでも増え、女性の活躍推進を通じて性別を問わず働きやすく、個人の能力が発揮できる社会がつくられることに期待したい。

第2章　職場のハラスメント

Ⅰ　「働き方改革」とハラスメント対策

　働き方改革実行計画は、「労働者が健康に働くための職場環境の整備に必要なことは、労働時間管理の厳格化だけではない。上司や同僚との良好な人間関係づくりを併せて推進する。このため、職場のパワハラ防止を強化するため、政府は労使関係者を交えた場で対策の検討を行う」として、パワハラ対策を挙げている。

　また、同計画は、「我が国には、ポテンシャルを秘めている女性が数多くおり、一人ひとりの女性が自らの希望に応じて活躍できる社会づくりを加速することが重要である」とも指摘している。この点、セクハラ・マタハラは、被害者個人の尊厳を傷つけるのみならず、職場全体の環境を悪化させ、従業員の継続就業を断念させる結果をもたらしうるものであり、その防止を図ることは、女性の活躍推進のためにも非常に重要となっている。

Ⅱ　法改正によるハラスメント対策の強化（2020年6月施行）

　セクハラやマタハラについては、すでに男女雇用機会均等法や育児・介護休業法において、事業主には雇用管理上必要な措置を取ることが義務付けられていたが、パワハラについては、民事上の個別労働紛争の相談件数等で「いじめ・嫌がらせ」の件数が最多であったにもかかわらず[1]、法制化された規定が存在しなかった[2]。

---

1)　厚労省「令和2年度個別労働紛争解決制度の施行状況」によると、民事上の個別労働紛争の相談件数では9年連続最多、助言・指導の申出では8年連

そこで、2019年に女性の活躍推進等を目的として労働施策総合推進法、均等法、育児介護休業法などの関係法令が改正され（以下、本章において「2019年改正」という）、2020年6月1日から、パワハラ問題への対応が事業主に義務付けられることになった。また同時に、セクハラ・マタハラ対策が強化されるに至った（図表4-2-1）。

図表4-2-1のとおり、セクハラ、マタハラについては、すでに雇用管理上必要な措置を講じる義務が規定され、かかる措置義務の具体的内容が防止指針で明らかにされていたものであり、これらに対応済みの事業者は、パワハラについても、従来のセクハラ、マタハラと同じ対応をとれば足りる。もっとも、セクハラ、マタハラについても、いくつかの改正点があるので、この機会に、すべてのハラスメントについて措置義務を適切に講じているか見直し、斉一的な対応（たとえば、相談窓口の一本化）をとる必要があろう。

そこで以下、2019年改正で新設されたパワハラ問題への対応を例に法規制の内容と問題点を検討し、続いて、セクハラ、マタハラに関する法規制と問題点について検討する。

続最多、あっせんの申請では7年連続最多となっている。東京海上日動リスクコンサルティング株式会社「令和2年度 厚生労働省委託事業 職場のハラスメントに関する実態調査報告書」（2021年3月）でも、過去3年間にパワハラ、セクハラおよび顧客等からの著しい迷惑行為を一度以上経験した者の割合はそれぞれ31.4％、10.2％、15.0％、過去5年間に女性の妊娠・出産・育児休業等ハラスメント、妊娠・出産等に関する否定的な言動、男性の育児休業等ハラスメントを一度以上経験した者の割合はそれぞれ26.3％、17.1％、26.2％となっており、パワハラを経験した者の割合が一番高い。

2) もっとも、2012年1月に公表された「職場のいじめ・嫌がらせ問題に関する円卓会議ワーキング・グループ報告」が「職場のパワーハラスメント」を定義し、企業に対し、防止や解決のための取組みを推奨していた。また、厚労省も、2015年5月に「パワーハラスメント対策導入マニュアル」を公表するなど、取組みを進めていた。今回の法制化は、その延長線上に位置付けられる。

図表4-2-1　2020年6月以降のハラスメント対策

	パワハラ	セクハラ	マタハラ	
			妊娠・出産に関するもの	育休（介休）利用に関するもの
事業者の責務	労施30条の3第2項・3項	均等11条の2第2項・3項	均等11条の4第2項・3項	育介25条の2第2項・3項
雇用管理上必要な措置を講じる義務	労施30条の2第1項	均等11条1項	均等11条の3第1項	育介25条1項
相談を行ったこと等を理由とする不利益取扱いの禁止	労施30条の2第2項	均等11条2項	均等11条の3第2項	育介25条2項
上記義務（禁止）に関する指針	パワハラ防止指針3)（労施30条の2第3項）	セクハラ防止指針4)（均等11条4項）	マタハラ防止指針5)（均等11条の3第3項）	育介指針6)（育介28条）
指針が定める措置義務の具体的な内容				
① 事業主の方針等の明確化およびその周知・啓発	同指針4(1)	同指針4(1)	同指針4(1)	同指針第2の14(3)イ

---

3) パワハラ防止指針：「事業主が職場における優越的な関係を背景とした言動に起因する問題に関して雇用管理上講ずべき措置等についての指針」令和2年1月15日厚労告第5号。

　なお、今般の改正にかかる労働施策総合推進法の各規定、パワハラ防止指針等の趣旨、内容および取扱いについては、「労働施策の総合的な推進並びに労働者の雇用の安定及び職業生活の充実等に関する法律第8章の規定等の運用について」令和2年2月10日雇均発0210第1号（以下、「パワハラ通達」という）が出されている。

4) セクハラ防止指針：「事業主が職場における性的な言動に起因する問題に関して雇用管理上講ずべき措置についての指針」平成18年10月11日厚労告615号。

5) マタハラ防止指針：「事業主が職場における妊娠、出産等に関する言動に起因する問題に関して雇用管理上講ずべき措置についての指針」平成28年厚労告第312号。

6) 育介指針：「子の養育又は家族介護を行い、又は行うこととなる労働者の職業生活と家庭生活との両立が図られるようにするために事業主が講ずべき措置に関する指針」平成21年厚労告第509号。

第2章　職場のハラスメント

②　相談に応じ、適切に対応するために必要な体制の整備	**同指針4(2)**	同指針4(2)	同指針4(2)	同指針第2の14(3)ロ
③　職場におけるハラスメントに係る事後の迅速かつ適切な対応	**同指針4(3)**	同指針4(3)	同指針4(3)	同指針第2の14(3)ハ
④　上記の各措置と併せて講ずべき措置	**同指針4(4)**	同指針4(4)	同指針4(5)	同指針第2の14(3)ホ
紛争解決の促進に関する特例	**労施30条の4〜30条の8**	均等16条〜27条	均等16条〜27条	育介52条の3〜52条の6
厚労大臣による助言、指導、勧告、公表[7]	**労施33条1項、2項**	均等29条、30条	均等29条、30条	育介56、56条の2
（参考）定義規定	**優越的言動問題（労施30条の3第1項）**	性的言動問題（均等11条の2第1項）	妊娠・出産関係言動問題（均等11条の4第1項）	育児休業等関係言動問題（育介25条の2第1項）

※　太字は新設、白地は改正、灰地は改正なしか実質的な改正なし。

Ⅲ　パワハラの法規制の概要

1　パワハラとは

　職場のパワハラ（パワーハラスメント）とは、職場において行われる①優越的な関係を背景とした言動であって、②業務上必要かつ相当な範囲を超えたものにより、③労働者の就業環境が害されるものをいう（労施30条の2第1項参照）[8]。なお、客観的にみて、業務上必要か

---

7)　紛争解決の促進に関する特例、厚生労働大臣による助言、指導、勧告、公表については、[→**第5編第2章Ⅶ**]も参照。
8)　「職場のいじめ・嫌がらせ問題に関する円卓会議ワーキング・グループ報告」の定義では、「同じ職場で働く者に対して、職場内の優位性を背景に、業

つ相当な範囲で行われる適正な業務指示や指導については、職場におけるパワハラには該当しない（パワハラ防止指針2(1)）。

上記①ないし③のうち、特に②の判別が実務上問題になると考えられるが、パワハラ防止指針では、「業務上必要かつ相当な範囲を超えた」言動とは、社会通念に照らし、当該言動が明らかに当該事業主の業務上必要性がない、またはその態様が相当でないものを指し、たとえば、以下のもの等が含まれるとされている。

・業務上明らかに必要性のない言動
・業務の目的を大きく逸脱した言動
・業務を遂行するための手段として不適当な言動
・当該行為の回数、行為者の数等、その態様や手段が社会通念に照らして許容される範囲を超える言動

個別の事案についてその該当性を判断するにあたっては、当該言動の目的、当該言動を受けた労働者の問題行動の有無[9]や内容・程度を含む当該言動が行われた経緯や状況、業種・業態、業務の内容・性質、当該言動の態様・頻度・継続性、労働者の属性や心身の状況[10]、行為者の関係性等、当該事案におけるさまざまな要素を総合的に考慮して判断する必要がある[11]。

務の適正な範囲を超えて、精神的・身体的苦痛を与える行為又は職場環境を悪化させる行為」と定義されていたものと実質的には同義である。
9) 労働者に問題行動があった場合であっても、人格を否定するような言動など業務上必要かつ相当な範囲を超えた言動がなされれば、当然職場におけるパワーハラスメントにあたりうる（パワハラ通達第1の1(3)イ⑤）。裁判例でも、たとえば、問題行動を起こした従業員に対する適切な注意、指導のために行った面談であって、その目的は正当であるといえるが、感情的になって大きな声を出し、当該従業員の人間性を否定するかのような不相当な表現を用いて叱責した点については、注意、指導として社会通念上許容される範囲を超えているとしたものとして、広島高松江支判平21・5・22労判987号29頁（三洋電機コンシューマエレクトロニクス事件）。
10) 「属性」とは、たとえば、労働者の経験年数や年齢、障害がある、外国人である等が、「心身の状況」とは、精神的または身体的な状況や疾患の有無等が含まれうることとされている（パワハラ通達第1の1(3)イ⑤）。

なお、上記③の判断にあたっては、「平均的な労働者の感じ方」（社会一般の労働者が、同様の状況で当該言動を受けた場合に、社会一般の労働者が、就業する上で看過できない程度の支障が生じたと感じるような言動であるかどうか）を基準とすることが適当であるとされている（パワハラ防止指針2(6)）。

2　パワハラの代表的な言動の類型

パワハラ防止指針では、パワハラの代表的な言動を6つの類型に分類し、当該類型ごとに、典型的に職場におけるパワハラに該当し、または該当しないと考えられる典型例が挙げられており（パワハラ防止指針2(7)）、それらを表にまとめたものが**図表4-2-2**である[12]。なお、個別の事案の状況等によってパワハラにあたるかどうかは判断が異なる場合もありうること、6つの類型は限定列挙ではないことには留意が必要である。

3　事業主等の責務

事業主は、パワハラ問題、つまり、職場におけるパワハラを行ってはならないことその他職場におけるパワハラに起因する問題（「優越的言動問題」と定義されている）[13]に対するその雇用する労働者の関

---

[11]　2003年以降のパワハラ裁判例に関して、考慮要素等を分析・整理した資料として、JILPT「（資料シリーズ No.224）パワーハラスメントに関連する主な裁判例の分析」（2020年3月30日）が有用である。

[12]　パワハラ防止指針の素案に対して、労働者側から批判が噴出し、日本労働弁護団からは、「『該当しない例』が極めて不適当である」などとして「パワハラ助長の指針案の抜本的修正を求める緊急声明」が出された。そうした批判を受け、修正案では指摘が多かった記載に修正が入れられている。たとえば、精神的な攻撃に該当しない例において、程度が不明確と批判されていた「強く注意」を「一定程度強く注意」と修正されたり、過小な要求に該当しない例において、追い出し部屋を正当化することになるなどと批判されていた「経営上の理由により、一時的に、能力に見合わない簡易な業務に就かせること」は削除されている。

[13]　「起因する問題」とは、労働者の意欲の低下などによる職場環境の悪化や職場全体の生産性の低下、労働者の健康状態の悪化、休職や退職につながりうること等が挙げられている（パワハラ防止指針3）。

第4編　ダイバーシティーの実現

図表4-2-2　代表的な言動の類型、パワハラに該当し、または該当しないと考えられる例

代表的な言動の類型	該当すると考えられる例	該当しないと考えられる例
(1) 身体的な攻撃 （暴行・傷害）	① 殴打、足蹴りを行う ② 相手に物を投げつける	① 誤ってぶつかる
(2) 精神的な攻撃 （脅迫・名誉棄損・侮辱・ひどい暴言）	① 人格を否定するような言動を行う。相手の性的指向・性自認に関する侮辱的な言動を含む。 ② 業務の遂行に関する必要以上に長時間にわたる厳しい叱責を繰り返し行う ③ 他の労働者の面前における大声での威圧的な叱責を繰り返し行う ④ 相手の能力を否定し、罵倒するような内容の電子メール等を当該相手を含む複数の労働者宛てに送信する	① 遅刻など社会的ルールを欠いた言動が見られ、再三注意してもそれが改善されない労働者に対して一定程度強く注意をする ② その企業の業務の内容や性質等に照らして重大な問題行動を行った労働者に対して、一定程度強く注意をする
(3) 人間関係からの切り離し （隔離・仲間外し・無視）	① 自身の意に沿わない労働者に対して、仕事を外し、長期間にわたり、別室に隔離したり、自宅研修させたりする ② 1人の労働者に対して同僚が集団で無視をし、職場で孤立させる	① 新規に採用した労働者を育成するために短期間集中的に別室で研修等の教育を実施する ② 懲戒規定に基づき処分を受けた労働者に対し、通常の業務に復帰させるために、その前に、一時的に別室で必要な研修を受けさせる
(4) 過大な要求 （業務上明らかに不要なことや遂行不可能なことの強制・仕事の妨害）	① 長期間にわたる、肉体的苦痛を伴う過酷な環境下での勤務に直接関係のない作業を命ずる ② 新卒採用者に対し、必要な教育を行わないまま到底	① 労働者を育成するために現状よりも少し高いレベルの業務を任せる ② 業務の繁忙期に、業務上の必要性から、当該業務の担当者に通常時よりも一定

		対応できないレベルの業績目標を課し、達成できなかったことに対し厳しく叱責する ③ 労働者に業務とは関係のない私的な雑用の処理を強制的に行わせる	程度多い業務の処理を任せる
(5) 過小な要求 （業務上の合理性なく能力や経験とかけ離れた程度の低い仕事を命じることや仕事を与えないこと）		① 管理職である労働者を退職させるため、誰でも遂行可能な業務を行わせる ② 気にいらない労働者に対して嫌がらせのために仕事を与えない	① 労働者の能力に応じて、一定程度業務内容や業務量を軽減する
(6) 個の侵害 （私的なことに過度に立ち入ること）		① 労働者を職場外でも継続的に監視したり、私物の写真撮影をしたりする ② 労働者の性的指向・性自認や病歴、不妊治療等の機微な個人情報について、当該労働者の了解を得ずに他の労働者に暴露する	① 労働者への配慮を目的として、労働者の家族の状況等についてヒアリングを行う ② 労働者の了解を得て、当該労働者の機微な個人情報（左記）について、必要な範囲で人事労務部門の担当者に伝達し、配慮を促す

心と理解を深めるとともに、当該労働者が他の労働者（他の事業主が雇用する労働者および求職者を含む）に対する言動に必要な注意を払うよう、研修の実施その他の必要な配慮をするなど努めなければならない（労施30条の3第2項）。事業主（法人であれば役員）自身も同様である（同条3項）。

　一方、労働者においても、パワハラ問題に対する関心と理解を深め、他の労働者に対する言動に必要な注意を払うとともに、事業主の講ずる措置に協力するように努めなければならないとされている（法30条の3第4項）。

4　パワハラ防止措置

　事業主は、職場におけるパワハラを防止するため、雇用管理上必要な措置を講じることが義務付けられ（労施30条の2第1項）[14]。

　また労働者がパワハラについて相談を行ったことや、事業主による当該相談への対応に協力した際に事実を述べたことを理由とする、労働者の解雇その他の不利益取扱いが禁止されている（労施30条の2第2項）。このほか、都道府県労働局に対して相談、紛争解決の援助の求めまたは調停の申請を行ったこと等を理由とする労働者の解雇その他の不利益取扱いも禁止されている（労施30条の5第2項・30条の6第2項。以下、これらの禁止を併せて「相談等を理由とする不利益取扱いの禁止」という）。

図表4-2-3　パワハラ防止措置

事業主の方針等の明確化およびその周知・啓発	イ	職場におけるパワハラの内容および職場におけるパワハラを行ってはならない旨の方針を明確化し、管理監督者を含む労働者に周知・啓発すること。
	ロ	職場におけるパワハラに係る言動を行った者については、厳正に対処する旨の方針および対処の内容を就業規則その他の職場における服務規律等を定めた文書に規定し、管理監督者を含む労働者に周知・啓発すること。
相談（苦情を含む）に応じ、適切に対応するために必要な体制の整備	イ	相談窓口[15]をあらかじめ定め、労働者に周知すること。
	ロ	相談窓口の担当者が、相談に対し、その内容や状況に応じ適切に対応できるようにすること。また、相談窓口においては、被害を受けた労働者が萎縮するなどして相談を躊躇する例もあること等も踏まえ、相談者の心身の状況や当該言動が

14）雇用管理上の措置義務については、中小企業には2022年4月1日から適用され、それまでの間は努力義務とされている。

15）窓口を形式的に設けるだけでは足らず、実質的な対応が可能な窓口を設ける必要がある（パワハラ通達第1の1(3)ハ②）。社内でハラスメント相談窓口を設置する場合、担当部署・担当者が適正に相談対応することができるように、研修を実施したりマニュアルを作成しておくことが効果的である（パワハラ防止指針4(2)ロ）。

	行われた際の受け止めなどその認識にも配慮しながら[16]、職場におけるパワハラが現実に生じている場合だけでなく、その発生のおそれがある場合や、職場におけるパワハラに該当するか否か微妙な場合であっても、広く相談に対応し、適切な対応を行うようにすること。
職場におけるパワハラに係る事後の迅速かつ適切な対応	イ　事案に係る事実関係を迅速かつ正確に確認すること。 ロ　職場におけるパワハラが生じた事実が確認できた場合においては、速やかに被害者に対する配慮のための措置を適正に行うこと[17]。 ハ　職場におけるパワハラが生じた事実が確認できた場合においては、行為者に対する措置を適正に行うこと。 ニ　改めて職場におけるパワハラに関する方針を周知・啓発する等の再発防止に向けた措置を講ずること。
上記の各措置と併せて講ずべき措置	イ　職場におけるパワハラに係る相談者・行為者等の情報は当該相談者・行為者等のプライバシーに属するものであることから、相談への対応または当該パワハラに係る事後の対応にあたっては、相談者・行為者等のプライバシーを保護するために必要な措置を講ずるとともに、その旨を労働者に対して周知すること。 ロ　パワハラに関し相談をしたこと等を理由として、解雇その他不利益な取扱いをされない旨を定め、労働者に周知・啓発すること。

---

[16] 相談者が相談窓口の担当者の言動等によってさらに被害を受けること等（いわゆる「二次被害」）を防ぐための配慮も含まれるとされている（パワハラ通達第1の1(3)ハ②）。

[17] パワハラ防止指針では（4(3)ロ①）、「措置を適正に行っていると認められる例」として、「事案の内容や状況に応じ、被害者と行為者の間の関係改善に向けての援助、被害者と行為者を引き離すための配置転換、行為者の謝罪、被害者の労働条件上の不利益の回復、管理監督者又は事業場内産業保健スタッフ等による被害者のメンタルヘルス不調への相談対応等の措置を講ずること」が挙げられている。パワハラに対する配慮措置で特に問題となるのは、「被害者と行為者を引き離すための配置転換」である。行為者を配置転換するのが原則であるが、企業運営上、パワハラを行った上司等を他の部署に配置転換することが困難で、引き離すためには被害者を配置転換せざるをえない場合、配置転換が不利益取扱いと受け止められないように、説明を尽くして理解を得られるように努める必要がある。

図表4-2-4　望ましい取組み

職場におけるパワハラ問題に関して行うことが望ましい取組みの内容	(1) 各種ハラスメントの一元的な相談体制の整備すること (2) 職場におけるハラスメントの原因や背景となる要因を解消するための取組を行うこと (3) パワハラ防止措置を講じる際に、労働者や労働組合等の参画を得つつ、その運用状況の的確な把握や必要な見直しを検討等に努めること
自らの雇用する労働者以外の者に対する言動に関し行うことが望ましい取組みの内容	(1) 雇用管理上の措置として職場におけるハラスメントを行ってはならない旨の方針の明確化等を行う際に、これらの者に対する言動についても同様の方針を示すこと (2) これらの者から職場におけるハラスメントに類すると考えられる相談があった場合に、その内容を踏まえて、Vの雇用管理上講ずべき措置を参考にしつつ、必要に応じて適切な対応を行うように努めること
他の事業主の雇用する労働者等からのパワハラスや顧客等からの著しい迷惑行為に関し行うことが望ましい取組みの内容	(1) 相談に応じ、適切に対応するために必要な体制の整備 (2) 被害者の配慮のための取組み (3) 他の事業主が雇用する労働者等からのパワーハラスメントや顧客等からの著しい迷惑行為による被害を防止するための取組み

　パワハラ防止指針は、これらの義務（禁止）を適切かつ有効に実施するための内容を定めるものであり、具体的には、**図表4-2-3**の措置（パワハラ防止措置）を講じなければならない。

　なお、これらのパワハラ防止措置については、企業の規模や職場の状況のいかんを問わず必ず講じなければならないとされている。また、措置の方法について、パワハラ防止指針では項目ごとに具体例が複数示されているが、その具体例は、企業の規模や職場の状況に応じ、適切と考える措置を事業主が選択できるよう示されてあるものであり、限定列挙ではない（パワハラ通達第1の1(3)ハ）。

5　行うことが望ましい取組み

　パワハラ防止指針には、上記4の措置のほか、パワハラを防止するために行うことが望ましい取組みが挙げられている（図表4-2-4）。これらの取組みは、必ず講じなければならないわけではないが、ハラスメント対策が強化された経緯に鑑み、事業者として積極的に取り組むことが求められよう。

　なお、特筆すべき点として、「顧客等からの著しい迷惑行為」、つまりいわゆるカスタマーハラスメント（以下、「カスハラ」という）が含まれていることがある。カスハラは顧客としての立場を利用するため、同じ職場の人間関係を念頭に置いたパワハラのような対策が立てにくく、苦情との線引きも難しい問題であるが、カスハラ行為から従業員を保護することは、事業主の安全配慮義務の重要な一内容である。厚生労働省は、2021年度にカスハラに関する企業向けの対応マニュアルを策定し、その中で標準的な考え方や現場対応策が示される予定となっている[18)][19)]。

6　精神障害の労災認定基準にパワハラ明示

　2020年6月から改正労働施策総合推進法が施行されたこと等を踏まえ、精神障害の認定基準の「業務による心理的負荷評価表」にパワハラが明示されるようになった[20)]。従来は、上司等から嫌がらせ・いじめや暴行を受けた場合であっても、「（ひどい）嫌がらせ、いじめ、

---

18)　JILPT「（資料シリーズ No.216）職場のパワーハラスメントに関するヒアリング調査結果」（2019年6月7日）では、企業の対応事例として、お客様相談窓口等での対応の一本化、非通知の入電を受けない、お客様対応マニュアルや業界としてのルールを決める、店舗にカメラを入れる、複数で対応する、といったことが紹介されている。

19)　関係省庁が密接に連携し、顧客等からの著しい迷惑行為の防止対策を総合的かつ効果的に推進するため、「顧客等からの著しい迷惑行為の防止対策の推進に係る関係省庁連携会議」が設置されて、議論が進められている。

20)　令和2年5月29日基発0529第1号による改正後の平成23年12月26日付け基発1226第1号。

又は暴行を受けた」というカテゴリーで評価されていたが、今後は、職場における人間関係の優位性等に着目したうえで、優位性があれば、「上司等[21]から、身体的攻撃、精神的攻撃等のパワーハラスメント受けた」というカテゴリーで当てはめて評価されることになった[22]。この場合、心理的負荷の強度を「強」とする具体例として以下のものが挙げられている。

- 上司等から、治療を要する程度の暴行等の身体的攻撃を受けた場合
- 上司等から、暴行等の身体的攻撃を執拗に受けた場合
- 上司等による次のような精神的攻撃が執拗に行われた場合
  ➤ 人格や人間性を否定するような、業務上明らかに必要性がないまたは業務の目的を大きく逸脱した精神的攻撃
  ➤ 必要以上に長時間にわたる厳しい叱責、他の労働者の面前における大声での威圧的な叱責など、態様や手段が社会通念に照らして許容される範囲を超える精神的攻撃
- 心理的負荷としては「中」程度の身体的攻撃、精神的攻撃等を受けた場合であって、会社に相談しても適切な対応がなく、改善されなかった場合

---

[21] 「上司等」とは、職務上の地位が上位の者のほか、「同僚又は部下であっても、業務上必要な知識や豊富な経験を有しており、その者の協力が得られなければ業務の円滑な遂行を行うことが困難である場合」「同僚又は部下からの集団による行為でこれに抵抗または拒絶することが困難である場合」が含まれる。

[22] 優位性がなければ、「同僚等から、暴行または（ひどい）いじめ・嫌がらせを受けた」というカテゴリーで評価される。

図表4-2-5　セクシュアルハラスメントの典型例

対価型セクシュアルハラスメントの典型例	環境型セクシュアルハラスメントの典型例
① 事務所内において事業主が労働者に対して性的な関係を要求したが、拒否されたため、当該労働者を解雇すること ② 出張中の車中において上司が労働者の腰、胸等に触ったが、抵抗されたため、当該労働者について不利益な配置転換をすること ③ 営業所内において事業主が日頃から労働者に係る性的な事柄について公然と発言していたが、抗議されたため、当該労働者を降格すること	① 事務所内において上司が労働者の腰、胸等にたびたび触ったため、当該労働者が苦痛に感じてその就業意欲が低下していること ② 同僚が取引先において労働者に係る性的な内容の情報を意図的かつ継続的に流布したため、当該労働者が苦痛に感じて仕事が手につかないこと ③ 労働者が抗議をしているにもかかわらず、事務所内にヌードポスターを掲示しているため、当該労働者が苦痛に感じて業務に専念できないこと

Ⅳ　セクハラの法規制の概要

1　セクハラとは

　セクハラ（セクシュアルハラスメント）は、「職場において行われる性的な言動に対するその雇用する労働者の対応により当該労働者がその労働条件につき不利益を受け、又は当該性的な言動により当該労働者の就業環境が害されること」をいう（均等法11条）。
　このうち前者を対価型セクシュアルハラスメント、後者を環境型セクシュアルハラスメントといい（セクハラ防止指針2(5)(6)）、典型例は**図表4-2-5**のとおりである。
　均等法は、セクシュアルハラスメントにより女性労働者の就業環境が害されないよう、事業主がこれらを防止すべき措置（いわゆる「セクハラ防止措置」）をとることを義務付けている（セクハラ防止指針4）。

2 海遊館（L館）事件判決にみるセクハラの現状

セクハラ防止指針は、2006年に制定されすでに15年が経過しているが、いまだに多くのセクハラ事例がある。厚労省から委託を受けて民間企業が2020年に実施した実態調査結果によれば、過去３年間に勤務先でセクハラを受けたことがある労働者の割合は10.2％となっている[23]。セクハラの態様としては、環境型セクハラが多く、「性的な冗談やからかい」（49.8％）、「不必要な身体への接触」（22.7％）、「性的な事実関係に関する質問」（20.0％）、「食事やデートへの執拗な誘い」（17.6％）などの割合が高いが、「セクシュアルハラスメントに対し、拒否や抗議の姿勢を示した結果、降格など業務上の不利益を受けた」（対価型セクハラ）も13.9％と相当高い割合を示しており、企業によるセクハラ根絶の取組みは十分とはいえない[24]。

特に、言葉によるセクハラについては、身体的接触によるセクハラと比べて軽視される風潮があり、企業による対策も遅れがみられるとの指摘もなされているが、言葉によるセクハラについても厳しい態度を示した最高裁判決が出されているので[25]、同判決を紹介する。

(1) 事案の概要

この事案は、男性従業員ら（X_1、X_2）が女性従業員に対して、職場において１年余にわたり、卑猥な言動（「俺のん、でかくて太いらしいねん。やっぱり若い子はそのほうがいいんかなぁ。」「夫婦間はもう何年もセックスレスやねん……でも俺の性欲は年々増すねん。なんでやろうな。」、「（不貞相手と）この前、カー何々してん」など）を繰り返したこと（以下、「本件各行為」という）を理由として、会社がした懲戒処分（X_1に

---

23) 東京海上日動リスクコンサルティング株式会社「令和２年度 厚生労働省委託事業 職場のハラスメントに関する実態調査報告書」（2021年３月）61頁。なお、雇用形態別にみると、女性管理職が最も高く（26.2％）、次いで女性正規雇用（15.7％）、女性派遣社員（11.6％）、男性派遣社員（11.0％）の順となっている（同報告書63頁）。
24) 東京海上日動リスクコンサルティング・前掲注23) 77頁。
25) 最判平27・2・26労判1109号５頁（海遊館（L館）事件判決）。

つき出勤停止30日間、X_2につき同10日間）およびこれを理由とする人事上の降格処分（以下、「本件各処分」という）の有効性が争われた事案である[26]。

(2) 判決要旨

最高裁判決は、男性従業員らが営業部サービスチームの責任者の地位にありながらセクハラ発言を繰り返したことや、言動に気をつけるよう注意されながら未婚であるのを揶揄する発言をするなど女性従業員に強い不快感・嫌悪感・屈辱感を与える発言を繰り返していたこと、会社として文書での注意喚起や研修などセクハラ禁止の取組みをしていたこと、発言を受けていた女性従業員が退職したこと等に照らして、男性従業員らの行為が「企業秩序や職場規律に及ぼした有害な影響は看過し難いものというべき」として、控訴審判決を取り消して、本件各処分を有効と判断した。

控訴審判決では、①被害者から明確な拒否の姿勢を示されていなかったということや、②事前の警告や注意がなく、セクハラに対する会社の具体的処分方針を認識する機会もなかったということを加害従業員らに有利にしんしゃくして本件各処分を無効としていた。しかし、最高裁判決では、①に対しては、「被害者が内心でこれに著しい不快感や嫌悪感等を抱きながらも、職場の人間関係の悪化等を懸念して、加害者に対する抗議や抵抗ないし会社に対する被害の申告を差し控えたりちゅうちょしたりすることが少なくないと考えられる」ことから、被害者から明確な拒否の姿勢が示されなかったことを加害従業員に有利にしんしゃくすることは相当ではないとした。また、②に対しても、会社が、セクハラ防止を重要課題と位置付け、セクハラ禁止文書を作成して周知させていたことや、セクハラに関する研修への毎年の参加を全従業員に義務付けているなど、セクハラの防止のための取組みを行っており、管理職である加害従業員らにおいてセクハラ防

---

26) セクハラに関する事件は、セクハラ被害者が加害者や会社に対する損害賠償請求等を行う事案が典型的であり、本件のような事案はあまり見当たらない。

止やこれに対する懲戒等に関する会社の方針や取組みを当然に認識すべきであったことに加え、「本件各行為の多くが第三者のいない状況で行われており」、女性従業員から被害の申告を受ける前の時点において、会社が男性従業員らのセクハラ行為およびこれによる女性従業員の被害の事実を「具体的に認識して警告や注意等を行い得る機会があったとはうかがわれない」ことからすれば、懲戒前の経緯を加害従業員らに有利にしんしゃくしうる事情があるとはいえないとしている。

(3) **考察**

本判決は、本件の具体的な事実関係等に照らして、本件各処分が使用者の裁量の範囲内に属するものとして是認されうることを判示したものであり、本件各行為のような言葉によるセクハラについて一般的に出勤停止以上の懲戒処分を相当とする趣旨のものではない。しかし、使用者としては、当初は注意・指導にとどめてその改善状況を見極めることや、懲戒するとしても戒告、減給といったより軽い処分にとどめることも考えられた事案で、最高裁が、控訴審判決を破棄して、懲戒解雇の次に重い出勤停止処分を有効と判断したしたことに大きな意義がある。

もちろん不相当に処分が重くなってはならないが、被害者が明確な拒否の姿勢を示しておらず、加害従業員が許されているものと誤信していたとしても、それを安易に処分を軽減する情状として用いるべきではないといえる。また、セクハラ防止措置を講じていたことは、処分の量定判断において使用者側にプラスに作用しており、その点からみても、使用者は積極的にセクハラ防止措置を講じておくことが肝要である。

また、本判決で特筆すべき点として、被害者からのセクハラ被害の申出が難しいことを指摘したことが挙げられる。職場におけるセクハラは、第三者のいない状況で行われることが多く、被害者が職場における上下関係や人間関係の悪化等を懸念して被害の申告等を差し控えたりすることが少なくないといった職場におけるセクハラの特質や被

害の実態は、事業主がセクハラ対策を行うにあたって、常に念頭に置く必要があるべき事項である。

このように本判決は、言葉によるセクハラに対する社会の意識改革やセクハラの防止に向けた企業の取組みのさらなる充実の必要性を法規範的な判断を通じて明らかにするものとして、実務上重要な意義を有する[27]。

3 セクハラ対策の強化（2020年6月施行）

セクハラについては、2019年改正法の施行により、事業所の規模を問わず、次のとおり対策が強化されている。

(1) 事業主および労働者の責務の明確化

均等法は、セクハラ問題、つまり、職場において行われる性的な言動に対するその雇用する労働者の対応により当該労働者の労働条件につき不利益を与える行為、または労働者の就業環境を害する当該性的な言動を行ってはならないことその他当該性的な言動に起因する問題を「性的言動問題」と定義し（均等11条の2第1項）、パワハラ問題と同じく、事業主および労働者の責務を明確化した（均等11条2項～4項）［→Ⅲ3参照］。

(2) 相談等を理由とする不利益取扱いの禁止

パワハラ問題と同じく、相談等を理由とする不利益取扱いを禁止した（均等11条2項）［→Ⅲ4参照］。

(3) 自社の労働者が他社の労働者にセクハラを行った場合の協力対応

セクハラに特徴的な対策強化として、他社が実施する雇用管理上の措置（事実確認等）への協力を求められた場合、これに応じるよう努めることとされた（均等11条3項）。これは、自社の労働者が他社の労働者にセクハラを行ったケースを念頭に置いたものである。また、自社の労働者が他社の労働者等の社外の者からセクハラを受けた場合に、必要に応じて他社に事実関係の確認や再発防止への協力を求める

---

27) 最高裁判所調査官である中丸隆「判批」ジュリスト1483号（2015）82頁。

ことも雇用管理上の措置義務に含まれることが明記された（セクハラ防止指針4(3)イ・ニ）。

(4) 相談者の心身の状況等への配慮の明確化

相談窓口においては、被害を受けた労働者が萎縮するなどして相談を躊躇する例があること等も踏まえ、相談者の心身の状況や当該言動が行われた際の受け止めなどその認識にも適切に配慮すべきことが追記された（セクハラ防止指針4(2)ロ・(3)イ①）。

(5) セクハラ問題を防止するために行うことが望ましい取組みの規定

パワハラ問題にならって、セクハラ問題に関して行うことが望ましい取組み等の内容が規定された（セクハラ防止指針6・7）［→Ⅲ5参照］。

V　マタハラの法規制の概要

1　マタハラとは

マタハラ（マタニティハラスメント）は、正確に定義することは難しいが、女性労働者が妊娠、出産、産前産後休業をしたことその他妊娠・出産に関する事由を理由として、解雇その他の不利益な取扱いを受けたり、これらの事由に関する言動により就業環境を害されること、ならびに労働者が育児休業、子の看護休暇その他子の養育に関する制度や措置を利用したこと等を理由として、解雇その他の不利益な取扱いを受けたり、子の養育に関する制度や措置の利用に関する言動により就業環境を害されること、と一応定義できる[28]。

マタハラについては、均等法および育児介護休業法が規制を置いている。女性労働者が妊娠、出産、産前産後休業をしたことその他妊娠・出産に関する事由を理由とする解雇その他の不利益取扱いは禁止されており（均等法9条3項、同法施行規則2条の2）、労働者が育児休

---

[28]　子の養育に関するものは、男性労働者も対象となるが、本稿では女性のみを念頭に論じる。

業、子の看護休暇その他子の養育に関する制度や措置を利用したこと等を理由とする解雇その他の不利益取扱いも禁止されている（育介10条・16条の4等）[29]［→2］。

さらに、2017年1月以降は、妊娠・出産等に関する言動や、子の養育に関する制度や措置の利用に関する言動により女性労働者の就業環境が害されないよう、事業主がこれらを防止する措置（いわゆる「マタハラ防止措置」）をとることが義務付けられている（均等11条の3第1項、育介25条1項、マタハラ防止指針4、育介指針第2の14(3)）［→3］。

2　妊娠、出産、育児休業等を「理由とし」た不利益取扱い

(1)　はじめに

上述のとおり、妊娠、出産、育児休業等を「理由として」不利益取扱いを行うことは、均等法9条3項、育児介護休業法10条等が禁止しているが、妊娠、出産、育児にあたってとられた措置が、これらを理由とする不利益取扱いに該当するか否かがしばしば問題となる。

すなわち、妊娠、出産、育児にあたっては、従前の業務から軽易業務への転換[30]や（少なくとも一時的に）職責を免じる等の措置が必要となることがあるが、それらの措置は、ややもすれば人事異動や降格、低い人事考課や成績評価を伴い、賃金の低下その他の処遇の切下げ＝不利益取扱いという事態を招く。あるいは、それらの措置が難しいといった理由で、退職勧奨や雇止めがなされることもある。そして、事業主からは、業務上の必要性があること、労働者の同意を得ていること等を理由に、それらの措置は法律上禁止されている不利益取扱いに当たらないとしばしば主張されるところである[31]。

---

[29]　介護休暇その他家族の介護に関する制度や措置を利用したこと等を理由とする不利益取扱いも禁止されているが（育介16条・16条の7等）省略する。

[30]　使用者は、妊娠中の女性が請求した場合、他の軽易な業務に転換させなければならない（労基65条3項）。罰則もある（同法119条1号・121条1項）。

[31]　たとえば、後述する広島中央保健生協（C生協病院）事件。

(2) 「理由として」の解釈

　これらの措置がどのような場合に妊娠、出産、育児休業等を「理由とし」た不利益取扱いとなるかについて、均等法や育児介護休業法の指針や解釈通達がある。これらによると、均等法9条3項の「理由として」とは、「妊娠・出産等と、解雇その他の不利益な取扱いとの間に因果関係があること」をいい[32]、「妊娠・出産等の事由を契機として不利益取扱いが行われた場合は、原則として、妊娠・出産等を理由として不利益取扱いがなされたと解される」とされている[33]。育児介護休業法10条の「理由として」についても同様であり、育児休業の申出または取得をしたことを「契機として」不利益取扱いが行われたものかどうかで判断される[34]。そして「契機として」の解釈については、以下のとおりとされている[35]。

・原則として、妊娠・出産・育休等の事由の終了から1年以内に不利益取扱いがなされた場合は「契機として」いると判断する。

・事由の終了から1年を超えている場合であっても、実施時期が事前に決まっている、または、ある程度定期的になされる措置（人事異動〔不利益な配置変更等〕、人事考課〔不利益な評価や降格等〕、雇止め〔契約更新がされない〕など）については、事由の終

---

32) いわゆる性差別禁止指針（平成18年10月11日厚労告第614号、最終改正平成27年11月30日厚労告第458号）第4の3(1)。
33) 「改正雇用の分野における男女の均等な機会及び待遇の確保等に関する法律の施行について」（令和2年2月10日雇均発0210第2号による改正後の平成18年10月11日雇児発第1011002号）（以下、「均等法施行通達」という）第2の4(5)。
34) 育介指針第2の11(1)、「育児休業、介護休業等育児又は家族介護を行う労働者の福祉に関する法律の施行について」（令和元年12月27日雇均発1227第2号による改正後の平成28年8月2日職発0802第1号、雇児発0802第3号）（以下、「育介法施行通達」という）第2の23(3)。なお、子の看護休暇等についても同様である。
35) 「妊娠・出産・育児休業等を契機とする不利益取扱いに係るQ&A」（以下、「厚労省Q&A」という）の問1。

第2章　職場のハラスメント

図表4-2-6　不利益取扱いの例外要件および解釈

例外の要件 *1	イ　円滑な業務運営や人員の適正配置の確保などの業務上の必要性から支障があるため当該不利益取扱いを行わざるをえない場合において、 ロ　その業務上の必要性の内容や程度が、均等法9条3項／育介法10条の趣旨に実質的に反しないものと認められるほどに、当該不利益取扱いにより受ける影響の内容や程度を上回ると認められる特段の事情が存在すると認められるとき	
例外①（業務上の必要性）	要件の解釈 *2	「業務上の必要性」から不利益取扱いをせざるをえない状況であるかについては、たとえば、経営状況（業績悪化等）や本人の能力不足等を理由とする場合であれば、以下の事項等を勘案して判断する。 (1)　経営状況（業績悪化等）を理由とする場合 　①　事業主側の状況（職場の組織・業務態勢・人員配置の状況） 　　・　債務超過や赤字の累積など不利益取扱いをせざるをえない事情が生じているか 　　・　不利益取扱いを回避する真摯かつ合理的な努力（他部門への配置転換等）がなされたか 　②　労働者側の状況（知識・経験等） 　　・　不利益取扱いが行われる人の選定が妥当か（職務経験等による客観的・合理的基準による公正な選定か） (2)　本人の能力不足・成績不良・態度不良等を理由とする場合（ただし、能力不足等は、妊娠・出産に起因する症状によって労務提供ができないことや労働能率の低下等ではないこと） 　①　事業主側の状況（職場の組織・業務態勢・人員配置の状況） 　　・　妊娠等の事由の発生以前から能力不足等を問題としていたか 　　・　不利益取扱いの内容・程度が、能力不足等の状況と比較して妥当か 　　・　同様の状況にある他の（問題のある）労働者に対する不利益取扱いと均衡が図られているか 　　・　改善の機会を相当程度与えたか否か（妊娠等の事由の発生以前から、通常の（問題のない）労働者を相当程度上回るような指導がなされていたか等） 　　・　同様の状況にある他の（問題のある）労働者と同程度の研修・指導等が行われていたか 　②　労働者側の状況（知識・経験等） 　　・　改善の機会を与えてもなお、改善する見込みがないといえるか

例外②（労働者の同意）	例外の要件	イ 〈妊娠・出産等の場合のみ〉契機とした事由または当該取扱いにより受ける有利な影響が存在し
		ロ 当該労働者が当該取扱いに同意している場合において
		ハ 当該事由および当該取扱い／当該育児休業および当該取扱いにより受ける有利な影響の内容や程度が当該取扱いにより受ける不利な影響の内容や程度を上回り、当該取扱いについて事業主から労働者に対して適切に説明がなされる等、一般的な労働者であれば当該取扱いについて同意するような合理的な理由が客観的に存在するとき
	勘案すべき事項 ＊3	・事業主から労働者に対して適切な説明が行われ、労働者が十分に理解した上で当該取扱いに応じるかどうかを決めることができたか
		・その際には、不利益取扱いによる直接的影響だけでなく、間接的な影響（例：降格（直接的影響）に伴う減給（間接的影響）等）についても説明されたか
		・書面など労働者が理解しやすい形で明確に説明がなされたか
		・自由な意思決定を妨げるような説明（例：「この段階で退職を決めるなら会社都合の退職という扱いにするが、同意が遅くなると自己都合退職にするので失業給付が減額になる」と説明する等）がなされていないか
		・契機となった事由や取扱いによる有利な影響（労働者の意向に沿って業務量が軽減される等）があって、その有利な影響が不利な影響を上回っているか

＊1　例外①②の要件は、いずれも、均等法施行通達第2の4(5)、育介法施行通達第2の23(3)。
＊2　厚労省Q&A問2。
＊3　厚労省Q&A問3。

了後の最初のタイミングまでの間に不利益取扱いがなされた場合は「契機として」いると判断する。

(3)　例外要件とその判定

一方で、「契機として」と認められる場合であっても、例外的に、①業務上の必要性の観点から（例外①）、②労働者の同意の観点から（例外②）、均等法9条3項および育児介護休業法10条の「理由とし」た不利益取扱いに該当しないとされている（図表4-2-6）[36]。

このように、妊娠、出産、育児休業等を契機とした不利益取扱い

は、原則として違法（均等法9条3項違反、育介法10条違反）であり、上記例外①、例外②の要件はかなり狭く、しかもその要件にあたるか否かも相当慎重に判定していかざるをえない。以下では、広島中央保健生協（C生協病院）事件判決を参照しながら、いかなる場合に例外①、例外②の要件を満たすか、さらに検討する。

(4) 例外①（業務上の必要性）が認められるケース

例外①として挙げられている(1)経営状況（業績悪化等）を理由とする場合、や(2)本人の能力不足・成績不良・態度不良等を理由とする場合はあくまで例示であり、「業務上の必要性から支障があ」れば例外①にあたりうる。

もっとも、「業務上の必要性から支障があ」ると認められるには、一般的、抽象的な支障を示すだけでは足りず、具体的な業務を念頭に、そこからどのような支障が生じるのか具体的に主張立証する必要があり、相当の困難が予想される。

たとえば、広島中央保健生協（C生協病院）事件では、使用者側は、ⅰ指揮命令系統の混乱を避けるため同一組織単位に主任・副主任を併存させない運用がなされていたことから、労働者を副主任から免じた措置には業務上の必要性があったこと、また、ⅱ労働者は、副主任から免じられたことにより、訪問リハビリを要しなくなり、業務上の負担が減ったことなどから、例外②が認められると主張したが、差戻控訴審である広島高判平27・11・17（労判1127号5頁）は、ⓐ「一般的、抽象的に指揮命令系統に混乱が生ずる可能性があり、医療現場においては患者の命や医療の安全を守ることが大切であるから混乱を排除する必要性があることは認められる」ものの、「指揮命令系統の混乱が、具体的にどのような事態を想定しているのか、発生した事態に伴い具体的に発生する危険がどのようなものであるかについて主張自体明確

---

36) 例外①②は、妊娠中の軽易業務への転換を契機に副主任を免ずる措置を執ったこと、および育児休業終了後の復職にあたり副主任に任ぜられなかったことが、均等法9条3項所定の不利益取扱いにあたるかどうかが争われた広島中央保健生協（C生協病院）事件の最高裁判決（最判平26・10・23労判1100号5頁）を受けて、平成27年1月に追加されたものである。

でない」等の事情から、業務上の必要性があったことが十分に立証されていないこと、また、ⓑ身体的負担の大きい訪問リハビリを要しなくなったのは、異動に伴う利益であって降格に伴う利益ではなく、望まない降格により経済的損失を被るほか、人事面においても、役職取得に必要な職場経験のやり直しを迫られる不利益を受けること、および復帰時に役職者として復帰することが保証されているものではなかったことから、副主任を免じることによる業務上の負担軽減は、大きな意味をもつものとはいえ、降格という不利益を補うものであったとはいえないとして、例外②の該当性を否定している。

また仮に、妊娠・出産・育児休業期間中に管理職を免ずることの業務上の必要性が認められたとしても、育児休業からの復帰時に管理職に任じないことの業務上の必要性が認められるかは別問題であることに留意する必要があろう。

(5) 例外②（労働者の同意）が認められるケース

例外②が認められるのは、たとえば、業務の性質上、管理職を外れない限り労働者の希望する業務負担軽減が困難である場合に、使用者が復帰後の処遇等について十分な配慮と説明を行い、労働者が納得した上で同意し、かかる同意に基づいて一時的に降格させる（管理職を免ずる）場合など、相当限定されたケースであると考えられる[37]。もう少しかみ砕いていえば、管理職として身体的または精神的に負荷のかかる業務を遂行する必要があり、また、高度な責任が課せられている状況において、管理職のままでは、妊娠・出産・育児休業期間中に労働者の健康や育児に支障が生じる可能性が高く、かつ、このような状況を労働者が理解したうえで、自由な意思に基づき降格に同意をした場合には、例外②に該当すると考えられる。もっとも、このような場合であっても、当該同意は、妊娠・出産・育児休業期間中に管理職を免じられることについての同意であり、育児休業復帰時に管理職に任じられないことまで同意するものではないと解すべきであろう（そ

---

[37] 両角道代「判批」ジュリスト1494号（2016）113頁。

第2章 職場のハラスメント

図表4-2-7 制度等の利用への嫌がらせ型

妊娠・出産等に関するもの
○母性健康管理措置　　○抗内就業・危険有害業務　　○産前休業 ○軽易業務転換　　○時間外・休日・深夜業の制限　　○育児時間　　関係

育児休業等に関するもの^(※1)
○育児休業　　○子の看護休暇　　○所定外労働・時間外労働の制限 ○深夜業の制限　　○所定労働時間の短縮　　○始業時刻の変更等　　関係

事由	行為者	行為類型
利用の請求等をしたい旨を相談した	上司	解雇その他不利益な取扱いを示唆 請求等をしないように言う^(※2)
利用の請求等をした		解雇その他不利益な取扱いを示唆 請求等を取り下げるように言う^(※2)
利用した		解雇その他不利益な取扱いを示唆 繰り返しまたは継続的に嫌がらせ等をする^(※3)
利用の請求等をしたい旨を伝えた	同僚	繰返しまたは継続的に請求等をしないように言う^(※2)
利用の請求等をした		繰返しまたは継続的に請求等を取り下げるように言う^(※2)
利用した		繰返しまたは継続的に嫌がらせ等をする^(※3)

のような同意をする合理的な理由は客観的に存在しない)。すなわち、妊娠・出産・育児休業期間中という一定期間のみ管理職を免ずることについての同意と、育児休業からの復帰時に管理職を任じられないことの同意は別問題であり、同意の取得にあたって十分留意することが必要である。

　実務的には、労働者に対して必要十分な説明を行い、かつかかる説明を理解した上で同意したことを事後的に検証できる程度の証跡を残すことが重要である。たとえば、形式的に同意書を取得するのではなく、説明資料を作成し(資料中には、管理職を免じられることで得られる有利な影響(労働時間や業務処理件数の減少の程度等)を具体的に記載することが考えられる)、説明資料中にチェック項目を設け、説明内容を理解した旨のチェックを入れてもらったうえで署名してもらうなど、労働

第4編　ダイバーシティーの実現

図表4-2-8　状態への嫌がらせ型

妊娠・出産等に関するもの
　○妊娠、出産　　○抗内就業・危険有害業務
　○産後休業　　　○妊娠、出産に起因する症状関係

状態	行為者	行為類型
妊娠した、出産した、つわり等による労働能率の低下等、就業制限により就業できない	上司	解雇その他不利益な取扱いを示唆 繰返しまたは継続的に嫌がらせ等をする（※3）
	同僚	繰返しまたは継続的に嫌がらせ等をする（※3）

（図表4-2-7、図表4-2-8共通）
※1　介護に関するハラスメント、いわゆるケアハラスメントについては、**第3編第3章Ⅳ3**参照。
※2　客観的にみて、（女性）労働者の制度等の利用が阻害されるものが該当。
※3　客観的にみて、（女性）労働者の能力の発揮や継続就業に重大な悪影響が生じる等、（女性）労働者が就業する上で看過できない支障が生じるようなものが該当。

◎　厚労省「防止措置義務の対象となる言動について」より作成。

者の意思確認が慎重に行われたことを示す証跡を残すことが望ましい。

3　マタハラ防止措置

(1)　マタハラ防止措置の対象となる行為

　マタハラ防止指針および育介指針では、マタハラ防止措置の対象となる行為を、制度等の利用への嫌がらせ型（法令上認められた制度の利用に対する言動により就業環境が害されるもの）と、状態への嫌がらせ型（女性労働者が妊娠したこと、出産したこと等に関する言動により就業環境が害されるもの）の2類型に整理し、それぞれ、どのような事由、状態について誰が（行為者）どのような言動（行為類型）を行うことがマタハラとなるか、その典型例を挙げている（マタハラ防止指針2(1)(4)(5)、育介指針第2の14(1)ニ。図表4-2-4、図表4-2-5）。

　なおいずれも、「業務分担や安全配慮等の観点から、客観的にみて、業務上の必要性に基づく言動によるもの」はマタハラにはあたらないとされている（マタハラ防止指針2(1)、育介指針第2の14(1)）。

　たとえば、客観的に見て妊婦の体調が悪い場合に業務量の調整を行

うことは、企業に課せられている安全配慮義務の観点からも重要であり、マタハラにはあたらない。この点について、厚労省が作成したパンフレットにおいても、上司が長時間労働している妊婦に対して、「妊婦には長時間労働は負担が大きいだろうから、業務分担の見直しを行い、あなたの残業量を減らそうと思うがどうか」と配慮することは、妊婦本人にはこれまでどおり勤務を続けたいという意欲がある場合であっても、客観的にみて妊婦の体調が悪い場合は業務上の必要性があり、マタハラにはあたらないとされている[38]。

(2) 防止措置の内容

事業主が講ずべき防止措置の内容は、パワハラ［→前記Ⅲ4］やセクハラのそれらと基本的に同じである（パワハラ防止措置につき、**図表4-2-3参照**）。

加えて、マタハラに特有のものとして、「ハラスメントの原因や背景となる要因を解消するための措置」をとることが求められている[39]。マタハラの原因や背景となりうる否定的な言動の要因としては、妊娠した労働者がつわりなどの体調不良のため労務の提供ができないことや、労働能率が低下すること等により、周囲の労働者の業務負担が増大することがあるとされている。また、育児休業者の業務について、業務量の調整をすることなく、特定の労働者にそのまま負わせることは、育児休業者への不満につながり、休業後の円滑な職場復帰に影響を与えることにもなりかねない。そのため、業務体制の整備など、事業主や妊娠等した労働者やその他の労働者の実情に応じて、業務分担の見直しや業務の効率化を図るなど、必要な措置を講じなければならないとされている。

---

[38] 厚労省「職場におけるパワーハラスメント対策が事業主の義務になりました！」（令和2年2月）15頁。

[39] マタハラ指針には、マタハラの発生の原因や背景には、妊娠・出産等に関する否定的な言動が頻繁に行われるなど制度等の利用やその請求をしにくい職場風土があることが考えられるとしている。そして「否定的な言動」には、不妊治療に対する否定的な言動も含まれることを明記している（マタハラ指針4(1)）。

このほか、妊娠等した労働者の側においても、制度等の利用ができるという知識をもつことや、周囲と円滑なコミュニケーションを図りながら自身の体調等に応じて適切に業務を遂行していくという意識をもつことが重要であり、事業主が妊娠等した労働者に制度等の利用ができることを周知・啓発することが望ましい。

マタハラ防止措置を講じなかった場合の罰則規定は定められていないものの、厚労大臣は、法律や指針に従わない事業主に対して、指導、勧告を行うことができ（均等29条、育介56条）、勧告に従わなかった場合、「企業名の公表」をすることができるものとされている（均等30条、育介56条の2）[40]。SNSなどの影響力が強まっていることなどにかんがみれば、「企業名の公表」は、決して軽い制裁とはいえないだろう。

4 マタハラ対策の強化（2020年6月施行）

マタハラについても、2019年改正法の施行により、事業所の規模を問わず、次のとおり対策が強化されている。

(1) 事業主および労働者の責務の明確化

均等法、育児介護休業法は、マタハラ問題、つまり、マタハラとなる言動を行ってはならないことその他当言動に起因する問題を「妊娠・出産等関係言動問題」、「育児休業等関係言動問題」と定義し（均等11条の4第1項、育介25条の2第1項）、パワハラ問題と同じく、事業主および労働者の責務を明確化した（均等11条の4第2項〜4項、育介25条の2第2項〜4項）[→Ⅲ3参照]。

(2) 相談等を理由とする不利益取扱いの禁止

パワハラ問題と同じく、相談等を理由とする不利益取扱いを禁止した（均等11条の3第2項、育介25条2項）[→Ⅲ4参照]。

(3) 相談者の心身の状況等への配慮の明確化

相談窓口においては、被害を受けた労働者が萎縮するなどして相談

---

[40] なお、パワハラ防止措置義務違反、セクハラ防止措置義務違反にも同様の制度が定められている。

を躊躇する例があること等も踏まえ、相談者の心身の状況や当該言動が行われた際の受止めなどその認識にも適切に配慮すべきことが追記された（マタハラ防止指針4(2)ロ・(3)イ①、育介指針第2の14(3)ロ(ロ)・ハ(イ)①）。

(4) マタハラ問題を防止するために行うことが望ましい取組みの規定

パワハラ問題にならって、マタハラ問題に関して行うことが望ましい取組み等の内容が規定された（マタハラ防止指針5・6、育介指針第2の14(4)）［→Ⅲ5参照］。

5 マタハラ防止措置義務と企業の対応

(1) 最近のイシュー──「逆マタハラ」問題

マタハラには「逆マタハラ」と呼ばれる問題があるとされる。「逆マタハラ」の意味については、論者や文章によって、①産休・育休等により他の従業員へしわ寄せが生じるという趣旨と、②仕事や周囲への気遣いをせず、過剰な権利意識で職場に迷惑をかけたり、周囲を傷つけたりするという趣旨の両方または一方を指して使用されている。この点、まず①については、妊娠・出産・育児をしている従業員の問題というよりも、主として、そのようなしわ寄せがなるべく生じないようにするための使用者側のマネジメントの問題であり、対策としては、パートタイマーや派遣労働者などで代替可能な業務については、時限的にパートタイマーや派遣労働者などに代替させ、パートタイマーや派遣労働者などに代替させることが難しい場合は、フォローする上司や同僚の人事評価にフォローしていることを反映し、その分の対価を適正に支払うこと、結婚や妊娠を望まない従業員には長期休暇制度の導入を検討することなどが考えられる[41]。一方、②について

---

41) 小酒部さやか「現場の理解と実践を促す企業のマタハラ防止対策と運用ポイント──平成29年1月施行を前に確認しておくべき現場での防止対策と運用の具体例」労政時報3919号（2016）75頁参照。マタハラや「逆マタハラ」の問題の根底には、育児休業を取得する従業員と、取得しない（またはできない・できなかった）従業員との間の不公平感がある場合が多く、かかる不公平感が相互の軋轢を生んだり、取得をしたいのにできないといった躊躇を

は、事案によっては、正当に権利を行使しているだけなのに「逆マタハラ」などと非難されてしまっているケースもあると思われ、そのようなケースでは非難する側の意識を改革する必要がある（研修の実施や、業務のしわ寄せの解消等）。他方、法律上認められている権利を行使しているとしても、たとえば、妊娠・出産・育児をしている従業員において、上司に事前の報告・連絡・相談がないケースや、周囲に配慮を欠く発言等をするといったケースは、「逆マタハラ」というよりも当該従業員の協調性等の問題であり、その点については、マタハラとならない範囲で指導していくしかほかないと思われる。

(2) **今後の展望**

日本では、「育休は女性がとるものである。育児は女性が行うものである」との意識が依然として強いといわざるをえず、マタハラ防止措置義務が課せられたからといって、このような意識をすぐに変えることは容易でなく、長期的なスパンに立った意識改革が必要であると思われる。働き方改革実行計画においても、「女性の就業が進む中で、依然として育児・介護の負担が女性に偏っている現状や男性が希望しても実際には育児休業の取得等が進まない実態を踏まえ、男性の育児参加を徹底的に促進するためあらゆる政策を動員する」とされているところであり、女性だけに育児の負担が集中することのないよう、男性も育児参加できるような会社づくりと意識改革が望ましい。

また、政策的な展望や方針として、今後、マタハラ対策等に関し、対策が不十分な企業に対する罰則を定めることも考えられうるが、より前向きかつ積極的に企業側のモチベーションを高める方法としては、よい取組みをしている企業に、社会保険料の優遇や、減税措置をとるなどの方策を導入することも考えられる。くるみん認定企業（子育てサポート企業として認定を受けた企業）には税制での優遇があるが、マタハラ防止措置義務とは直接は連動していないことから、このような既存の制度と連動したインセンティブ制度を導入することもありう

生んだりすると考えられ、使用者側にはかかる不公平感を感じさせない体制を整備することが期待される。

第2章　職場のハラスメント

るものと思われる。

Ⅵ　最後に

　防止措置義務違反に対する指導等に従わない場合、企業名が公表されることになっているが（労働施策総合推進法33条2項、均等30条、育介56条の2）、これまで妊娠した労働者の解雇事案で公表されたケースがあるくらいであった。しかし、2019年の女性の職業生活における活躍の推進に関する法律等の一部を改正する法律案に対する参議院の附帯決議（18項）では、「セクシュアルハラスメント防止や新たなパワーハラスメント防止等についての事業主の措置義務が十分に履行されるよう、指導を徹底すること。その際、都道府県労働局の雇用環境・均等部局による監視指導の強化、相談対応、周知活動等の充実に向けて、増員も含めた体制整備を図ること。その上で、なお指導に従わない場合の企業名公表の効果的な運用方法について検討を行うこと」が決議されており、今後行政の取締りが強化され、措置義務違反に対して企業名が公表されるリスクが現実味を帯びる可能性がある。

　また、近時の裁判例でパワハラ自殺が問題となった事案で、上司の不法行為該当性は否定されたものの、上司と部下の人間関係に関するトラブルを放置したとして使用者の安全配慮義務違反が認定され、使用者に多額の損害賠償責任が課されたものがある[42]。

　使用者は、ハラスメント対策を怠れば、行政の取締りを受けるリスク、企業名公表等のレピュテーションリスク（SNSへの書込みや訴訟提起時の記者会見などで情報が拡散することも考えられる）、民事上の損害賠償責任を負うリスクなどがあり、本章で見てきたようなハラスメント防止措置を早期に適切に講じておくことは使用者にとっても大きなメリットがあるところである。

---

42)　徳島地判平30・7・9労判1194号49頁（ゆうちょ銀行（パワハラ自殺）事件）。

第3章　高齢者雇用

Ⅰ　働き方改革と高齢者雇用

1　超高齢化社会の到来とエイジレス社会の実現

　日本の高齢化率（総人口に占める65歳以上の人口の割合）は2007年に20％を超え、いわゆる超高齢化社会に突入した[1]。その後も2065年には高齢化率は38.4％（国民の約2.6人に1人）に達すると推計されており[2]、急速に高齢化が進むことが見込まれている。また、すでに65歳以上の就業者は906万人と全労働人口（6868万人）の13.2％を占めている[3]。したがって、このまま日本の少子高齢化が進む限り、労働人口の一翼を担っていく高齢者が、その意欲と能力のある限り、社会の支えとして活躍し続けることのできる環境の整備が必要となる。

　すでに働き方改革実行計画でも、年齢にかかわりなく公正な職務能力評価により働き続けられる「エイジレス社会」の実現が掲げられ、このエイジレス社会の実現が高齢者の活用にとどまらず、若者のやる気、そして企業全体の活力の増進にもつながるとされている。

2　高齢者雇用の現状

　高齢者のうち60歳から64歳については、2020年時点の就業率が71.0％に達している[4]。一方、65歳以上の高齢者については、60歳以

---

1) 総務省「人口推計（平成19年10月1日現在）結果の概要」5頁。
2) 内閣府「令和3年度版高齢社会白書（全体版）」3頁〜4頁。
3) 総務省「労働力調査（基本集計）2020（令和2年）平均結果の概要」5頁。
4) 総務省・前掲注3）6頁。

第3章　高齢者雇用

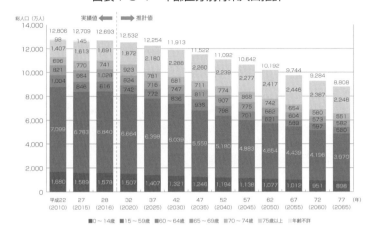

図表4-3-1　年齢区分別将来人口推計

（注）　2010年、2015年の総数は年齢不詳を含む。
出典：2010年と2015年は総務省「国勢調査」、2016年は総務省「人口推計」（平成28年10月1日確定値）、2020年以降は国立社会保障・人口問題研究所「日本の将来推計人口（平成29年推計）」の出生中位・死亡中位仮定による推計結果。内閣府「平成29年度版高齢社会白書（全体版）」4頁より抜粋。

　上の6割近くの人が65歳を超えても働きたいという意欲をもっているにもかかわらず[5]、その就業率は25.1％にとどまり[6]、多様な技術や経験をもつ高齢者の就労意欲が十分に活用されていない状況となっている。この問題は、2018年10月の未来投資会議において採り上げられ、当時の安倍首相は「65歳以上への継続雇用年齢の引き上げについては、70歳までの就業機会の確保を図り、高齢者の希望・特性に応じて、多様な選択肢を許容する方向で検討する」と述べた。これを受けて高年法が改正され（2021年4月1日施行）、高齢者雇用は、将来的には70歳までの雇用義務化も視野に入れた新たな対応が必要な段階にある[7]。

---

[5]　内閣府「令和元年度高齢者の経済生活に関する調査結果（全体版）」22頁。
[6]　総務省・前掲注3）6頁。
[7]　厚労省は、改正高年法の施行にあわせて「モデル就業規則（令和3年4月版）」を公表しており、ここでは、①定年を満70歳とする例、②定年を満65歳

そこで、本章では、改正後の高年法を概観したうえで［→Ⅱ］、現在企業で広く利用されている継続雇用制度と［→Ⅲ］、高齢者のキャリアチェンジについて［→Ⅳ］、それぞれ現状の課題や今後留意すべきポイント等について検討していく。

Ⅱ 高年法の概要

1 65歳までの高年齢者雇用確保措置

(1) 3つの措置の選択的採用が義務づけられていること

高年法は、定年は60歳を下回ることができないとしてうえで（同法8条）、65歳未満の定年を定めている事業主に対して、高年齢者雇用確保措置として、①定年の引上げ、②継続雇用制度の導入、③定年の定めの廃止のいずれかを講じることを義務づけている（同法9条1項）[8]。したがって、まずはこれら3つの措置の特徴を概観し、そのメリット・デメリットを比較する[9]。

(2) 定年の引き上げ、定年制廃止のメリット・デメリット

定年の引上げ（前記①）または廃止（前記③）を行う場合、60歳を超えても正社員として働き続け、かつ、それまでの人事ローテーションの範囲内で職務内容や処遇の変更がなされるにとどまる。そのため、高年齢者としては、60歳定年前のキャリアや処遇の連続性を維持しながら働くことが可能となり、60歳前と同等にモチベーションを維

とし、その後希望者を継続雇用する例、③60歳定年後の継続雇用を65歳以降も基準を設けて行う例、④65歳定年後の継続雇用または業務委託契約を基準を設けて行う例の記載例が紹介されている。

[8] 高年法においては、55歳以上の者を「高年齢者」と定義し（同法2条1項、高年則1条）、就業促進を図る主たる対象としていることから、同法の説明においては「高年齢者」の文言を用いる。

[9] ①定年の引上げ、②継続雇用制度の導入、③定年の定めの廃止は、後述する高年齢者就業確保措置（高年10条の2第1項・2項）［→2］の選択肢としても定められているが、その特徴やメリット・デメリットについては高年齢者雇用確保措置の場合と基本的に同様である。

図表4-3-2　定年引上げ・廃止と継続雇用制度の比較

定年引上げ・廃止		継続雇用制度
・正社員	雇用区分	・嘱託社員などの有期雇用
・期間の定め無し	契約期間	・1年更新が多い
・定年前と連続性あり	職務内容・処遇	・再雇用時に見直し可
・社員のモチベーションを維持しやすい ・有為人材の確保に有利	メリット	・柔軟な働き方に対応 ・人件費抑制に効果有り
・組織の若返りが遅れる ・人事制度全体の見直し要	デメリット	・適当なポストの不足

出典：高齢・障害・求職者雇用支援機構「65歳超雇用推進マニュアル全体版」48頁に基づき筆者作成。

持しながら働きやすくなる。また、企業としては、豊富な経験をもつ高年齢社員の活用や40代後半の中年齢社員の定着率向上などが望める。

しかしながら、定年を引き上げるまたは廃止するためには人事制度全体の見直しが必要であるため、導入の際のハードルが高いだけでなく、従前のキャリアとの連続性を維持しながら高年齢社員を雇用し続けることは、人件費の増大や組織の若返りを遅らせる要因にもなる。

(3) **継続雇用制度のメリット・デメリット**

継続雇用制度（前記②）は、現に雇用している高年齢者が希望するときは、当該高年齢者をその定年後も引き続き雇用する制度をいい、定年を迎えることによっていったん雇用契約を終了させ、嘱託社員などの有期雇用社員として雇い直す（再雇用する）のが通常である。そのため、企業としては再雇用時に職務内容、労働時間、勤務地、さらには賃金水準等の労働条件を変更することができ、各企業の実情に合わせた柔軟な制度設計が可能となる（ただし、企業が再雇用する際に提示できる労働条件が無制約ではないことは後記Ⅲの2参照）。そのため、2020年時点において高年齢者雇用確保措置の実施済企業のうち、約8割の企業が継続雇用制度の導入を選択しており[10]、60歳定年後のキャ

リアとして広く普及している。もっとも、処遇の見直し・役割の変化による再雇用社員のモチベーションの低下や、再雇用社員向けのポストの確保に課題を抱える企業も多い[11]。

2 70歳までの高年齢者就業確保措置（2021年4月施行）

(1) 努力義務としての新設

2021年4月に施行された改正高年法では、70歳未満の定年を定めている事業主に対し、新たに65歳以上70歳までの高年齢者を対象として、雇用による措置（後記(2)の①②③）または雇用によらない措置としての創業支援等措置（後記(3)の④⑤）のいずれかの措置（高年齢者就業確保措置）を講ずる努力義務が規定された（同法10条の2第1項・2項）。

なお、改正高年法の施行に合わせて、「高年齢者等職業安定対策基本方針」（令和2年10月30日厚労告350号）（以下、「令和2年基本方針」という）が新たに策定されている。また、高年齢者就業確保措置の実施および運用については、新たに「高年齢者就業確保措置の実施及び運用に関する指針」（令和2年10月30日厚労告第351号）（以下、「就業確保運用指針」という）が策定・適用され、「高年齢者雇用安定法Q&A（高年齢者就業確保措置関係）」（以下、「就業確保Q&A」という）も厚労省のウェブサイトで公表されている。これらは、65歳までの高年齢者に関する「高年齢者雇用確保措置の実施及び運用に関する指針」（平成24年11月9日厚労告第560号）（以下、「雇用確保運用指針」という）および「高年齢者雇用安定法Q&A（高年齢者雇用確保措置関係）」（以下、「雇用確保Q&A」という）にならったものである。

---

10) 厚労省が、常時雇用する労働者が31人以上の企業16万4151社を対象にした調査による。厚労省「令和2年『高年齢者の雇用状況』集計結果」4頁。
11) 日本経済団体連合会「中高年齢従業員の活躍推進に関するアンケート調査結果」（2015年9月）によれば、ホワイトカラーの高年齢社員活躍にあたっての企業側の問題として「再雇用の処遇の低下・役割の変化によりモチベーションが低下」（53.4％）、「自社において、活用する職務・ポストが不足」（26.7％）が挙げられている。

(2) 65歳以上の継続雇用制度については「対象者基準」を設けることができること

　雇用による措置によって高年齢者就業確保措置を達成するためには、①70歳までの定年の引上げ、②65歳以上70歳までの継続雇用制度の導入、③定年の定めの廃止の選択肢がある。このうち、②継続雇用制度については、高年齢者就業確保措置が努力義務であることから、措置の対象となる高年齢者について一定の基準（対象者基準）を設けることが可能とされている（就業確保運用指針第2の1(3)イ）[12]。対象者基準の内容は原則として労使協議に委ねられるが、過半数労働組合等の同意を得ることが望ましく、また、事業主が恣意的に高年齢者を排除しようとするなど高年法の趣旨や公序良俗に反するものは認められない。たとえば、「会社が必要と認めた者に限る、上司の推薦がある者に限る」といった基準は、基準がないことに等しく、これのみでは本改正の趣旨に反するおそれがあるとされている（就業確保Q&A⑫）。

　なお、高年齢者雇用確保措置としての継続雇用制度では継続雇用先は事業者自身と特殊関係事業主[13]に限定されるが（高年9条2項）、高年齢者就業確保措置としての継続雇用制度においては、これに加えて特殊関係事業主以外の他社で継続雇用する制度も可能となる（高年10条の2第3項）。

(3) 創業支援等措置の概要

　創業支援等措置によって高年齢者就業確保措置を達成するためには、次の④または⑤の制度を導入する必要がある。すなわち④高年齢者が希望するときは、70歳まで継続的に業務委託契約を締結する制度、⑤高年齢者が希望するときは、70歳まで継続的にⅰ事業主自ら実施する社会貢献事業[14]、またはⅱ事業主が委託、出資（資金提供）等

---

[12] 後記(3)の創業支援等措置についても、対象者基準を設けることが可能である。
[13] 事業主の子法人等、親法人等、親法人等の子法人等、関連法人等、親法人等の関連法人等を指す（高年則4条の3）。

する団体が行う社会貢献事業に従事できる制度である[15]。

なお、創業支援等措置に基づく就労は、労働関係法令による労働者保護が及ばないことから、高年齢者就業確保措置として創業支援等措置のみを講じる場合には、同措置の実施に関する計画を定めたうえで、過半数労働組合または過半数代表者の同意を得て、これを周知する必要がある（高年10条の2第1項ただし書、高年則4条の5第1項・3項）。同計画に定める事項や留意点についても、規則等で詳しく定められている（高年則4条の5第2項、就業確保運用指針第2の3(2)ロ、厚労省「高年齢者雇用安定法改正の概要」（詳細版）9頁・10頁）。

Ⅲ　継続雇用制度

1　継続雇用制度の概要

(1)　原則として希望者全員を対象とする必要があること

継続雇用制度は、2021年4月以降は、65歳までを対象とした高年齢者雇用確保措置としての継続雇用制度と70歳までを対象とした高年齢者就業確保措置としての継続雇用制度に分かれるが、継続雇用制度である以上、原則として希望者全員を対象とする必要がある。

もっとも、次の場合は対象者を限定することが認められている。ま

---

14)　「社会貢献事業」とは、社会貢献活動その他不特定かつ多数の者の利益の増進に寄与することを目的とする事業をいい（高年法10条の2第2項2号イ）、特定または少数の者の利益に資することを目的とした事業はこれにあたらない。たとえば①特定の宗教の教義を広め、儀式行事を行い、信者を教化育成することを目的とする事業や②特定の公職の候補者や公職にある者、政党を推薦・支持・反対することを目的とする事業はこれに該当しない（就業確保運用指針第2の3(1)ハ、厚労省「高年齢者雇用安定法改正の概要（詳細版）」8頁）。

15)　「出資（資金提供）等」には、事業の運営に対する出資（寄付等を含む）や事務スペースの提供など社会貢献活動の実施に必要な援助を含む。また「団体」は、社会貢献事業をしていれば社会貢献事業以外の事業を実施していてもよく、公益社団法人に限られない（就業確保運用指針第2の3(1)ロ、厚労省「高年齢者雇用安定法改正の概要（詳細版）」8頁）。

ず、前者の65歳までの継続雇用制度について、2013年3月31日までに対象者を限定する基準（継続雇用基準）を労使協定により定めていた場合である。継続雇用基準は、2012年の高年法改正によりこの仕組みは廃止されたが、当該基準の対象者の年齢を段階的に引き上げながらこれを認める経過措置が定められている[16]。もっとも、当該経過措置も2025年3月31日をもってすべて終了する。

次に、後者の70歳までの継続雇用制度について、対象者基準を定めることができることは、前記Ⅱの2(2)のとおりである。当該基準は、意欲、能力等をできる限り具体的に測るものであること（具体性）必要とされる能力等が客観的に示されており、該当可能性を予見できるものであること（客観性）が望ましい（就業確保Q&A⑫）。

なお、2020年の高年法改正に先立って政府が発表した「成長戦略実行計画」（令和元年6月21日閣議決定）では、70歳までの就業確保の努力規定を第一段階の法制整備とし、その後に第二段階の法制整備として企業名公表を担保とした義務化を検討するとしている。第二段階への移行時期については言及がないが、令和2年基本方針の対象期間が令和3年度から7年度までの5年間とされていることは1つの目安となるであろう。さらに、65歳までの継続雇用制度が義務化された経緯（努力義務での導入→労使協定による継続雇用基準ありの法的義務化→継続雇用基準の段階的廃止による完全義務化）を踏まえると、70歳までの継続雇用制度についても、将来的には、対象者基準の適用が順次撤廃され、完全義務化されることも想定した制度設計としておくことが望ましい。

(2) **継続雇用拒否事由を定めることはできること**

いずれの継続雇用制度においても、就業規則や労使協定に継続雇用しない事由を定めることは可能である。具体的には、心身の故障のため業務に堪えられないと認められること、勤務状況が著しく不良で引

---

[16] 現時点では、2022年3月31日までは63歳以上の人に対して、2025年3月31日までは64歳以上の人に対して、継続雇用基準を適用することができる（高年法附則〔平成24年9月5日法律第78号〕3条）。

き続き従業員としての職責を果たしえないこと等就業規則に定める解雇事由または退職事由（年齢に係るものを除く）に該当する場合には、継続雇用しないことができると明示しておくことが考えられる（雇用確保運用指針第2の2、就業確保運用指針第2の2(4)）。

(3) 継続雇用拒否には客観的合理性と社会通念上相当性が求められること

もっとも、継続雇用しないことができる事由があると認められる場合であっても、継続雇用しないことについて客観的に合理的な理由があり、社会通念上相当であると認められなければ、継続雇用しないとすることは認められない。つまり、この場合も、雇止めに関する労契法19条2号の制限と同様の制限があるという考え方であり、前記各指針もこの考え方に立っている。

この考え方は、津田電気計器事件判決（最判平24・11・29労判1064号13頁）を踏まえたものである。同事件は、定年後引き続き1年間の嘱託雇用契約により雇用されていた者が、継続雇用基準を満たさないことを理由に同契約の更新を拒否されたため、これを争った事件であるが、同判決は、被上告人（原告）は継続雇用基準を満たす者であったことを認定したうえで、いわゆる雇止め法理を確立した判決を引用し[17]、継続雇用基準を満たす労働者には雇用継続を期待することに合理的理由がある一方、再雇用を行わないことに客観的合理性および社会的相当性が認めらないとして、上告人（被告）の継続雇用規程に基づき再雇用されたのと同様の雇用関係が存続していると判示している。同事件は、2012年改正前の事案で、65歳までの高年齢者に継続雇

---

17) 最判昭49・7・22労判206号27頁（東芝柳町工場事件）、最判昭61・12・4労判486号6頁（日立メディコ事件）。両判例によって、期間の定めのある雇用契約があたかも期間の定めのない契約と実質的に異ならない状態で存在している場合、または、労働者においてその期間満了後も雇用関係が継続されるものと期待することに合理性が認められる場合には、当該雇用契約の雇止めは、客観的に合理的な理由を欠き社会通念上相当であると認められないときには許されない、といういわゆる雇止め法理が確立し、同判例法理は労働契約法19条で明文化された。

用基準の適用があったケースである。したがって、同改正後は、65歳までの高年齢者は、原則として希望者全員が継続雇用の対象となっており、継続雇用制度に申し込むことによって雇用継続に対する合理的期待が生じるので[18]、雇用継続を拒否できる場合とは、雇止めに準じる客観的合理性・社会的相当性が認められる場合（労契19条2号参照）に限定されると考えられる[19]。また、70歳までの高年齢者に継続雇用制度を導入し、対象者基準を定めていた場合でも、当該基準を満たす者については、同じように考えることができる。

(4) 継続雇用時の雇用期間

継続雇用時の雇用期間は、むやみに短い契約期間とするものでなければよく、1年更新とすることも可能である（雇用確保運用指針第2の4(4)、就業確保運用指針第2の4(4)）[20]。

また、定年後に有期雇用契約で継続雇用される高年齢者については無期転換ルール[21]の特例措置が設けられており、高年齢者就業確保措置の対象となる70歳までの高年齢者が特例措置の対象となる。具体的には、有期雇用契約が更新されて通算5年を超えた場合であっても、事業主（特殊関係事業主を含むが、特殊関係事業主以外の他社は含まない）が適切な雇用管理に関する計画を作成し、都道府県労働局長の認定を受けた場合には、無期転換申込権は発生しない[22]。

---

18) 水町勇一郎「高年齢者雇用安定法下での継続雇用拒否の適法性と再雇用契約の成否――津田電気計器事件」ジュリスト1451号（2013）115頁。
19) 森戸英幸ほか「鼎談・高年齢者雇用安定法改正の評価と高年齢者雇用のこれから」ジュリスト1454号（2013）24頁〔水町勇一郎発言〕。
20) 令和2年基本方針（第1の3(1)）によると、再雇用制度の雇用契約期間を1年とする企業の割合は74.7％、1年を超える期間とする企業の割合は8.2％、期間を定めない企業が11.1％（厚労省「就労条件総合調査」〔平成29年〕）となっている。
21) 無期転換ルールの詳細については、**第2編第1章**参照。
22) 専門的知識等を有する有期雇用労働者等に関する特別措置法8条2項。もっとも、当該特例措置は、定年（と定める年齢）前から有期雇用契約で雇用されている従業員には適用されないため、そのような社員が定年後に無期転換ルールにより無期雇用となる場合の定年については、無期雇用転換後の従業員に適用される就業規則等に別途定めておく必要がある。

2 継続雇用制度下で提示できる労働条件

(1) 原則として事業主の合理的な裁量に委ねられていること

　高年法は、継続雇用制度に基づき定年後再雇用する場合（以下、便宜上「再雇用時」という）および継続雇用期間中に継続雇用を更新する場合（以下、便宜上「更新時」という）の労働条件については直接規定していない[23]。そのため、かかる再雇用時・更新時にいかなる労働条件を提示するかについては、原則として使用者の合理的な裁量に委ねられている。

　そのため、再雇用時・更新時に継続雇用者の職務内容を変更し、勤務日数・労働時間を減少させ、賃金水準を切り下げた労働条件を提示することは可能であり、提示した労働条件が合理的な裁量の範囲内である限り、継続雇用制度の対象者との間で労働条件についての合意が得られず、結果的に継続雇用に至らなかったとしても、高年法に違反したことにはならない。

(2) 合理的な裁量の範囲

　もっとも、合理的な裁量の範囲がどこまでかは、非常に難しい問題である。これまでに現れた裁判例も、この点が争われたものが多い。

　たとえば、トヨタ自動車事件（名古屋高判平28・9・28労判1146号22頁）は、再雇用時に選定基準を満たす者が就くことができるスキルドパートナーではなく、同基準を満たさない者が就くパートタイマーとしての労働条件（雇用期間1年、ハーフタイム勤務〔1日4時間〕、時給1000円〔昇級なし〕、主な業務内容はシュレッダー機ごみ袋交換および清掃等）を提案され、これに受け入れず定年退職となった者が、スキルドパートナーとしての雇用契約上の地位確認を求めた事案である。判決は、「提示した労働条件が、無年金・無収入の期間の発生を防ぐという〔筆者注：2012年改正高年法の〕趣旨に照らして到底容認できないような低額の給与水準であったり、社会通念に照らし当該労働者にとっ

---

[23] 雇用確保Q&A・Q1-9および就業確保Q&A④・⑪

て到底受け入れ難いような職務内容を労働条件として提示するなど実質的に継続雇用の機会を与えたとは認められない場合においては、当該事業者の対応は改正高年法の趣旨に明らかに反するものであるといわざるを得ない」と述べている。そのうえで、賃金については、提示された給与水準（なお、年収ベースでは定年前の約90％減の賃金となる）でも老齢厚生年金の報酬比例部分の約85％の収入を得られることから、2012年改正高年法の趣旨に照らして容認できないような低額の給与水準ということはできないとした。次に職務内容については、定年前は事務職に従事していた従業員に対し、シュレッダー機ごみ袋交換および清掃等の業務内容を提示することは、もはや継続雇用の実質を欠いており、むしろ通常解雇と新規採用の複合行為というほかないから、同法の趣旨に反し違法であると判示した。

　このほかにも、九州惣菜事件（福岡高判平29・9・7労判1167号49頁）は、定年後フルタイムでの再雇用を希望する者が、会社から提示されたパートタイムでの労働条件（勤務日を月間約16日〔月間の労働時間で定年前の約45％減〕、時給900円〔定年前の約75％減〕）に合意せず定年退職となったことから、賃金を定年前の8割とする雇用契約上の地位確認が争われた事案である。判決は、「再雇用について、極めて不合理であって、労働者である高年齢者の希望・期待に著しく反し、到底受け入れ難いような労働条件を提示する行為は継続雇用制度の導入の趣旨に違反した違法性を有するものであり、……不法行為となり得ると解すべきである」と述べ、その判断基準として、「継続雇用制度についても、これら〔筆者注：定年の引上げおよび定年の撤廃〕に準じる程度に、当該定年の前後における労働条件の継続性・連続性が一定程度、確保されることが前提ないし原則となると解するのが相当であり、」「例外的に定年退職前のものとの継続性・連続性に欠ける（あるいはそれが乏しい）労働条件の提示が継続雇用制度の下で許容されるためには、同提示を正当化する合理的な理由が存することが必要である」と述べている[24]。以上を踏まえ、正社員労働者に月収ベースで定年前の約75％減となるパートタイマーとしての労働条件を提示する

ことは「定年退職前の労働条件との継続性・連続性を一定程度確保するものとは到底いえ」ず、労働時間を短縮し、かつ賃金水準を切り下げた労働条件の提示を違法としている。

(3) **職務内容、労働時間、賃金水準の変更の限界**

継続雇用制度下で再雇用時・更新時に提示できる労働条件の限界が正面から争われた事案はまだ少なく、判例の傾向が固まったとは言いがたいが、現時点で次のように整理することができよう。

まず、職種・業務内容については、前掲・トヨタ自動車事件判決に照らすと、事業主には比較的広い裁量が認められており、その職務内容を提示することに一応の合理性が認められれば、退職を仕向けるような恣意的な提示でない限り、違法とはならないと考えられる。

次に、勤務日数を含む労働時間については、前掲・九州惣菜事件判決は、定年の前後における労働条件の継続性・連続性を重視しているものの、かかる継続性・連続性を欠く労働条件の提示が許容されるためには、同提示を正当化する合理的な理由が必要と述べ、結論としては、パートタイム化の必要性が示されていないことを理由に、パートタイム化の提示は違法としている。このような判示内容に照らすと、勤務日数を含む労働時間の短縮についても、その必要性や合理性が的確に説明できるのであれば、違法とはならないと考えられる。

最後に、賃金については、前掲・トヨタ自動車事件判決は、2012年改正高年法の趣旨が年金支給と雇用との接続の点にあること、提示された賃金が老齢厚生年金の報酬比例部分の額におおむね相当することなどを認定して、定年前の約90％減の賃金の提示も、同法が許容する裁量の範囲内と解すべきと判示した[25]。これに対し、前掲・九州惣

---

24) もっとも、このように解する理由として、判旨は、高年法が、高年齢者雇用確保措置として継続雇用制度を定年の引上げおよび定年の撤廃と単純に並置していることを挙げるが、かかる解釈は高年法の立法・改正過程でも見られないばかりか、文理解釈としても疑問とする見解も多い（櫻庭涼子「高年齢者の雇用と処遇——定年延長・再雇用における労働条件に関する法的制約」ジュリスト1553号〔2021〕59頁、原昌登「継続雇用の労働条件の提示に関する不法行為の成否——九州総菜事件」ジュリスト1524号〔2018〕138頁など）。

菜事件判決は、定年の前後における労働条件の継続性・連続性を重視して、定年前の約75％減の賃金の提示を違法と判示している。そのため、単純に定年前後の減少率で判断することは早計であるが、高年齢者の就業の実態や業務内容、生活の安定等を考慮したうえで[26]（ここには老齢厚生年金や高年齢雇用継続給付金の支給額も加味されよう[27]）、これに見合った賃金を支給するのであれば、大幅な減額となったとしても高年法との関係では違法とはならないと考えられる（パート有期法との関係については、次項参照）。

(4) **通常の労働者との間の待遇差の合理性**

定年後再雇用時に、職務の内容（業務の内容および当該業務に伴う責任の程度）あるいは職務の内容および配置の変更の範囲が定年前と変化しない（変化が少ない）にもかかわらず、有期雇用となったことに

---

25) 2012年改正高年法は、60～65歳の高年齢者について継続雇用基準を廃止する一方で、従前から労使協定で継続雇用基準を設けていた場合はこれを経過措置により許容するものであったが［→1(1)参照］、判決は、その趣旨を「老齢厚生年金の報酬比例部分の支給開始年齢が引き上げられることにより……、60歳の定年後、再雇用されない男性の一部に無年金・無収入の期間が生じるおそれがあることから、この空白期間を埋めて無年金・無収入の期間の発生を防ぐために、老齢厚生年金の報酬比例部分の受給開始年齢に到達した以降の者に限定して、労使協定で定める基準を用いることができるものとしたもの」と述べている。つまり判決は、2012年改正高年法により60歳を超えたが受給開始年齢に到達しない者についての雇用が義務づけられたことを重視しており、老齢厚生年金の報酬比例部分の額との比較が意味を持つのは、そのような者に限られると考えられる。

26) これらが考慮要素になることは、雇用確保運用指針第2の4(2)および就業確保運用指針第2の4(2)参照。

27) 老齢厚生年金については、60～64歳に支給される在職老齢年金について、支給停止とならない範囲（支給停止が開始される賃金と年金の合計額の基準）を、28万円から47万円に引き上げる措置が、2022年4月から施行される（いわゆる年金制度改革法〔令和2年法律第40号〕）。また、高年齢雇用継続給付は、その最大支給率に対応する賃金低下率（60歳到達時の賃金月額と比較した支払対象月に支払われた賃金の低下率）を61％から64％に引き上げる代わりに、最大支給率を15％から10％に引き下げる措置が、2025年4月から施行される（雇用保険法等の一部を改正する法律〔令和2年法律第14号〕）。
　詳しくは、厚生労働省職業安定局雇用保険課ほか「雇用保険法・高年齢者雇用安定法、厚生年金保険法・確定拠出年金法等の改正概要」労政時報4002号（2020）99頁、渡辺葉子「在職老齢年金と高年齢雇用継続給付の見直しを踏まえた高年齢者の賃金や処遇設計の実務」労政時報3996号（2020）31頁。

より賃金水準が下がる場合には、期間の定めがあることによる不合理な労働条件（待遇差）の設定を禁止するパート有期法8条との関係が問題となる[28]。

　この点、長澤運輸事件（継続雇用制度により嘱託社員として有期雇用契約を締結したタンク車の乗務員が、職務内容および職務内容・配置の変更の範囲が正社員と同一であるにもかかわらず、賃金総額が定年前と比べて約20〜24％減額された事案）において、最高裁（最判平30・6・1労判1179号34頁）は、有期契約労働者が定年後再雇用された者であることは、労契法20条（現在のパート有期法8条[29]）にいう「その他の事情」に当たるとしたうえで、労働条件の相違は同条にいう不合理と認められないと判示した[30]。

　同事件判決は、定年後再雇用者であることが「その他の事情」として考慮されることを導くにあたって、①使用者が定年退職者を有期労働契約により再雇用する場合、当該者を長期間雇用することは通常予定されていないこと、②定年退職後に再雇用される有期契約労働者は、定年退職するまでの間、無期契約労働者として賃金の支給を受けてきた者であること、③一定の要件を満たせば老齢厚生年金の支給を受けることも予定されていることを挙げていた。もっとも同事件判決を受けて策定された同一労働同一賃金ガイドラインは、定年後再雇用

---

[28] 定年前（無期雇用）と後（定年後再雇用＝有期雇用）とで、職務の内容が同一で、かつ、職務の内容および配置の変更の範囲（人材活用の仕組み、運用等）も同一であると見込まれる場合には、パート有期法8条以外に、差別的取扱いを禁止するパート有期法9条の適用が問題となり、賃金条件の相違が、定年後に再雇用された高年齢者であること等を考慮して設けられた合理的区別であるといえない場合には、パート有期法9条違反とされる可能性がある。そのため、定年前後で職務の内容だけでなく、職務内容および配置の変更の範囲についても相違がない場合に、定年後再雇用者の賃金をどのように定めるかについては、慎重に検討する必要がある。

[29] 長澤運輸事件の最高裁判決当時は、有期雇用労働者の差別的取扱いを禁止するパート有期法9条に相当する条文がなかったため、労契法20条違反が争われたが、本事案は定年前後で職務範囲および変更範囲のいずれもが同一であっため、前掲注28)のとおりパート有期法施行後は同法9条の適用も問題となりうる。

[30] 長澤運輸事件判決の詳細については、**第2編第2章**参照。

者であることが「その他の事情」として考慮されるとしても、待遇の差異が不合理と認められるかの判断においては、さまざまな事情が総合的に考慮されるものであるから、そのことのみをもって、ただちに通常の労働者と当該有期雇用労働者との間の待遇の相違が不合理ではないと認められるものではないと規定しており、定年後再雇用であること以外に、どのような事情があれば待遇差が不合理ではないと判断されるのかという問題が残されていた。

　この点に関して、近時、注目すべき判決（名古屋地判令2・10・28労判1233号5頁〔名古屋自動車学校事件〕）が出されている。同事件は、自動車学校の教習指導員（正職員）が60歳定年後嘱託職員となったことにより、基本給が定年前の45％～49％（賞与を除く総支給額でみると定年前の56％～63％）となった事案で、判決は、嘱託職員の基本給が正職員定年時の基本給の60％を下回る限度で労働契約法20条にいう不合理と認められると判示した。同判決では、正職員の基本給は長期雇用を前提とした年功的性格を含むものである一方で、嘱託職員の基本給は長期雇用や今後の役職就任を予定としないものであること、原告らは退職金の支払を受けたほか、60歳で嘱託職員となった年以降は高年齢者雇用継続基本給付金の支給を、61歳となった年からは老齢厚生年金（報酬比例部分）の支給を受けていたことを認定しつつ、これら事実は、定年後再雇用の労働者の多くにあてはまる事情であり、職務内容および変更範囲に変更がないにもかかわらず、原告らの基本給がそれ自体賃金センサス上の平均賃金に満たない正職員定年退職時の賃金の基本給を大きく下回ることや、その結果、若年正職員の基本給も下回ることを正当化するには足りず、かかる嘱託職員の労働条件が労使間で合意されたこともなく労使自治が反映された結果でもない以上、労働者の生活保障の観点からも看過しがたい水準に達していると判断している。

　同判決が示した60％という基準の根拠は判旨からは明らかではないものの、前記で挙げた事情（とくに、被告の若年正職員の基本給は原告らの正職員定年退職時の基本給の6割弱の水準であった）を踏まえたうえ

で判断されたものと考えられる[31]。もっとも、不合理性が認められるかは事案ごとに判断されるため、定年後再雇用者の基本給・賞与が定年退職時の60％を下回ればただちにパート有期法8条にいう不合理性が肯定されるものではない点には留意が必要である。なお、同判決に対しては上訴がされており確定していないが、同一労働同一賃金ガイドラインが示した枠組みのもとで、定年後再雇用者に起因する事情も含めて、待遇の差異が不合理であるかの総合考慮を行ったものであり、挙げられている判断要素および評価の是非も含めて上級審の判断が注目される。

3　高年法に違反した場合の効果

(1)　労働契約に及ぼす効果

　事業主が高年齢者に対し、継続雇用をしないことができる事由がないにもかかわらず継続雇用しなかった場合、あるいは高年法の趣旨に反する労働条件しか提示しなかった場合には、高年齢者雇用確保措置義務（高年9条1項）に反し、厚生労働大臣による指導、助言、勧告および公表の対象となる（高年10条）[32]。

　もっとも、それとは別に、継続雇用を拒否された高年齢者に再雇用後の労働契約上の地位が認められるかについては、否定的に解されている。高年齢者雇用確保措置義務および高年齢者就業確保措置の努力義務は、複数ある措置のうちいずれかを講ずる（努力）義務であって、

---

[31]　小西康之「基本給、家族手当、賞与等の取扱と旧労契法20条の不合理性——名古屋自動車学校事件」ジュリスト1555号（2021）4頁は、本判決が60％を下回る限度で不合理とした根拠は必ずしも明確ではないが、有期雇用労働者の基本給および賞与等の額が定年退職時の水準の約6割に減じられることについて不合理性を認めなかった五島育英会事件（東京地判平30・4・11労経速2355号3頁（なお、控訴審である〔東京高判平30・10・11ウエストロー・ジャパン2018WLJPCA10116013〕でも維持されている）や、アルバイト職員の賞与につき正職員の賞与の60％を下回る支給でしかない限度で不合理な相違であるとした大阪医科薬科大学事件高裁判決（大阪高判平31・2・15労判1199号5頁。ただし、この部分の判示は、同事件最高裁判決〔最判令2・10・13労判1229号77頁〕で否定されている）といった過去の裁判例を踏まえたものと思われると指摘している。

個々の労働者を雇用する義務ではないことから、高年法違反の場合でも事業主に労働（再雇用）契約の締結を義務付ける私法上の効力までは認められないと考えられるからである[33]。

(2) 継続雇用の更新時の違法な更新拒否の場合

これに対し、前掲・津田電気計器事件判決は、いわゆる継続雇用基準を満たしていた労働者に対し、定年後に締結した嘱託雇用契約の更新拒否をした場合において、労働者は「本件規程〔筆者注：上告人（被告）の継続雇用規程〕に基づき再雇用されたのと同様の雇用関係が存続しているものとみるのが相当であり、その期限や賃金、労働時間等の労働条件については本件規程の定めに従うものと解される」と判示した。ここでは、高年法そのものに私法上の効力を認めるのではなく、高年法の趣旨を論拠としつつも就業規則や継続雇用規程等を解釈したうえで、更新後の再雇用契約内容を確定し、その成立を認めている。また、その後、エボニック・ジャパン事件判決（東京地判平30・6・12労判1205号65頁）やテヅカ事件判決（福岡地判令2・3・19労判1230号87頁）では、同じく継続雇用者の更新拒否の事案において、労働契約法19条2号を適用して更新前と同一の労働条件で再雇用契約が更新されたものと認めている。

(3) 定年後再雇用時の違法な再雇用拒否の場合

定年退職後ただちに再雇用を拒否された場合には、有期雇用契約の更新拒否には該当しないことから、労働契約法19条を直接適用して再雇用契約上の地位を認めることはできない。そこで、近時の裁判例[34]には、65歳定年後に再雇用がなされなかった事案において、津田電気計器事件判決の引用と同条2号類推適用という枠組みで、任用規

---

32) 高年齢者就業確保措置も努力義務ではあるものの、厚生労働大臣は同措置の実施に必要な指導および助言することができ、当該指導または助言にもかかわらず状況が改善していないと認めるときは、同措置の実施に関する計画の作成を勧告することができる（高年10条の3第1項・2項）。
33) この旨を判示したものとして、大阪高判平21・11・27労判1004号112頁（NTT西日本〔大阪〕事件）、高松高判平22・3・12労判1007号39頁（NTT西日本〔徳島〕事件）等。

程等に基づく再雇用契約の締結という法律効果の擬制を認めているものがある。

しかしそれは、当事者間の合意以外の規範、基準等により賃金等の基本的な労働条件が確定できることが前提となり、少なくとも賃金額が確定できないような場合には、抽象的な労働契約関係の成立を認めることはできない。たとえば、前掲・九州惣菜事件判決では、再雇用契約上の地位の確認および賃料支払請求は否定されており、尾崎織マーク事件判決（京都地判平30・4・13労判1210号66頁）でも、就業規則上の規定や定年退職後の再雇用規程（ただし、再雇用後の労働条件については継続雇用（予定）者と協議し新たに定めると規定）があり、希望者全員との間で再雇用契約を締結する状況が事実上続いていたとしても、労働契約が締結されたと認定・評価するには、強行法規が存在していれば格別、そうでない場合には、賃金額を含めた核心的な労働条件に関する合意の存在が不可欠であり、単に就業規則上の定めや継続雇用規程等があるだけでは足りず、それにより賃金等の労働条件の核心部分について労使間の意思が特定できることが必要として、再雇用契約上の地位は否定されている。

(4) 不法行為を理由とする損害賠償

再雇用契約上の地位が認められない場合であっても、高年法の趣旨に反する事業主の行為は不法行為を構成するとして、損害賠償請求が認められる。前掲・九州惣菜事件判決では、雇用継続があった場合の賃金額を認定することは困難として慰謝料100万円のみが認められているが、前掲・尾崎織マーク事件判決では、不法行為により労働者の雇用継続の期待権が侵害されたものとして、地域別最低賃金額の3年分相当額が損害賠償の金額として認められている[35]。

---

34) 東京地判平28・11・30労判1152号13頁（尚美学園事件）、名古屋高判令2・1・23労判1224号98頁（南山学園事件）。
35) ほかにも、前掲・トヨタ自動車事件判決、札幌高判平22・9・30労判1013号160頁（日本ニューホランド〔再雇用拒否〕事件）で損害賠償請求が認められている。

次項では、ここまで紹介した判決を踏まえて定年後再雇用時に労働条件を見直す際に、留意すべき点について述べる。

4　再雇用時に労働条件を見直す際の留意点

(1) 職務内容や労働時間

JILPT の調査によれば[36]、継続雇用者の職務範囲・職責の設定の仕方は、①定年前後で仕事内容や責任が変わらない「無変化型」（44.2％）、②仕事内容は変わらないが責任の重さが変わる「責任変化型」（38.8％）、③仕事内容が一部ないし全部異なる「業務変化型」（6.1％）の３つに大別できる。このうち①の無変化型が相当数あるものの、②の責任変化型や③の業務変化型では、企業の裁量で職務内容をどこまで変更できるかが問題となる。前記２(1)のとおり、この点については企業側に比較的広い裁量が認められているところ、一度定年を迎えた従業員は体力面でも仕事に対する意欲の面でも個人差が生まれることや、定年後再雇用希望者の数に比べてこれに適した業務が足りないようなケースが少なくないことからすれば、職務内容を大幅に変更したり、また、隔日勤務や時短勤務の提示など、企業の裁量が広く認められて然るべきである。もっとも、これら職務内容の変更や労働時間の縮減を不本意として継続雇用者が不満を持つことが多いことも事実である。企業としては、定年後のキャリアコースを複数設けたり、定年前の従業員に対し面談を実施して希望を把握したり、あるいは早いが段階から定年後のキャリアプランについて考えてもらう機会を提供するなど、あらかじめ再雇用契約の締結に向けた準備を段階的・計画的に進めていくことが望ましい。そして、従業員の意向と企業のニーズとの間に乖離があるときは、あらかじめ率直に問題点を指摘して改善を促すなど、労使双方が納得のいく再雇用契約の締結（あるいは定年退職）に向けたコミュニケーションを惜しまないことが大切である。

---

36) JILPT「（調査シリーズ No.198）高年齢者の雇用に関する調査（企業調査）」（2020年3月31日）24頁。

(2) 賃金水準

定年後再雇用時に賃金水準の見直しを行う場合、①無変化型については同一労働・同一賃金の観点からの制約が生じる。この際、定年後再雇用者であることは「その他の事情」として考慮されるものの、それのみによって賃金の切下げが不合理でないことにはならない点に留意すべきである。企業としては、基本給・賞与・各種手当の性格、賃金カーブの状況、定年前後での賃金額や減少率（なお、前掲・長澤運輸事件判決では年収ベースの約8割で不合理ではないとした一方で、前掲・名古屋自動車学校事件判決では基本給の6割を下回る部分については不合理としていること、は一定の参考になる[37]）、継続雇用社員が受給できる年金や高年齢雇用継続給付金の額などを踏まえて、通常の労働者と定年後再雇用者の賃金差が不合理と認められるものでないかの検討が必要である。

一方で、高年法の観点からは、高年齢者雇用確保措置として希望者全員を対象とする継続雇用制度の設置を求める趣旨が、無年金・無収入となる者が生じる可能性をなくすことにあることからすると、①無職となった場合に受給できる公的年金等の額と均衡しているか、②継続雇用者が生計を維持できる賃金水準か、③雇用継続を到底容認できないような賃金水準または減少率でないかといった点をクリアする範囲であれば、同法に違反するとされるおそれは小さいものと考えられる。もっとも、賃金は、労働条件の中でもとくに労働者に重大な影響を与えるものであり、継続雇用をめぐる紛争は最終的には金銭の問題に帰着することからすれば、企業がこれを一方的に定めることは望ましくなく、前記(1)で述べた準備のなかで十分な協議、調整を行ったうえで設定することが望ましい（労使協議を経て継続雇用時の賃金テーブルを策定し早い段階から周知しておくことができれば、納得感を得やすいであろう）。

---

[37] 令和2年基本方針（第1の3(2)ハ）によると、継続雇用制度の動向として、継続雇用時の賃金水準数（60歳定年直前の賃金を100とした場合の61歳時点の賃金指数）が78.7（2019年時点）とされている。

さらに、中長期的には、定年前も含めた賃金体系全体を見直すことも必要である。従来日本の企業の多くが年功序列型の賃金体系をとり、若い頃は仕事の市場価値よりも低い賃金に、定年直前は仕事の市場価値よりも高い賃金に設定されているため、定年後に市場価値と均衡する賃金水準に戻そうとした場合に大幅な賃金減少（定年ギャップ）が生じている。これに対しては、比較的高い賃金設定となっている中年層（40歳代）以降の賃金水準の見直すことが考えられるが、それに至らない場合でも、役職定年などを設けることにより、年功序列的な賃金カーブを緩やかにしておくことが望ましい。

(3) 人事評価制度

　人事考課については、継続雇用者に対し、定年前と同様に実施している企業が65.0％を占める一方で、まったく実施しない企業も31.6％に上り[38]、一定数の企業が定年前後で異なる取扱いをしていることがわかる。

　しかし、前記1(2)(3)のとおり、65歳までの高年齢者や70歳までの高年齢者のうち対象基準を満たす者を継続雇用しない場合には、解雇事由または退職事由に該当し、かつ、継続雇用しないことについての客観的合理性・社会的相当性が必要となる。これらのことを的確に示すためにも、継続雇用者に定年前と連続性をもった人事評価制度を導入しておく必要性は高い。とくに、高年齢者就業確保措置の導入により、今後は60歳から70歳までの定年後10年間にわたって雇用し続けなければならなくなることを念頭に置く必要がある。そうすると、業務に堪えられなくなった、勤務状況が不良となったといった変化を適切に処遇に反映し、場合によっては更新を拒否できる仕組みを早めに確立しておくことが肝要である。

(4) 職場環境の整備（エイジフリーガイドライン）

　労働条件以外の留意点として、働く高齢者が増えることにより、転倒などの労働災害で60歳以上の割合が増加していることを受けて、厚

---

[38] 労務行政研究所「中・高年齢層の処遇実態」労政時報3852号（2013）32頁。

労省は「高年齢労働者の安全と健康確保のためのガイドライン（エイジフレンドリーガイドライン）」（令和2年3月16日基安発0316第1号）を公表している。各企業では、同ガイドラインも参考に、職場環境の実情に応じた災害防止対策に取り組むことが望ましい。

Ⅳ 高齢者のキャリアチェンジ

1 再就職支援

働き方改革実行計画では、高齢者就労促進のもう1つの中核として、多様な技術・経験を有するシニア層が、1つの企業にとどまらず、幅広く社会に貢献できる仕組みを構築することが挙げられており、高齢期に限らず、希望する者のキャリアチェンジを促進することの必要性が指摘されている。そこで、次のような施策がとられており、企業としてもこれらを踏まえて、高齢者の再就職支援を図ることが期待されている。

まず、高年法では、事業主に対し、高齢者雇用確保措置義務および高年齢者就業確保措置の努力義務を課すだけでなく、解雇等その他事業主の都合により離職する高年齢者等に対しては、求職活動支援書を作成・交付しなければならず（高年17条1項）、および再就職援助措置を講ずるよう努めなければならないとされている（同法15条1項）。

次に、労働施策総合推進法は、募集・採用段階での年齢制限を原則として禁止したうえで（同法9条）、逆に、高年齢者の雇用の促進を目的として、60歳以上の高齢者を募集・採用することを認めている。

さらに、厚労省は、「年齢にかかわりない転職・再就職者の受入れ促進のための指針」（平成30年3月30日厚労告第159号）を定め、企業に対して、転職・再就職者の受入れ促進のために、①必要とする職業能力等の明確化および職場情報等の積極的な提供、②職務経験により培われる職務遂行能力の適正な評価、③元の業種・職種にかかわらない採用、④必要とする職業能力等をもつ人材の柔軟な採用を求めてい

る。また、当該指針では、国の取組みとして、転職市場に関する情報発信・職場情報のみえる化を促進し、ハローワーク等を通じた１人ひとりのニーズに応じたマッチングの推進を図ることが明記されている。

2　雇用でない働き方の促進

さらに、高齢者の能力を活躍させる場は、雇用という枠組みにとどまるものでもない。やや古い資料になるが、中小企業庁が2014年7月に公表した調査結果によると、過去1年以内に転職し自営業者となった起業家の年齢構成をみると、60歳以上の割合が32.4％と最も高く[39]、それまでの職歴を活かした経営コンサルタントや営業代行等のサービス業での起業が多くなっている。

また、前記Ⅱの2(3)記載のとおり、高年齢者就業確保措置では創業支援等措置を新たな選択肢として設け、高年齢者が業務委託など雇用以外の形態で就業継続することも念頭に置いたものとなっている。今後、高年齢者就業確保措置として創業支援等措置を講ずる企業が増えれば、定年後のキャリアプランとして、雇用にとらわれない働き方もより広がっていくものと考えられる。

Ⅴ　まとめ

改正高年法は、70歳までの高年齢者就業確保措置を努力義務としているが、将来的にはこれが完全義務化される可能性が高く、今後、各企業においては、70歳までのキャリアプランを念頭にした雇用・就業制度を設計することが必要となる。

また、改正高年法の義務履行という観点だけでなく、将来的に少子高齢化・人口減少により働き手が不足し、労働人口に占める高齢者の割合が増加する日本社会において、60歳から70歳までの高年齢社員の

---

39)　中小企業庁「中小企業白書（2014年版）全文」184頁。

意欲・能力を最大限活かせるシステムを構築することは、企業が多様な人材を確保し競争力の維持・向上を図るためにも、重要な経営課題になるものと考えられる。

そして、こうした観点から、各企業が高年齢社員の雇用・就業制度を見直し・改善を図り、より多くの高齢者がモチベーションを維持しながら活躍することによって、「エイジレス社会」の実現に近づくことが望まれる。

第4章 障害者雇用

I 「働き方改革」と障害者雇用

　働き方改革実行計画は、障害者[1]に対する就労支援を推進するにあたっては、「障害者等が希望や能力、適性を十分に活かし、障害の特性等に応じて活躍できることが普通の社会、障害者と共に働くことが当たり前の社会を目指していく必要がある」とし、今後、多様な障害特性に対応した障害者雇用の促進、職場定着支援を進めるため、障害者雇用に係る制度のあり方について幅広く検討を行うこととしている。

　近時、障害者に対する就労支援が推進されている背景の1つとして「ダイバーシティ・インクルージョン」の考え方がある。「ダイバーシティ・インクルージョン」とは、企業の活性化、イノベーションの促進、競争力の向上に向けて、多様性を受入企業の活力とする考え方であり[2]、この「ダイバーシティ」は、障害者に限らず、女性、高齢者、LGBT、外国人等を含むものである。障害者雇用についていえば、障害者を利用者とする製品・サービスの開発やユニバーサル・デザインに貢献することに限らず、障害特性にあった種類・内容の活躍の場を提供することで、他の従業員よりも高いパフォーマンスを発揮させることも期待でき、企業の活性化、競争力の向上等につながりうるものといえよう。

---

1) 「障害」との表記のあり方については、「障碍」、「障がい」、「チャレンジド」とするべきとの議論があるところではあるが、本稿では、法令等における表記に従って「障害」と表記することとする。
2) 日本経済団体連合会「ダイバーシティ・インクルージョン社会の実現に向けて」（2017年5月16日）3頁。

第4編　ダイバーシティーの実現

　後記Ⅱのとおり、昨今、民間企業に雇用されている障害者数は17年連続で過去最高を更新する等[3]、障害者雇用は着実に進んでいる。企業においては、とくに、精神障害者の雇用を検討する必要性や機会が増したと思われるが、後記Ⅴのとおり、精神障害者の職場定着率をどのように高めるかは引き続き大きな課題であり、障害者の希望や特性に応じて、安心して安定的に働き続けられる環境を整備する必要性が指摘されていることから、今後は、雇用する障害者数を増やすことにとどまらず、その職場定着率を高めることにもよりいっそう積極的に取り組むことが求められることになろう。

　以下では、障害者雇用の現状と法制度を概観したうえで、障害者雇用の取組事例および実務上の問題ならびに今後の課題について見ていくこととする。

Ⅱ　障害者雇用の現状

　障害者雇用促進法上、障害者の雇用義務を負う事業主（常用労働者数43.5人以上の事業主、法定雇用率2.3％ [4]）は、毎年、6月1日現在の障害者の雇用に関する状況を報告する必要があり（障害43条7項、障害則7条・8条）、厚労省はその結果を集計し、毎年公表している。2020年の集計結果は、**図表4-4-1**のとおりであるが、民間企業（45.5人以上の規模、法定雇用率2.2％）に雇用されている障害者数は、前年より3.2％増加の57万8292.0人[5]となり、17年連続で過去最高を更新している。また、実雇用率（雇用する常用労働者数に占める、障害者である

---

[3]　厚労省「令和2年障害者雇用状況の集計結果」（2021年1月15日）。
[4]　2021年3月1日以降の民間企業の法定雇用率。
[5]　障害者の数は実人員ではなく、障害者雇用率を算定する際のダブルカウント（重度身体障害者または重度知的障害者については、1人の雇用をもって、2人の身体障害者または知的障害を雇用しているものとカウントすること）またはハーフカウント（重度以外の身体障害者および知的障害者ならびに精神障害者である短時間労働者については、0.5人分とカウントすること）を行った数値である。

第4章 障害者雇用

図表4-4-1 実雇用率と雇用されている障害者の数の推移

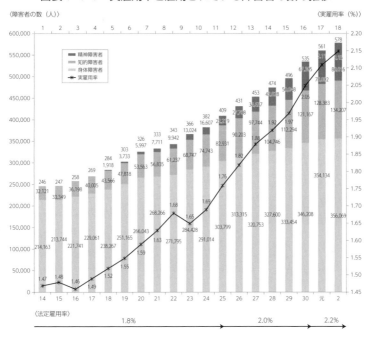

出典：厚労省「令和2年障害者雇用状況の集計結果」（2021年1月15日）6頁。

常用労働者数の割合）についても、9年連続で過去最高を更新して2.15％となり、法定雇用率を達成した企業の割合は約48.6％となっている。

民間企業（45.5人以上の規模）に雇用されている障害者数（57万8292.0

第4編　ダイバーシティーの実現

図表4-4-2　ハローワークにおける障害者の就職状況

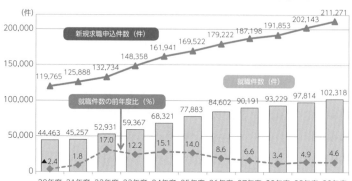

○　平成30（2018）年度の就職件数・新規求職申込件数は、前年度から更に増加。
○　就職件数は102,318件と10年連続で増加。新規求職申込件数は211,271件と19年連続で増加。

人）の内訳は、身体障害者が35万6069.0人（対前年比0.5％増）、知的障害者が13万4207.0人（同4.5％増）、精神障害者が8万8016.0人（同12.7％増）となり[6]、とくに、精神障害者の伸び率が大きくなっている。

公共職業安定所（ハローワーク）は障害者に対する就労支援を行っているが、図表4-4-2のとおり、ハローワークを通じた障害者の就

---

6)　厚労省・前掲注3）1頁。

第4章　障害者雇用

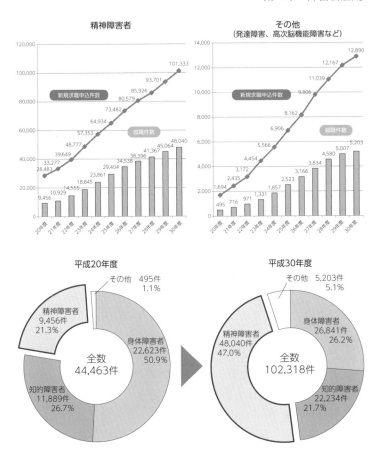

出典：厚労省「障害者雇用の現状と対策」(2019年2月11日) 31〜34頁。

職件数は、2018年度では10万2318件であり、これは2008年度の4万4463件の2倍以上となっている。障害種別の就職件数については、2008年度における精神障害者の就職件数の就職件数全体に占める割合は21.3％であったにもかかわらず、2018年度には47.0％を占めるようになる等、大幅に増加している。

このように、近年、民間企業に雇用される障害者および就職する障害者の数は着実に増加しているが、そのなかでもとくに精神障害者の

増加が著しいものとなっている。その要因としては、後記Ⅲ2(4)のとおり、2013年の障害者雇用促進法の改正により、2018年4月1日より精神障害者の雇用が義務化された（精神障害者数が法定雇用率の算定基礎に加わる）ことを受け、これまで精神障害者であることを明らかにしていなかった者が精神障害者であることを明らかにしたうえで求職活動を行うようになることがあると考えられ[7]、精神障害者の就職件数および雇用される精神障害者の数は、今後も引き続き増加するものと思われる。

Ⅲ　障害者雇用に関する法制度

1　障害者雇用促進法の概要

　障害者雇用促進法は、障害者の雇用義務等に基づく雇用促進等のための措置、職業リハビリテーションの措置等を通じて障害者の職業の安定を図ることを目的とするものであるが、その前身は1960年に制定された身体障害者雇用促進法に遡る。障害者雇用促進法は、その後、障害者雇用にかかる施策の充実強化を図るべく、身体障害者および知的障害者の雇用義務化、障害者雇用納付金制度の創設等、障害者の雇用義務制度を中心に改正が行われてきたが、2006年12月に国連総会で採択された障害者の権利に関する条約[8]の批准に向けて行われた、2013年6月成立の改正法に基づく改正（以下、「2013年改正」という）により、これまでの障害者雇用に係る施策は大きく転換することになった。この2013年改正のポイントについては、下記2で概説する。

---

7)　なお、障害者雇用促進法の2005年改正により、2006年4月1日から精神障害者（精神障害者保健福祉手帳を保持する者に限る）を実雇用率に算定できるようになったため、これ以降は精神障害者であることを明らかにして求職活動を行うことの抵抗は薄れたのではないかと思われ、この点も精神障害者の雇用数増加の一因と考えられる。
8)　障害者に対する差別禁止や合理的配慮の提供確保等を定めている（同条約4条・5条）。

2　2013年改正のポイント

2013年改正による障害者雇用促進法の改正点としては、①障害者の範囲の明確化、②障害者に対する差別禁止の導入、③合理的配慮の提供義務の導入、④雇用義務制度の改正（精神障害者の雇用義務化）、⑤苦情処理・紛争解決援助の整備［→第5編第2章Ⅶ］が挙げられる。以下では、これらの改正点のうち、①ないし④についてそのポイントを概説する。

(1)　障害者の範囲の明確化

障害者雇用促進法2条1号は、同法（後述(2)および(3)を含む）の適用対象となる「障害者」の定義を定めている。同法にはそのほかに、後述(4)の雇用義務制度の適用対象者を指す「対象障害者」という概念がある（障害37条2項）が、ここでは、まず、かかる「障害者」の概念を整理することとする。なお、「対象障害者」の概念については、後記(4)を参照されたい。

障害者雇用促進法2条1号は、「障害者」を「身体障害、知的障害、精神障害（発達障害を含む。第6号において同じ。）その他の心身の機能の障害（以下「障害」と総称する。）があるため、長期にわたり、職業生活に相当の制限を受け、又は職業生活を営むことが著しく困難な者をいう」と定義する。傍点部は、2013年改正により追加されたものであり、発達障害およびその他の心身の機能の障害により職業生活に相当の制限を受ける者等も障害者に含まれることが明文化された。

なお、障害者雇用促進法上の障害者は、障害者であることを前提に採用した場合に限らず、採用後に下記アないしエの障害者に該当することになった者も含まれる。

ア　身体障害者

障害者雇用促進法における身体障害者とは、「障害者のうち、身体障害がある者であって別表に掲げる障害があるもの」をいう（障害2条2号）。障害者雇用促進法の別表に定める身体障害の種類および程度は、身体障害者福祉法により身体障害者手帳の交付を受けることが

できる身体障害の種類および程度と同じ内容であるため、障害者雇用促進法の身体障害者は、原則として身体障害者手帳の交付を受けている者になる。もっとも、障害者雇用促進法は、身体障害者手帳の交付を受けていることを要件としているわけではないため、身体障害者手帳の交付を受けていなくとも、医師の診断書等により障害者雇用促進法に定める身体障害を有していると認められた者については、これに該当する。

　イ　知的障害者

　障害者雇用促進法における知的障害者とは、「障害者のうち、知的障害がある者であって、厚生労働省令で定めるもの」をいう（障害2条4号）。厚労省令は、知的障害者は、「児童相談所……知的障害者更生相談所……精神保健福祉センター、精神保健指定医又は……障害者職業センター〔合わせて「知的障害者判定機関」という。〕により知的障害があると判定された者とする」と定めているため（障害則1条の2）、知的障害者判定機関により知的障害があるとの判定を受けた者は、障害者雇用促進法の知的障害者に該当することになる。このうち、児童相談所または知的障害者更生相談所において知的障害があると判定された場合には療育手帳が交付されることになっているため[9]、療育手帳の交付を受けているか否かは障害者雇用促進法の知的障害者に該当するかの判断基準の1つになる。

　ウ　精神障害者

　障害者雇用促進法における精神障害者とは、「障害者のうち、精神障害がある者であって、厚生労働省令で定めるもの」をいう（障害2条6号）。具体的には、次の①または②に該当する者であって、症状が安定し、就労が可能な状態にある者をいう（障害則1条の4）。

① 精神障害者保健福祉手帳の交付を受けている者（障害則1条の4第1号、精神保健福祉法45条2項）

② 統合失調症、そううつ病またはてんかんに罹患している者（障

---

[9] 「療育手帳制度について」（昭和48年9月27日厚労省発児第156号厚生事務次官通知）。

害則1条の4第2号)

　精神障害は身体障害と異なり、その障害の有無が外観から判別しにくいという特徴があるが、前記②に該当するかについては、本人の了解を得たうえで、障害名または疾患名を記載した医師の診断書等により確認することになる。

　前述のとおり、2013年改正により、発達障害を有する者も障害者雇用促進法上の精神障害者に該当することが明文化された。発達障害者とは、自閉症、アスペルガー症候群その他の広汎性発達障害、学習障害、注意欠陥多動性障害その他これに類する脳機能の障害であってその症状が通常低年齢において発現するものを有するために日常生活または社会生活に制限を受ける者をいう（発達障害者支援法2条1項・2項）。発達障害を有する者で精神障害者保健福祉手帳の交付を受けている者については、前記①に該当することになるが、それ以外の者については、医師の診断書等によって障害者雇用促進法上の精神障害者に該当するかの確認を行うことになる。

　　エ　その他の心身の機能の障害がある者

　その他の心身の機能の障害がある者は、2013年改正により障害者雇用促進法上の障害者に含まれることが明文化されたものである。これには、障害者手帳の保持の有無にかかわらず、特定疾患（難病）や高次脳機能障害があることにより、長期にわたり、職業生活に相当の制限を受ける者等が含まれることになる。

(2)　障害者に対する差別の禁止

　障害者に対する差別の禁止は、障害者と障害者でない者の平等を実現し、障害者の雇用を保障することを目的として2013年改正により明文化されたものである。

　　ア　概要

　障害者雇用促進法34条は、「事業主は、労働者の募集及び採用について、障害者に対して、障害者でない者と均等な機会を与えなければならない」と定め、また、同法35条は、「事業主は、賃金の決定、教育訓練の実施、福利厚生施設の利用その他の待遇について、労働者が

障害者であることを理由として、障害者でない者と不当な差別的取扱いをしてはならない」と定め、いずれも障害者に対する差別を禁止する旨を定めている（以下、「差別禁止規定」という）。

差別禁止規定は、障害者であることを直接的な理由として差別的意図をもって行われる差別（いわゆる直接差別をいい、車いす、補助犬その他の支援器具等の利用、介助者の付添い等の社会的不利を補う手段の利用等を理由とする不当な不利益取扱いを含むとされる）を禁止するものであり、差別的意図のない中立的な基準・方針を適用した結果として障害者に差別的な効果が生じること（いわゆる間接差別）までも禁止するものではない[10]。また、禁止される差別は、障害者と障害者でない者の不当な差別的取扱いであることから、障害者間で異なる取扱いをすること（たとえば、身体障害者と知的障害者とで異なる取扱いとすること）は禁止される差別に該当しない[11]。

かかる差別禁止規定は、すべての事業主に適用されるものであり、また、差別禁止規定の対象となる障害者は、障害者手帳の所持の有無や週の所定労働時間にかかわらず、前記(1)で述べた障害者雇用促進法上の「障害者」であることに留意する必要がある。

　イ　差別禁止にあたる具体例

禁止される差別の基本的な考え方としては、雇用分野におけるあらゆる局面（募集および採用、賃金、配置、昇進、降格、教育訓練、福利厚生、職種の変更、雇用形態の変更、退職の勧奨、定年、解雇、労働契約の更新）において、障害者であることを理由として、障害者を排除すること、障害者に対して不利な条件を付すこと、障害者よりも障害者でない者を優先することが禁止される[12]。厚労省は、差別禁止にあたる具体的な例を紹介する障害者差別禁止指針[13]（以下、「差別禁止指針」

---

10) 厚労省「障害者雇用促進法に基づく障害者差別禁止・合理的配慮に関するQ&A〔第2版〕」（以下、「差別禁止Q&A」という）Q2-3。均等法7条と異なり、障害者雇用促進法は間接差別を明文で禁止していない。
11) 差別禁止Q&A・Q2-2。
12) 差別禁止Q&A・Q2-1。
13) 平成27年厚労省告示116号。

という）を公表しており、そこでは、たとえば、障害者であることを理由に募集および採用の対象から除外すること（障害者については、一般の求人において親会社への応募は受け付けず、特例子会社への応募のみ受け付けること[14]等）が挙げられている。いかなる取扱いが禁止される差別に該当するかについては、差別禁止指針および差別禁止Q&Aが参考になる。

　他方で、障害者と障害者でない者との間で異なる取扱いがある場合であっても、そのような異なる取扱いを正当化する合理的な理由がある場合は、差別禁止規定に違反しないことになる。たとえば、一定の能力を有することが業務の性質上、不可欠であると認められる場合において、合理的配慮を提供したとしても当該能力を有しない障害者が当該業務を担当することができないといえるときに、当該業務の担当者から当該障害者を外すことは、差別禁止規定に違反しないものと考えられる[15]。また、差別禁止指針は、差別禁止規定の違反とならない例として、①積極的差別是正措置として、障害者でない者と比較して障害者を有利に取り扱うこと、②合理的配慮を提供し、労働能力等を適正に評価した結果として障害者でない者と異なる取扱いをすること、③合理的配慮に係る措置を講ずること（その結果として、障害者でない者と異なる取扱いとなること）、④障害者専用の求人の採用選考または採用後において、仕事をするうえでの能力および適性の判断、合理的配慮の提供のため等、雇用管理上必要な範囲で、プライバシーに配慮しつつ、障害者に障害の状況等を確認することを挙げている[16]。

ウ　差別禁止規定に違反した場合の効果

　事業主が、差別禁止規定に違反した場合について、障害者雇用促進法には罰金等の罰則規定は定められていないが、厚生労働大臣による助言、指導または勧告といった行政指導の対象となる（障害36条の6）。
　また、差別禁止規定に違反した場合の私法上の効果については、民

---

14)　差別禁止Q&A・Q3-1-5。
15)　差別禁止指針第3の1(3)。
16)　差別禁止指針第3の14。

法90条(公序良俗)や同法709条(不法行為)等の規定に基づき個別にその効果が判断されることになる。

(3) 障害者に対する合理的配慮の提供

障害者に対する合理的配慮の提供は、障害者と障害者でない者の平等を実現し、障害者の雇用を保障することを目的として2013年改正により明文化されたものである。

ア 概要

障害者雇用促進法36条の2は、「事業主は、労働者の募集及び採用について、障害者と障害者でない者との均等な機会の確保の支障となっている事情を改善するため、労働者の募集及び採用に当たり障害者からの申出により当該障害者の障害の特性に配慮した必要な措置を講じなければならない」と定め、また、同法36条の3は、「事業主は、障害者である労働者について、障害者でない労働者との均等な待遇の確保又は障害者である労働者の有する能力の有効な発揮の支障となっている事情を改善するため、その雇用する障害者である労働者の障害の特性に配慮した職務の円滑な遂行に必要な施設の整備、援助を行う者の配置その他の必要な措置を講じなければならない」と定めている。これらの規定は、事業主の合理的配慮の提供義務を定めたものであるところ、事業主は、合理的配慮の提供を行うにあたっては、障害者の意向を十分に尊重しなければならない(同法36条の4第1項)。もっとも、いずれの規定も事業主に対して後記エの「過重な負担」を課すことになる場合にも合理的配慮の提供を義務づけるものではない(同法36条の2ただし書・36条の3ただし書)。

かかる合理的配慮の提供は、差別禁止規定と同様に、すべての事業主に適用されるものであり、合理的配慮の提供の対象となる障害者は、障害者手帳の所持の有無や週の所定労働時間にかかわらず、前記(1)で述べた障害者雇用促進法上の障害者であることに留意する必要がある。

イ 合理的配慮の手続

厚労省「合理的配慮指針」[17](以下、「合理的配慮指針」という)に

よれば、事業主が障害者に対して合理的配慮を提供しようとする場合、その手続は、①募集および採用時における手続と②採用後における手続に分けられる。

まず①の募集および採用時における手続は、ⅰ障害者から、支障となっている事情および改善のために必要な措置の申出をする[18]、ⅱ事業主は、ⅰの申出を受け、支障となっている事情が確認された場合、どのような措置を講ずるかについて当該障害者と話合いを行う、ⅲ事業主は、講ずる措置を確定するとともに、措置の内容および理由（過重な負担にあたる場合は、その旨およびその理由）を障害者に説明する、という流れとなる。

事業主は、障害者からの必要な措置に関する申出（ⅰ）に対する合理的配慮にかかる措置が複数ある場合、障害者との話合いのもと、その意向を十分に尊重したうえで、より提供しやすい措置を講ずることができる（ⅱ）。また、障害者が申し出た合理的配慮が過重な負担にあたる場合であっても、事業主は、当該障害者との話合いのもと、その意向を十分に尊重したうえで、過重な負担にならない範囲で、合理的配慮に係る措置を講ずることが求められる（ⅲ）[19]。

次に②の採用後における手続については、職場で支障となっている事情の有無の確認後、障害者である労働者と話合いを行い、合理的配慮にかかる措置を確定して当該労働者に説明をするという手続は、前記①の募集および採用時における手続と同様であるが、募集および採用時における手続と異なり、障害者からの支障となっている事情および改善のために必要な措置の申出を待たず、合理的配慮の提供義務が生じることに留意する必要がある。具体的には、労働者が障害者であることを雇入れ時までに把握している場合には、雇入れ時までに当該労働者に対して職場において支障となっている事情の有無を確認する

---

17) 平成27年厚労告117号。
18) 障害者が希望する措置の内容を具体的に申し出ることが困難な場合は、支障となっている事情を明らかにすることで足りる（合理的配慮指針第3の1(1)）。
19) 合理的配慮指針第3の1(3)。

必要がある。また、労働者が障害者であることを雇入れ時までに把握できなかった場合や労働者が雇入れ時に障害者でなかった場合には、それぞれ障害者であることを把握した際または障害者となったことを把握した際に、当該労働者に対し、遅滞なく、職場において支障となっている事情の有無を確認する必要がある。さらに、障害の状態や職場の状況が変化することもあるため、事業主は、必要に応じて定期的に職場において支障となっている事情の有無を確認する必要がある[20]。

　ウ　合理的配慮の内容

　講ずべき合理的配慮とは、募集および採用時における「障害者と障害者でない者との均等な機会の確保の支障となっている事情を改善するために講ずる障害者の障害の特性に配慮した必要な措置」と採用後における「障害者である労働者について、障害者でない労働者との均等な待遇の確保又は障害者である労働者の有する能力の有効な発揮の支障となっている事情を改善するために講ずるその障害者である労働者の障害の特性に配慮した職務の円滑な遂行に必要な施設の整備、援助を行う者の配置その他の必要な措置」である。

　具体的な合理的配慮の内容を検討するにあたっては、合理的配慮指針のほか、厚労省が公表している「合理的配慮指針事例集【第3版】」が参考になるが、これらはいずれも例であり、合理的配慮は個々の障害者である労働者の障害の状態や職場の状況に応じて個別にその内容を検討しなければならないものであることに留意する必要がある。

　また、事業主は、その規模や職場のいかんにかかわらず、合理的配慮に関して、その雇用する障害者である労働者からの相談に応じ、適切に対応するため、①相談窓口の設定と労働者への周知、②相談窓口の担当者が相談内容や相談者の状況に応じた適切な対応ができるために必要な措置、③採用後に合理的配慮に関する相談があったときの支障となっている事情の有無の迅速な確認・合理的配慮の手続の適切な履践、④相談者のプライバシーを保護するために必要な措置と労働者

---

20)　合理的配慮指針第3の2(1)。

への周知、⑤相談をしたことを理由とする不利益取扱いの禁止の就業規則その他の服務規律等への記載と労働者への周知を行わなければならない[21]。

エ　過重な負担

前記アのとおり、事業主は、事業主にとって過重な負担になる合理的配慮を提供する義務までは負わない。合理的配慮の提供が過重な負担にあたるか否かは、事業活動への影響の程度、実現困難度、費用・負担の程度、企業の規模、企業の財務状況および公的支援の有無の要素を総合的に勘案しながら個別に判断することになる[22]。事業主は、障害者である労働者から申出があった具体的な措置が過重な負担にあたると判断した場合であっても合理的配慮の提供義務を免れるわけではなく、当該措置を実施できないことを当該労働者に伝えるとともに、当該労働者からの求めに応じて、当該措置が過重な負担にあたると判断した理由を説明し、当該労働者の意向を十分に尊重したうえで、過重な負担にならない範囲で合理的配慮を提供する必要がある[23]。

合理的配慮の提供を行うにあたっては、障害者である労働者の意向を十分に尊重しなければならないことを踏まえ、過重な負担にあたるかについても当該労働者本人の納得・理解を得られるようにすることが紛争を防止するために重要であろう。

オ　合理的配慮の提供義務に違反した場合の効果

合理的配慮の提供義務に違反した場合について、罰則規定がないことおよび行政指導の対象となることは、前記(2)ウの差別禁止規定に違反した場合と同様である。私法上の効果については、障害者のうち特定の者にのみ合理的配慮の提供を行わなかった場合には民法709条（不法行為）に基づく損害賠償請求権を生じせしめるものと考えられ、また、解雇、雇止め、配置転換等の有効性の判断にも影響するものと考

---

21)　障害36条の3、合理的配慮指針第6。
22)　合理的配慮指針第5の1。
23)　合理的配慮指針第5の2。

えられる[24]。

(4) 精神障害者の雇用義務化

障害者雇用促進法43条は、障害者について、障害者でない労働者と同じ水準で常用労働者となりうる機会を保障することを目的として、障害者雇用率制度を設けている。

かかる障害者雇用率制度は、民間企業等の事業主に対して、その雇用する常用労働者数に占める障害者数の割合が一定率（障害者雇用率）以上になるよう義務付ける制度であり、雇用義務の対象となる障害者（以下、「対象障害者」という）は、2013年改正により、①障害者雇用促進法2条2号に定める身体障害者および②同条4号に定める知的障害者に加え、③同条6号に定める精神障害者のうち、精神障害者保健福祉手帳の交付を受けている者が含まれることになった（障害37条2項）。かかる障害者のうち、①および②は、前記(1)アおよびイに定める身体障害者および知的障害者の範囲と同じであるが、③については、前記(1)ウに定めるものよりも狭く、精神障害者保健福祉手帳の交付を受けている者に限られることに留意する必要がある。

実雇用率（企業において実際に雇用されている障害者の割合）の計算方法について、2018年4月1日から精神障害者の雇用が義務化されるのと同時に法定雇用率が2.2％に引き上げられた[25]ことを受け、精神障害者の職場定着を促進するため、精神障害者である短時間労働者に関する算定方法に関する特例（2018年4月1日施行）が設けられてい

---

[24] 2013年改正の施行前のものであるが、京都地判平28・3・29労判1146号65頁（O公立大学法人〔O大学・准教授〕事件）は、アスペルガー症候群の障害を有する公立大学法人の准教授の解雇が問題となった事案において、「少なくともその〔注：合理的配慮を定める障害者雇用促進法〕理念や趣旨は、同法施行の前後を問わず妥当するものと解され……、障害者を雇用する事業者においては、障害者の障害の内容や程度に応じて一定の配慮をすべき場合も存することが予定されているというべきである」（注は筆者）と指摘し、障害に由来する事由に基づく解雇について、合理的配慮の提供の有無等も検討して解雇の有効性を判断している。

[25] なお、2021年3月1日以降の民間企業の法定雇用率は2.3％となっている（前掲注4）参照。

る[26]。具体的には、従前、短時間労働者は実雇用率算定にあたり、1人を0.5人としてカウントするものとされていたところ、精神障害者である短時間労働者であって、新規雇入れから3年以内の者または精神障害者保健福祉手帳の交付から3年以内の者（ただし、退職後3年以内に同じ事業主に再雇用された場合を除く。また、療育手帳を交付されている者が、雇入れ後、精神障害者保健福祉手帳の交付を受けた場合は、療育手帳の交付日が精神障害者保健福祉手帳の交付日とみなされる）にかかる雇用率のカウントにおいては、2023年3月31日までに雇い入れられた者等について、1人をもって1人とカウントすることができる[27]。

3 2019年改正のポイント

　2019年6月14日に障害者の雇用の促進等に関する法律の一部を改正する法律が公布され、障害者雇用促進法の改正（以下、「2019年改正」という）が行われた。2019年改正の内容は、後記(1)の改正の背景となった国および地方公共団体における障害者雇用数の不適切計上を受けた措置が中心であるが、民間企業に関係するものも含まれている。以下では、2019年改正の背景および民間企業に関係する改正内容についてそのポイントを概説する。

(1) 2019年改正の背景

　厚労省は、障害者雇用促進制度の中心的役割を果たす障害者雇用納

---

26) 法定雇用率は、原則として法人単位で課されるため、原則として子会社で雇用されている障害者を親会社における実雇用率に算定することはできない。もっとも、一定の要件を満たした場合に、子会社が雇用する障害者を親会社に雇用されている者とみなし、実雇用率に算定できる仕組み（特例子会社制度）がある（障害44条）。現在では、特例子会社に限らず、関係会社を含むグループ全体で雇用される障害者を親会社における実雇用率に算定すること（同法45条）や特例子会社がない場合であっても、一定の要件を満たす企業グループとして厚生労働大臣の認定を受けたものについては、企業グループ全体で雇用される障害者を親会社における実雇用率に算定することが可能となっている（同法45条の2）。近年、このような制度を導入する企業やこれにより雇用される障害者数は大幅に増加している（厚労省「『特例子会社』制度の概要」2頁）。
27) 障害者の雇用の促進等に関する法律施行規則の一部を改正する省令（平成30年厚労省令7号）。

付金制度や雇用率制度のほか、各種支援策についての今後のあり方の検討を行うべく、2017年に「今後の障害者雇用促進制度の在り方に関する研究会」を設置し、同研究会における議論の成果は、2018年7月30日に「今後の障害者雇用促進制度の在り方に関する研究会報告書」（以下、「障害者雇用促進制度研究会報告書」という）として取りまとめられたが、そのような動きのなかで、2018年5月頃、財務省から厚生労働省に対して障害者雇用促進法に基づく通報対象となる障害者の範囲[28]について照会があったことを契機に、国および地方公共団体の多くの機関で対象障害者の範囲に誤りがあり、実雇用率が法定雇用率を満たしていないことが明らかになった[29]。このような事態を受け、政府は、2018年「公務部門における障害者雇用に関する関係閣僚会議」を開催して、2018年10月23日に「公務部門における障害者雇用に関する基本方針」を策定・公表し、当該基本方針に基づいて法定雇用率の達成に向けた計画的な取組みおよび公務部門における障害者の活躍の場の拡大に向けた取組みを開始したが、当該基本方針では、国の行政機関等における障害者の任免状況に関するチェック機能の強化について法的整備を視野に入れた検討を行うともされていた。

　以上のような動きを受けて、障害者代表や労働者代表・使用者代表も参画する労働政策審議会障害者雇用分科会での検討等を経て、障害者の雇用をいっそう促進するため、事業主に対する短時間労働以外の労働が困難な状況にある障害者の雇入れおよび継続雇用の支援、国お

---

[28] 国および地方公共団体の任命権者は、毎年1回、当該機関における6月1日現在の対象障害者である職員の任免に関する状況を厚生労働大臣に通報しなければならないとされている（障害40条1項、障害者雇用促進法施行令8条）。

[29] 厚労省からの依頼を受けて、国の行政機関が2017年6月1日現在の障害者である職員の任免状況の再点検を実施したところ、国の行政機関全体で障害者数は6867.5人から3407.0人、実雇用率は2.49％から1.19％、不足数は2.0人から3396.5人となり、行政機関別では、実雇用率が法定雇用率以上であったのは内閣法制局、警察庁、金融庁、厚労省、海上保安庁および原子力規制委員会のみであった（厚労省「国の行政機関における平成29年6月1日現在の障害者の任免状況の再点検結果について」〔2018年8月28日〕2頁・3頁・5頁）。

よび地方公共団体における障害者の雇用状況についての的確な把握等に関する措置を講じるべく、2019年改正が行われることとなった。

(2) 2019年改正の概要

前記(1)の背景があるため2019年改正は公的部門における対策が中心となっているが、併せて民間企業に関係するものも含まれている。具体的には、①週所定労働時間が10時間以上20時間未満の短時間労働者を雇用する事業主に対する特例給付金制度および②障害者雇用に積極的に取り組む優良な中小事業主に対する認定制度が新設されることとなった。

ア 特例給付金制度（①）の新設

前記Ⅱのとおり、民間企業に雇用される障害者の数は着実に増加しているものの、雇用される精神障害者の数は他の障害者と比べると相対的に少ない一方で、精神障害者のなかには障害の特性上、週所定労働時間が20時間未満であれば就労可能な障害者も一定程度見受けられる。そこで、そのような短時間であれば就労可能な障害者等の雇用機会を確保するべく、2019年改正により、とくに短い労働時間以外での労働が困難な状態にある対象障害者を特定短時間労働者（短時間労働者のうち、1週間の所定労働時間が10時間以上20時間未満である者）として雇用する事業主に対し、特例給付金を支給する制度が創設された[30]（障害49条1項1号の2、障害則16条の2第2項）。具体的には、ⅰ障害者手帳等[31]を保持すること、ⅱ1年を超えて雇用されること（1年を超えて雇用される見込みがある場合も含む）およびⅲ週所定労働時

---

30) 通常の労働者の週の所定労働時間の半分にも満たない時間しか労働しない場合には、それにより職業生活において自立しているとはいえないということから週の所定労働時間が20時間未満の労働者は障害者雇用率制度における実雇用率の算定の基礎に含まれていないが、2019年改正後もこの点に変更はない。

31) 身体障害者については身体障害者手帳または都道府県知事が指定する医師または産業医による診断書・意見書、知的障害者については療育手帳または児童相談所、知的障害者更生相談所、精神保健福祉センター、精神保健指定医もしくは障害者職業センターによる判定書、精神障害者については精神障害者保健福祉手帳をいう（厚生労働省＝高齢・障害・求職者雇用支援機構「特例給付金リーフレット」〔以下、「特例給付金リーフレット」という〕2頁）。

間が10時間以上20時間未満であること[32]のいずれをも満たす障害者（以下、「特例給付金対象障害者」という）を雇用する事業主は、毎年4月から翌年3月までの申請対象期間に雇用していた特例給付金対象障害者の人数に所定の単価を乗じるなどして計算される金額の特例給付金の支給を受けることができる。

イ　優良な中小事業主の認定制度（②）の新設

　前記Ⅱのとおり、民間企業に雇用される障害者の数は着実に増加しているものの、中小事業主についてはまったく障害者を雇用していない例も散見され[33]、障害者雇用の取組みが停滞している状況にあった。そこで、障害者雇用に対する経営者の理解を促進するとともに、積極的に障害者雇用に取り組む中小事業主が社会的なメリットを享受できるよう、障害者雇用に関する優良な中小事業主に対する認定制度が新設された。

　認定制度の対象となる中小事業主とは、雇用する労働者の数が常時300人以下である事業主であり（障害77条1項）、特例子会社も対象となる。厚生労働大臣は、当該事業主からの申請に基づき、障害者の雇用の促進および雇用の安定に関する取組み、当該取組みの成果ならびにこれらに関する情報開示の観点から当該事業主を採点のうえ、一定の水準を満たした事業者につき、障害者の雇用の促進および雇用の安定に関する取組みの実施状況が優良であること等を認定する（障害77条1項、障害則36条の17）。当該認定を受けた事業主は、自身の商品、

---

32)　週の所定労働時間が10時間以上20時間未満であっても、実労働時間が10時間未満であった障害者は含まれず、他方で、週所定労働時間が20時間以上であったが、実労働時間が10時間以上20時間未満であった障害者は含まれる（特例給付金リーフレット2頁）。

33)　令和2年6月1日時点の企業規模別の障害者雇用状況では、労働者が1000人以上の法定雇用率未達成企業のうちまったく障害者を雇用していない企業の割合は0.1％であったのに対して、労働者が100人以上300人未満の法定雇用率未達成企業のうちまったく障害者を雇用していない企業の割合は28.7％であり、労働者が45.5人以上100人未満の法定雇用率未達成企業のうちまったく障害者を雇用していない企業の割合は93.3％とされている（厚労省・前掲注3)18頁）。

広告等に認定マークを表示することができるほか（障害77条の2）、厚労省や都道府県労働局のホームページに掲載されることによる認知度の向上、公共調達での加点評価等のメリットを受けることができる。を2021年6月30日時点では、合計66社（うち特例子会社が20社）が認定を受けている。

Ⅳ　障害者雇用の取組事例および実務上の問題

1　障害者雇用の取組事例

　前記Ⅱのとおり、近年、民間企業における精神障害者の就職件数および雇用される精神障害者数は著しく増加しており、引き続き増加することが見込まれるが、精神障害者の雇用促進に取り組む意欲はあるものの、経験やノウハウがなく、雇用管理の方法、職場におけるサポート体制の整備等をどのようにするべきか悩んでいる企業も多いものと思われる。各企業の業種、事業内容、企業規模等によって雇用管理の方法や職場におけるサポート体制の内容は異なるものの、これらの内容を検討するにあたっては、厚労省が公表する、精神障害者が働きやすい雇用管理の方法、職場におけるサポート体制の整備、採用にあたってのポイント等のノウハウをまとめた事例集[34]が参考になる。

　また、高齢・障害・求職者雇用支援機構は、障害者の雇用管理や雇用形態、職場環境、職域開発等について各企業が実践している取組みを障害種別等に応じて整理した事例集[35]を公表するとともに、業種、障害種別、従業員規模等の条件を選択して障害者雇用に関する取組事例を検索することができるサービス[36]を提供しており、これらについても、障害者の雇用管理や職場環境に関する施策の導入・改善を検討するに際して参考になると考えられる。

---

[34]　厚労省ウェブサイト「精神障害者雇用事例集『精神障害者とともに働く』」。
[35]　高齢・障害・求職者雇用支援機構ウェブサイト「障害者雇用の事例集」。
[36]　高齢・障害・求職者雇用支援機構ウェブサイト「障害者雇用支援リファレンスサービス」。

2 実務上の問題

(1) 「障害者」の確認方法

前記Ⅲ2(3)イにて概説したとおり、採用後は、労働者からの申出の有無にかかわらず、事業主が労働者の障害の有無を確認・把握しなければならないとされているが、差別禁止規定および合理的配慮の提供の対象となる障害者は、障害者手帳を保持している者に限定されない。また、障害者であることを前提に採用した場合に限らず、たとえば、採用後に精神不調を発症し、精神障害者に該当することになった者[37]も含まれるため、とくに、精神障害者保健福祉手帳を保持していない精神障害者等、障害の有無を判別することができない者については、障害者に該当するか否かを確認・把握するのに困難が伴うことが考えられる。

このような場合、障害者である労働者のプライバシーに配慮しつつ、障害者である労働者を適切に確認・把握するため、原則として、事業主は、障害を有していると思われる特定の労働者や当該労働者が所属する特定の部署にのみ照会を行うのではなく、全従業員への一斉メール送信、書類の配布、社内報等の画一的な手段により、障害の有無・合理的配慮の提供の申出を呼びかけることが望ましいことになる。もっとも、特定の労働者にのみ照会を行うことがおよそ認められないということではなく、障害者である労働者本人が、職場において障害者の雇用を支援するための公的制度や社内制度の活用を求めて、事業主に対して自発的に申出を行った場合には、障害者手帳その他の障害者であることを示す根拠を照会することができるとされる[38]。いずれの方法であっても、障害に関する情報は要配慮個人情報として、その取得に労働者本人の同意が必要とされることから[39]、照会

---

[37] なお、解雇規制との関係について、**第3編第4章Ⅱ**参照。
[38] 障害者雇用促進法の2005年改正（実雇用率の算定対象に雇用する精神障害者を含める等の改正）の際に厚労省が公表した「プライバシーに配慮した障害者の把握・確認ガイドラインの概要」4頁。
[39] 個情2条3項・17条2項、同施行令2条1号。

を行うにあたっては、照会を行う理由（合理的配慮の提供の必要性・内容を協議するため等）、取得した情報の利用目的（障害者雇用状況の報告等）等を明らかにしたうえで、当該労働者の理解・同意を得ることが必要であろう。そして、特定の労働者にのみ照会を行う場合、とくに精神障害者である労働者のなかには自己の障害について認識・受容していない者もいると思われ、そのような者にとっては照会を行われること自体が意に反することもあることから、照会を行うことの適否、その方法について産業医等と相談のうえ、慎重に検討することが適切であろう。

　労働者の障害に関する情報を取得した後も、定期的に当該情報を更新する必要がある。とくに、確認・把握した労働者が精神障害者である場合、精神障害は治癒したり軽快したり、逆に症状が重くなる等、症状に変動があることも多いことから、精神障害者保健福祉手帳には２年間の有効期限が設けられている。そのため、精神障害者保健福祉手帳の交付を受けた精神障害者として雇用していたものの、当該手帳の有効期限が更新されずに満了し、事業主が知らないうちに障害者雇用促進法上の精神障害者に該当しなくなっていたという事態がありうることに留意する必要がある。

(2) 解雇回避努力としての配置転換と合理的配慮

　合理的配慮の内容は、障害者である労働者の障害の状態や職場の状況に応じて個別に検討する必要があり、どのような内容のものが過重な負担に該当するか一義的に明確な基準はない。そのため、合理的配慮の内容・範囲について問題となることは少なくないと思われるが、その一例としては、障害者である労働者の配置転換において、どこまで配慮することが事業主の義務として求められるのかといった点が挙げられる。職務や職種を限定していない労働者の能力不足を理由とする解雇の事案では、裁判例において、解雇を回避するための配置転換の検討の有無はその有効性の判断要素とされる傾向にあるが[40]、た

---

40)　東京地決平6・11・10労経速1550号23頁（三井リース事業事件）、東京地判平28・3・28労判1142号40頁（日本アイ・ビー・エム〔解雇・第1〕事件）等。

とえば、職務や職種を限定して雇用された労働者が中途障害により障害者雇用促進法上の精神障害者に該当することになり、当該職務を十分に遂行できなくなったことを理由に解雇する場合、事業主は、このような労働者に対しても解雇回避努力として配置転換を検討しなければならないのだろうか。

　この点、障害者雇用促進法の2013年改正以前のものであるが、札幌高判平11・7・9（労判764号17頁〔北海道龍谷学園（旧小樽双葉女子学園）事件〕）は、脳出血により右半身不随となり、2年あまり後に病状が回復し就業できる状態となったとして復職を申し出た保健体育を担当していた教諭（被控訴人）に対する、就業規則の「身体の障害により業務に耐えられないと認めたとき」に該当することを理由とする解雇の有効性が争われた事案において、「被控訴人は、公民、地理歴史の教諭資格を取得したから同科目の業務に従事することができると主張するが、被控訴人は保健体育の教諭資格者として控訴人〔注：小樽双葉女子学園〕に雇用されたのであるから、……就業規則の適用上被控訴人の『業務』は保健体育の教諭としての労務をいうものであり、公民、地理歴史の教諭としての業務の可否を論ずる余地はないというべきである」（注は筆者）と判示し、職務を限定して雇用された労働者の解雇について、他の業務への配置転換の可否の検討を不要としている[41]。他方で、大阪高判平14・6・19（労判839号47頁〔カントラ事件〕）は、解雇に関する事案ではないが、慢性腎不全により2年近く休職した後の復職の申出を拒否された大型貨物自動車運転手の、就労を求めたときから現実に復職するまでの間の賃金請求権の有無が争われた事案において、「労働者がその職種を特定して雇用された場合において、その労働者が従前の業務を通常の程度に遂行することができなくなった場合には、原則として、労働契約に基づく債務の本旨に従った履行

41）　同判決は、公民、地理歴史の教諭としての業務の可否を論ずる余地はないとしつつ、被控訴人は公民、地理歴史の教員免許を有しているものの、実務経験がまったくなく、書字・発語能力に問題があることを指摘し、社会科教諭として補助・事務の軽減等のない通常の業務に堪ええたか疑問があるとも判示する。

の提供、すなわち特定された職種の職務に応じた労務の提供をすることはできない状況にあるものと解される（もっとも、他に現実に配置可能な部署ないし担当できる業務が存在し、会社の経営上もその職務を担当させることにそれほど問題がないときは、債務の本旨に従った履行の提供ができない状況にあるとはいえないものと考えられる。）」と判示し、職種を限定して雇用された労働者であっても、他の業務への配置転換の可否を検討するとした。

2013年改正により事業主に障害者に対する合理的配慮の提供義務が定められ、合理的配慮指針において、合理的配慮を提供しても従前の職務の遂行が困難と認められる場合には別の職務に就かせる等の配慮を行うべきことが明示的に定められていることを踏まえると[42]、中途障害により障害者雇用促進法上の障害者に該当することになった労働者を解雇する場合、たとえ当該労働者が職務や職種を限定して雇用された者であったとしても、その障害特性にあった職務や他の部署への配置転換の検討を怠ったときは、当該解雇が無効とされる可能性は否定できないと考えられる。そのため、中途障害により障害者雇用促進法上の障害者となった職務や職種を限定して雇用された労働者を解雇しようとする場合、その障害特性にあった職務や他の部署への配置転換の可否についても検討するのが慎重な対応であろう。

(3) 障害者の労働災害

近年、心理的負荷による精神障害に起因する労働災害は、2006年度は認定件数が205件であったのが2019年度には509件になる等、増加傾向にある[43]。精神障害の業務起因性の判断は、「心理的負荷による精神障害の認定基準について」[44]（以下、「精神障害認定基準」という）に基づいて行われている。かかる精神障害認定基準における認定要件の1つに「対象疾病の発病前おおむね6か月の間に、業務による強い

---

42) 合理的配慮指針第4の1(2)ロ。
43) 厚労省「過労死等の労災補償状況」（2020年6月26日）別添資料2の表2-1。
44) 平成23年12月26日基発1226第1号。

心理的負荷が認められること」が挙げられているが、この「強い心理的負荷」は、精神障害を発病した労働者が主観的にどう受け止めたかではなく、職種、職場における立場や職責、年齢、経験等が類似する同種の労働者が一般的にどう受け止めるかという観点から判断される。裁判例も、精神障害を発病した労働者と同種の平均的労働者（何らかの個体側の脆弱性を有しながらも、当該労働者と職種、職場における立場、経験等が同種であって、特段の勤務軽減を必要とせずに通常業務を遂行できる者）を基準（以下、「平均的労働者基準説」という）に、当該労働者が置かれた具体的状況における心理的負荷が一般に精神障害を発病させる危険性を有するか否かで判断している[45]。

　このような精神障害認定基準については、特段の勤務軽減を必要とせずに通常業務を遂行できる程度の脆弱性を超えた脆弱性（障害や基礎疾患）を有する労働者にとっては強い心理的負荷となる出来事があったが、平均的労働者にとってはそうではない場合、それにより精神障害を発症したとしても業務起因性が否定されることになるのかが問題となる。この点、名古屋高判平22・4・16（労判1006号5頁〔国・豊橋労基署長（マツヤデンキ）事件〕）は、心機能障害の身体障害を有する被災者が勤務開始1か月後に致死性不整脈・心停止の発症により死亡した事案において、「少なくとも、身体障害者であることを前提として業務に従事させた場合に、その障害とされている基礎疾患が悪化して災害が発生した場合には、その業務起因性の判断基準は、当該労働者が基準となるというべき」とし、平均的労働者基準ではなく、身体障害者である労働者本人を基準に業務起因性を判断している。また、東京地判平28・12・21（労判1158号91頁〔国・厚木労基署（ソニー）事件〕）は、脳腫瘍等の影響で頭痛等の身体障害を有する被災者が適応障害を発症して自殺した事案において、「身体的障害又は精神的障害の存在が当該労働者を雇用する際の前提とされ、当該身体的障害又は精神的障害の故に所要の労務軽減がされているような場合には、そ

---

[45]　菅野和夫『労働法〔第12版〕』（弘文堂、2019）659頁。

のような身体的障害又は精神的障害の故に労務軽減が必要とされているという属性について、年齢、経験等に準ずる属性として考慮したところの労務軽減を受けている労働者を平均的労働者と捉えてこれを基準とすることが適切である」と判示し、平均的労働者基準説を採用しつつ、障害者である労働者の労働災害において業務起因性を認める余地を広げる解釈をしている点が注目される。

　また、精神障害者である労働者の精神障害の症状が悪化した場合、その悪化の業務起因性をどのように判断するべきかという問題もある。精神障害認定基準では、業務以外の原因等により発病して治療が必要な状態にある精神障害が悪化した場合、悪化の前に強い心理的負荷となる業務による出来事があったとしてもただちにそれが当該悪化の原因であると判断することはできず、原則として業務起因性は認められないとする。ただし、「特別な出来事」[46]があり、その後おおむね6か月以内に対象疾病が自然経過を超えて著しく悪化したと認められる場合には、業務起因性が認められるとする。そのため、精神障害者である労働者に強い心理的負荷となる業務による出来事があり、時間的に近接した時期に当該精神障害が悪化した場合であっても、かかる心理的負荷となる出来事が特別な出来事に該当するものでない限り、原則として業務起因性が認められないことになる。この点、前掲・東京地判平28・12・21は、「既に発症した精神障害が増悪した場合の認定基準を適用する前提となる『治療の必要な状態』には、『精神障害で長期間にわたり通院を継続しているものの、症状がなく（寛解状態にあり）、または安定していた状態で、通常の勤務を行っていた者』を含まないと限定的に解釈すべき」と判示し、また、「特別な出来事」と「強い心理的負荷」と評価される出来事がもたらす心理的負荷の程度に絶対的に峻別される境界がないことを指摘し、「その心理的負荷の度合いが『特別な出来事』に当たらないが、強い心理的負荷

---

46)　生死にかかわる、極度の苦痛を伴う、または永久労働不能となる後遺障害を残す業務上の病気やけがをした、発病直前の1か月におおむね160時間を超えるような時間外労働を行った場合等である（認定基準の別表1）。

と評価される出来事が複数あるような場合、……『特別な出来事』のひとつとして規定される『その他、上記に準ずる程度の心理的負荷が極度と認められる場合』に該当すると解すべき」と判示しており、精神障害の症状が悪化した場合の業務起因性を認める余地を広げる解釈をしている点が注目される。

V 今後の課題

　障害者雇用促進制度研究会報告書では、障害者雇用に関する課題等として、障害者雇用の質の向上、多様な希望や特性等に対応した働き方の選択肢の拡大、安心して安定的に働き続けられる環境の整備、中小企業における障害者雇用の促進、障害者雇用率制度・障害者雇用納付金制度のあり方等が指摘されており、その一部については、前記Ⅲ3(2)のとおり、2019年改正により一定の対応がなされているところである。もっとも、前記Ⅱのとおり、民間企業に雇用されている障害者数やハローワークを通じた障害者の就職件数は年々増加しており、とくに精神障害者の増加が顕著であるが、一方で、就職後1年時点での障害者の職場定着率は、身体障害者が60.8％、知的障害者が68.0％であるのに対して、精神障害者が49.3％と、精神障害者の職場定着率が低い状況となっている[47]。障害者の職場定着支援については、すでに行政や民間においてさまざまな施策が講じられているところではあるが、働き方改革実行計画に掲げられた「障害者と共に働くことが当たり前の社会」を実現するためには、とくに精神障害者の職場定着率をどのように高めるかが引き続き大きな課題であると思われる。

　この点、障害者雇用促進制度研究会報告書においても、障害者雇用に関する課題の1つとして、「近年、就労希望者数や雇用者数が大幅に増加している精神障害者の場合、長く安定的に働くことに課題を抱

47）　高齢・障害・求職者雇用支援機構 障害者職業総合センター「障害者の就業状況等に関する調査研究」（2017年4月）22頁。

え職場定着率が低い傾向にあり、精神障害者の離職理由（個人的な理由による離職の場合に限る。）としては、労働条件や仕事の内容と同程度に、職場の雰囲気・人間関係や体力面での厳しさ、症状の悪化等を挙げる声が多い」、「就労を希望する精神障害者のほか、重度の身体障害者や高次脳機能障害者、難病患者等の就労希望者においては、体力面での制約や症状の特性、通院、治療等の必要から、それまでの働き方を維持することが困難となるケースが多く見られる」との指摘がなされている（同報告書4頁）。このように障害者の離職理由として体力面での課題、障害特性、障害者が置かれた状況等といった個々人で異なりうる事情が挙げられていることからすると、障害者の職場定着率を改善するためには、就労を希望する障害者が自らの特性や希望、体力等を踏まえて多様な働き方の選択肢のなかから自らに適した働き方を選択することができる環境を整備する必要があると考えられる。これに関し、新型コロナウイルス感染症の影響によりテレワークという働き方が広く活用されるようになったことは、今後の障害者雇用との関係においても、多様な働き方の選択肢の1つとして、たとえば、障害のために通勤が困難といった事情を有する者などにとって、有効な雇用機会の確保につながりうるものといえる。さらに、厚労省は、2019年11月に、障害者が働くうえでの自身の特徴やアピールポイント、希望する配慮等についてハローワーク、障害者就業・生活支援センター等の就労支援機関とともに整理し、就職や職場定着に向けて、事業主や就労支援機関との間で就労に際して必要な支援・配慮について話し合う際に活用できる情報共有ツールとして、「就労パスポート」を公表している[48]。障害者の就職や職場定着には、職種・仕事内容や働き方のマッチング、職場や就労支援機関などの関係者の障害特性への理解や配慮などが重要になると考えられるところ、就労パスポートを活用することで、これらに必要な情報が障害者、職場、就労支援機関などの関係者間で共有されて効果的に活用されることになれば、

---

48) 厚労省「就労パスポート 活用の手引き」（2019年11月）。

職種・仕事内容や働き方のマッチングや適切な支援・配慮などが可能となり、障害者の就職・職場定着がよりいっそう進むことが期待できるものと思われる。

また、2019年改正に際しては衆議院および参議院において附帯決議（以下、それぞれを「衆議院附帯決議」または「参議院附帯決議」という）がなされているところ[49]、そこでは、「障害者雇用率制度において長期の雇用に対するインセンティブを付与することを検討する等、障害者の平均勤続年数の増加に向けた施策に取り組むこと」（衆議院附帯決議4号、参議院附帯決議6号）、「障害者が働くための人的支援など合理的配慮を含む環境整備に関する支援策の充実強化に向けて検討すること」（衆議院附帯決議8号、参議院附帯決議11号）、「障害の種別・程度に応じた男女別、年齢層別の障害者の雇用・就労状況等の実態把握を丁寧に行い、障害のある女性や中高年齢層の複合的困難、また労働時間など働き方に特段の対応が必要な障害者等に配慮したきめ細かい支援策を具体的に検討し、講じていくこと」（参議院附帯決議12号）をはじめとする民間企業における障害者の就職や職場定着の促進等に向けた種々の施策、検討等を行うことが政府に対して要請されており、今後の障害者雇用にかかる制度、施策等の動向は引き続き注目される。

---

[49] 衆議院厚生労働委員会「障害者の雇用の促進等に関する法律の一部を改正する法律案に対する附帯決議」（2019年5月10日）、参議院厚生労働委員会「障害者の雇用の促進等に関する法律の一部を改正する法律案に対する附帯決議」（2019年6月6日）。

第5章 外国人雇用・外国人技能実習制度

I 外国人雇用と働き方改革

　働き方改革の最大の目的は、日本の急速な少子高齢化に伴う生産年齢の急激な減少に対応するため、労働生産性の向上、労働参加率の向上のための種々施策を導入、実行する点にあるが、その施策の1つとして、働き方改革実行計画では、外国人材の受入れが挙げられている。本章では、外国人労働者の雇用状況等にふれつつ、働き方改革のなかでの外国人材の受入れに関する施策の状況とその今後について概観する。

II 外国人労働者の就労および外国人材の受入状況

1 外国人が就労可能な在留資格

　日本に在留する外国人には、入管法で定められた在留資格（いわゆるビザ）の範囲内でのみ、日本における活動が認められているところ、日本における就労活動が認められる在留資格は以下のとおりである。
〈在留資格に定められた範囲で就労が認められる在留資格（19種類）〉
　外交、公用、教授、芸術、宗教、報道、高度専門職、経営・管理、法律・会計業務、医療、研究、教育、技術、人文知識・国際業務、企業内転勤、介護、興行、技能、技能実習、特定技能
〈就労活動に制限がない在留資格（4種類）〉
　永住者、日本人の配偶者等、永住者の配偶者等、定住者

〈資格外活動の包括的許可により就労活動が認められる在留資格（2種類）〉

留学、家族滞在

留学および家族滞在の在留資格については、資格外活動の許可を受けることで、原則としてアルバイト等で1週間に28時間まで就労することが可能とされている。また、留学の在留資格を有する外国人については、その在籍する教育機関の夏休み等の長期休業期間中は、1日8時間までの就労が認められる。

2　外国人の雇用状況

厚労省は、毎年、外国人雇用について届出状況の結果を公表しているところ、2020年10月末時点の日本の外国人労働者数は172万4328人となり、外国人雇用状況の届出義務化以降過去最高となっている[1]。

これは、前年比4.0％の増加であり[2]、図表4-5-1からも近年日本で就労する外国人労働者の数は急増していることが認められる。なお、後述する在留資格「特定技能」の外国人労働者数は、2020年10月末現在で7262人となっている。

3　外国人材の活用に関する問題点

前記のように、外国人労働者は近年大幅に増加しており、そのうちとくに、資格外活動および技能実習の在留資格で就労する外国人労働者に顕著な増加がみられる。

このような外国人労働者数の増加は、生産年齢の急激な減少に伴う日本の深刻な人手不足が背景にあると思われるが、人手不足を受けて、「資格外活動」および「技能実習」が増加しているという点に、現在の外国人雇用に関する課題があらわれているといわざるをえない。

---

1) 厚労省「『外国人雇用状況』の届出状況まとめ（令和2年10月末現在）」。
2) なお、対前年増加率は9.6ポイントの大幅な減少となっているところ、その原因につき、前掲注1）によれば、「新型コロナウイルス感染症の影響により雇用情勢に厳しさがみられる中、外国人労働者についても影響が生じているものとみられる」とされている。

図表4-5-1　在留資格別外国人労働者数の経緯

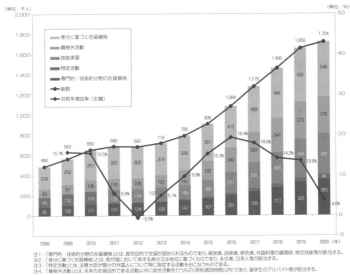

出典：厚労省「『外国人雇用状況』の届出状況まとめ（令和2年10月末現在）」。

　すなわち、技能実習制度の目的は、後述のとおり、あくまでも開発途上地域等への技能等の移転による国際協力の推進にある。技能実習法3条2項も、「技能実習は、労働力の需給の調整の手段として行われてはならない」と定めており、技能実習を人手不足解消に利用することは本来予定されていない。また、留学の在留資格の資格外活動についても、あくまでも日本で勉強するにあたっての学費や生活費の補助等として、本来の活動である留学を阻害しない範囲で認めるための制度であり、わが国の労働力不足解消のために利用することを目的するものではない。

　このように、技能実習や留学といった在留資格が、一部においてその本来予定する目的以外に利用されている理由の1つは、これまで、専門的な知識や技術を必要としなかった、いわゆる単純労働者の外国人受入れを認める在留資格が存在しないという点が挙げられる。

　すなわち、わが国の出入国管理制度では、労働者として受け入れる

外国人材は原則として専門的・技術的分野の外国人労働者に限られており、いわゆる単純労働者等の「専門的・技術的分野」と評価されない外国人については、働き方改革実行計画においてすら、「ニーズの把握や経済的効果の検証だけでなく、日本人の雇用への影響、産業構造への影響、教育、社会保障等の社会的コスト、治安など幅広い観点から、国民的コンセンサスを踏まえつつ検討すべき問題」であるとされており、専門的・技術的労働者の受入れについては積極的に推進する一方で、単純労働者等の受入れについては原則として禁止するという立場がとられている。

　しかしながら、実務上は、人手不足が顕著化した単純労働者の人材市場を中心に、外国人労働者の需要は急速に高まっており、このような実際の需要と出入国管理制度の差が、「資格外活動」や「技能実習」という名目で日本で単純労働を行う外国人労働者の増加という問題を生み出してきたと思われる。

　このような問題状況の中で、後述のとおり、一定の専門性・技能を有し即戦力となる外国人材を幅広く受け入れていく仕組みとして「特定技能」という新たな在留資格が設けられ2019年4月から受入れが開始している。同制度において、政府はあくまで専門性・技能を有する外国人材の受入れであるという態度を維持しているものの、人手不足が顕著な一定の業種において正面から外国人材の受入れを認める点で望ましい方向性にある。もっとも、後述のとおり、同制度開始以降の在留資格「特定技能」での受入れ状況は低調であり、企業および外国人両方に対するさらなる制度周知や外国人材の働き先として日本が選ばれるような魅力的な環境を整備していく必要があると思われる。

Ⅲ　外国人材の適正な受入れのための法改正等

　外国人材の受入れについては、Ⅱ3で述べた問題点も踏まえて、法改正等が行われており、以下では近時の法改正の内容等を概観する。

1　技能実習制度の概要

　技能実習制度は、いわゆる OJT を通じて、わが国で培われた技能、技術または知識の開発途上地域等への移転を図り、当該開発途上地域等の経済発展を担う「人づくり」に寄与するという、国際協力の推進を目的とした制度であり、その内容は、開発途上国等の外国人を、日本で一定期間（原則として3年、最長5年間）の範囲内で受け入れ、日本において受入企業と雇用関係を結び、技能実習計画に従って、出身国では修得が困難な技能等の修得・習熟・熟達を図るものとされている。

　技能実習制度は、1993年に創設された制度で、従前、入管法とその省令を根拠法令として実施されてきたが、①技能実習生が実質的に低賃金労働者として扱われ、賃金不払その他の労働関係違反等、技能実習生の保護を欠く状態の発生、②受入企業に対する指導・監督が不十分な監理団体の存在、③不当な利益を得るなどして研修生をあっせんする悪質なブローカーの存在等の問題が指摘されていたことから、2016年の制度改正で、新たに技能実習法とその関連法令が制定され（2017年11月施行）、これまで入管法令で規定されていた多くの規定が、この技能実習法令で規定されることになった。

　技能実習法に基づく新たな外国人技能実習制度では、技能実習の適正な実施や技能実習生の保護の観点から、監理団体の許可制や技能実習計画の認定制等が新たに導入された一方、優良な監理団体・実習実施者に対しては実習期間の延長や受入人数枠の拡大などの制度の拡充も図られている。

2　特定技能の創設

　アベノミクスの推進により、（2018年時点で、）有効求人倍率は1970年以来43年ぶりの高い水準となる中で、中小規模事業者をはじめ、深刻な人手不足が生じている現状をとらえ、2018年2月20日の経済財政諮問会議において、当時の安倍晋三首相が、「移民政策を採る考えがないことを堅持するが、専門的・技術的な外国人受入れの制度の在り

方について、在留期間の上限を設定し、家族の帯同は基本的に認めないといった前提条件の下、真に必要な分野に着目しつつ、制度の改正の具体的検討を進め」るように指示をしたことを契機に、新たな在留資格の創設が議論され[3]、2018年11月に法務省が入管法の改正法案を提出し、同年12月に成立した。これにより、「特定技能」という新たな在留資格が設けられることとなった。

3 「特定技能」の概要

(1) 総論

技能実習と対比した、「特定技能」の概要は以下のとおりである。

	技能実習 （団体監理型）	特定技能第1号	特定技能第2号
在留期間	技能実習1号：1年以内 技能実習2号：2年以内 技能実習3号：2年以内	1年、6か月、または4か月ごとに更新（通算5年を上限）	3年、1年または6か月ごとに更新（上限無し）
技能水準	なし	・「相当程度の知識又は経験」	・「熟練した技能」
日本語能力水準	なし（介護職を除く）	試験等で確認（技能実習2号を良好に修了した者は試験免除）	試験等での確認不要
送出機関	外国政府の推薦または認定を受けた機関	なし*	なし*
監理団体	あり	なし	なし
家族の帯同	不可	基本的に不可	可（配偶者・子）
支援機関	なし	あり	対象外

* 上記のとおり、特定技能は、技能実習と異なり、送出機関や監理団体を通す必要がなく、外国人と受入機関が直接雇用契約を締結することができる。山脇康嗣『特定技能制度の実務──入管・労働法令、基本方針、分野別運用方針・要領、上乗せ告示、特定技能運用要領、審査要領』（日本加除出版、2020）33頁。

---

[3] 「経営財政運営と改革の基本方針2018について」（平成30年6月15日閣議決定）。

(2) 特定技能1号

　特定技能1号とは、「法務大臣が指定する本邦の公私の機関との雇用に関する契約……に基づいて行う特定産業分野（人材を確保することが困難な状況にあるため外国人により不足する人材の確保を図るべき産業上の分野として法務省令で定めるものをいう。……）であって法務大臣が指定するものに属する法務省令で定める相当程度の知識又は経験を必要とする技能を要する業務に従事する活動」をいう（入管法別表第1・2の表の特定技能の項の1号）。

　すなわち、①「本邦の公私の機関」との、②「雇用に関する契約」に基づき、③「特定産業分野」であり、かつ④「相当程度の知識又は経験を必要とする技能を要する業務に従事する」ことであることが必要であり、また⑤「外国人が当該活動を安定的かつ円滑に行うことができるようにするための職業生活上、日常生活上又は社会生活上の支援の実施に関する計画」の策定が必要となる（入管法2条の5第6項）。これらの要件を満たしてはじめて「特定技能1号」として在留資格が認められる。以下各要件につき、詳述する。

　①「本邦の公私の機関」（受入機関）はⓘ「雇用契約の適正な履行」およびⓘⓘ「支援計画の適正な実施」に関して「法務省令で定める基準に適合するものでなければならない」と規定されている（入管法2条の5第3項）。ⓘにつき、労働、社会保険および租税に関する法令の規定を遵守していること等の基準が設けられている[4]（特定技能基準省令2条1項）。また、ⓘⓘにつき、登録支援機関に全部委託すればかかる基準に適合するものとみなされる（入管法2条の5第5項）。

---

[4] なお、「特定技能雇用契約に基づく外国人の報酬を、当該外国人の指定する銀行その他の金融機関に対する当該外国人の預金口座若しくは貯金口座への振込み又は当該外国人に現実に支払われた額を確認することができる方法によって支払われることとしており、かつ、当該預金口座又は貯金口座への振込み以外の方法によって報酬の支払をした場合には、出入国在留管理庁長官に対しその支払の事実を裏付ける客観的な資料を提出し、出入国在留管理庁長官の確認を受けることとしていること」が要求され（特定技能基準省令2条1項12号）、報酬の支払をより確実かつ適正なものとするための施策がとられている。

②「雇用に関する契約」に関して、労働基準法に適合することはもちろん、特定技能基準省令1条1項各号の基準を満たすことを要する（入管法2条の5第1項）。例えば、「外国人に対する報酬の額が日本人が従事する場合の報酬の額と同等以上であること」が定められており（特定技能基準省令1条1項3号）、外国人であるという理由で不当に低い賃金を支払われることがないように整備されている。

③特定技能第1号として従事することが認められる産業分野は、(a)介護、(b)ビルクリーニング、(c)素形材産業分野、(d)産業機械製造業分野、(e)電気・電子情報関連産業分野、(f)建設分野、(g)造船・船用工業分野、(h)自動車整備分野、(i)航空分野、(j)宿泊分野、(k)農業分野、(l)漁業分野、(m)飲食料品製造業分野、(n)外食業分野の14の分野である（分野等省令）。

④につき、各特定産業分野ごとに、「相当程度の知識又は経験を必要とする技能を要する業務」が定められており[5]、かかる業務に従事する必要がある[6]。

また、これに関連して、特定技能第1号は「従事しようとする業務に必要な相当程度の知識又は経験を必要とする技能を有していることが試験その他の評価方法により証明されていること」が必要であるが（上陸基準省令の特定技能の項の下欄第1号に掲げる活動1号ハ）[7]、「従

---

[5] 各産業分野の「特定技能の在留資格に係る制度の運用に関する方針」およびその運用要領に定められている。

[6] なお、「当該業務に従事する日本人が通常従事することとなる関連業務に付随的に従事することは」許容されている（各産業分野の「特定の分野に係る特定技能外国人受け入れに関する運用要領」）。もっとも、専ら関連業務に従事することは認められていない。また、「同一の業務区分内又は試験等によりその技術水準の共通性が確認されている業務区分内において」転職は可能である（特定技能の在留資格に係る制度の運用に関する基本方針5(3)）。もっとも、転職にあたり受入機関または特定産業分野を変更する場合には在留資格の変更許可を受ける必要がある（入管法20条1項括弧書）。

[7] 併せて、「本邦での生活に必要な日本語能力及び従事しようとする業務に必要な日本語能力を有していることが試験その他の評価方法により証明されていること」も必要であり（上陸基準省令の特定技能の項の下欄第1号に掲げる活動1号ニ）、国際交流基金日本語基礎テストまたは日本語能力試験（N4以上。なお、N1からN5までの5段階、N4は「基本的な日本語を理解す

事しようとする業務において要する技能と関連性が認められる」業務の技能実習2号を「良好に修了している者」であれば、試験が免除される（上陸基準省令の特定技能の下欄第1号に掲げる活動1号）。

⑤につき、法務省令（特定技能基準省令3条1項各号）に掲げる事項を記載する必要がある。登録支援機関に全部委託した場合であっても（①参照）、受入機関自身が記載する必要がある（入管法2条の5第6項。もっとも、登録支援機関が必要に応じて支援計画の作成を行うことは差し支えないとされている[8]）。

(3) 特定技能2号

特定技能2号とは、「法務大臣が指定する本邦の公私の機関との雇用に関する契約に基づいて行う特定産業分野であって法務大臣が指定するものに属する法務省令で定める熟練した技能を要する業務に従事する活動」をいい（入管法別表第1の2の表の特定技能の項の2号）、①「本邦の公私の機関との」、②「雇用に関する契約に基づいて」、③「特定産業分野であって」、かつ④「法務大臣が指定するものに属する法務省令で定める熟練した技能を要する業務」に従事する活動という要件を満たす必要がある。

①につき、特定技能1号と異なり、ⅱ「支援計画の適正な実施」に関する要件は課されない（上陸基準省令の特定技能2号の項柱書括弧書）。

③につき、(a)建設分野、(b)造船・船用工業分野の2つの分野である（分野等省令）[9]。

④につき、特定技能1号と同様に、それぞれの分野ごとに「熟練した技能を要する業務」が定められている[10]。例えば、建設分野にお

ることができる」レベルである）の試験に合格する必要がある。なお、関連する業務の技能実習2号を良好に修了した者であれば試験が免除される点は、技能に関する点と同様であるが、介護については、かかる者であっても、介護日本語評価試験を合格する必要がある。
[8] 出入国在留管理庁「特定技能外国人受け入れに関する運用要領」（令和2年4月）81頁。
[9] なお、出入国在留管理庁は2022年3月を目途に(a)(b)以外の特定技能1号の分野（介護を除く）も追加する方向で調整していると報じられている（2021年11月18日付け日本経済新聞朝刊参照）。

いて、特定技能1号で「型枠施工（指導者の指示・監督を受けながら、コンクリートを打ち込む型枠の製作、加工、組立て又は解体の作業に従事）」と規定されている業務につき、特定技能2号では「型枠施工（複数の建設技能者を指導しながら、コンクリートを打ち込む型枠の製作、加工、組立て又は解体の作業に従事し、工程を管理）」と規定されている。

特定技能1号と同様、「従事しようとする業務に必要な熟練した技能を有していることが試験その他の評価方法により証明されていること」が必要であり（上陸基準省令の特定技能の項の下欄第1号に掲げる活動1号ハ）、特定技能2号では、技能試験に加え、実務経験が必要となる[11]。

IV 外国人雇用に関する今後の展望

前記のとおり、これまで、日本の出入国管理制度は、専門的・技術的労働者の受入れについては積極的に推進する一方で、単純労働者等の受入れについては原則として禁止するという立場を堅持しており、労働者として受け入れる外国人材は原則として専門的・技術的分野の外国人労働者に限定されていた。

もっとも、当時の安倍政権は2018年6月、「経済財政運営と改革の基本方針2018」のなかで、日本の中小・小規模事業者をはじめとした人手不足の深刻化に対応するため、従来の専門的・技術的分野における外国人材に限定せず、一定の専門性・技能を有し即戦力となる外国人材を幅広く受け入れていく仕組みを構築する必要があり、必要な分野について、外国人材の受入れを拡大するための新たな在留資格を創設するとの方針を示し、かかる方針の下で2019年4月から新たな在留

---

10) 各産業分野の「特定技能の在留資格に係る制度の運用に関する方針」およびその運用要領に定められている。
11) 建設分野における特定技能の在留資格に係る制度の運用に関する方針3(2)イ、造船・舶用工業分野における特定技能の在留資格に係る制度の運用に関する方針3(2)イ。

資格である特定技能の受入れが開始した。技能実習生等の制度が労働力不足の解消といった本来予定していない目的のために利用されているといった問題が指摘されていることに照らせば、一定の業種に関する外国人材の受入れを正面から認めたことは望ましい方向性であると思われる。ただし、政府は、特定技能についてあくまでも「専門性・技能」を有する人材を受け入れるための在留資格であるという建前は維持しており、単純労働者の受入れに向け舵を切ったということまではできない。

　一方、政府は当初5年間で34万5000人の受入れ（初年度の見込みは最大4万7550人）を表明していたが、2021年6月末時点の特定技能1号在留外国人数は29,144人（2号の在留はない）にとどまる。在留資格取得に必要な手続の煩雑さ、日本語試験・技能試験の難しさ、特定技能1号については家族の帯同ができないなど日本に滞在することへの障害となる事情の影響が指摘されている[12]。

　また、かねてより技能実習制度を利用する外国人を含め外国人材に対する不当な扱いや人権侵害等の実態が存在するとの批判も存在する。新型コロナウイルスの影響で国家間の移動が困難となり、外国人材の獲得競争が厳しさを増すことが想像される中、日本で働く外国人労働者のそのような境遇が母国で広まることにより、日本で働くことを避ける動きに拍車がかかることも懸念される[13]。

　人手不足解消のためには、外国人材に対する不当な扱いや人権侵害を防止し、日本における就労を魅力のあるものとすることが極めて重

---

[12] 加藤久和「コロナ禍で露呈した場当たり的な移民政策の限界」Wedge375号（2020）46頁。

[13] 厚労省の有識者会議である「外国人雇用対策の在り方に関する検討会」においても、新型コロナウイルス感染症禍において、外国人労働者が日本人労働者と比較して景気の影響を受けやすく、離職しやすく再就職しにくいのではないかという課題が取り上げられている。課題解決のため、困窮した外国人を可視化し、教育や福祉、人道上の観点も含めて適切にアウトリーチを行うなど、さまざまなチャネルからの支援の必要性が指摘されている（厚労省「『外国人雇用対策の在り方に関する検討会』中間取りまとめ」〔2021年6月28日〕）。

第4編　ダイバーシティーの実現

要である。そのためには、外国人材に対する行政サービスや相談体制の整備、地域社会との交流促進等の施策を進め、社会の構成員として外国人材を受け入れ共生していく文化を地道に育んでいく必要がある[14]。

14）「外国人材の受入れ・共生に関する関係閣僚会議」をはじめ、外国人材の適正・円滑な受入れの促進に向けた取組みは各所で進められている。筆者らとしては、特に、①行政窓口・資料の多言語対応、②異文化に対する理解、③外国人に対する寛容性が重要と考えている。①行政窓口・資料の多言語対応については、自治体によってばらつきはあるものの各自治体でサービスの拡充が進んできている。②異文化に対する最低限の理解については、観光庁が「多様な食文化・食習慣を有する外国人客への対応マニュアル」や全国通訳案内士向けの「観光庁研修テキスト」を発行するなど、外国人と接するうえでのタブーや禁忌食物について理解を求める動きが広がっている。また、③外国人に対する寛容性についても、外国人労働者や外国人のサービス利用者は、特に大都市圏を中心に見慣れた光景となっている。今後は、特に地方におけるこれらの取組みを積極的に推進していく中で、大都市圏に集中しない外国人材の受入環境の整備を進めていけるかが焦点となると考えられる。

第6章 LGBTと働き方改革

I 性の多様性を意識した就労環境の整備

1 性の多様性

　性の多様性を理解するうえで重要となる概念の1つが「SOGI（ソジ）」である。SOGIとは、「Sexual Orientation」（性的指向＝好きになる性）と「Gender Identity」（性自認＝心の性）の頭文字をとった言葉であり、出生時の身体的特徴によって定められた性（戸籍上の性）に加えて、「性別」を考える際の要素となる概念である。近年では、同様に「性別」を考える際の要素であると考えられている概念である「Gender Expression」（性表現＝周囲に見せる性）の頭文字から「E」を加え、「SOGIE」と表記されることもある。

　他方、LGBTとは、自らを女性と認識し、同性である女性を性愛の対象とする者（Lesbian：レズビアン）、自らを男性と認識し、同性である男性を性愛の対象とする者（Gay：ゲイ）、男性・女性のいずれをも性愛の対象とする者（Bisexual：バイセクシャル）、出生時の身体的特徴によって定められた性と自らが認識する性が一致しない者（Transgender：トランスジェンダー[1]）の総称であり、本来は、性のあり方の一部の類型を指すにすぎない言葉であるが、現在では、広く性

---

[1] トランスジェンダーのうち、出生時の身体的特徴によって定められた性が男性（Male）かつ自ら認識する性が女性（Female）である者を「M to F」、出生時の身体的特徴によって定められた性が女性かつ自ら認識する性が男性である者を「F to M」と呼称することがあり、本書においてもそれらの呼称を用いることがある。

的マイノリティ一般を指すものとして使われることも増えている。本書では、LGBTという言葉の認知度の高まりに鑑み、わかりやすさを重視して性的マイノリティ一般を指す言葉として「LGBT」を用いるが、「LGBT」以外の性的マイノリティを排除する趣旨ではない。

　上記のとおり、「LGBT」は特定のSOGIを持つ者の集合を指す概念である一方、「SOGI」は人の集合ではなく、誰もが持つ性のあり方を捉える概念であることにポイントがある。しかし、これらの概念・用語は誤用されることも多く、近時は、地方自治体の文書や辞書においてさえ、誤解・誤用される例が報道されている[2]。企業においては、就労環境の整備のみならず、商品開発や広告宣伝等の場面においても、意図せずして当事者らを傷つけたり、思わぬ批判を招いたりする事態を避けるため、性の多様性について正しい理解を持つことが重要である[3]。

2　就労環境整備の必要性

　近年、LGBTに対する社会の認知度は大きく向上しており、企業におけるLGBTの就労環境等に関する意識も変化している。電通ダイバーシティ・ラボの「LGBTQ＋調査2020」（2021年4月8日）によれ

---

[2]　たとえば、新村出編『広辞苑〔第7版〕』（岩波書店、2018）の「LGBT」の解説文において、「多数派とは異なる性的指向をもつ人々」とされ、本来は性自認に関する概念であるトランスジェンダーについても、性的指向に関する概念であるかのような記載となっていたこと（指摘を受け、「広く、性的指向が異性愛でない人々や、性自認が誕生時に付与された性別と異なる人々」などと訂正された）（日本経済新聞2018年1月26日「広辞苑第7版『LGBT』『しまなみ海道』岩波書店が訂正と謝罪」）等が報道されている。

[3]　性の多様性についての理解や配慮が足りずに企業が批判を受けた事例として、フジテレビ「とんねるずのみなさんのおかげでした」において、出演タレントがゲイと思われるキャラクターに扮し「ホモ」等の差別用語を用いるなどした結果、ゲイに対する差別であるとして批判が殺到し、社長が記者会見において公式に謝罪した事例（2017年9月）や、読売テレビの「かんさい情報ネットten.」において、見た目から性別がわかりづらい取材協力者に対して、リポーターが執拗に性別を確認する企画を放送した結果、LGBTの社会的困難に対する配慮を欠くとして批判が殺到し、放送倫理・番組向上機構の放送倫理検証委員会が「人権の尊重」等を求める報道指針に反する放送倫理違反があったとする意見を表明した事例（2019年5月）等がある。

第6章　LGBTと働き方改革

ば、調査対象者のうち8.9％がLGBTQ＋層[4]に該当するとされている。2015年に実施された同調査においては、調査対象者のうちLGBT層[5]に該当する者の割合は7.6％とされており、2018年の調査において2020年と同水準の8.9％となっているところ、増加の要因として考えられることの1つとして、「LGBTに関する情報の増加による一般理解の進展」が挙げられている。また、三菱UFJリサーチ＆コンサルティングの「職場におけるダイバーシティ推進事業報告書」（2020年3月）によれば、同報告書の作成にあたって実施されたアンケート調査に回答した企業のうち72.6％が、「社内において、性的マイノリティが働きやすい職場環境をつくるべきだと思うか」との問いに対し、「そう思う」または「どちらかといえばそう思う」と回答しているほか、「企業として、性的マイノリティをとりまく社会課題の解決に貢献すべきだと思うか」との問いに対しても、「そう思う」または「どちらかといえばそう思う」と回答した企業は回答企業全体の65.4％にのぼる。さらに、LGBTの就労環境に関する社会の意識の向上は、政策にも反映されている。労働施策総合推進法に基づき、労働者がその有する能力を有効に発揮することができるように必要な労働施策を定める労働施策基本方針（平成30年12月28日閣議決定）においては、「多様性を受け入れる職場環境の整備を進めるため、職場における性的指向・性自認に関する正しい理解を促進する」ことが明記されているほか、後述するとおり、厚労省が公表する採用選考基準の自主点検資料やモデル就業規則においても、事業主が労働者のSOGIにも配慮すべきである旨の記載がなされるなど、企業におけるLGBTの就労環境の整備に向けた具体的な取組みが行われている。また、近年、複数の自治体において、差別解消・禁止条例が制定されており、その中には、企業に対してもSOGIを理由とする不当な差別等を禁止したり

[4) 同調査においては、「異性愛者であり、生まれた時に割り当てられた性と性自認が一致する人」以外の者が「LGBTQ＋層」と定義されている。
5) 2020年の調査から、LGBT以外の多様なセクシュアリティの存在を意識し、調査の表題が「LGBT調査」から「LGBTQ＋調査」と改められ、調査結果における定義も「LGBT層」から「LGBTQ＋層」へと変更された。

差別解消に向けた取組みを求めたりするものもある[6]。

このような状況の中、性の多様性を意識した就労環境の整備は、企業にとって喫緊の課題であるといえる[7]。

II　SOGIハラスメント

1　SOGIハラとは

SOGIハラスメント（SOGIハラ）とは、SOGIに関する差別や嫌がらせ（ハラスメント）の総称である。SOGIハラとなりうる言動としては、①差別的な言動や嘲笑、差別的な呼称、②いじめ、無視、暴力、③望まない性別での生活の強要、④不当な異動や解雇、⑤アウティングの5類型が挙げられており、各類型に該当する可能性がある行為の例[8]を整理したものが**図表4-6-1**である。

SOGIハラは、言葉としては比較的新しく、当事者団体等によって2017年頃から用いられるようになったものであるが、その具体的な内容は、従前からLGBTに関する学校・職場の課題として意識され、時には訴訟等にも発展していたさまざまな問題[9]をSOGIの観点から

---

[6]　一例として、東京都が2018年9月に制定した「東京都オリンピック憲章にうたわれる人権尊重の理念の実現を目指す条例」においては、「都、都民及び事業者は、性自認及び性的指向を理由とする不当な差別的取扱いをしてはならない」（4条）、「事業者は、その事業活動に関し、差別解消の取組を推進するとともに、都がこの条例に基づき実施する差別解消の取組の推進に協力するよう努めるものとする」（7条）とされているほか、不当な差別的言動に該当する表現活動に対しては拡散防止・公表措置が行われること等が定められている。

[7]　日本経済団体連合会「ダイバーシティ・インクルージョン社会の実現に向けて」（2017年5月16日）3頁においても、LGBTを含むあらゆる人材を組織に迎え入れること（ダイバーシティ）と、そのうえで、あらゆる人材がその能力を最大限発揮でき、やりがいを感じられるように包摂すること（インクルージョン）が重要であると指摘されている。

[8]　「なくそう！SOGIハラ」実行委員会 "なくそう！SOGIハラ" http://sogihara.com/ 参照

[9]　職場におけるSOGIハラについて、日本労働組合総連合会の「LGBTに関する職場の意識調査」（2016年8月）によれば、職場（飲み会等含む）で

図表4-6-1　SOGIハラの類型と該当する可能性がある行為の例

行為類型	行為例
差別的な言動や嘲笑、差別的な呼称	・特定の労働者を「ホモ」「オカマ」などと呼ぶ ・「同性愛者には生産性がない」、「俺は同性愛者は受けつけない」などと特定のSOGIを否定する発言をする ・「（ゲイに対して）女を知らないだけ」、「（レズビアンに対して）いい男に抱かれれば治る」などと偏見に基づく発言をする
いじめ、無視、暴力	・「襲われるかも知れないからアイツと同じ更衣室は使えない」などと主張して、職場施設の共同利用を拒否する ・「ホモがうつるから無視しよう」などと業務に必要なコミュニケーションを行わない ・（トランスジェンダーに対し）「中身が男なら構わないだろう」などと言って、胸部を触る ・性別適合手術を受けたトランスジェンダーに対し、下半身を見せるよう求める
望まない性別での生活の強要	・労働者の性自認に沿った容姿での勤務を禁止する ・労働者の性自認に従った職場施設（トイレ、更衣室等）の利用を認めない
採用時の差別・不当な異動や解雇	・SOGIを理由として内定取消、異動、解雇等を行う ・性自認に従った容姿で勤務していることを理由に、労働者の意思に反し、合理的理由も認められない異動を命じる
アウティング	・「アイツはゲイ」などと労働者のSOGIに関する情報を本人の承諾なく吹聴する ・「○○さんから、同性パートナーに対する福利厚生制度の利用申請があった」などと、労働者のSOGIを推測させうる社内制度の利用状況を、本人の承諾なく開示する

　LGBTに関するハラスメントを経験したことまたは見聞きしたことがあると回答した者は全体の約23％に上り、回答者の約11％が、職場でLGBTに関する差別的な取扱い（解雇・降格・配置変更など）を経験したことまたは見聞きしたことがあると回答した。また、半数以上が、職場におけるLGBTに関するハラスメントを防止・禁止すべきだと思うと回答している。さらに、auじぶん銀行の「LGBT当事者をとりまく就業環境の実態調査」（2020年10月）においても、回答者のうち、LGBTを含む性的マイノリティに該当する者の25.6％が、「LGBTであることで、職場で困ったこと（トラブル）や悩みはありますか」との質問に対し、「ある」と回答した。

再整理したものとなっている。もっとも、上記Ⅰ1のとおり、SOGIはすべての人が持つ性の要素であるため、SOGIハラもLGBTのみの問題ではなく全労働者に関係する問題である[10]ことに留意が必要である。

2　パワハラ・セクハラとの関係と使用者の義務

　SOGIハラに該当しうる言動の一部は、パワハラおよびセクハラに該当する。

　改正労働施策総合推進法を受けて2020年1月に告示されたパワハラ指針においては、パワハラに該当する言動6類型のうち、「精神的な攻撃」に該当すると考えられる例として、「人格を否定するような言動を行うこと。相手の性的指向・性自認に関する侮辱的な言動を行うことを含む」とされているほか、「個の侵害」に該当すると考えられる例には、「労働者の性的指向・性自認や病歴、不妊治療等の機微な個人情報について、当該労働者の了解を得ずに他の労働者に暴露する」こと、すなわちアウティングが含まれるとされている。また、厚労省は、従来から「交際相手について執拗に尋ねる」、「配偶者に対する悪口を言う」など、労働者本人だけでなく、そのパートナーに関連する不適切な言動も、「個の侵害」に該当するハラスメントであるとしており、その趣旨はパートナーの戸籍上の性や労働者ないしパートナーのSOGIにかかわらず妥当するものであると考えられる。

　セクハラ指針においては、「職場におけるセクシュアルハラスメントには、同性に対するものも含まれるものである。また、被害を受けた者……の性的指向又は性自認にかかわらず、当該者に対する職場におけるセクシュアルハラスメントも、本指針の対象となるものである」とされている。これは、戸籍上の性別が同じ者の間でも性的な言動によるハラスメントが行われうること、また、たとえば、女性の身

---

[10]　たとえば、ヘテロセクシャル（異性愛者）の労働者に対してであっても「ホモ」「オカマ」などといったSOGIに関する侮辱的な呼称を用いることはSOGIハラとなると考えられる。

体を有するトランスジェンダーの男性に対して、「中身が男なら胸を触られても平気だろう」などとして胸部を触るなどの行為も、セクハラとなりうることを意味するものである。

　本編第2章において詳述したとおり、事業者にはセクハラおよびパワハラの防止対策措置義務が課せられており、セクハラおよびパワハラとなりうるSOGIハラについては、かかる義務の直接的な対象となる。また、必ずしもパワハラ・セクハラの枠に収まらない類型のSOGIハラであっても、多様な性を有する労働者の就業環境を適切に維持するためには、防止対策措置を講じる必要があることに変わりはないため、事業者においては、類型を問わず、SOGIハラについて必要な防止対策措置を講じることが求められているといえる。なお、厚労省の「モデル就業規則」（2020年11月）15条において、「その他あらゆるハラスメントの禁止」として、「性的指向・性自認に関する言動によるものなど職場におけるあらゆるハラスメントにより、他の労働者の就業環境を害するようなことをしてはならない」と定められていることも、この点を意識したものであると思われる。

3　対策

　上記のとおり、SOGIハラは比較的新しい概念であるため、事業主・労働者双方にとって、その内容や対応について、十分に理解されていない場合が多いと考えられる。そのため、SOGIハラ対策としては、まず、SOGIの概念や、どのような言動がSOGIハラとなりうるのかおよびその理由についての研修を実施するなどして、会社全体で、SOGIを含めた性の多様性についての理解促進を図ることが効果的である。また、理解促進のための研修等で不適切な言動がなされたり、SOGIハラに関する相談への対応過程でアウティングが発生したりするリスクを防ぐためには、社内研修やハラスメント対応等の業務を担当する役職員が、SOGIに関する基礎的な事項にとどまらず、SOGIハラに該当する各類型の言動がなぜSOGIの観点から不適切であり、そのような言動が行われないようにするためにはどのような点

に留意する必要があるかや、SOGIに関する情報をどのように取り扱うべきか等についても、十分に理解したうえで業務に当たることが求められる。さらに、役職員のSOGIハラに対する意識を高め、抑止を図るという観点からは、社内規程等において、SOGIハラについて、その他のハラスメントと同様、役職員が行ってはならない行為に該当し、場合によっては懲戒処分等の対象となりうる行為であることを明文で定め、社内に周知することも有効である。このような定めは、実際にSOGIハラが発生した際に、使用者が当事者に対して懲戒処分等を行うための根拠ともなる。なお、SOGIハラの中でも特にセンシティブな対応が必要であるとされているアウティングが発生した場合の対応については、下記Ⅲ1も参照されたい。

Ⅲ 就労環境整備

　LGBTの就労環境を整備するにあたっては、職場において、SOGIハラをはじめとする嫌がらせや不当な取扱い、差別的な言動が行われないよう対策を講じ、万一発生した場合には適切に対処することはもちろん、SOGIにかかわらずすべての労働者が自分らしく働くことができる環境を積極的に整備していくことが必要である。また、具体的な施策を検討する際には、近時の裁判例[11]において「個人がその真に自認する性別に即した社会生活を送ることができることは、重要な法的利益」であるとの判断が示され、経済団体による提言においてもLGBTが働きやすい職場環境の整備の一環としてこれらの問題に対する取組みが言及される[12]など、労働者のSOGIに基づいた職場生活

---

11)　東京地判令元・12・12労判1223号52頁（経済産業省トイレ使用制限事件）。
12)　日本経済団体連合会・前掲注7)13頁においては、「ハード面での職場環境の整備」に関して考えられる具体的な取組みとして、「性別を問わないトイレの設置等、LGBTが働きやすい職場環境を整備」することを挙げ、取組みの具体例として「トランスジェンダーの場合、本人が希望する性で会社生活ができるよう環境を整備」することを提言している。

を送ることの重要性についての認識が、司法・経済のいずれの場面においても高まりつつあり、職場においてLGBTが抱える困難に対する使用者の対応の当否に関する判断の前提となる社会の意識が大きく変化している[13]ことから、従前の判断は必ずしも妥当しない可能性があることに留意し、前例にとらわれることなく時代に合わせた対応を行うことが必要である。

1 アウティング

SOGIハラの1類型としても挙げられているアウティングとは、本人の了解を得ずに、公にされていなかった他者のSOGIに関する情報を暴露する行為をいう。裁判例において、アウティングは、人格権やプライバシーを侵害する違法行為であると位置付けられており[14]、使用者は、他の類型のパワハラ同様、職場においてアウティングが行われないよう、従業員教育を行う等の防止対策を講じる義務がある。また、SOGIに関する情報については、非常にセンシティブな情報であり、かかる情報を公開するか否かは当人の決定に委ねられるべきであることから、上記Ⅱ2のとおり、パワハラ指針においても、労働者のSOGIは、病歴や不妊治療等と並び機微な個人情報であるとされている。そのため、事業主は、労働者のSOGIに関する情報を取得した際は、職場の内外を問わず、かかる情報が流出しないよう、適切に管理しなければならない。

アウティングに関する近時の事件としては、まず、近時世間の耳目を集め、アウティングに対する社会の認知の高まりのきっかけとなったものとして、2015年8月に、一橋大学の法科大学院において、ゲイ

---

13) 民法および戸籍法の婚姻に関する諸規定が、異性愛者のカップルには婚姻制度を利用するか否かの選択を認める一方で同性愛者のカップルに対してはかかる選択を不可能にしている点で、憲法14条1項に反すると判断した裁判例（札幌地判令3・3・17判時2487号3頁）は、上記取扱いの差異を設けることが立法裁量の範囲を超えると判断した根拠の1つとして、「我が国においては……同性愛者と異性愛者との間の区別を解消すべきとする要請が高まりつつあ」ることを指摘している。
14) 東京高判令2・11・25判例集未登載（一橋大学LSアウティング事件）。

の法科大学院生がアウティングを受けた後にキャンパス内の建物から転落死した事件がある。当該事件は、法科大学院の同級生複数名が参加していたLINEのトークグループにおいて、従前好意を寄せていた同級生から「おれもうおまえがゲイであることを隠しておくのムリだ。ごめん」と送信するなどとしてアウティングを受けた学生が、心身に不調を来し、法科大学院の担当教官やハラスメント相談室等への相談も行ったものの、最終的には転落死に至ったというものであり、学生の遺族が原告となり、アウティングを行った学生のみならず、法科大学院を運営していた一橋大学に対しても、学生の心身の安全や教育環境への配慮義務に違反したとして、損害賠償請求訴訟が提起された。一橋大学を被告とする民事訴訟においては、1審、2審ともに原告の請求が退けられているものの、2審判決[15]においては、アウティングは、人格権やプライバシー権を著しく侵害し、許されない行為であることは明らかであると判示されている。同事件を受けて、現在一橋大学が公表している「ハラスメント防止ガイドライン」には「同性や、他の者の性的指向または性自認に対するハラスメントも『セクハラ』に該当」すると明記されているほか、一橋大学法人が所在する東京都国立市が2017年12月に制定した「国立市女性と男性及び多様な性の平等参画を推進する条例」においては、SOGIを理由とする差別の禁止に加え、「何人も、性的指向、性自認等の公表に関して、いかなる場合も、強制し、若しくは禁止し、又は本人の意に反して公にしてはならない」と定められた。

　また、上記事件の後も、アウティングに関連する労働事件は相次いでおり、近時でも、性別適合手術を受けた過去を同意なく公表され、同僚から嫌がらせを受けるなどした原告が自殺未遂に至ったとして、使用者に対する損害賠償が請求された事案[16]や、上司が部下の性的指向を承諾なく他の労働者に暴露したことによって精神的苦痛を受けたとして、労働者が、事業主が所在する地方自治体のあっせん制度を

---

15) 前掲注14）東京高判令2・11・25。
16) 本原稿執筆時点において、提訴後の経過は明らかでない。

利用して人権救済を申し立てた事案[17]等が報道されている。

　アウティングは、一たび発生すれば、対応のいかんにかかわらず発生前の状態に戻すことは不可能であることから、予防的観点からの対策の重要性はいうまでもないが、万一職場においてアウティングが発生した際、最も重要なことはさらなるアウティングの発生を防ぐことである。そのため、初動対応としては、まず、事実関係の調査を行い、情報が共有された範囲を確定する。そして、調査の結果判明した共有範囲をアウティングを受けた本人に対して速やかに共有したうえで、本人が自身のSOGIについて共有している範囲を確認し、アウティングを行った役職員、およびアウティングにより被害者のSOGIに関する情報を知った役職員のうち、被害者本人が許容する情報共有範囲に含まれない者に対しては、それ以上の情報共有を行わないよう指示することが必要となる。

　アウティングの発生および万一発生した場合の被害拡大を防ぐためには、日頃から、役職員に対してSOGIに関する情報の取扱いについて教育を実施し、SOGIに関する情報は、どのような経緯で共有されたものであれ、本人の承諾なく他者に暴露してはならないことを周知しておく等の対策を講じることが効果的である。パワハラ指針においても、事業主は「機微な個人情報を暴露することのないよう，労働者に周知・啓発する等の措置を講じることが必要である」とされており、上記の対策は改正労働施策総合推進法が事業主に対して義務づけるパワハラ防止対策の範疇にも含まれると考えられる。

2　採用・配転等における取扱い

(1) 採用

　採用の際に、いかなる者をいかなる条件で雇うかは、法律その他の制限がない限り、企業が自由に決定するべき事項であるとされてお

---

[17] 使用者がアウティングの事実を認めて謝罪し、解決金を支払ったことが報道されている。

り[18]、実務上、一旦採用すれば解雇が困難な実情を踏まえ、採用の自由は、企業の有する人事権のなかでも、制約を加えられるべきではない特別の自由として意識されている[19]。そのため、企業が応募者のSOGIも考慮したうえで採否を決定すること自体は違法ではない。もっとも、一般的に労働者の能力・適性がSOGIによって左右されることは考えがたいところ、厚労省ホームページ「公正な採用選考の基本」は、「本人のもつ適性・能力以外のことを採用の条件にしないこと」が公正な採用選考を行う基本であると定め、公正な採用選考を行うためには「LGBT等性的マイノリティの方（性的指向及び性自認に基づく差別）など特定の人を排除しないことが必要」であるとしている。「公正な採用選考の基本」は企業に対する強制力を有しないガイドラインにすぎないものの、均等法5条において労働者の募集・採用においては「性別にかかわりなく均等な機会を与えなければならない」とされている趣旨等にも鑑みれば、企業は応募者のSOGIのみを理由として採否の決定を行うべきではないと考えられる。なお、企業が採用選考において応募者のSOGIを考慮することが認められるとしても、一旦採用内定がなされた後は、客観的に合理的で社会通念上相当として是認できる事由がない限りその取消しは認められないとされており、SOGIのみを理由とした採用内定取消しは、かかる事由を欠くものとして違法となる可能性が高いと考えられることにも留意が必要である。

　採用に際して、企業の選択の自由が尊重されるとしても、企業が応募者の採否を判断するための調査において、応募者のSOGIに関する事項について申告を求めることについては、より慎重な検討が必要となる。企業には応募者に対する調査の自由があるものの、調査は社会通念上妥当な方法で行われることが必要であり、応募者の人格やプライバシーなどの侵害になるような態様での調査は事案によっては不法行為となる可能性もある。そのため、企業が採用にあたって応募者に

18）　最判昭48・12・12労判189号16頁（三菱樹脂事件）。
19）　菅野和夫『労働法〔第12版〕』（弘文堂、2019）221頁。

質問や調査をなしうるのは、基本的には応募者の職業上の能力・技能や従業員としての適格性に関連した事項に限られると考えられる[20]。上記のとおり、SOGIに関する事項が応募者の職業上の能力・技能や従業員としての適格性に影響を与えることはほぼないと考えられ、また、SOGIに関する情報は機微な個人情報であって、その申告を求めることは応募者のプライバシーの侵害となる可能性が高いことにも鑑みれば、企業が採用選考に際し、応募者のSOGIに関する事項の申告を求めることは適切ではないと思われる。この点に関連し、注目すべき近年の動向として、履歴書の記載事項の見直しが挙げられる。厚労省は、2021年4月、日本規格協会がJIS規格の解説様式例から履歴書の様式例を削除したことに伴い、厚生労働省履歴書様式例を公表した。厚生労働省履歴書様式例においては、従来日本規格協会が示していた履歴書様式例とは異なり、性別欄が「男」または「女」のいずれかに丸印を付けて選択する形式ではなく記入者が自由に記入する形式とされている上、「記載は任意です。未記載とすることも可能です」との注記が付されている。厚労省のウェブサイトにおいては、事業主向けに「履歴書の様式に本様式例と異なる記載欄を設ける場合は、公正な採用選考の観点に特に御留意をお願いします」との注意喚起がなされており、今後の採用選考において、応募者に「男」または「女」を選択させる形式で性別の申告を求めることは、特に必要性がない限り、原則として避けるべきであると考えられる。

(2) 配転

LGBTの従業員について、配転が問題となる場面はいくつか考えられるが、まずはじめに、配転命令に際し、法律上の婚姻関係にない同性パートナーとの事情を考慮する必要があるかどうか、また、考慮する必要があるとすれば配偶者の場合と差異があるかどうかがあると考えられる。使用者には労働者に対する配転命令権があると解されているものの、同命令権には、業務上の必要性と本人の職業上・生活上の

---

[20] 菅野・前掲注19) 226頁。

不利益の両点において、権利濫用法理による規制が存在する。すなわち、判例は[21]、配転命令について「業務上の必要性が存しない場合又は業務上の必要性が存する場合であっても、……他の不当な動機・目的をもってなされたものであるとき若しくは労働者に対し通常甘受すべき程度を著しく超える不利益を負わせるものであるとき」には権利の濫用になるとする判断枠組みを採用している[22]。この点、従来の裁判例において、要介護状態にある老親や転居が困難な病気をもった家族を抱え、その介護や世話をしている従業員に対する遠隔地への転勤命令をする場合や、労働者本人が転勤困難な病気をもっている場合に転勤命令をする場合に、権利の濫用にあたるとしたものがある[23]。反面、共稼ぎなどの事情で夫婦別居をもたらすような転勤命令は、業務上の必要性が十分に認められ、労働者の家庭の事情に対する配慮（住宅・別居手当、旅費補助等）をしている場合には、有効とされてきた[24]。配転命令の有効性について、同性パートナーとの事情が直接問題となった判例等は現時点において不見当であるが、配転に際しての事業主の配慮義務を定める育児介護休業法26条においては、配慮の対象は「当該労働者の子の養育又は家族の介護の状況」であるとされているところ、同法2条4号および5号において、「配偶者」は「家族」に含まれ、「婚姻の届出をしていないが、事実上婚姻関係と同様の事情にある者」も「配偶者」に含まれるとされている。現時点において、我が国では同性婚が認められていないことにも鑑みれば、かかる規定は、直接的には、いわゆる事実婚状態にある異性のパートナーを想定しているものであると考えられ[25]、事業主に対し、必ずしも労働者の同性パートナーとの事情を配転の際の生活上の不利

---

21) 最判昭61・7・14労判477号6頁（東亜ペイント事件）。
22) 菅野・前掲注19) 728頁。
23) 京都地判平12・4・18労判790号39頁（ミロク情報サービス事件）、大阪地判平19・3・28労判946号130頁（NTT西日本〔大阪・名古屋配転〕事件）参照。
24) 東京高判平8・5・29労判694号29頁（帝国臓器〔単身赴任〕事件）、仙台地判平8・9・24労判705号69頁（JR東日本〔東北地方自動車部〕事件）、福岡高判平13・8・21労判819号57頁（新日本製鐵〔総合技術センター〕事件）参照。

益の点で考慮することを要求するものではないと考えられる。他方、配転が労働者に与える影響という意味では、パートナーが同性であるか異性であるかによって実質的な差異はないと考えられることから、育児・介護休業法が配慮義務の対象となる「配偶者」は労働者と法律上の婚姻関係にある者に限定されないと明文で規定している趣旨にも鑑みて、配転に際しての労働者の生活上の不利益を検討するにあたっては、同性パートナーとの事情についても、配偶者との事情に準じて考慮することが望ましいと考えられる。また、考慮の程度についても、労働者が主張する不利益の内容によるものの、使用者において合理的配慮を行ったといいうるためには、法律上の婚姻関係の有無によって不利益の程度に差が生じるものでない限り、原則として配偶者との事情同様に考慮するべきであると思われる。

　LGBTの従業員について、配転が問題となる別の場面として、SOGIを理由とした配転を行うことの可否がある。原則として、SOGIは労働者の能力や業務への適性に影響するものではないと考えられることから、労働者のSOGIのみを理由として当該労働者を特定の職種から外したり特定の部署等に配属したりする配転命令は、「業務上の必要性が存しない」ものまたは「不当な動機・目的をもってなされたもの」に該当し、権利の濫用と判断される可能性がある。もっとも、現実的には、特に戸籍上の性とは異なる容姿で就労することを希望する労働者を営業職等の社外の関係者と接する機会のある職種に配置する場合等においては、顧客等からのネガティブな反応や場合によってはクレーム等を受ける可能性も考えられる。そのようなクレーム等が実際に発生した場合、その内容や事業への影響、または労働者本人に危害が加えられる可能性等によっては、労働者の配転を行うことにつ

25）　日本弁護士連合会が、2021年2月18日に公表した「同性の者も事実上婚姻関係と同様の事情にある者として法の平等な適用を受けるべきことに関する意見書」においては、「法令等における『事実上婚姻関係と同様の事情にある者』等の解釈において、法令上の性別が同じ者を除外することなく、法を平等に適用し、その保護を図るべきである」との意見が表明されており、今後、同文言の解釈を検討する上で注目に値する。

いて業務上の必要性が認められる場合もあると考えられる。ただし、SOGIへの偏見や差別に基づく暴言・脅迫や、労働者のSOGIに乗じて何ら理由のない不当な要求が行われたりするなど、カスハラに該当するクレーム等が行われた場合には、そのようなクレーム等によって労働者の就業環境が害されることのないよう、事業主の安全配慮義務に基づく適切な対応を行う必要がある（カスハラからの従業員の保護については、**本編第2章6**も参照）。

なお、海外赴任を伴う配転の場合には、国によっては同性愛や同性間の性交渉が犯罪とされているところもあることを踏まえて、赴任させる労働者や赴任先を選定することが必要であることに留意を要する。

3　就労時の身だしなみ

主としてトランスジェンダーの労働者から、戸籍上の性ではなく自らの性自認に基づいた容姿（服装、化粧、髪型等）で勤務したいとの申出があった場合や、労働者がそのような申出を行うことなく従前とは異なる性別であると思われる容姿で勤務するようになった場合、使用者としてそのような容姿で就労することを禁ずることができるかという問題がある。

この点、原則として、使用者は、労働者に対し、企業秩序定立権限に基づいて就労時の身だしなみを指示または制限することができるとされている。もっとも、企業秩序による規制も無制限に認められるものではなく、企業秩序において定立される規則や発せられる命令は、企業の円滑な運営上必要かつ合理的なものであることを要し、労働者の人格・自由に対する行きすぎた支配や拘束となるものは許されない[26]。そのため、企業秩序と労働者の性自認に沿った容姿で勤務する権利の調和が問題となる。

労働者の身だしなみに対する企業の指示・制限に関する裁判例は多くあるが、LGBTの身だしなみに関するものとしては、東京地決平

---

26)　菅野・前掲注19）694頁。

第6章　LGBTと働き方改革

14・6・20（労判830号13頁〔S社（性同一性障害者解雇）事件〕）が重要である。この事件は、M to Fのトランスジェンダーである労働者（債権者）が、配転を機に女性の容姿での就労や、女性用トイレおよび更衣室の使用等を申し出、使用者（債務者）がかかる申出を拒絶した後も女性の容姿で出勤するなどしたところ、使用者から「女性風の服装またはアクセサリーを身につけたり、または女性風の化粧をしたりしないこと」などと命じられたにもかかわらず、女性の容姿で出勤し続けたこと等を理由として行われた懲戒解雇処分の有効性が争われたものである。この事件において、裁判所は、勤務先の他の労働者や取引先等が、従前男性として就労していた者が女性の容姿で就労することについて、嫌悪感を抱くことないしそのおそれはあるとしたうえで、「債務者が、債権者の行動による社内外への影響を憂慮し、当面の混乱を避けるために、債権者に対して女性の容姿をして就労しないよう求めること自体には、一応理由がある」として企業秩序定立・維持権限の行使としての有効性を肯定し、労働者が女性の容姿での就労を禁じる職務命令に違反したことは、服務命令違反として懲戒処分事由となりうるとした。もっとも、裁判所は、当該労働者においては、ホルモン療法等の結果「男性の容姿をして債務者で就労することが精神、肉体の両面において次第に困難になっていた」と認定し、「債権者が債務者に対し、女性の容姿をして就労することを認め、これに伴う配慮をしてほしいと求めることは、相応の理由があるものといえる」とした一方で、「債務者社員が債権者に抱いた違和感及び嫌悪感は」債権者の「事情を認識し、理解するよう図ることにより、時間の経過も相まって緩和する余地が十分あるものといえる」などとして、上記服務命令違反は、懲戒解雇事由に相当するほどの重大かつ悪質な企業秩序違反ではないと判断した。上記裁判例においては、トランスジェンダーの労働者に対し、周囲に与える嫌悪感等を理由として、従前と異なる性の容姿で就労することを禁じる業務命令の有効性が一応肯定されている。もっとも、その理由としては、「一般に、身体上の性と異なる性の容姿をする者に対し……興味本位で見たり、嫌悪感を抱いた

りする者が相当数存すること」、「性同一性障害者の存在、同障害の症例及び対処方法……に関する情報が一般に提供されるようになったのが、最近になってからであること」などといった事情が挙げられているところ、当該事案が20年以上前のものであり、現時点においては、当時に比べてLGBTに対する理解が進んでいること、また、この事案の約10年後には「性同一性障害及びその治療を理由とする不合理な取扱いが許されないことは、……公序の一内容を構成していた」と判示した裁判例[27]も存在することを踏まえると、仮に今後同様の事案が発生した場合には、労働者本人の性自認に沿った容姿で就労することを禁じる業務命令の有効性が否定される可能性もあることに留意が必要である。この点、大阪地決令2・7・20（労判1236号79頁〔淀川交通（仮処分）事件〕）は、タクシー会社が、MtoFのトランスジェンダーの労働者が化粧をして乗務したことを理由として行った就労拒否について、使用者の帰責性の有無が問題となった事案であるが、裁判所は、一般論としては、サービス業において男性のみに業務中の化粧を禁止すること自体は直ちに必要性や合理性が否定されるものとはいえないとしたうえで、MtoFのトランスジェンダーにとっては、「外見を可能な限り性自認上の性別である女性に近づけ、女性として社会生活を送ることは、自然かつ当然の欲求であるというべきである。……そうすると、性同一性障害者である債権者に対しても、女性乗務員と同等に化粧を施すことを認める必要性があるといえる」と判断した。この裁判例においては、さらに、「今日の社会において、乗客の多くが、性同一性障害を抱える者に対して不寛容であるとは限らず、債務者が性の多様性を尊重しようとする姿勢を取った場合に、その結果として、乗客から苦情が多く寄せられ、乗客が減少し、経済的損失などの不利益を被るとも限らない」とも指摘され、結論として、就労拒否には必要性も合理性も認められないとして、使用者の帰責性が肯定されている。この事件は就労拒否に伴う賃金の支払が問題と

---

27) 静岡地浜松支判平26・9・8判時2243号67頁。

なった事案であり、賃金という労働者の生活に直結する問題に関する判断であったことから、通常の業務命令に比べて厳しい判断がなされた可能性もあるものの、同事件の判決が示した労働者の性自認に沿った容姿での就労を認める必要性や、使用者が労働者の性の多様性を尊重する姿勢をとった場合の顧客の反応についての考え方は、就労時の身だしなみについての業務命令の有効性を考えるうえでも参考になると考えられる。

　また、前記東京地決平14・6・20において、業務命令はあくまで「当面の混乱を避けるため」のものとして有効性を肯定されたものに過ぎず、周囲の嫌悪感等は時間の経過によって緩和する余地があるとされていることから、トランスジェンダーの労働者に対し、期限を定めるなどせずに性自認に沿った容姿での就労を禁ずる業務命令の有効性は、期限を定めて行われる命令に比べて否定される可能性が高いと考えられる。なお、たとえば内勤業務に従事する職種で採用され業務上外部との接点が存在しない労働者の場合など、労働者本人の性自認に沿った容姿で就労することによって、業務上具体的な支障が生じないと考えられる場合には、それでもなお性自認に沿った容姿での就労を禁ずる業務命令の有効性は否定される可能性が高いと考えられる。

　なお、LGBTの就労時の身だしなみの問題については、近時、男女別の制服を廃止して男女共通のパンツスタイルとするなど、企業によってさまざまな取組み[28]が行われており、注目に値する。また、性別ではなく担当職務の性質ごとに身だしなみの基準を設けることも、使用者による労働者の身だしなみに関する指示・制限の合理性を担保するために有効な方法であると考えられる。

---

[28]　三菱UFJリサーチ＆コンサルティングが厚労省の委託事業として製作した「多様な人材が活躍できる職場環境に関する企業の事例集」（2020年3月）41頁においては、かかる取組みの例として、一般職社員の制服にパンツスタイルを導入する、制服の色分けを廃止する、身だしなみに関する社内規程において多様な性を考慮した運用を行うなどといったものが挙げられている。

4 トイレ・更衣室等の職場施設の利用の問題

労働者から、トイレや更衣室等の性別によって分かれている職場施設について、戸籍上の性ではなく自らの性自認に沿った施設を利用したいとの申出があった場合に、使用者としてこれを認める必要があるかという問題がある。

判例[29]は、使用者は「職場環境を適正良好に保持し規律のある業務の運営態勢を確保するため、その物的施設を許諾された目的以外に利用してはならない旨を、一般的に規則をもって定め、又は具体的に指示、命令することが」できるとしており、使用者が就労施設を管理する権限（施設管理権）を企業秩序定立権限の一環であると捉えている。企業秩序定立権限に基づく以上、施設使用の指示または制限も、企業の円滑な運営上必要かつ合理的なものであることを要し、労働者の人格・自由に対する行きすぎた支配や拘束となるものは許されないことは、労働者の身だしなみに関する指示または制限と同様である。もっとも、職場施設の中でも、トイレや更衣室等のようにもともと戸籍上の性ごとに設置されている施設については、使用者としては、トランスジェンダーの労働者が自らの性自認に沿った施設を利用することにより、当該施設を共同で利用する他の労働者が不安等を感じる可能性があることにも配慮する必要があり、判断が難しい。

この点に関し、近時大きな社会的注目を集めた裁判例として、経済産業省がMtoFのトランスジェンダーである職員（健康上の理由から性別適合手術は受けていない）に対し、女性用トイレの利用を制限したこと等の是非が問題となった事例[30]がある。この事件において、1審の東京地方裁判所は、「これまで社会において長年にわたって生物学的な性別に基づき男女の区別がされてきたことを考慮すれば……性同一性障害である職員に対して女性用トイレの使用を認めるかどうか

---

29) 最判昭54・10・30労判329号12頁（国労札幌支部事件）。
30) 1審：前掲注11）東京地判令元・12・12、2審：東京地判令3・5・27LEX/DB25569720。

を検討するに当たっては、そのような区別を前提として女性用トイレを使用している女性職員に対する相応の配慮も必要である」として施設管理権者としての経済産業省の立場にも理解を示しつつ、トイレが「人が通常の衛生的な社会生活を送るに当たって不可欠のものであることに鑑みると、個人が社会生活を送る上で、男女別のトイレを設置し、管理する者から、その真に自認する性別に対応するトイレを使用することを制限されることは、……重要な法的利益の制約に当たる」として、性自認に沿ったトイレの利用制限の当否は、当該施設を共同で利用する他の労働者に対する配慮の観点のみならず、「個々の具体的な事情や社会的な状況の変化等を踏まえて」判断すべきであるとした。そして、裁判所は、「我が国において、……トランスジェンダーが職場等におけるトイレ等の男女別施設の利用について大きな困難を抱えていることを踏まえて、より働きやすい職場環境を整えることの重要性がますます強く意識されるようになってきており、トランスジェンダーによる性自認に応じたトイレ等の男女別施設の利用を巡る国民の意識や社会の受け止め方には、相応の変化が生じて」おり、原告が女性用トイレを利用することによって、他の職員との間でトラブルが生じる可能性は高いとは認められないなどとして、経済産業省によるトイレの利用制限は違法であると判断した[31]。

　他方、2審の東京高等裁判所は、性自認に基づいた性別で社会生活を送ることは法律上保護された利益であるとしたうえで、経済産業省は、他の職員が持つ性的羞恥心や性的不安などの法的利益も併せて考慮し、原告を含む全職員にとっての適切な職場環境を構築する責任を

---

31)　1審の東京地方裁判所は、原告が、女性用トイレの利用を制限された結果、男性用トイレではなく多目的トイレを利用していたことについて、「性同一性障害の者は、……多目的トイレの利用者として本来的に想定されているものとは解されないし、原告にその利用を推奨することは、場合によりその特有の設備を利用しなければならない者による利用の妨げとなる可能性をも生じさせる」とし、使用者が労働者に対し性自認に沿ったトイレを利用することを制限し、代わりに多目的トイレを利用させることについて、否定的な見解を示している。

負っていることも否定しがたいとして、同省が原告の希望や主治医の意見も勘案して対応方針案を定めたことや、他の職員を対象とした説明会を開催して意見を聴いたこと等に鑑みれば、同省が職務上の注意義務を尽くすことなく漫然と対応したとは認められないとして違法性を否定した[32]。加えて、2審の東京高等裁判所は、性同一性障害者の性別の取扱いの特例に関する法律が定める「性別取り扱いの変更の審判」を受けていないトランスジェンダーの性自認についての指針となる規範や適切な先例が存在しないことが対応の難しさの一因であると指摘しており、この点が違法性の判断に影響したともいいうる。

　上記裁判例は、労働者からトイレ以外の職場施設について性自認に沿った施設の利用の申出があった際の対応を考える際にあたっても参考となるが、職場環境は企業によってさまざまであり、その整備には費用やオフィスの設計上の制約等の調整も必要になる。そのため、たとえばオフィスが自社ビルではなく、労働者の性自認に沿った施設の利用を認めるためにはビルの管理者や他のテナントとの調整が必要となる場合や、労働者の男女比に偏りがあるなどの理由で、性自認に沿った施設の利用を希望する労働者が就労する場所に希望の性別の施設がない場合等、上記裁判例の判断を踏まえてもなお、労働者の性自認に沿った施設の利用を認めることが困難な場合もあると考えられる。そのような場合において、事業主としてどのような対応をとるべきかについては今後の事例の蓄積や社会全体での議論が待たれるところではあるが、上記両判決の内容に鑑みれば、少なくとも、事業主が、トランスジェンダーの労働者が自らの性自認に沿った施設を利用することを一律に制限することは許されず、当事者および他の労働者のいずれに対してもきめ細やかな配慮を尽くしたうえで対象施設の利用方法を決定することが求められているといえると考えられる。

---

[32] 本件については、当事者が上告したと報道されており、最高裁判所による判断が待たれる。

5　福利厚生制度

　近時、同性カップルに対し、多くの自治体が同性パートナーシップ制度を導入してその関係性を認証しており、その数は全国で130自治体[33]に上る。そして、地方自治体のそのような動きに連動するように、多くの企業が、同性パートナーを有する労働者の就労環境整備のためにさまざまな取組みを行っている。取組内容は企業によって異なる[34]が、代表的なものとしては、社内規程・制度上、労働者の同性パートナーを法律婚の配偶者同様に扱い、慶弔金の支給や特別休暇の取得等を認める制度が挙げられる。

　福利厚生制度は、法に基づいて労働者に提供される法定福利厚生制度（配偶者の健康保険等への加入や配偶者の介護を理由とした介護休業の取得等）と法に基づかず使用者の裁量によって労働者に提供される法定外福利厚生制度（結婚休暇の付与、配偶者手当の支給等）に分かれる。このうち、法定福利厚生制度については、提供対象が法によって定められているため、制度の適用対象を使用者の判断によって拡張することはできない[35]。他方、法定外福利厚生制度は、その適用対象も原

---

33)　2021年10月11日時点。渋谷区・認定NPO法人虹色ダイバーシティ　全国パートナーシップ制度共同調査（https://nijibridge.jp/data/）。
34)　前掲注28)「多様な人材が活躍できる職場環境に関する企業の事例集」（2020年3月）および同事例集の基となった調査結果がまとめられた前掲「職場におけるダイバーシティ推進事業報告書」の参考資料には、各企業の取組内容が企業名・業種・会社規模等と併せて詳細かつ具体的に掲載されており、企業の事情に合わせた施策を検討する上で参考になる（企業名の掲載は「職場におけるダイバーシティ推進事業報告書」の参考資料のみ）。このほか、性的指向および性自認等により困難を抱えている当事者等に対する法整備のための全国連合会（LGBT法連合会）が作成・公表している「性的指向および性自認を理由とするわたしたちが社会で直面する困難のリスト」（最新版は2019年3月に公表された第3版）においては、LGBTが就労の場面で実際に直面した困難が具体的かつ数多く挙げられているため、LGBTの視点でどのような施策が職場に必要であるかを検討する際の資料として有益である。
35)　近年では、労働者が同性パートナーの介護のために取得可能な介護休暇制度を設けるなど、法定福利厚生制度と同内容かつ同性パートナーも適用となる福利厚生制度を、法定外福利厚生制度として設ける企業も増えている。

則として使用者の裁量によって決定することが可能であり、同性パートナーに対しても配偶者同様に提供することが可能である。そのため、労働者の同性パートナーを対象とする福利厚生制度の導入を検討する場合には、まずは自社に存在する福利厚生制度を法定福利厚生制度と法定外福利厚生制度に分類した上で、それぞれについて対応を検討することが必要である。なお、福利厚生制度を検討する際には、たとえば、同性パートナーに限らず、婚姻によって姓を変更した労働者が旧姓を通称として使用することを望む場合や、異性の事実婚パートナーを有する労働者がパートナーの姓を通称として使用することを望む場合にも利用可能な通称使用制度を導入するなど、「LGBTのための制度」にこだわらず会社全体のダイバーシティ＆インクルージョンの観点から制度設計を行うことが、よりよい制度とするためのポイントであると考えられる。

第5編
これからの時代の労働法

第5編　これからの時代の労働法

第1章　AIと労働法

I　はじめに

　昨今、さまざまなメディアが頻繁に AI（Artificial Intelligence、人工知能）をキーワードにした記事や特集を掲げており、AI はいま最も注目を浴びるテクノロジーの1つである。他方で、大手金融機関が IT や AI の活用等により人員や業務量の大幅削減目標を掲げるなど、今後、AI の活用が進むと、人の雇用や働き方にどのような影響を与えていくのかは、AI の進化・発展と裏返しの関係で、ますます人々の関心を集めていくのではないかと考える。

　AI が他のテクノロジーと異なると考えられるとすれば、今までの人間の働き方の延長上で1つのツールとして AI が活用されるだけではなく（そうであれば、従来のテクノロジーと異ならないのであろうが）、労働市場における人間の役割・存在価値に影響を及ぼしたり、人々の働き方を根本的に変えていく可能性を秘めている点にある。そのような意味で、AI と労働法をめぐる問題は、これからの時代の労働法を考えるうえで興味深い論点といえる。

　以下では、AI が雇用や働き方に与える影響と、そこから生じると思われる法的問題点を紹介する[1]。

II　AI が雇用・労働に与える影響

　AI の活用・導入が雇用・労働に与える影響として、センセーショ

---

1) AI と労働法に関する論考としては、福岡真之介編著『AI の法律』（商事法務、2020）323頁〔菅野百合〕も参照されたい。

ナルに取り上げられているのは、人間の仕事がAIに代替され、人間の雇用が奪われるのではないか、という「AI代替」ともよばれる議論である。

　AIやロボットなどによる自動化技術が雇用に与える影響に関する先行研究としてもっとも有名なのは、オックスフォード大学のカール・ベネディクト・フレイ博士とマイケル・オズボーン准教授による2013年の分析結果であろう。この研究では、米国の職業の約47％が今後10～20年間に70％超の可能性で機械に代替されると推計し、話題を集めた。

　日本についても、2015年に、野村総合研究所、フレイ博士、オズボーン准教授とが、AIなどの自動化技術が日本の雇用に与える影響に関する共同研究を行い[2]、今後10～20年後に、日本の労働人口の約49％が就いている職業が代替されるとの推計結果を出している。

　もっとも、フレイ博士らが行った前記の研究結果にはさまざまな評価があり、こうした"自動化技術か人間か"といった二者択一的な観点からだけでなく、AIなどの自動化技術が雇用に与える影響をより多面的に捉える方向で、国内外でさまざまな調査・研究が進んでいる。

　たとえば、日本国内の関係省庁もAI等の技術革新が雇用・労働に与える影響についてさまざまな調査・研究結果を出しており[3]、そのなかでも、厚労省が公表した「IoT・ビッグデータ・AI等が雇用・

---

[2]　野村総合研究所 News Release「日本の労働人口の49％が人口知能やロボット等で代替可能に──601種類の職業ごとに、コンピューター技術による代替確率を試算」（2015年12月2日）。

[3]　以下で挙げるほか、経済産業省「新産業構造ビジョン　一人ひとりの世界の課題を解決する日本の未来」（2017年5月30日）、総務省情報通信政策研究所「AIネットワーク社会推進会議　報告書2017」（2017年7月）においても、技術革新の労働への影響が分析されている。これら先行研究の概要については、第3回労働政策審議会労働政策基本部会資料1「技術革新が労働に与える影響について（先行研究）」にまとめられている。その他、近時の報告書として、労働政策審議会労働政策基本部会「報告書～働く人がAI等の新技術を主体的に活かし、豊かな将来を実現するために～」（2019年9月11日）、AIネットワーク社会推進会議「AI経済検討会報告書2021」（2021年8月）がある。

労働に与える影響に関する研究会報告書」[4]は、人手不足と相殺される部分があるため、AI等の活用により全体の雇用量を減らすほうに働くことが、ただちに雇用をなくすこと（失業）を意味するわけではないが、省力化が人手不足を上回れば失業が生じる可能性があるとする。また、同じく厚労省の「平成29年版労働経済の分析」[5]では、AIの進展など産業構造の変化により定型的業務が中心の職種の就業者は減少する一方で、新しい付加価値の創出に役立つ技術職の就業者は増加するなど、AIが雇用に与える影響は職種によって異なることが想定されるとする。

このように、AI等の技術革新が雇用・労働に与える影響については、さまざまな調査研究結果があり、その分析結果も、人の行う業務がAI等の新技術に大幅に代替されるという説、一部のみが代替されるという説、新たな雇用が創出されるという説とさまざまである。さらに、AI等の新技術の労働分野への導入は、実用化のための研究開発の成功の可能性、社会のAIサービスの需要可能性、費用対効果に基づく新技術導入の経営判断という不確定要素を加味すると、現時点ではAI等の技術革新が雇用・労働に与える影響は予測が難しいとする[6]。

もっとも、将来的にどの仕事についてどの程度の影響があるかは不明でも、AIなどの自動化技術の進展により、少なくとも一部の仕事について、何らかの雇用代替が出るであろうとの予測は共通認識となってきているのではないかと考える。他方で、自動化技術によって新しく創出される仕事・業務が、自動化技術により減少する仕事・業務を上回り、全体の仕事・業務が増大するのであれば、全体とすれば雇用にプラスの効果をもたらすことになる。また、すべての仕事・業

---

4) 三菱UFJリサーチ＆コンサルティング株式会社『IoT・ビッグデータ・AI等が雇用・労働に与える影響に関する研究会報告書』厚生労働省委託事業、平成28年度今後の雇用政策の実施に向けた現状分析に関する調査研究事業（2017）。
5) 厚労省「平成29年版労働経済の分析 イノベーションの促進とワーク・ライフ・バランスの実現に向けた課題」（2017年9月）。
6) 労働政策審議会労働政策基本部会「報告書 進化する時代の中で、進化する働き方のために」（2018年9月5日）5頁。

務がAIに置き換わるわけではなく、タスク単位で代替が生じ、AIが行う仕事・業務と、人間が行う仕事・業務が共存する状態が（少なくとも今後しばらくは）続くことになると思われる。したがって、AIと雇用の問題で最も重要なのは、いかにしてこの新規業務・事業を生み出していくか、新たな雇用ニーズに対応できるような人材育成や成長分野への労働移動を果たしていくか、さらには、どのようにAIと共存して人間が働くかの点にあるといえる。

Ⅲ　HRテクノロジーの活用

　AI等の自動化技術がさまざまな企業活動に活用される流れのなかで、人事労務の分野にAI等のテクノロジーを活用していく「HR Tech」あるいは「HRテクノロジー」とよばれる動きが欧米を中心に新たな市場として注目されている。

　「HR Tech」あるいは「HRテクノロジー」とは、「Human Resource」と「Technology」を掛け合わせた造語で、先端的な情報技術を駆使し、人材マネジメント業務の効率化や人材の価値の最大化を図るソリューションや手法を指す[7]。HRテクノロジーでは、クラウドやデータ解析、人工知能（AI）、仮想現実（VR）、拡張現実（AR）、ロボティクスなど最先端のテクノロジーを使って、採用・育成・評価・配置などの人事関連業務を行う[8]。

　米国では5年以上前から注目され、拡大している市場であるが[9]、

---

[7]　酒井雄平「HR techの現状と可能性——テクノロジーがもたらす、人事の新たな価値創出のアプローチ」労政時報3941号（2017）17頁。

[8]　日本の人事部　HRテクノロジーホームページ基礎講座「HRテクノロジー（HR Tech、HRテック）とは」。

[9]　海外リサーチ機関による調査結果によれば、市場に投入されているHRテクノロジー関連のスタートアップの資金調達額は、2011年の約3億ドル（約330億円）から2015年には24億ドル（約2600億円）まで、その規模は約10倍までに急速に拡大しており、1つのビッグマーケットとして成立しつつあるとする（北崎茂「HRテクノロジーが人事にもたらす効果と日本での実情」、Web労政時報2017年10月13日）。

日本でも、働き方改革を推進するためのテクノロジーの1つとして近年急速に注目を集め、2017年には、経済産業省等が主催する「HR-Solution Contest」が開かれ、人事労務上の課題をテクノロジーで解決するサービスを企業が競い合った[10]。

　HRテクノロジーが対応する技術は、前記のとおり、AI、VR、AR、ロボティクス等さまざまであるが、とくにAIの活用が注目を浴びている。HR領域におけるAIの活用については、戦略立案、採用[11]、異動・配置・昇進、評価・組織サーベイ・従業員満足度・エンゲージメント向上、リテンション・退職[12]、健康管理[13]・メンタルヘルス、業務効率化、リモートワーク・働き方、社内コミュニケーションと多様な分野でサービスが生まれ、活用されている[14]。

　すでに日本の企業でも、適性検査と人工知能分析を用いた採用サービスや、AIを用いたビジネスマッチングアプリ、眼鏡型デバイスで集中力の計測を通じHR施策の効果を検証するサービス、バイタルモニタービーコンで取得した行動・ストレス情報を人工知能が解析し、組織を最適化するサービス等が実用化されている[15]。

---

[10] 経済産業省ウェブサイト「『HR-Solution Contest』グランプリ決定‼――『働き方改革』を実現する『HRテクノロジー』」。

[11] 大手食品会社では、過去のエントリーシートや学生の基礎データをAIに学習させ、AIが高評価と判断したエントリーシートについては読み込み時間を短くするなどして、当初エントリーシートの読み込みにかかっていた時間の40％の削減に成功している（「AIを活用した人事業務生産性向上事例――採用選考、退職者予測、健康増進など人事データの分析／戦略的活用にAIを活用する4社」労政時報3965号〔2019〕19頁）。

[12] 大手医療介護会社は、入社時に7度の面談を経て作成された面談シートに基づくAI分析がなされている。当該分析で離職リスクを判断し、離職リスクが高いと判断された場合にはフォロー面談や配置転換、就業条件の変更等を行い、離職率を抑えることに成功している（前掲注11）20頁）。

[13] 大手情報エネルギー会社では、血圧、体組成のほかプレゼンティーズム（不調によって本来のパフォーマンスを発揮できない状態）、運動機能検査など社員の健康状態、活動量、心理尺度等に関する多彩なデータを収集し、社内サイトを通じて社員に個別フィードバックしつつ、健康増進イベントの実施や社内環境の見直し等の政策につなげている（前掲注11）20頁）。

[14] 日本の人事部HRテクノロジーホームページ基礎講座「HRテクノロジー（HR Tech、HRテック）活用法」。

第1章　AIと労働法

図表5-1-1　HR Tech の具体例

	日本における HR Tech の 具体例
A社	●採用にAIを活用 ●既存従業員が適性試験を受験、適性人材を可視化 ●応募者が適性試験を受験、結果をAIが分析し採用に生かす
B社	●組織活性化・従業員満足度の向上にAIを活用 ●名札型ウェアラブルセンサーで取得した従業員の身体運動に関するデータを計測 ●AIによる分析で組織活性度に影響する要素等を算出
C社	●リテンション・配置にAIを活用 ●人事データを利用して、AIによる退職予測モデル、異動後活躍組織予測モデルを構築
D社	●従業員の健康管理にAIを活用 ●リストバンド型ウェアラブルにより取得した行動・ストレス情報を解析し、AIによる情報予測により労働災害防止

　こうした人事労務領域での AI を用いた HR テクノロジーの活用によって、人々の働き方に変化がもたらされることが期待できる[16]。

Ⅳ　AIと労働法に関する法的問題点

1　採用と AI

(1)　採用の場面での AI の活用

　HR テクノロジーの1つとして、採用の場面で AI が活用され、また今後のさらなる活用が期待されている[17]。たとえば、AI が、さま

---

15)　経済産業省ウェブサイト「『HR-Solution Contest』ファイナリスト決定！――7月25日、公開プレゼンによってグランプリを決定します」。
16)　厚労省「令和元年版労働経済の分析――人手不足の下での『働き方』をめぐる課題について」（令和元年9月27日）122頁でも「アンケート調査やAIを活用した人事労務管理（HR Tech）を用いて『働きやすさ』や『働きがい』を継続的・定期的に把握し、これらにいかす取組も盛んになってきている」とする。
17)　前掲注11) 18頁は、新卒採用活動時にAIを導入している会社は0.4％、導入を検討中の会社は7.5％としつつも、5000人以上の規模の会社に限定すると検討中が23.4％となっており、大手企業の関心の高さが窺われるとしている。また、AI活用の広がりによる変化に対して、「とても期待している」が43.0％「ある程度期待している」が31.6％としている。

447

ざまなデータ（エントリーシート、企業からの質問への回答や SNS 等のインターネット上で公開されている情報等）から採用候補者の行動特性や能力を判定し、企業とのマッチング行うといった活用方法である。AI が採用時の評価を行うメリットは、これまで採用担当者が行ってきたエントリーシートや面接等における選別・評価は、その基準や手法が属人的であり、ブラックボックス化しやすいものであったのに対し、AI による評価は一定の基準を設定、一定の傾向のなかで、公正・客観的に行うことができ、採用基準を可視化できる点にある。また、膨大な採用データの処理について、AI の活用で採用業務を省力化できるメリットもある。

採用場面における現在の AI 活用は、人事担当者等による採用の判断をサポートしたり参考として用いられるのみで、採用の意思決定自体を AI が行うわけではない。しかし、将来的には、採用の意思決定あるいは実質的な決定といえるまでの絞り込みのレベルまで AI が行う事態も想定できないわけではない。このように企業の採用に関し AI が利用され、あるいは AI が採用の意思決定まで行うことは、法律上どのような問題があるのだろうか。

(2) 企業の採用の自由から導かれる問題点

この点、労働契約は雇用主たる会社と労働者との合意によって成立し、会社には、契約自由の原則から導かれる採用の自由がある（労契1条・3条1項）。この採用の自由には、雇入れ人数決定の自由、募集方法の自由、選択の自由、契約締結の自由、調査の自由が含まれる[18]。AI が採用の場面で活用される場合に関係するのは、選択の自由（どのような者をどのような基準で採用するかを決める自由）や調査の自由（採用の判断材料を得るための調査をする自由）である。

(3) 選択の自由と AI の活用

選択の自由において、判例[19]は、企業には広い範囲での雇入れの

---

18) 菅野和夫『労働法〔第12版〕』（弘文堂、2019）223頁。
19) 最判昭48・12・12労判189号16頁（三菱樹脂事件）。

自由があるとし、企業が労働者の思想・信条を理由としてその採用を拒否できるかとの問題についても、憲法の基本的人権の規定は私人の行為を直接禁止するものではなく、企業の採用拒否は当然には違法とならないと判示する。

このように、企業には雇用する者を選択する場面で広範な裁量が認められるから、AIによる分析が間違っていた場合（たとえば計測誤差や統計バイアスにより〔性別、年齢、人種等の〕差別的な分析結果が出てしまった場合）や、会社がAIによる分析結果を過度に重視してしまったような場合、あるいは、AIによる分析が信頼性があるのか会社が検証していなかったり、AIによる分析の手法を会社が理解していないで利用していたとしても、ただちに会社が違法となる（不法行為が成立する）わけではない。

また、会社が採用の場面で、AIを使って入手したさまざまなデータからある思想・信条が判明する、あるいはその傾向が示される（たとえば特定の政治的思想や宗教の信仰をうかがわせる傾向がある）場合に、それを理由に採用しないとの判断を会社がしたとしても、ただちに違法となるわけではない。

さらに、会社には採用基準を開示する法的義務はないので、採用時にAIを用いたどのような選考をしているかを候補者に説明しなくても、または理解していないのでそもそも説明できなくても、ただちに違法となるわけではない。

(4) 調査の自由とAIの活用

これに対し、会社が採用の場面で候補者を調査するにあたっては、応募者に対する選択の自由から派生する企業の調査の自由が認められるが、応募者の人格的尊厳やプライバシーなどとの関係で制約を受ける。まず、調査方法については、社会通念上妥当な方法で行われることが必要で、応募者の人格やプライバシーなどの侵害になるような方法での調査は場合によっては不法行為を構成する[20][21]。

---

20) 菅野・前掲注18) 226頁。

調査事項についても、企業が質問や調査をなしうるのは応募者の職業上の能力・技能や従業員の適格性に関連した事項に限られると解すべきであるとされる[22]。職業安定法5条の4は、個人情報保護の観点から、労働者の募集を行う者等は、本人の同意その他正当な事由がある場合を除き、求職者等の個人情報を「収集し、保管し、又は使用するに当たっては、その業務の目的の達成に必要な範囲内で求職者等の個人情報を収集し、並びに当該収集の目的の範囲内でこれを保管し、及び使用しなければならない」と規定する（職安5条の4第1項）。

これを受けて、平成11年労告141号では、労働者の募集を行う者等は、その業務の目的の範囲内で求職者等の個人情報を収集することとし、社会的差別の原因となるおそれのある個人情報（人種、民族、社会的身分、門地、本籍、出生地等）や思想・信条、労働組合への加入状況を収集することは原則として認められないとする。また、同告示では、労働者の募集を行う者等が個人情報を収集する際には、本人から直接収集し、または本人以外の者から収集する場合には本人の同意のもとで収集する等、適法かつ公正な手段によらなければならないとされる。

さらに、厚労省においても、応募者の適性・能力とは関係ない事柄で採否を決定しないよう、公正な採用選考を行う必要性を示しており、就職差別につながるような**図表5-1-2**の情報を採用時に入手しないよう働きかけている[23]。

かかる観点からすると、採用時におけるAIの分析・評価にあたっても、これまでの採用手法と同様、基礎とする応募者のさまざまな

---

21) たとえば、応募者本人の同意を得ないで使用者が行ったHIV抗体検査（東京地判平15・5・28労判852号11頁〔警視庁警察学校事件〕）や、本人の同意を得ないで行ったB型肝炎ウイルス感染検査（東京地判平15・6・20労判854号5頁〔B金融公庫事件〕）は、プライバシー侵害の違法行為であるとされている。
22) 菅野・前掲注18) 226頁。
23) 厚労省「公正な採用選考の基本」（http://www2.mhlw.go.jp/topics/topics/saiyo/saiyo1.htm）。

第1章　AIと労働法

図表5-1-2　採用選考時に配慮すべき事項

次のaやbのような適性と能力に関係がない事項を応募用紙等に記載させたり面接で尋ねて把握することや、cを実施することは、就職差別につながるおそれがあります。

a．**本人に責任のない事項の把握**
- 本籍・出生地に関すること（注：「戸籍謄(抄)本」や本籍が記載された「住民票(写し)」を提出させることはこれに該当します）
- 家族に関すること（職業、続柄、健康、病歴、地位、学歴、収入、資産など）
（注：家族の仕事の有無・職種・勤務先などや家族構成はこれに該当します）
- 住宅状況に関すること（間取り、部屋数、住宅の種類、近郊の施設など）
- 生活環境・家庭環境などに関すること

b．**本来自由であるべき事項（思想信条にかかわること）の把握**
- 宗教に関すること
- 支持政党に関すること
- 人生観、生活信条に関すること
- 尊敬する人物に関すること
- 思想に関すること
- 労働組合に関する情報（加入状況や活動歴など）、学生運動など社会運動に関すること
- 購読新聞・雑誌・愛読書などに関すること

c．**採用選考の方法**
- 身元調査などの実施（注：「現住所の略図」は生活環境などを把握したり身元調査につながる可能性があります）
- 合理的・客観的に必要性が認められない採用選考時の健康診断の実施

出典：厚労省ウェブサイト「公正な採用選考の基本」(3)。

　データのなかに求職者の個人情報（とくに、社会的身分や思想信条等に関する情報）が入らないようなシステムとなっているかどうかの配慮が必要となるし、このような情報を入れて採用の判断を行う場合は、事案によって違法（不法行為）となる可能性が出てくることに留意が必要である。

　実際のケースでも、AIの分析の基礎とするデータのなかに含めるのは、ビジネス目的であることが明らかなソーシャルメディアであったり、求人している職種に関係する公開された論文といった、応募者

の職業上の能力・技能や従業員の適格性に関連することが明確なデータに限定し、FacebookやTwitterといったプライベート目的での利用があるSNSは除外するといった配慮が行われているようである。

(5) レピュテーションリスク等の問題

違法まで至らなくても、たとえばAIを導入して採用選考し、かりにそのAIによる分析がでたらめであった場合、統計的バイアスがあり差別的な分析結果となっていた場合、または分析の基礎とするデータ採取が間違っていたような場合で、これが発覚した場合には、レピュテーションリスクや社会的・倫理的な問題は残る[24]。

同様に、AIによる分析・評価の対象となるデータに不適切な個人情報が含まれていた場合にも、前述の不法行為のレベルに至らなくても、レピュテーションリスクや社会的・倫理的問題はあるため、応募者の人格やプライバシーへの配慮は重要である。

したがって、会社が採用の場面でAIを活用する場合（外注する場合も同様である）は、AIがどのようなデータを基礎に、どのような仕組みで分析・評価しているのかを十分把握し、データ採取が適切かや、分析・評価に間違いがないか定期的に検証させたうえで用いるのが望ましいと考える。

2 人事評価とAI

採用時および採用後に蓄積されたデータを利用して、従業員の人事評価にAIを活用することも期待される。人事評価にAIを活用するメリットとしては、採用の場面と同様、上司の属人的な評価ではなく、客観的・公正な評価が可能となることや、膨大なデータを分析・

---

[24] 労働政策審議会労働政策基本部会・前掲注3）の10頁においても、「AIの活用について、企業が倫理面で適切に対応できるような環境整備を行うことが求められる。特に働く人との関連では、人事労務分野等においてAIをどのように活用すべきかを労使始め関係者間で協議すること、HR Techを活用した結果にバイアスや倫理的な問題点が含まれているかを判断できる能力を高めること、AIによって行われた業務の処理過程や判断理由等が倫理的に妥当であり、説明可能かどうか等を検証すること等が必要である」としている。

第1章　AIと労働法

解析できるため、評価項目を拡大し、多面的な評価が可能となる点が挙げられる。例えば、従来から蓄積されていた社内の人事データ（人事評価・適性検査・採用情報）や従業員アンケート等のさまざまな人事情報を分析し、人材の最適配置・人事評価・人材の発掘等に活用するサービスが挙げられる。

　この点、人事評価については、労働者の労働能力や成績等の多種の要素を総合判断し、その評価も一義的に定量判断が可能なわけではないため、会社に広範な裁量権があると認められており[25]、社会通念上著しく不合理である等の人事権の濫用と認められる場合でなければ違法にはならないと解されている[26]。人事権の濫用となる場面としては、人事考課制度自体が法規定や公序良俗に違反したり[27]、人事考課が所定の制度を利用せずになされたり[28]、制度に反する場合や、事実に基づかないか、評価の基礎となった事実に誤認がある場合、考慮すべき事項を考慮しないとか・考慮すべきでない事項を考慮した場合、不当な目的・動機に基づいた評価を行う場合[29]が挙げられるが[30]、いずれも限定された場面であると想定できる。

　したがって、従業員の人事評価にAIを活用することは、原則として、会社の人事権の範囲内の行為であると評価できる。もっとも、事実誤認や考慮すべき事項の優先付けが間違っている等、AIによる分析が間違っていた場合には、人事権の濫用となる可能性もありうる（私見ではあるが、社会通念上の妥当性を考慮されることから、AIによる分析の手法を会社が検証していれば、AIの分析の間違いを会社が容易に把握できた場合など、プロセスの妥当性も、人事権の濫用の有無の判断に影

---

25)　大阪高判平9・11・25労判729号39頁（光洋精工事件）。
26)　前掲注25）光洋精工事件、大阪地判平17・11・16労判910号55頁（NTT西日本事件）。
27)　大阪地判平12・11・20労判797号15頁（商工組合中央金庫事件）。
28)　前掲注26）NTT西日本事件。
29)　前掲注25）光洋精工事件、大阪地判平21・10・8労判999号69頁（日本レストランシステム事件）。
30)　柳屋孝安「人事考課の裁量性と公正さをめぐる法理論」日本労働研究雑誌617号（2011）33頁。

453

響を及ぼすのではないかと考える)。

　さらに、AIによる人事評価を採用する場合には、会社にAIによる人事評価を採用していることや、その評価方法を開示・説明する義務はないが、従業員の納得を得るために、従業員に対しその人事評価制度の仕組みを説明するのが望ましいと考える[31]。

3　従業員のモニタリングとAI

(1) AIを用いた従業員のモニタリング

　HRテクノロジーのなかには、ウェアラブルデバイス・ウェアラブルセンサーを活用して、従業員の位置情報、移動・行動情報、脈拍・血圧等の生体信号、まばたきや眼球運動、体の動き・ぶれ・姿勢、脳波などのさまざまなデータを計測してデータ化し、これらのデータをおのおの、あるいは組み合わせてAIに解析させることで、各従業員の行動状況や仕事への集中度・関心度・満足度・ストレスの有無等の把握や、各従業員・部署・組織単位でのパフォーマンス分析を行い、人事評価や配属・人材活用、組織活性等に役立てる技術が開発・実施化され、あるいは将来の活用が期待されている。

　また、従業員のメンタルヘルスや健康管理の目的で、会社がウェアラブルデバイス等で従業員の健康情報をモニタリングすることも想定できる。なお、ウェアラブルデバイスは、リストバンド型端末やメガネ型端末など製品種別が幅広く、用途も広範であり、各端末で提供されるサービスもさまざまであるため、考慮すべきプライバシーも、ウェアラブルデバイスごとに個別具体的に検討する必要が出てくると

---

[31]　日本IBMの労働組合であるJMITU日本IBM支部は、2020年4月3日、AI（ワトソン）を利用した人事評価・賃金決定について、会社が団体交渉に誠実に応じないのは、不当労働行為にあたるとして、東京都労働委員会に救済申立てを行っている（http://www.jmitu-ibm.org/2020/04/7687.html）。会社がAIによる人事評価を採用する場合に従業員に説明する義務があるか否かとは別に、団体交渉において労働組合よりAIによる人事評価・賃金決定の方法や結果の開示を求められた場合に、誠実交渉義務の一環として開示に応じるべきかどうかが新たな論点となり、慎重な検討を要する。

考えられる[32]。

(2) AIを用いたモニタリングと従業員のプライバシー

　個人の位置情報、他とのコミュニケーションの様子・頻度、自らの生体反応等の情報は、個人の行動や内心と密接に結びつくため、他人にはみだりに知られたくはないプライバシーに関する情報となりえ、こうした情報を企業がモニタリングすることがプライバシー権の侵害とならないかが問題となる[33]。

　裁判例では、従業員のプライバシー権は無制約に保障されるものではなく、雇用主が従業員の情報を把握する合理的な必要があり、また、手段が相当であれば、従業員の情報を把握することは許容され、雇用主による監視が、従業員のプライバシー権の侵害とされるのは、監視の目的、手段およびその態様等を総合考慮し、監視される側に生じた不利益とを比較衡量のうえ、社会通念上相当な範囲を逸脱した監視がなされた場合であると解されている[34][35]。

　そして、GPS電波を受信することにより、電話会社の提供するナビシステムに接続した携帯電話（子機）の位置を確認することで、子機を携帯する従業員の居場所を会社が常時確認していた事例において、①外回りの多い従業員について、その勤務状況を把握し、緊急連絡や事故時の対応のために当該従業員の居場所を確認することを目的

---

[32] 渡邊涼介『企業における個人情報・プライバシー情報の利活用と管理——IoT、AI、位置情報、カメラ画像から従業員情報の管理まで』（青林書院、2018）323頁。

[33] ピープル・アナリティクスの活用によるメンタルリスク分析やハイパフォーマー分析において、個人の位置情報やメールの履歴、健康情報等の活用にあたり、個人情報保護やプライバシーの制約を指摘するものとして、土橋隼人「ピープル・アナリティクスによる意思決定精度（HR Effectiveness）の向上」Web労政時報2017年10月27日。

[34] 東京地判平13・12・3労判826号76頁（F社Z事業部事件）。

[35] その他、インターネットの私的利用の監視・点検と労働者のプライバシーとの関係について、企業が監視権限を有していることを規定していれば、労働者の業務用のメールの送受信の監視・点検は可能であるが、仮に規定していなくても、企業秩序違反の有無の調査に必要である場合等事業経営上合理的な必要があり、その手法が相当である限り許されるとの見解もある（菅野・前掲注18）695頁）。

とするものであり、②特定の従業員だけでなく複数の従業員についても、ナビシステムが使用されていることから、当該目的には相応の合理性があり、③ナビシステムを使用して従業員の勤務状況を確認していたのが勤務時間帯およびその前後の時間帯であったことも考慮して、ナビシステムによる従業員の位置情報の確認は違法ではないと判断した裁判例がある[36]。他方で、同裁判例は、④早朝、深夜、休日、退職後のように、従業員に労務提供義務がない時間帯、期間において、ナビシステムを利用して従業員の居場所を確認することは、特段の必要性のない限り、許されないとし、かかる形態でのナビシステムの利用につき、会社の不法行為を認めている。

この裁判例によれば、GPSによる従業員の位置情報の把握は、勤務時間中に実施する限りは基本的にはプライバシー権の侵害にはあたらないが、勤務時間外にも監視することは、従業員の私的領域に踏み込むことになり、プライバシー権の侵害となり許されないと考えられる[37]。

これをAIを活用する従業員のモニタリング・システムにあてはめると、人事評価や人材活用、組織活性といった目的で、ウェアラブルデバイス等によって従業員のさまざまな情報を取得することは相応に合理的であり、特定の従業員ではなく合理的・公正な基準で対象を定め、勤務時間内に限りモニタリングするのであれば、従業員のプライバシー権の侵害にあたらないと評価される可能性がある。この場合、雇用主が前記のモニタリングにより従業員の情報を取得することは、労務指揮権の行使の一環として認められると解される。言い換えれば、この場合、会社としては、業務命令としてたとえば勤務時間内のウェアラブルデバイスの装着を命じることができ、従業員は、雇用主

---

36) 東京地判平24・5・31労判1056号19頁（東起業事件）。
37) なお、同裁判例では、「労務提供が義務付けられる勤務時間帯」のみならず、「その前後の時間帯」において従業員の居場所を確認することを許容している。これによれば、勤務時間に近接した前後の時間帯であれば、厳密には勤務時間内でなくとも位置情報の取得がプライバシー権侵害にならない余地がある。

の労務指揮権に服するため、ウェアラブルデバイスの装着を拒否する自由はないことになる。

　もっとも、これまでの裁判例の事例では、会社が従業員の個別の情報について把握する程度で、業務上の必要性との関連もある程度明確であったのではないかと考えるが、AIの活用で想定されている従業員のモニタリングは、多様な情報を大量に常時取得し蓄積する点で、会社による情報把握の方法・程度が従来とは比較にならないと思われる。こうした場合でも、従来の裁判例の枠組みで、業務上の必要性を認め、使用者の労務指揮権の行使としてのモニタリングを認めてよいのかは問題となる。会社によるこうした広範・継続的な従業員へのモニタリングは、従業員のプライバシーに対する配慮から、業務上の必要性を厳しく認定する、あるいは、手段の相当性を厳格に解する必要性も出てくるのではないかと考える。さらに、従業員に対するこうしたモニタリングについて会社の労務指揮権が認められる場合でも、実際に導入する場合には、社内規程も整備し、事前に従業員に説明し十分に理解を求めることが重要であると考える（もちろん、個別同意まで取得すればより安全である）。

(3)　健康管理目的のモニタリングにおける問題

　次に、健康管理目的のモニタリングの場合は、勤務時間内だけでなく、勤務時間外も（さらには24時間）モニタリングをしたほうが効果的といえ、従業員からもその旨の希望が出る可能性もあるが、その場合には、従業員のプライバシー権の侵害とならないよう、従業員から個別同意を取得して実施する必要がある。

　また、海外では、従業員にマイクロチップを埋め込み生体情報を取得するようなケースがみられるが、ウェアラブルデバイスを超えて身体への侵襲を伴う形態でモニタリングをする場合は、従業員の同意が必須と考える。

　これらの場合、従業員からの同意が「真の同意」であると評価されるために、事前の十分な説明が必要であること、より多くの情報を取得したい会社側からの同意圧力があったとみなされないように、同意

しない従業員に福利厚生サービスに著しい違いが生じないようにするとともに、人事考課上不利益な取扱いをしないことが重要である。

(4) **個人情報保護との関係**

さらに、ウェアラブルデバイスから取得したさまざまな情報は、従業員の氏名等と紐づけて管理されるのが通常であり、これらの情報と照合することにより特定の個人を識別可能であるため、個人情報保護法2条が定める「個人情報」にあたりうる。とくに、健康情報については「要配慮個人情報」に該当する可能性があり[38]、その場合は取得にあたって従業員の同意が必要となり、オプトアウトによる第三者提供も認められないことに留意が必要である。

また、「雇用分野における個人情報のうち健康管理を取り扱うにあたっての留意事項」第3の1・3では、①従業員の健康情報は従業員個人の心身の健康に関する情報であり、本人に対する不利益な取扱いまたは差別等につながるおそれのある要配慮個人情報であるため、事業者においては健康情報の取扱いにとくに配慮を要すること、②従業員の健康情報は、従業員の健康確保に必要な範囲で利用されるべきものであり、事業者は、従業員の健康確保に必要な範囲を超えてこれらの健康情報を取り扱ってはならないこと、③詳細な医学的情報を含まないストレスチェックの結果については、事業者はその情報を産業保険業務従事者以外に取り扱わせることができるが、従業員の同意を得ていない場合は、当該労働者について直接の人事権を有する者に取り扱わせることはできず、また、直接の人事権を有しない人事担当者に取り扱わせる場合でも、労働者の健康確保に必要な範囲を超えて人事に利用されることのないよう当該担当者には秘密保持義務が課される等の事項を周知する必要があるとされていることにも、留意が必要である[39]。

---

[38] 厚労省「雇用分野における個人情報のうち健康管理を取り扱うに当たっての留意事項」第2においては、「任意に労働者等から提供された本人の病歴、健康診断の結果、その他の健康に関する情報」は個人情報保護法2条3項に定める「要配慮個人情報」に該当するとする。

[39] 労働安全衛生法においても、従業員の心身の状態に関する情報の取扱いを

4 HRテクノロジーに関する欧州の議論

(1) 一般データ保護規則（GDPR）の概要

以上で述べた、HRテクノロジーにおける従業員のプライバシーや従業員データの活用の問題は、2018年5月25日から適用が開始したEUの一般データ保護規則（General Data Protection Regulation, 以下、「GDPR」という）においても問題となっている。

GDPRにおいては、個人データの取扱いが適法となるために6つの法的根拠のいずれかを満たす必要がある（GDPR6条1項）ところ、その法的根拠の1つであるデータ主体[40]の同意（同項(a)）について、「同意に関するガイドライン」（Guidelines on consent under Regulation）により、従業員からの同意が法的根拠たりうる場面を限定している。すなわち、同ガイドライン3.1.1.（力の不均衡）では、職場での監視カメラのようなモニタリング・システム導入を具体例に挙げ、労使関係から生じる従属関係や同調圧力が原因でデータ主体である従業員が雇用者に対しデータの取扱いについての同意を拒否できる可能性は低く、職場でのデータの取扱いの大多数について、従業員と雇用者の関係の性質から、従業員の同意を法的根拠とすることはできないし、またそうすべきではないとする。また、GDPR9条は、4条1項で規定される通常の個人データとは別に、「人種的若しくは民族的な出自、

規定している。具体的には、労働者の健康の確保に必要な範囲内での情報収集、目的の範囲内での保管・使用、適正管理のための必要な措置の実施を規定している（104条1項・2項）。

[40] 「データ主体」は、「識別された自然人又は識別可能な自然人」と定義付けられ、「個別データ」は、「データ主体に関する情報」と定義付けられている（GDPR4条(1)）。そして、「識別可能な自然人とは、特に、氏名、識別番号、位置データ、オンライン識別子のような識別子を参照することによって、又は、当該自然人の身体的、生理的、遺伝的、精神的、経済的、文化的又は社会的な同一性を示す一つ又は複数の要素を参照することによって、直接的又は間接的に、識別されうる者をいう」（GDPR4条(1)）。例としては、氏名、住所、生年月日、識別番号、パスポート番号、靴のサイズ等が挙げられる（板倉陽一郎「欧州一般データ保護規則（GDPR）が日本企業に与える影響と人事の対応――個人情報保護法との相違点と、GDPR違反とならないために必要な体制づくり」労政時報3958号〔2018〕81頁）。

政治的な意見、宗教上若しくは思想上の心情、又は、労働組合への加入を明らかにする個人データの取扱い、並びに、遺伝子データ、自然人を一意に識別することを目的とする生体データ、又は、自然人の性生活若しくは性的指向に関するデータ」という特別類型の個人データの規律を定めている。こうした特別類型の個人データは原則禁止され、例外的に取扱が許容される場面の1つとして、データ主体が「明確に」同意した場合が挙げられており、「明確な」が加えられている点において6条1項(a)よりも厳格になっている。したがって、生体データの取扱いに対する従業員の同意が正当化根拠となる場面はさらに厳格に限定されている（GDPR 9条2項(a)）。この点、日本においては、従業員のプライバシーの問題や従業員データの活用について、従業員から同意を取ることで解決している場面が多いと思われるが、GDPRにおいては、上記のように従業員からの同意を正当化根拠とすることが厳しく限定されている。

さらに、EUデータ保護指令のもとで活動していた第29条作業部会（Article 29 Working Party）は、HRテクノロジーがもたらすプライバシー侵害の可能性に着目し、2017年2月に、従業員のプライバシー侵害の観点から雇用主が遵守すべきポイントや、許容される形態と許容されない形態について従業員データ処理意見書を出している[41]。従業員データ処理意見書では、新しいテクノロジーの導入等によって従業員のプライバシーに対し高いリスクが潜在する個人データの取扱いの場面として、採用時・雇用時のソーシャルメディアのチェック、ICTを使ったメール・電話・IM等のモニタリング、リモートワークでのウェブカメラ等での監視、BYOD（Bring Your Own Device）における個人デバイスのモニタリング、ウェアラブルデバイスの利用、従業員行動のトラッキングや職場にビデオを設置してのモニタリング、

---

41) Article 29 Working Party "Opinion 2/2017 on data processing at work - wp249" 2017/6/8。第29条作業部会は欧州データ保護会議（European Data Protection Board）へ改組され、作業部会時の意見はGDPRにも引き継がれている。

GPS やドライブレコーダを利用した自動車運転のモニタリングなど広範な場面における個人データ利用についての是非が述べられている。

ウェアラブルデバイスを用いたモニタリングについては、企業が健康情報を入手することは原則許容されず、そのようなシステムを提供するとしても、健康情報にアクセスするのは従業員サイドのみにすべきであることや、常時に広範な情報をモニタリングするのではなく、目的達成に必要な範囲の部分的なシステムにすべきであること等が示されている（従業員データ処理意見書5.4.4）。

こうした考え方は、GDPR の適用対象となる、EU に子会社、支店、営業所を有している日本企業が、日本だけでなく、欧州も含めたグローバルで HR テクノロジーの導入を検討する場合に関係してくる。また、こうした厳しいデータ保護に関する考え方が、将来的には日本にも導入される可能性がないとはいえず、参考となる議論である。

(2) AI 規則案における雇用管理分野への規制

欧州委員会は、2021年4月21日、2020年2月19日に公表していた AI 白書（White Paper on Artificial Intelligence: a European approach to excellence and trust）[42] の内容をルール化した AI 規則案（Proposal for a Regulation laying down harmonised rules on artificial intelligence (Artificial Intelligence Act)）を公表した[43]。AI 規則案は、EU 市場に上市され、利用される AI システム[44] が、安全で、基本権および EU の価値観に関する既存の法令を尊重したものとなることを確保するこ

---

42) https://ec.europa.eu/info/sites/default/files/commission-white-paper-artificial-intelligence-feb2020_en.pdf
43) 本文（https://ec.europa.eu/newsroom/dae/document.cfm?doc_id=75788）、附則ⅠからⅨ（https://ec.europa.eu/newsroom/dae/redirection/document/75789）。
44) AI 規則案において AI システムは、一定の技術の組合せによって開発され、かつ、人間が定義した目的のもとで、コンテンツ、予測、推奨または一定の決定といったアウトプットを生成できるソフトウェアと定義されている（AI 規則案3条(1)）。「一定の技術」の内容は、AI 規則案附則Ⅰに記載があり、ディープラーニングを含む機械学習アプローチ、論理・知識ベースのアプローチ、統計学的アプローチが列挙されている。

と等を目的としている。

　AI規則案において、雇用管理分野におけるAIシステムは高リスク[45]を伴うものにリストされ[46]、使用されるAIシステムが所定の要件に従うことが求められている[47]。そして、AI規則案は、高リスクを伴うAIシステムの提供者、製造者、輸入者、流通業者および利用者[48]に、それぞれが遵守すべき義務を定めている。

　AI規則案は、日本国内で雇用管理分野に関するAIを使用する場合に適用されるものではないが、将来的にAI規則案の内容が日本での法整備において参照される可能性があり、今後の動向は注目に値する[49]。

---

45) AI規則案は、リスクの程度に応じて規制内容を定める手法（リスクベースアプローチ）を採っており、①許容できないリスク（unacceptable risk）、②高リスク（high risk）、③低リスク（limited risk）、④僅少リスク（minimal risk）の4つに分類している。

46) 高リスクと分類される項目は、AI規則案6条2項に基づき同附則Ⅲにリストされている。雇用管理分野に関係するのは、3項（教育および職業訓練において、学生や希望者の評価や受入れの合否に関わるもの）と4項（雇用、労働者管理、自営業の採用に関する選考に使用されるもの）である。このように雇用管理分野におけるほぼ全局面におけるAIシステムの利用が高リスクに分類されている。

47) 高リスクを伴うAIシステムは、AI規則案8条1項により、9条から15条までに規定される7つの要件に従う必要ある。具体的には、①リスクマネジメント体制の設置、実施、書面化および維持（9条）、②一定の品質基準を満たすトレーニング、検証およびテスト用データセットに基づくデータガバナンスの実施（10条）、③上市またはサービス提供開始前における技術書の作成および更新（11条）、④AIシステム動作期間中におけるログの保存（12条）、⑤利用者がアウトプットを解釈でき、適切に利用できるためにその動作が十分に透明なものとなるような形でのAIシステムの設計・開発、および利用者に対する適切な情報提供（13条）、⑥AIシステム使用中における自然人による監督（14条）、⑦意図された利用目的に照らして適切なレベルの精度、頑健性およびサイバーセキュリティを達成するような方法での設計・開発（15条）である。

48) 高リスクを伴うAIシステムの利用者がAI規則案29条に基づいて負う義務の例としては、AIシステムに対して用いるインプットデータがAIシステムの利用目的に照らして関連性のあるものとすることを確保することや、使用に関する説明書に従ってAIシステムの動作を監視することなどがある。

49) AI規則案と雇用労働問題を論じたものとして、濱口桂一郎「JILPTリサーチアイ第60回 EUの新AI規則案と雇用労働問題」（2021年4月30日）がある（https://www.jil.go.jp/researcheye/bn/060_210430.html）。

5 「AI代替」と配置転換

　AIにより仕事全体が代替され、企業のなかである特定の部門すべてが不要になる場合、あるいは業務の一部が代替されることによって従来より少ない人員数しかいらなくなった場合でも、その仕事に就いていた労働者がただちに職を失うとは限らない。

　とくに、日本の企業は、これまでの技術革新においても、機械により代替される職種に就いていた労働者について、解雇することなく、別の仕事に就くための教育訓練を施し、配置転換することで雇用を維持してきた。これは、わが国では長期雇用システムを前提に、期間の定めのない労働者（いわゆる正社員）を職種や勤務地の限定なく雇用することが通常であり、企業側は配置転換により労働者の適正配置や人材活用を柔軟に行える一方、こうした無期労働者を解雇するハードルが高いため、配置転換が解雇回避措置と機能してきたという背景に基づく。

　したがって、日本の企業でAIなどの自動化技術の導入が進展し、雇用や業務が代替される事態が起こった場合でも、企業においてまず問題になるのは、代替される労働者を他の部署に配置転換[50]できるか、という問題になる[51]。

　この点、日本の企業では、長期雇用を前提とした正社員は、職種や勤務地を限定せずに採用し、企業内の人員調整や従業員の教育・訓練等の意味合いで広範囲な配転が行われるのが通常である。そのため、就業規則にも、「業務の都合により出張、配置転換、転勤を命じることがある」といった包括的な規定が置かれていることが通例である。その代わり、企業は賃金が下がる配置転換は通常行わない。

　このような職種や勤務地を限定しない労働契約を締結している従業

---

[50] 配置転換には、同一勤務地（事業所）内で所属部署が変更される場合（狭義の配置転換という）と、勤務地が変更される場合（転勤という）が含まれる（菅野・前掲注18）727頁）。

[51] なお、ここでは、AI代替の影響の大きい、期間の定めのない労働者（いわゆる正社員）を念頭に置いて議論する。

員との関係では、判例は、企業が労働者の賃金を維持する限りは、従業員の個別の同意なしに配置転換を認めることができる配転命令権を広い範囲で認めている。具体的には、使用者は業務上の必要に応じ、その裁量により配置転換を命じることができ、この業務上の必要性は、高度の必要性ではなく、「労働力の適正配置、業務の能率増進、労働者の能力開発、勤務意欲の高揚、業務運営の円滑化など企業の合理的運営に寄与する点が認められる限り」肯定される[52]。

ただし、この配転命令権も無制約ではなく、当該配転命令に業務上の必要性がない場合[53]や、業務上の必要性が存する場合であっても、他の不当な動機・目的をもってなされたものであるときや、労働者に対し通常甘受すべき程度を著しく超える不利益を負わせるものであるとき等の「特段の事情」が存する場合には権利濫用になるとされている[54]。しかし、判例は、何らかの合理性があれば業務上の必要性を広く認め、不当労働行為に該当する場合や差別的意図・嫌がらせ等の「不当な動機・目的」をもってなされた場合等、限定的な場合にしか権利濫用を認めない傾向にあるとされる。また、「労働者に対し通常甘受すべき程度を著しく超える不利益を負わせるもの」であるか否かについても、判例は、転居や家族との別居を伴う配転も受任限度を著しく超える不利益とはいえないとし、配転命令が権利濫用となる場面を限定的にしか認めない傾向にある。したがって、配転について労働者側がその効力を争うことは、配転命令が明白に他の不当な動機・目的をもってなされたものである場合を除いて、判例上はかなり難しい状況であるといえる[55]。

これに対し、賃金の低い職種に配転することで労働者の賃金を引き

---

52) 最判昭61・7・14労判477号6頁（東亜ペイント事件最高裁判決）。同判示を引用した近時の裁判例として東京高判平29・4・26労判1170号53頁（ホンダ開発事件）がある。
53) 東京地判平30・6・8労判1214号80頁（ハンターダグラスジャパン事件）は、配置転換の約1年後になされた転居命令について業務上の必要性を否定し、権利濫用を理由に無効とした。
54) 東亜ペイント事件最高裁判決、日産自動車村山工場事件最高裁判決。
55) 金子征史「人事異動」労判702号（1996）12頁。

下げる配転命令は、原則として労働者の同意なしには認められないと考えられる[56]。配転命令と降格が同時に行われ、降格によって賃金が引き下げられる場合には、その配転命令は降格の要件をも満たす必要があり、その要件を満たさない場合には、配転・降格が一体として無効となる[57]。

　以上のとおり、日本の企業には、当該労働者の賃金を維持する限り、配置転換を命ずる広範な裁量がある。AIなどの自動化技術の導入によりある職種の仕事がなくなった、あるいは人員削減を余儀なくされた場合には、労働力の適正配置等の業務上の必要性があるとして、当該職種に従事する労働者をこれまでの業務とまったく関係のない他の職種に配置転換することも基本的には認められる。裏返すと、日本の企業は、広範な配置転換権を認められている一方、企業から労働者を解雇することが後述のとおり厳しく制限されているため、AIなどの自動化技術で代替される労働者についても、まずは配置転換で対応することになる。その意味で、現在のわが国の労働法制を前提にすれば、AI代替が生じても企業はまず配置転換で対応するのが通常

---

[56]　菅野・前掲注18) 732頁。最判平28・2・19労判1136号6頁（山梨県民信用組合事件）は、労使間の個別の合意によって、労働条件を変更することができるとしつつも、変更にかかる労働条件が賃金や退職金である場合には、労働者の同意の有無については慎重に判断すべきであるとし、「当該変更を受け入れる旨の労働者の行為の有無だけでなく、当該変更により労働者にもたらされる不利益の内容及び程度、労働者により当該行為がされるに至った経緯及び態様、当該行為に先立つ労働者への情報提供又は説明内容等に照らして、当該行為が労働者の自由な意思に基づいてされたものと認めるに足りる合理的な理由が客観的に存在するか否かという観点からも、判断されるべきものと解するのが相当である」と判示する。福岡地判平31・4・15労判1205号5頁（キムラフーズ事件）は、「賃金の減額は、労働者にとって最も重要な労働条件の一つである賃金を不利益に変更するものであるから、労働者との同意によるか就業規則や給与規程上の明確な根拠に基づいて行われることが必要であり、使用者の一方的な行為によってこれを行うことは許されないというべきである」と判示する。

[57]　仙台地決平14・11・14労判842号56頁（日本ガイダント事件）。同判例は、「労働者の適性、能力、実績等の労働者の帰責性の有無及びその程度、降格の動機及び目的、使用者側の業務上の必要性の有無及びその程度、降格の運用状況等を総合考慮し、従前の賃金からの減少を相当とする客観的合理性がない限り、当該降格は無効と解すべき」であるとする。

で、AI代替で多くの労働者が解雇され、失業する、という事態はただちには生じないのではないかと考える。

6 「AI代替」と解雇

前記5のとおり、AIなどの自動化技術により仕事が代替される場合でも、企業が配置転換で人員を吸収できる限度では、解雇の問題は生じない。しかし、将来的には、AIによる代替の規模が大きく、配置転換だけでは余剰人員を吸収しきれないレベルに至れば、企業が解雇を選択せざるをえない事態も想定しうる。また、AIなどの自動化技術が企業に浸透し、ほとんどの業務で何らか自動化技術への対応が必要になるにもかかわらず、これに対応できない労働者を企業が解雇するケースも想定できる。

この点、期間の定めのない労働契約における解雇は、客観的に合理的な理由を欠き、社会通念上相当であると認められない場合は、権利濫用として無効となる（労契16条）。解雇が認められるための「客観的に合理的な理由」には、たとえば労働者の勤務成績の不良や、経営上の必要性（合理化による職種の消滅と他職種への配転不能、経営不振による人員整理）が含まれる[58]。また、「客観的に合理的な理由」が認められる場合でも、当該解雇が「社会通念上相当」と認められない場合には解雇は無効となるが、この相当性の要件について、裁判所は、長期雇用システムを前提とする正社員との関係では、解雇の事由が重大な程度に達しており、ほかに解雇の手段がなく、かつ労働者の側に宥恕すべき事情がほとんどない限定的な場合にのみ相当性を認めている[59]。

たとえば、長期雇用システムのもとで正社員として雇用された労働者に対する成績不良に基づく解雇については、たんに成績が不良であるというだけでなく、それが企業経営に支障を生じるなどして「企業から排斥すべき程度」に達していることが必要とするのが判例の傾向

[58) 菅野・前掲注18) 786頁。
[59) 菅野・前掲注18) 787頁。

第1章　AIと労働法

である[60]。東京地決平14・8・10（労判820号74頁〔エース損害保険事件〕）では、「長期雇用システム下で定年まで勤務を続けていくことを前提として長期にわたり勤続してきた正規従業員を勤務成績・勤務態度の不良を理由として解雇する場合」には、「それが単なる成績不良ではなく、企業経営や運営に現に支障・損害を生じ又は重大な損害を生じる恐れがあり、企業から排除しなければならない程度に至っていることを要し」、かつ、「その他、是正のため注意し反省を促したにもかかわらず、改善されないなど今後の改善の見込みもないこと」、「使用者の不当な人事により労働者の反発を招いたなどの労働者に宥恕すべき事情がないこと」、「配転や降格ができない企業事情があること」なども考慮して、解雇権の濫用にあたらないか判断すべきという厳しい判断基準を設定し、解雇を無効とした。また、解雇の前に教育指導などの解雇回避措置が求められ、それを経ない解雇は解雇権濫用とされやすいのが判例の傾向である[61]。

したがって、企業としては、たとえAIなどの自動化技術に対応できない労働者がいたとしても、当該労働者の能力不足や成績不良を理由にただちに解雇できるわけではなく、まずはAIリテラシーを獲得するための社員教育を施し、あるいは対応能力がない／低くても従事できる職種に配置転換する等の解雇回避措置を講じ、それでも改善の余地がない場合にはじめて解雇を検討することになる。

---

[60]　菅野・前掲注18) 790頁。
[61]　菅野・前掲注18) 791頁、東京地決平11・10・15労判770号34頁（セガ・エンタープライゼス事件）。東京地判平29・9・14労判1183号54頁（日本アイ・ビー・エム（解雇・第5）事件）は、長期間に渡って成績の悪い従業員に対して指導等を行った事例で、指摘された問題点について改善に努めており、一応の改善が見られ、人事評価も改善傾向にあったことなどから、解雇時点での業績が芳しくなかったものの、解雇に至った経緯も踏まえ、解雇を無効としている。他方で、東京地判平29・2・22労判1163号77頁（NECソリューションイノベータ事件）は、従業員が長年に渡り勤務成績が著しい不良であり、改善、向上の見込みがないこと、使用者は人事考課、賞与考課のフィードバック等を通じて注意喚起を続け、在籍出向を命じるなどして解雇を回避していることなどから、解雇に客観的合理的理由があり、社会通念上相当と認められることから解雇を有効としている。

さらに、企業が経営上必要とされる人員削減のために行う整理解雇においては、判例は、解雇権濫用法理の適用をより厳しく判断する傾向にある。整理解雇の有効性に関する判例の判断は、①人員削減の必要性が認められること、②配転、出向、一時帰休、希望退職の募集等の解雇回避努力義務を尽くしたこと、③被解雇者選定の妥当性（客観的・合理的な基準を設定し、公正に適用したこと）、④手続の妥当性（労働組合や労働者代表への十分な説明と協議等）の4つの事項を考慮して行われてきた[62]。ここでいう「人員削減の必要性」は、当該人員削減を実施しなければ「倒産必至」の状況までは不要だが、債務超過や赤字累積等の高度の経営上の困難がある場合が判例上多く、そこまでに至らず、黒字経営だが経営合理化や競争力確保のための戦略として人員削減措置がとられる場合には、人員削減は配転・出向や退職金上積みの希望退職募集などで実現すべきであり、人員削減の必要性が認められない、あるいは解雇回避措置義務を尽くしていないとの理由で解雇が認められないことが多いと考えられる[63]。

　以上にかんがみると、日本の企業としては、AI代替が大規模に起こるため配置転換では吸収できず、人員削減が必要となっても、黒字経営である限りは早期退職優遇制度や希望退職で人員削減を図るのが第1であり、整理解雇のハードルは依然として高いと考えられる。しかし、技術革新や経済情勢の変動はますます加速していくであろうか

---

62) これら4つの事項につき、裁判所は、近年までは整理解雇が有効となるためにはすべてを満たすべき「要件」として解してきたが、バブル崩壊後の長期かつ深刻な経済変動のなかで、整理解雇の有効性を判断する4つの「要素」とし、これらの事情を総合考慮する枠組みを採用する裁判例が増加している（菅野・前掲注18）797頁）。近時の裁判例として、東京地判令元・5・23労判1202号21頁があるが、同裁判例は大学の学部廃止に伴う解雇については、廃止された学部に所属していた教授らに帰責性がないことが考慮され、解雇が無効になるか否かについては、人員削減の必要性、解雇回避努力、被解雇者選定の合理性および解雇手続の相当性に加えて、原告らの再雇用の便宜を図るための措置を含む諸般の事情をも総合考慮して、解雇が客観的に合理的な理由があり、社会通念上相当と認められるか否かで判断された。

63) 菅野・前掲注18）796頁、東京高判昭54・10・29労判330号71頁（東洋酸素事件）

第1章　AIと労働法

ら、経営不振までいかなければ事実上強制的な人員削減は難しいという法制度のままで日本の企業が競争力を維持していけるのかという指摘もあり、AIなどの自動化技術に雇用が代替される規模・範囲が大きくなっていけば、将来的に、現在の解雇法制に影響する議論に発展する可能性も否定できない。

V　まとめ

　AIが雇用や働き方に与える影響についての労働法上の問題点は、AIの活用が入り口段階であり、いまだ議論が成熟していないが、AIの活用が進展するにつれ今後の発展が期待できる。

　HRテクノロジーとの関係では、従業員に関わるデータが大量に収集され蓄積し、これらのデータを基礎にAIの活用が進展していくと、これまでにない規模、範囲、時間軸で従業員の情報が企業に利用されることになるが、それにより従業員の人格やプライバシー、個人情報保護の点でどのような問題が引き起こされるのかが問題になる。従業員のプライバシーの問題は、これまで労働法の分野でそれほど活発に議論されてきていない論点と思われるが、今後は重要な問題となってくる可能性がある。

第 2 章　HRリストラクチャリング

Ⅰ　はじめに

　事業者は、さまざまな（内的・外的）要因により、にわかに資金繰りに窮したり、財務状況の悪化等の経済的な窮境に陥る場合があり、そのような場合、事業を継続させるためのさまざまな施策の検討を迫られる。とりわけ、事業者が、新型コロナウィルス感染症（COVID-19）のグローバルな拡大の影響など、予測しがたく、かつ、急激な経営環境の悪化に直面する場合は、かかる施策の検討は切迫性をもった重要な経営課題となる。実際に、2020年の雇用調整実施事業所割合（各種雇用調整を実施した事業所の割合）は近年では最高水準となっており、リーマンショックの影響を受けた2009年に次ぐ水準となっている[1]。また、2021年10月8日時点で、新型コロナウィルスの影響で解雇・雇い止めされた人が見込みを含めて11万8,317人に上っているとのことである[2]。

　もとより、こうした雇用調整・人員整理や、さらには労働条件の引下げ等の人事労務に関するリストラ施策（ここでは「HRリストラクチャリング」と呼称する）は、平時には、ミクロで見ると個々の従業員やその家族の生計に、マクロで見てもわが国の労働市場および消費・経済に悪影響をもたらすため、他の手段によるコストダウンを試みた後の最終的な手段として謙抑的に行われるべきであるのはいうま

---

1) JILPT「国内統計：雇用調整実施事業所割合」によれば、2020年は雇用調整実施事業所の割合が34％〜49％で推移しており、2008年9月のリーマンショックの直後である2009年の43〜47％の水準に匹敵するものとなっている。
2) 厚労省「新型コロナウイルス感染症に起因する雇用への影響に関する情報について」（https://www.mhlw.go.jp/content/11600000/000841638.pdf）。

でもない。しかしながら、事業者が新型コロナウィルスの感染拡大のような厳しい経営環境に直面し、窮境に陥った場合には、HRリストラクチャリングを駆使して事業の存続・再生を図らざるをえず、またそうすることが長期的・大局的には利害関係人の利益に適う場合もありうる。そのような場合には、事業者の経営判断として、丁寧かつ慎重な検討と、労働法制を遵守し、労働組合・従業員の理解を得るための適正なプロセスを経て、適時・的確にHRリストラクチャリングを実践せざるをえない。

そこで、本章では、事業再生の視座を交えてHRリストラクチャリングの各施策の整理と実務上の留意点について述べる。

Ⅱ　HRリストラクチャリングの分類等

HRリストラクチャリングを検討するにあたっては、窮境要因の分析が必要不可欠である。たとえば、一時的な資金繰り等の問題にとどまるのであれば、期間を限定したHRリストラクチャリングを実施し、短期的に人件費を削減することで、従前の経営維持を図ることが考えられる。しかし、コア事業における収益力の低下など事業性自体に問題が生じている場合、一時的・短期的なHRリストラクチャリングを実施したとしても、それのみでは中長期的な経営課題の解決には至らず、場合によっては、その場凌ぎの施策を重ねることにより、結果的に抜本的な再建策に必要となる資金面の手当てに窮する状況に至ることもある。そのため、HRリストラクチャリングを実施するにあたっては、窮境要因と事業再生の方針を十分に踏まえた経営判断と施策の実践が重要となる。

そこで、以下では、図表5-2-1のとおり、①一時的な施策か、それとも恒久的な効果を伴う施策（ここでは便宜上「恒久的な施策」と呼称する）かという観点と、②賃金などの労働条件を抑制・削減等する施策か、それとも雇用の調整に係る施策かという観点をもって、HRリストラクチャリングの主な施策を分類・整理する。

図表5-2-1

	労働条件に関する施策	雇用の調整に関する施策
一時的な施策	・時間外労働・休日労働の抑制 ・一時帰休 ・賞与（一時金）の削減または不支給 ・賃上げ抑制（定期昇給等の見送り） ・ワークシェアリング	・新規採用の抑制等 ・有期雇用従業員の雇止め ・出向・転籍
恒久的な施策	・福利厚生の変更 ・基本給の削減・諸手当の見直し ・退職金・退職年金の減額	・希望退職制度 ・退職勧奨 ・整理解雇

Ⅲ 一時的な施策に係るHRリストラクチャリング

1 一時的な施策の種類

　短期的な資金繰りの手当等を行うことに主眼がある場合、HRリストラクチャリングのうち、**図表5-2-1**の「一時的な施策」を実施することが考えられる。これらの施策も態様・運用次第では恒久的な施策になりうるものの、事業性において構造的な問題等が生じている場合、一時的な施策で当座を凌ぐのみでは根本的な経営の再建につながらないリスクがあることは前述のとおりである。

2 労働条件に関する施策

(1) 時間外労働・休日労働の抑制

　事業者において、削減可能な法定時間外労働または法定休日労働が発生している場合、これらを抑制することで割増賃金（労基37条）の発生を抑え、人件費の削減を図ることが可能である。本施策は、労働者の労働条件を変更する必要がなく、比較的容易に取り組みやすい。

　もっとも、繁忙状況に照らし法定時間外労働または法定休日労働が

一定程度必要となるにもかかわらず、これらの労働の抑制を無理に図ろうとする結果、いわゆるサービス残業や持帰り残業といった、潜在的な時間外労働等の発生や常態化を招来するおそれがあることには留意が必要である。仮に潜在的な時間外労働等が相応に生じた場合、従業員から未払賃金を争われたり、労働基準監督署から指摘や是正勧告を受けることで、潜在的債務が顕在化し、資金繰りや財務状況の悪化に繋がるリスクがある。特に、**第1編第2章Ⅲ2**でも述べているとおり、民法の消滅時効期間の改正に伴い、2020年4月1日から未払賃金の消滅時効も2年から5年（当分の間、3年）に延長されており、今後潜在的な未払賃金が高額化するおそれがある。

そのため、時間外労働等を抑制するにあたっては、実際の業務繁忙を踏まえて相当な範囲で行うとともに、労働時間の実態調査を定期的に実施するなどして労働時間の適正な把握に努めるとともに、必要に応じた業務フローの見直し・調整等により、実態に照らした法定時間外労働または法定休日労働の抑制が図られるように留意し、潜在的な時間外労働等が生じないよう適切に監督する必要がある。

(2) 一時帰休

いわゆる一時帰休とは、景気の変動や業績悪化等の理由で操業短縮等を行うにあたり、労働者の在籍をそのままにして一時的に休業させることをいう[3]。使用者の責に帰すべき事由による（一部）休業の場合、使用者は平均賃金の6割以上の休業手当を支給する必要があるが（労基26条）[4][5]、雇用調整助成金や新型コロナウィルス対応休業支援

---

[3] 新型コロナウィルス感染症の感染拡大等に伴う一時帰休の例として、日産自動車による栃木工場の一時休業やマツダによる本社工場と防府工場の一時帰休（ニュースイッチ「自動車各社で広がる一時帰休、生産停止が長期化」2020年4月11日）、JR東海における駅や車両所に勤務する社員約200人の一時帰休（東海旅客鉄道「一時帰休の実施について」）、JR西日本による、2月から実施している一時帰休（病院勤務を除く全社員を対象に1日あたり約1,000人規模で実施。日本経済新聞2021年8月10日「JR西日本、社員の一時帰休を継続　9月末まで」）などが挙げられる。

[4] 労働基準法26条は、民法536条2項前段（「債権者〔注：使用者〕の責めに帰すべき事由によって債務を履行〔注：労務の提供〕することができなくなったときは、債権者は、反対給付の履行〔注：賃金の支払〕を拒むことは

金等を利用することで、相当程度の人件費削減を実現することが可能である。もっとも、（一部）休業について、使用者に民法上の帰責事由（民536条2項前段）が認められる場合には、従業員に対する賃金支払義務が認められ、平均賃金の6割以上の休業手当に賃金支払義務が軽減されるものではないことに留意が必要である[6]。

　ここで、「休業」とは、労働契約上労働義務がある時間について労働をなしえなくなることであり、集団的（一斉）休業たると個々人のみの休業たるとを問わず、丸1日の休業のみならず1日の所定労働時間の一部のみの休業も含まれるとされており（昭和27年8月7日基収3445号）、期間の（再）延長を含め、事業の先行きに照らした細かい設計が可能である。

　そのため、当面の事業の維持に必要不可欠な人員と削減可能な人件

　　できない。」）の特則であり、使用者の帰責事由が認められる範囲が拡張されていると解されている。すなわち、民法536条2項前段の帰責事由は故意・過失または信義則上これと同視すべき場合と解釈される一方、労働基準法26条の帰責事由はこれよりも広く使用者側に起因する経営、管理上の障害を含むと解されている（最判昭62・7・17労判499号6頁〔ノースウエスト航空事件〕、西谷敏ほか編『新基本法コンメンタール労働基準法・労働契約法〔第2版〕』〔日本評論社、2020〕106頁）。

5)　新型コロナウイルス感染症の感染拡大等に伴う一時休業について、厚労省「新型コロナウイルスに関するQ&A（企業の方向け）」4の問7（令和3年7月28日時点版）では、労働基準法26条に基づく休業手当の支給を要しない「不可抗力による休業」といえるためには、①その原因が事業の外部より発生した事故であることおよび②事業主が通常の経営者としての最大の注意を尽くしてもなお避けることができない事故であることという要素をいずれも満たす必要があり、①については、「今回の新型インフルエンザ等対策特別措置法に基づく対応が取られる中で、営業を自粛するよう協力依頼や要請などを受けた場合のように、事業の外部において発生した、事業運営を困難にする要因が挙げられ」るとするが、②に該当するには、使用者として休業を回避するための具体的努力を最大限尽くしているといえる必要があり、具体的な努力を尽くしたといえるか否かは、たとえば、自宅勤務などの方法により労働者を業務に従事させることが可能な場合において、これを十分に検討しているか、労働者に他に就かせることができる業務があるにもかかわらず休業させていないかといった事情から判断されるものとしている。

6)　新型コロナウイルス感染症の影響を受けた使用者に民法536条2項の帰責事由がないとして、平均賃金の6割の休業手当相当額の支払を認めたものとして、仙台地判令2・8・21労判1236号63頁（センバ流通〔仮処分〕）事件）参照。

費等を踏まえ[7]、どの部署やグループを対象にするかといった一時帰休の範囲、一時帰休の期間、および一時帰休の形態（所定労働の日数を削減するのか、所定労働時間を削減するのか等）等を検討し、事業運営と人件費の削減の合理的な調整を図ることが必要かつ重要である。ただし、上記のとおり、新型コロナウィルスの感染拡大が要因となっていても、売上・利益の減少など経営上の理由で使用者自ら営業停止や営業時間の短縮を実施する場合は、民法上の帰責事由があるとして、賃金全額の支払義務を負うリスクがあることには留意が必要である[8]。

(3) 賞与（一時金）の削減または不支給

　人件費を削減するにあたっては、賞与（一時金）の削減または不支給を行うことも考えられる[9]。一時帰休と比較して、労働力の減少を伴わず、従前の事業運営を維持したまま短期的に人件費の削減を図れる点にメリットがある一方、労働者の就業意欲低下や人材の離散というリスク[10]があるため、当該施策の実施にあたっては慎重な検討を要する。

　また、賞与の支給等が就業規則等に規定されている場合、賞与の削減または不支給を行うためには、就業規則上の根拠[11]が必要とな

---

[7] 一時帰休を過度に広範に実施した場合、事業の維持に支障を来したり、一時帰休の対象外となる従業員に極度の負担が生じてしまうおそれがあるため、注意を要する。

[8] 労働基準法26条の違反は30万円以下の罰金に処せられる（労基120条1号・121条1項）。

[9] 年俸制を採用している場合、たとえば年俸を16で割って、うち16分の12を月例賃金に充て、残りの16分の4を賞与として支給する場合、行政解釈上、賞与にあたらないため、賞与（一時金）の削減または不支給ではなく、賃金の削減として取り扱う必要がある。

[10] 特に、人材の流動性が高い職種（たとえば医師や看護師などの資格職等）では、人材離散のリスクが顕著である。たとえば、東京女子医科大学の付属病院では、2020年の夏季賞与の不支給という方針を示した際、看護師400人超が退職を希望する可能性が生じたと報道されている（朝日新聞デジタル2020年7月14日配信「ボーナスなく看護師数百人退職の恐れ　東京女子医大病院」）。

[11] たとえば、労働省「モデル就業規則（2021年4月）」には、「会社の業績の著しい低下その他やむを得ない事由により、支給時期を延期し、または支給

る[12]。加えて、就業規則上に賞与の削減または不支給に関する規定が設けられている場合であっても、賞与の削減等と抵触するような労使慣行[13]が成立している場合、労働者全員の同意を得るか、就業規則の不利益変更に準じた手続をとることが必要となるため、注意を要する。

(4) 定期昇給の見送り

従前、一定額・割合以上の定期昇給を行ってきた事業者においては、定期昇給を見送ることで、人件費の削減を図ることが考えられる。ただし、賞与（一時金）の削減または不支給と同様、労働者の就業意欲低下等のリスクが存在する。

また、就業規則等に一定額・割合以上の定期昇給を行う義務が定められている場合や定期昇給に関する労使慣行が成立している場合は、定期昇給の不実施にあたって労働者全員の同意を得るか、就業規則の不利益変更の手続をとることが必要となる。

(5) ワークシェアリング（緊急対応型）

厚労省「ワークシェアリング導入促進に関する秘訣集及びリーフレット」（平成16年6月30日公表）によれば、ワークシェアリングとは、雇用の維持・創出を図ることを目的として労働時間の短縮を行うもの

しないことがある。」（48条1項ただし書）と規定されている。

[12] 仮に就業規則上、賞与の延期・不支給に関する根拠がない場合、労働者全員の同意を得るか、後記Ⅳ2(2)で説明する就業規則の不利益変更等の手続が必要となるため、慎重な検討を要する。

[13] 労使慣行とは、労使双方に対して事実上の行為準則として機能する集団的な取扱いである（菅野和夫『労働法〔第12版〕』〔弘文堂、2019〕167頁）。このような慣行は、契約当事者間に行為の準則として意識されてきたことによって、黙示の合意が成立していたものとされたり（黙示の意思表示）、当事者がこの「慣習による意思を有しているもの」（事実たる慣習。民92条）と認められたりすることによって、労働契約の内容となる。法的効力のある労使慣行として認められる要件は、①同種の行為または事実が一定の範囲において長期間反復継続して行われていたこと、②労使双方が明示的にこれによることを排斥していないこと、③当該慣行が労使双方の規範意識によって支えられていること、また、使用者側においては、当該労働条件についてその内容を決定しうる権限を有している者、または、その取扱いについて一定の裁量権を有する者が規範意識を有していたことである（大阪高判平5・6・25労判679号32頁〔商大八戸ノ里ドライビングスクール事件〕）。

であり、雇用・賃金・労働時間の適切な配分を目指すものとされている。ワークシェアリングにはさまざまな類型があり、その対応も一様ではないが、緊急対応型と呼ばれる類型は、景気の悪化や構造改革に伴い、一時的な生産量や売上げの減少により余剰人員が発生した企業が、当面の緊急的な措置として、労使の合意により、生産性の維持・向上を図りつつ雇用を維持するため、所定労働時間の短縮とそれに伴う収入の減額を行う取組みであり、操業短縮や一時休業等の雇用調整措置とは異なる雇用調整の手段として位置付けられる[14]。

ワークシェアリングは、雇用を維持して需要が好転したとき、いち早く対応できうる体制を維持しつつ一定の人件費を削減を可能とするとともに、生産性の向上や従業員の負担軽減等という副次的な効果も期待しうる施策である。

しかし、緊急対応型ワークシェアリングの導入は、全体の仕事量が減った状況で雇用を保障するものの、仕事量に応じた賃金を減少させることが目的であるため、そのためには労働条件の不利益変更が必要となりうる。そのため、個々の企業においてかかる施策を実施する場合は、労使が十分話合いを行い、当事者の納得のうえで、就業規則・労働協約等の変更、労使協定の締結により所定労働時間を短縮し、それに伴う収入の減額を行うこととなる。

3　雇用の調整に関する施策

(1) 新規採用等の抑制

雇用の調整に関する施策として一般的に行われているものは、新規採用の抑制（退職者の不補充も含む）である。特に、新型コロナウィルス感染症の感染拡大等の影響が直撃した2021年度は多くの事業者で採用実績が減少しており、厳しい業況が続く業界においては採用の抑制傾向が続いている[15]。

---

14)　緊急対応型ワークシェアリングの企業事例として、https://www.mhlw.go.jp/houdou/2004/06/h0630-2c1.html。
15)　厚労省「令和3年3月新卒者に対する採用内定取消しおよび入職時期の繰

第5編　これからの時代の労働法

　この点、採用方針の段階で新規採用の目標数を抑えることについて法的に問題になることはない。他方で、内々定（内定に至らず、使用者・内々定者双方が拘束されない状態）を取り消す場合、いまだ労働契約が成立していないため、労働契約上の地位が認められることはないものの、取消し時期や使用者側の言動等により、労働契約が確実に締結されるであろうとの内々定者の期待が法的保護に値する程度に高まっていた場合には、その期待利益の侵害を根拠に、不法行為に基づく損害賠償の請求を受ける可能性がある[16]。

　また、内定取消しについては、採用内定時に労働契約が成立する場合、その取消しは解雇となる。すなわち、新規採用の場合、通常、採用内定から就労開始まで一定の間があるため、内定通知書や入社誓約書等において一定の取消事由があらかじめ定められ、使用者側が解約権を留保することが多いが、その留保解約権の行使も法的には解雇となり、解雇権濫用に係る規制（労契16条）に服することになる[17]。そのため、内定取消しを行うにあたっては、人員削減の必要性や内定取消しという手段をとることの必要性に加え、内定取消し回避のために措置を講じたことや内定者との適切な協議等の相当性が認められることが必要になりうる。

　　下げの状況について（令和3年8月末時点）（速報値）」によれば、2021年3月新卒者に対する採用内定取消しが、2021年8月末時点の速報値で136人に上っている。
16)　福岡高判平23・3・10労判1020号82頁（コーセーアールイー事件）において、内定通知書の交付予定日の数日前に内々定が取り消されたことに対する慰謝料請求が認容されている。
17)　採用内定取消し（始期付解約留保権付労働契約における留保解約権の行使）は、解約権留保の趣旨、目的に照らして客観的に合理的と認められ、社会通念上相当として是認することができるものに限られる（最判昭54・7・20労判323号19頁〔大日本印刷事件〕）ところ、企業が経営の悪化等を理由に留保解約権の行使（採用内定取消し）をする場合には、いわゆる整理解雇の有効性の判断に関する①人員削減の必要性、②人員削減の手段として整理解雇することの必要性、③被解雇者選定の合理性、④手続の妥当性という四要素を総合考慮のうえ、解約留保権の趣旨、目的に照らして客観的に合理的と認められ、社会通念上相当と是認することができるかどうかを判断すべきとする裁判例がある（東京地決平9・10・31労判726号37頁〔インフォミックス事件〕）。

478

したがって、新規採用の抑制を行うにあたっては、可能な限り採用方針の段階で絞ることが望ましく、内々定や内定を取り消す場合には一定のリスク[18]が存在することに注意を要する。

(2) 有期雇用従業員の雇止め

事業者においては、余剰人員をかかえるリスクを回避するため、パート・アルバイト・契約社員といった、いわゆる非正規労働者を雇用し、かつ、非正規労働者のほとんどを有期雇用のもとに就労させている。そこで、雇用の調整に関する施策を実施するにあたっては、非正規労働者の契約期間を更新しないという、いわゆる雇止めを用いることがある。また、後述するとおり、有期雇用従業員の雇止めは整理解雇の解雇回避措置の一手段として従来から位置付けられているため、業績が悪化した事業者の解雇回避措置として実施されることもある。

整理解雇などと比較すると、雇止めのハードルは相対的に低いと考えられる一方、労契法においては、雇止めを制限する規定が設けられているため[19]、雇止めを行うにあたっては、当該要件の充足について吟味を行う必要がある。

(3) 出向・転籍

出向とは、労働者が自己の雇用先の企業に在籍のまま、他の企業の従業員（ないし役員）となって相当長期間にわたって当該他企業の業

---

18) なお、2年度以上連続して内定取消しをした場合、同一年度内で10名以上の内定取消しをした場合や、内定取消しの理由を十分に説明しない場合など、企業の対応が十分でない場合には、厚生労働大臣は、その内容を公表することができる（職業安定法施行規則17条の4第1項）。

19) 次の(i)または(ii)のいずれかの要件に該当する有期雇用契約については、契約期間が満了する日までの間に労働者が当該有期雇用契約の更新の申込みをした場合等であって、使用者が当該申込みを拒絶することが、客観的に合理的な理由を欠き、社会通念上相当であると認められないときは、使用者は、従前の有期雇用契約と同一の労働条件で当該申込みを承諾したものとみなされる（いわゆる雇止め制限の法理。労契19条1項）。

　(i) 当該有期雇用契約が過去に反復して更新されたことがあるものであって、その契約期間の満了時に当該有期雇用契約を更新しないことにより当該有期雇用契約を終了させることが、期間の定めのない雇用契約を締

務に従事することをいい、また転籍とは、労働者が自己の雇用先の企業から他の企業へ籍を移して当該他企業の業務に従事することをいう。これらは子会社・関連会社への経営・技術指導や従業員の能力開発・キャリア形成に用いられるほか、雇用調整の手段としても用いられている[20]。出向による雇用調整を行うためには、出向先事業者の開拓などが必要であるものの、雇用を維持しつつ人件費の削減を図れるとともに、従業員の能力開発・キャリア形成に資する可能性もある点で、有用な施策の1つであると考えられる[21]。

厚労省も、コロナ禍における雇用維持を目的としたいわゆる「在籍型出向」の取組みを支援するため、地域の関係機関等と連携することなどにより、出向情報やノウハウの共有、出向元事業者や出向先事業者の開拓などを推進している。また、コロナ禍を受けて、社員のグループ会社外を含めた出向を増加させるなど、出向を用いた雇用調整に取り組んでいる企業も見受けられた[22]。

出向を実施するにあたっては、出向元事業者と出向先事業者との間で通常は出向契約が締結されているとともに、出向命令権が出向元と従業員との間の労働契約上認められること、出向命令が権利の濫用にあたらないことがそれぞれ必要となる[23]。これに対し、転籍を実施するにあたっては、従前の労働契約を終了し、新たな使用者との間で

　　　　　結している労働者に解雇の意思表示をすることにより、当該期間の定めのない雇用契約を終了させることと社会通念上同視できると認められること
　　　(ii)　当該労働者において当該有期雇用契約の契約期間の満了時に当該有期雇用契約が更新されるものと期待することについて合理的な理由があるものであると認められること
20）　菅野・前掲注13）735頁。
21）　上記2(5)のワークシェアリングが在籍型出向の形態で実施されることもある。
22）　時事ドットコムニュース「日航やANA、社員出向拡大　コロナ禍、人件費抑制」（2021年4月6日配信）によれば、日本航空は1日あたり約1,400人の出向、ANAホールディングスの出向者は累計で約750人に達するとのことである。出向中は、受入れ先に給与等を負担してもらうことで、人件費の削減を図ることになる。
23）　菅野・前掲注13）736頁。

労働契約を締結するものであるため、原則として労働者の個別具体的な同意が必要となる[24]。

Ⅳ　恒久的な施策に係るHRリストラクチャリング

1　恒久的な施策の種類

事業性に関して構造的な問題等が生じている場合、事業再建の方針を検討するにあたり、恒久的なHRリストラクチャリングが必要となり、**図表5-2-1**の恒久的な施策を検討することが考えられる。これらの施策は、労働者との間で紛争が生じやすいことから慎重な検討と適正なプロセスを要する一方、事業性に関して構造的な問題等が生じている段階でHRリストラクチャリングなど必要な施策の実施に躊躇していると、事業価値の毀損が進み、法的倒産手続に至るばかりか、当該法的倒産手続における再建プロセスにおいても実現可能な選択肢が限定される結果を招くおそれがあり、ときに果敢に断行することが不可欠となることがある。

2　労働条件に関する施策

(1)　福利厚生制度の変更

賃金等の抑制・削減に属するリストラクチャリングの1つとして、福利厚生制度の見直しが挙げられる。

福利厚生給付とは、使用者が、労働の対償としてではなく、労働者の福利厚生のために支給する利益または費用であり、典型としては、生活資金・教育資金などの資金貸付、労働者の福利の増進のための定期的な金銭給付、労働者の資産形成のための金銭給付、住宅の貸与な

---

[24]　菅野・前掲注13）737頁。転籍命令の有効性において、個別具体的な同意ではなく、事前の同意で足りる場合として、①就業規則や労働協約において転籍先企業を明示した上で転籍を命じる旨の規定がなされており、②実質的に労働者にとっての不利益性がない場合が考えられる。転籍命令が有効と認められた裁判例として、千葉地判昭56・5・25労判372号49頁〔日立精機事件〕等。

どである。また、会社の運動施設、レクリエーション施設など従業員の共同利用の施設も、福利厚生給付にあたる[25]。

　福利厚生制度を変更するにあたって、就業規則またはそれに準ずる規則において当該福利厚生制度を規定している場合、就業規則の不利益変更の手続が必要となる。ただし、基本給の削減・諸手当の見直しとの比較では、労働者の受ける不利益の程度が軽度であると評価できる場合も多く、内容次第ではあるものの、実施のハードルが相対的に低いと考えられる。

(2)　基本給の削減・諸手当の見直し

　賃金等の抑制・削減に属するリストラクチャリングのうち、特に直接的な施策が、基本給の削減や諸手当の見直しである。中長期的な人件費の削減につながるため、HRリストラクチャリングとしての効用は高いと考えられるものの、以下で述べるとおり、労基法等の規制が厳しく、雇用者の規模にもよるが、機動的に基本給の削減・諸手当の見直しを行うことは容易ではない。

　労働条件の不利益変更を行うにあたっては、原則として、労働者と合意する必要がある（労契9条本文）[26]。また、労働条件が労働協約で定められている場合には、労働協約を労働組合法の手続に則って解

---

[25]　家族手当や住宅手当等は、賃金規程等で制度化されている場合には、賃金そのものに該当するため、福利厚生給付にはあたらない（菅野・前掲注13）422頁）。

[26]　ここでの合意は、労働者がその不利益について十分に理解し、納得したうえでの合意であることを要し、使用者はそのため十分な説明がなされたものでなければならない。この点、会社の合併に際して退職金規程を変更して支給額を大幅に減じることに労働者の同意がなされた事案で、「労働条件の変更が賃金や退職金に関するものである場合には」「直ちに労働者の同意があったものとみるのは相当でなく、当該変更に対する労働者の同意の有無についての判断は慎重にされるべきである」との前提から、「当該変更を受け入れる旨の労働者の行為の有無だけでなく、当該変更により労働者にもたらされる不利益の内容及び程度、労働者により当該行為がされるに至った経緯及びその態様、当該行為に先立つ労働者への情報提供又は説明の内容等に照らして、当該行為が労働者の自由な意思に基づいてされたものと認めるに足りる合理的な理由が客観的に存在するか否かという観点からも、判断されるべきものと回するのが相当」と判断されている（最判平28・2・19労判1136号6頁〔山梨県民信用組合事件〕）。そのため、具体的な説明の程度や方法は、変更の

約しない限り（労組15条3項・4項）、組合員の労働条件の不利益変更を一方的に行うことができず（同法16条）、原則として、労働組合との変更合意が必要となる。

ただし、例外として、労働者の合意あるいは労働協約によらない場合でも、「使用者が就業規則の変更により労働条件を変更する場合において、変更後の就業規則を労働者に周知させ、かつ、就業規則の変更が、労働者の受ける不利益の程度、労働条件の変更の必要性、変更後の就業規則の内容の相当性、労働組合等との交渉の状況その他の就業規則の変更に係る事情に照らして合理的なものであるときは、労働契約の内容である労働条件は、当該変更後の就業規則に定めるところによるものとする」として、いわゆる就業規則の不利益変更が認められる場合がある（労契10条本文）。

もっとも、実務的に言えば、就業規則の不利益変更にて賃金を削減するには、労働組合・従業員代表との間で協議し、従業員全体にも説明するプロセスが必要であり、不利益の内容によってはかかるプロセスに年単位の時間を要することも珍しくなく、また、不利益変更後も代償措置（たとえば、調整給の支給）が必要となることも多く、即時性のある人件費削減効果が得られない可能性があることは留意が必要である。

(3) 退職金・退職年金の減額

HRリストラクチャリングとして、すでに蓄積されている退職金・退職年金を減額することでキャッシュアウトを抑えるとともに、退職給付引当金をカットすることで財務状態の改善を図る等、退職金・退職年金の減額も検討の対象となりうる[27]。

内容や不利益の大きさに左右されるが、基本的には、第1に、説明会を開き、資料に基づいて、また複雑な内容であれば専門家の解説も加えて説明を行い、第2に、納得しない従業員に対しては個別に説明を行わなければならず、さらに労働者の求めがあればその補佐役（労働組合の役員や弁護士等）も受け入れた個別の説明をなすことも考えられる（西谷敏ほか・前掲注4）386頁）。

27) 西村あさひ法律事務所編『事業再生大全』（商事法務、2019）696頁参照。日本航空の再建においても、企業年金における積立不足額が大きかったことから、企業年金の減額を行っている。

一般的に、退職金は、賃金の後払い的な性質を有していることから、すでに蓄積されている退職金・退職金年金を減額するためには、従業員の合意が必要となる。しかし、従業員としても退職後の生活設計等との兼ね合いもあり、減額について理解を得ることは難しいと考えられ、ましてや、退職年金は、すでに退職している元従業員との合意が必要になるところ、元従業員に当該合意のインセンティブについて理解を得ることは難しく、一般的にはハードルがいっそう高いと考えられる。他方で、退職金のうち、将来にわたって蓄積する部分については、規制を遵守する限り、就業規則の不利益変更によって減額することが可能である。

3 雇用の調整に関する施策

雇用調整に関する施策としては、①希望退職制度、②退職勧奨、③整理解雇が挙げられるが、現在の労働判例の傾向に照らすと整理解雇のハードルが非常に高いことから、紛争のリスクやレピュテーションリスクをコントロールしながら雇用調整を行う方法としては、希望退職制度の活用や従業員への個別の退職勧奨が第一義的な選択となろう[28]。なお、希望退職や退職勧奨を実施したとしても、いずれも従業員との合意に基づく方法であるため、対象者の選別や人員整理の対象となる人員数等を使用者が完全にはコントロールできない。そのため、人員整理後の事業継続や再建に著しい支障が生じないよう、対象人数および人選の適切な判断が肝要となる。

(1) 希望退職制度

ア 概要

希望退職・早期退職優遇制度とは、一般的に、会社が定めている退職金・退職年金制度の下で支給される金額に加えて上乗せ給付（割増退職金の支給）を行う等の優遇条件[29]を提示することにより、従業員

---

[28] 希望退職制度を実施せずに、個別の退職勧奨のみを実施するケースも実務上存在するが、対象となる従業員数がある程度多数となる場合、まずは希望退職を実施し、集団的に退職者を募る方が効率的なケースもある。

の自発的な応募による退職を働きかけ、合意により雇用関係を終了させるための措置である[30]。特に、希望退職は、経営状態が危機的状況に陥るなどして緊急に雇用調整の必要が生じた場合に臨時に実施されることが多く、恒常的に実施される早期退職優遇制度とは性格が異なる[31]。そのため、以下では、臨時的な措置である希望退職制度を念頭に置くこととする。

　一般的な希望退職制度の流れとしては、①人員削減の対象、想定人数、募集時期および退職条件（退職パッケージ）の検討、②組合・従業員との協議、③希望退職制度導入・実施の決定、④従業員に対する説明、⑤従業員からの応募の受付、⑥左記応募に対する承諾といったものである。

　イ　希望退職制度における留意点

　希望退職制度は、従業員から個別の同意を得て合意退職させる制度であるため、当該同意取得のプロセスが適正に行われ、当該同意が自由な意思に基づくものである限り、退職合意が無効となる問題は生じない。ただし、退職勧奨を伴う希望退職を実施する場合、違法な退職強要を行うと退職合意自体が無効となる可能性があることに留意を要する[32]。

---

29)　割増退職金のほか、未消化の有給休暇の買取り、再就職支援サービスも一般的な措置である。
30)　大沢正子「緊急措置としての希望退職募集の実施手順」労政時報3746号（2009）21頁参照。
31)　北川弘樹「早期退職優遇制度・希望退職募集の設計・運用の実務　モデル規程例・募集要項を基とした制度実施における法的留意点」労政時報3999号（2020）40頁。
32)　従業員の自由な意思決定を妨げるような態様での退職勧奨を行った場合、退職の任意性が否定され、退職自体が無効と評価されるおそれがある（西村あさひ法律事務所・前掲注27）690頁）。退職の意思表示の取消しまたは無効を認めた裁判例としては、希望退職等の人員整理の文脈ではないものの、心裡留保により無効とした裁判例として東京地決平4・2・6労判610号72頁（昭和女子大事件）、錯誤無効を認めた裁判例として横浜地判平7・11・8労判701号70頁（学校法人徳心学園事件）、横浜地川崎支判平16・5・28労判878号40頁（昭和電線電纜事件）、懲戒解雇や告訴等の不利益がありうると告げて労働者に退職届出を提出させることが強迫にあたるとした裁判例として広島高松江支判昭48・10・26判時728号54頁（石見交通事件）、労働者の自由な意思に基

しかし、従業員の同意を前提とする以上、人員整理に係る想定人数に達するか否か、誰が希望退職に申し込むかといった、想定人数と対象者の選別について、使用者側の意向と乖離する可能性がある。また、使用者が想定する時期に想定する人数の希望退職制度の応募を確保するためには、割増退職金や再就職支援などの費用負担が生じ、一時的には多額のキャッシュアウトが生じる点も考慮しなければならない。

ウ　割増退職金

割増退職金は、事業者の規模・業績、組合関与の有無・程度、過去に希望退職を実施している場合の割増退職金の額、早期退職優遇制度の有無とその場合の割増退職金の額、従業員の勤続年数や年齢、再就職支援の有無とその内容等、さまざまな要素によって決まる[33]。

具体的な割増退職金の金額を決定するにあたっては、事業者ごとの状況を踏まえた検討が必要である[34]。

エ　対象者の選別

希望退職においては、対象者の職域・職種・年齢、人事考課・成績評価等で対象者の範囲を決定することになる。ただし、希望退職制度の設計にあたり、対象者の人選が明らかに恣意的である場合には[35]、希望退職にあたっての働きかけ（退職勧奨）の態様や目的と相まって、違法な退職強要であるとの評価や、退職合意の（真の）任意性を否定されるおそれがあり、望ましくない。何より、会社が想定する人員削

づく退職合意は認められないとした裁判例として東京地立川支判平29・1・31労判1156号11頁（TRUST事件）などがある。
33)　割増退職金の支給額に関する相場としては、やや古い資料ではあるが、「早期退職優遇制度・希望退職の実施状況」労政時報3746号（2009）12頁が参考となる。近時の資料では、賃金の何か月分が相場となるのか、平均値を示したデータはないものの、各社のアンケート調査結果も存在する（「早期退職優遇制度・希望退職の実施状況」労政時報3999号〔2020〕31頁）。
34)　たとえば、①人員整理に関する費用をどの程度まで負担できるか、②人員整理時における労働市場の状況（再就職のしやすさ）、③同業種や類似案件の他社事例、④レピュテーションリスク等の要素を検討することになる。
35)　労働組合の組合員だけをあからさまに対象とするような設計は、不当労働行為（労組7条1号または3号）に該当するおそれが高い。

減を希望退職制度の実施で完遂するには、労働組合・従業員代表との協議や従業員への説明により、従業員側の理解を得る必要があり、この点から人選の公平性・妥当性が十分に説明できるよう検討することは極めて重要である。

なお、希望退職の募集は、退職合意の「申込み」ではなく、「申込みの誘引」と位置付けることができる[36]。そのため、従業員から応募があった場合に、ただちに退職合意が成立するのではなく、会社が慰留を希望する人員には、応募を承諾しないことで、退職者の選別をすることは設計上可能である[37]。

(2) 退職勧奨

使用者が労働者に対し、自発的な退職意思を形成させるために働きかける説得活動一般を退職勧奨といい[38]、①希望退職のなかで退職勧奨を行う場合や、②希望退職とは関係なく、会社が選定した従業員へ各々アプローチする場合がある[39]。

退職勧奨を行う場合、退職強要とならないよう注意が必要である。すなわち、退職勧奨の態様が、退職に関する労働者の自由な意思形成を促す行為として許容される限度を逸脱し、労働者の退職についての自由な意思決定を困難にするものであったと認められるような場合には、不法行為を構成し慰謝料等請求の対象となる可能性があるほか、意思表示に瑕疵があることを理由に錯誤による無効や詐欺・強迫による取消しを主張される可能性がある[40]。そのため、退職を説得する

---

36) 菅野・前掲注13) 754頁。
37) 人員整理にあたっては、退職する従業員へのアプローチだけではなく、事業価値の源泉とみられるキーパーソンや優秀な人材を慰留するアプローチも重要な検討事項となる。
38) 東京地判平23・12・28労経速2133号3頁(日本アイ・ビー・エム事件)参照。
39) 希望退職を実施したものの想定人数に至らず、なお人員削減の必要がある場合、希望退職制度の応募期間の延長等で対応するほか、希望退職後に、別途、個別の退職勧奨によって人員整理を図ることが考えられる。
40) 退職合意の無効については注32)参照。また、退職勧奨に応じないことを表明しているにもかかわらず、退職するまで勧奨を続ける旨繰り返し述べて、短期間内に多数回、長時間にわたり執拗に退職を勧奨するなどした事案にお

にあたり、「同意しない限り開放しない」というような姿勢で臨んだり、あるいは役職者が数名で長時間取り囲んで説得したというような状況があれば、退職の任意性に疑義が生じうる。

(3) 整理解雇

整理解雇とは、事業者が経営上必要とされる人員削減のために行う解雇である[41]。労働者の私傷病や非違行為など労働者の責めに帰すべき事由による解雇ではなく、使用者の経営上の理由による解雇である点に特徴があり、長期雇用慣行が一般的な日本では、解雇権濫用法理の適用においてより厳しく判断すべきものと解されている[42]。

すなわち、解雇は、客観的に合理的な理由を欠き、社会通念上相当であると認められない場合、その権利を濫用したものとして無効となるところ（労契16条）、整理解雇は、使用者の一方的意思で雇用関係が解消されるため、裁判例上、その有効性が厳格に審査されている。具体的には、人員削減の必要性、解雇回避努力[43]、人選の合理性[44]、労使間の十分な協議説明などの手続の妥当性の４つの視点（要件あるいは要素）から、解雇権の濫用となるか否かを判断する必要があると

いて、使用者に不法行為責任が認められた事例として、広島高判昭52・1・24労判345号22頁（下関商業高校事件）（最判昭55・7・10労判345号20頁で上告棄却）。
41) 菅野・前掲注13）793頁。
42) 菅野・前掲注13）793頁。
43) 雇止めが解雇回避措置の相当性を基礎付ける事情として挙げられることがあるが、雇止めをしないことをもってただちに整理解雇の必要性がないと判断されるものではないことから、整理解雇を実施するにあたって必ず雇止めを先行しなければならないというものではない（厚労省「今後の労働契約法制の在り方に関する研究会」報告書59頁）。
44) 人事評価を考慮する場合には、客観的な検証が可能である人事考課をあらかじめ設けて運用している必要がある。この点、勤務態度、協調性、作業能率および品質作り込み状況を評価して解雇対象者を選定した事案において、「当該選定基準は一義的明確とは言い難く、恣意的な判断に流れやすい評価項目であるから、これを選定基準として採用するためには、日頃から人事考課を行っているとか、これがなされていない場合には選定までに十分な調査を行うなどの前提が整わない限り、合理性のある基準とはいうことができない」（福岡地小倉支平16・5・11労判879号71頁〔安川電機八幡工場（パート解雇・本訴）事件〕）と判断されている。

されている[45]。

　整理解雇は、雇用調整の手法のなかでも特に紛争リスクやレピュテーションリスクが高く、仮に整理解雇の有効性が争われ、無効となった場合、解雇を争う従業員のバックペイの負担や他の退職従業員への影響など再建計画等への波及が著しい。そのため、基本的には合意による退職を一義的に目指すべきであり、一般論としては、可能な限り、整理解雇を用いることは控えるのが適当である。

　もっとも、全体的な人員規模の縮小等の場合、人選の合理性のハードルが高くなる一方、特定の部門や工場の閉鎖が原因であり、他に配転可能性がないような場面であれば、その必要性・経営判断の合理性が高く認められることを前提として、人選の合理性について相対的には認められやすいと考えられる。

V　おわりに

　以上のとおり、HRリストラクチャリングの施策を概観したが、これら施策はあくまでも、会社の業績悪化や経営危機を乗り越えるための手段であり、かつ、やむをえずこれら施策を実施する場合も、当該企業において従業員（その家族も含め）の生活に与える影響を十分に考慮することが望ましい。しかし、新型コロナウィルスの世界的な感染拡大のような、広範囲な雇用環境の悪化に備え、HRリストラクチャリングを実施する個々の会社の努力だけではなく、実施対象となった従業員の受け皿が機能する環境、すなわち、転職や再就職といった外部労働市場の整備と活性化により、成長産業へ人材が流動する環境が整備されることが重要と考える。

---

[45]　東京高判昭54・10・29労判330号71頁（東洋酸素事件）。

第3章　ポスト「働き方改革」

　働き方改革法は成立したが、真に"働き方改革"を実現するためには道半ばの感もある。本章では、今後の課題とされた事項について、現状を分析し、今後の方向性について展望する。

I　労働者の「職業生活の充実」の重視

　"働き方改革"には、実は明確な定義はない。強いていえば、「労働者の多様な事情に応じた雇用の安定及び職業生活の充実並びに労働生産性の向上を促進して、労働者がその有する能力を有効に発揮することができるようにし、これを通じて、労働者の職業の安定と経済的社会的地位の向上とを図る」ことといえる。

　前記のカギ括弧部分は、労働施策総合推進法[1] 1条に同法の目的として明記されている。同法は、国が労働に関して必要な政策を総合的に講ずることにより、労働市場の機能が適切に発揮され、前記の目的を達成して、経済および社会の発展と完全雇用の達成に資することを目指している。「職業生活の充実」に関していえば、国は、①労働時間の短縮その他の労働条件の改善、②多様な就業形態の普及、③雇用形態または就業形態の異なる労働者間の均衡のとれた待遇の確保、④仕事と生活（育児、介護、治療）の両立の各施策をとることとされ、事業者も「労働者が生活との調和を保ちつつその意欲及び能力に応じて就業することができる環境の整備に努め」ることが求められている。（労施4条1項1号・6号・9号・6条1項）[2]。①から④に関する

---

1)　同法は、従前の雇用対策法を改題した法律である。
2)　厚労省ウェブサイト「働き方改革を推進するための関係法律の整備に関する法律（平成30年法律第71号）の概要」2頁。

具体的な施策は、同法10条に基づく厚労省の「労働施策基本方針」（2018年12月28日）に定められており（その主なものは第1編から第4編で述べたとおりである）、これらの施策の遂行によって「労働者の多様な事情に応じた雇用の安定」（労施1条）が図られるものと期待される。

Ⅱ 「職業の安定」のもつ意味

では、前記Ⅰの目的にある労働者の「職業の安定」とは何か。これは、人が働けるようになってからリタイアしたいと思うときまでの職業生活の全期間、定職を得て収入を確保できる、といった意味であろう[3]。そのために労働者には、「その職業生活の設計が適切に行われ」、「その設計に即した〔ⅰ〕能力の開発及び向上……〔ⅱ〕転職に当たっての円滑な再就職の促進その他の措置が効果的に実施される」よう配慮され（労施3条1項）、加えて「職務の内容及び職務に必要な能力、経験〔等〕の内容が明らかにされ」「これらに即した評価方法により能力等を公正に評価され、当該評価に基づく……適切な処遇を確保」されるよう配慮されることになっている（同条2項[4]）。

法文上は「労働者は……配慮される」と受け身の規定になっているが、そのように読むべきではなく、実際は、労働者の自立が求められるようになると考えられる。つまり"働き方改革"は、まず手始めに「労働者の多様な事情に応じた」働き方のメニューを用意したが〔→

---

[3] 有田謙司「労働立法における『職業の安定』と労働市場の法規制」日本労働研究雑誌697号50頁は、職業の安定の今日的な意義は、各人がその能力に応じたディーセント・ワークである適職を自由に選択し、そうした職業（雇用に限らず自営も含む）に生涯にわたって安定して従事できることを意味する、としている。

[4] 1項は従来からあり、2項は働き方改革法で追加されたものである。2項で「職務に必要な能力、経験」を明らかにするとされたのは、画期的なことである。倉重公太朗「働き方改革は何を『改革』するのか─改正の全体像と対応ポイント」ビジネス法務2018年2月号19頁は、「従来型の日本型雇用の大変革を目論む意図が伝わってくる」としている。

Ⅰ〕、次のステップである「労働者の適切な処遇の確保」とは、平たくいえば、「労働者が今就いている職務（job）に見合う能力・経験があるかどうかを評価しますので、評価に値するよう能力の開発と向上に努めて下さい、そしてもし評価が低い場合は適切な職場に異動してください、異動は会社内も会社外（転職・再就職）もあり得ます」ということではないだろうか。職場の異動があれば、通常は賃金も変化する。労働者は、確かに適切な処遇が確保されるよう配慮されるのであるが、それはその能力に見合った適正な仕事、賃金ということであり、真の意味での職務遂行能力（スキル）の向上なくして賃金は維持されない。年功賃金の終焉がやってくる。

これは、高度経済成長期から長く続いてきたmembership型の終身雇用制を前提に、若い頃は給料は安くてもさまざまな分野を経験して会社のために幅広くキャリアを積み、最近ようやく会社全体の動きを把握して人並み以上の賃金をもらえるようになったシニア層には空恐ろしい事態である。しかし、労働が生み出す価値以上に対価（賃金）を支払ってしまえば、労働生産性が悪化するのは当然である。日本の企業の労働生産性は低く[5]、その向上がなければ企業は競争力を維持できず、雇用の創出はおろか、その維持もできなくなってしまう。

働き方改革は、「労働生産性の向上」を謳いながら、そのための施策に乏しい印象は否めないが、この職務に必要な能力等の評価と適切な処遇の確保を実現することで労働生産性の向上の実現を目指しているのである。さすがに働き方改革法の施行後すぐにそうなる、ということはないが、membership型の年功序列的な賃金理論は、いつしか職務（job）に見合った賃金の支払という、欧米流のjob型賃金にとって代わられるかもしれない[6]。労働生産性の向上の旗印のもと、job

---

[5] 日本生産性本部「労働生産性の国際比較2020」のほか、最近では2018年9月28日に公表された厚労省「平成30年版労働経済の分析」（労働経済白書）74頁～77頁が詳細な国際比較分析を行っている。

[6] 日本の一般的な賃金制度については、厚労省ウェブサイト「日本の一般的な賃金制度」を参照。賃金理論については、仁田道夫＝久本憲夫編『日本的雇用システム』（ナカニシヤ出版、2008）80頁～106頁〔梅崎修〕、佐藤博樹＝

型の賃金が導入されるとすれば、それはまさに"働き方改革"である[7]。

Ⅲ　スキル（職業能力）の見える化

　前記Ⅱでみた能力の公正な評価のためには、職務に必要な能力等（能力、経験その他職務遂行上必要な事項）の内容が明らかにされることが前提となる。

　しかし、日本の企業は、新卒者一括採用かつ終身雇用制という日本型雇用慣行を前提として職務の大半を内製化してきた。多くの企業で、独自のビジネス・モデルや仕事のスタイルがあり、それが個々の企業の強みにもなっている反面、労働者のスキルという観点からみれば、その企業内でしか通用しないスキルが形成され、これらが企業（職場）内訓練でさらに深化、特化することになった[8]。このように内部労働市場が発展したことから、日本では、一部を除き、職種別の企業横断的な労働市場が形成されず、企業の枠を超えた職業能力の評価基準や認証制度が確立されなかった[9]。

　この点政府は、職業能力開発促進法に基づき、職業訓練および職業能力検定の充実強化や労働者にこれを受ける機会を確保することなどを通じて職業能力の開発・向上の促進を図っている。このうち職業能

　　藤村博之＝八代充史『新しい人事労務管理〔第6版〕』（有斐閣、2019）99頁～127頁などを参照した。
 7)　2020年7月17日に閣議決定された「経済財政運営と改革の基本方針2020」では、「フェーズⅡの働き方改革」、つまり「メンバーシップ型からジョブ型の雇用形態への転換、より効率的で成果が的確に評価されるような働き方への改革」「に向けて取組を加速させる」とされている。ここでは「ジョブ型の雇用形態」は、「職務や勤務場所、勤務時間が限定された働き方等を選択できる雇用形態」とされている（19頁）が、効率性や的確な評価といった字句からは、能力に見合った賃金ということも含意されているように思える。
 8)　企業も労働者も長期雇用を評価する意識が高いことについて、「労働政策審議会労働政策基本部会報告書～進化する時代の中で、進化する働き方のために」（2018年9月5日公表）11頁。
 9)　JILPT「（資料シリーズNo.87）ジョブ・カード制度の現状と普及のための課題―雇用型訓練実施企業に対する調査より」（2011）。

第5編　これからの時代の労働法

力検定は、「職業に必要な労働者の技能及びこれに関する知識」という、職業能力のうち客観的に基準化して評価できる技能および知識を検定するものであり[10]、各種の技能士や主任者資格が設けられ、スキル（職業能力）の見える化が一定程度図られている[11]。しかし、総務、人事、経理、法務、企画、管理、監査といった間接部門やマネジメント部門については、内製化が顕著でスキルの標準化や評価基準が確立していないように思われる[12]。

現在、ビジネスの多様化、高度化が進むなか、求められている技能や知識も多様で細分化されている。加えて、AI等の成長が期待される分野や需要の増加が見込まれる分野でどのような人材が必要とされるのかを的確に予測し、その場合に必要なスキルは何か明確化していくことも必要となる。そのため厚労省は、2020年3月19日、仕事内容、求められる知識・スキル等から職業の情報を検索・参照することができる職業情報提供サイト（日本版O-NET[13]）を開設した。同サイトには、約500の職業情報が、求められるスキル、必要なタスク、仕事価値観などが職業横断的に共通化された数値データと共に掲載されている[14]。政府もこれを後押しする方針であり[15]、同サイトの活用

---

10) 職業能力は「技能」「知識」のほかに「態度」の3要素からなるとされている。菅野和夫『労働法〔第12版〕』（弘文堂、2019）78頁。
11) 国家資格のほかに、商工会議所や実務技能検定協会、その他の民間団体が運営するものまで、さまざまな資格がある。
12) 私見であるが、こういった部門のスキルを標準化するためには、多数の会社で共通して要求されるスキルを抽出する必要があり、そういった情報を蓄積している（と考えられる）派遣会社（ないしその業界団体）が果たす役割が大きくなっていくのではないだろうか。
13) 米国労働省が1998年からウェブ上で無料提供している職業情報サイトO*NET（Occupational Information Network）をモデルとしている。O*NETは、労働市場において求職者、求人企業間で職業スキル等を表す共通言語（common language）を提供している。JILPT「〔資料シリーズNo.203〕仕事の世界の見える化に向けて——職業情報提供サイト（日本版O-NET）の基本構想に関する研究」（2018）9頁～10頁。
14) 2021年2月に、職業興味検査・価値観検査による適職検索機能などを追加してリニューアルされた。
15) 内閣官房「成長戦略会議」が2021年6月18日に公表した「成長戦略実行計画」のフォローアップでも、主体的なキャリア形成を支える環境整備の一環

とデータの蓄積がすすむことにより、職業ごとに必要なスキル（職業能力）の見える化が進むと期待される。

Ⅳ　転職・再就職市場の整備・活性化の必要性

労働生産性の向上のため、労働者を適切な職場、より端的には、より高付加価値を生み出す職場へと円滑に異動させること（人材の流動化）は重要な課題であり、転職や再就職といった外部労働市場の整備と活性化が必要である。働き方改革ロードマップ⑰でも、成熟企業から成長企業への転職支援、雇用吸収力の高い分野へのマッチング支援などを行うことが、今後の対応の方向性として示されており[16]、日本版 O-NET もそのための制度整備の一環である[17]。

もっとも、実際に転職市場が活性化するかどうかは労働者の階層ごとに課題がある。

1　シニア層

シニア層は、終身雇用制のもと、企業内で勤め上げるモデルが染みついている。加えて、高年法に基づく継続雇用制度が一般化するなか、定年後も企業内再就職の意向が強く、最も不活性な層といえる。未就業の子や高齢の親を抱え、経済的な安定も必要といった事情で転職は難しい面も多いが、反面、一度でも中高年を中途採用した経験を有する企業の採用意欲は高いとのデータもあり、的確なマッチングができれば（他の地方への転職も含め）ニーズはあると考えられる[18]。

として、日本版 O-NET 等による労働市場の「見える化」が採り上げられている（47頁）。
16)　「働き方改革実行計画」57頁。
17)　2021年4月1日から、常時雇用する労働者数が301人以上の企業において正規雇用労働者の中途採用比率の公表が義務付けられたこと（労施27条の2）は、中途採用・経験者採用に向けた環境整備の一環である。もっとも、成熟産業をも対象としたこの種の義務化よりも、成長産業や雇用吸収力の高い産業への助成金支給などの援助策が期待されるところである。
18)　厚労省は2018年3月に「年齢にかかわりない転職・再就職者の受入れ促進

第5編　これからの時代の労働法

改正高年法で70歳までの高年齢者就業確保措置として創業支援等措置を設けて社会貢献事業への転進も選択肢となったが［→第4編第3章Ⅱ2(3)］、スキル（職業能力）の見える化でシニア層の不安を除去しつつ、転職への意識改革も必要となってこよう。

2　若年層

若年層には、フリーター化やニート化によって常用就職や職業能力形成が困難な者も多い[19]。そのため政府は、さまざまな形で若年層の就職支援やキャリアの形成に取り組んできた。まず就職支援窓口としては、新卒応援ハローワーク[20]、わかものハローワーク[21]、ジョブカフェ[22]の設置があり、自立支援としては、ジョブカフェのほかに、サポステ（地域若者サポートステーション）がある。また、ユースエール認定制度により若者を採用・育成する企業に助成金を加算したり、新卒の応募者等から求めがあった場合に青少年雇用情報[23]の提供を義務づける[24]などさまざまな策を講じている。

若年者雇用に関しては、昨今の職業人生の長期化を受け、入職後早期を念頭に若者の「キャリア自律」に向けた支援に取り組むことが必要とされているが[25]、今後job型の社会が進むと、スキルに劣る若年

のための指針」（平成30年3月30日厚労告第159号）を策定している。
19)　日本型雇用慣行は、若年失業率が低く社会の安定を得られるというメリットがあるが、新卒時に採用されなかったり、すぐに退職したりしてしまうと、職業能力を形成することが難しくなる弱点がある。
20)　学生や学卒者を対象とし、学校と連携して、求人紹介を含む個別支援を行う専門のハローワーク（公共職業安定所）で2010年設置。
21)　正社員就職を目指すおおむね35歳未満の者を対象とする専門のハローワークで2006年設置。
22)　都道府県が若年者に対する就職支援サービスをワンストップで提供する施設で2004年設置。
23)　①募集および採用の状況、②職業能力の開発および向上の取組みの実施状況（メンター制度やキャリア・コンサルティング制度の有無など）、③職場への定着促進の取組みの実施状況（前年度の月平均所定外労働時間、年次有給休暇の平均取得日数、育休取得者数等や、役員や管理職に占める女性の割合）に関する情報（青少年の雇用の促進等に関する法律施行規則5条）。
24)　青少年の雇用の促進等に関する法律13条2項。
25)　厚労省「今後の若年者雇用に関する研究会報告書」（2020年10月23日）17～

層の就職が難しくなるおそれが高く、フリーターやニートとなった者に限らず、若者を就職市場に導く政策がよりいっそう重要となってくる[26]。

V　人生100年時代のリカレント教育

1　キャリアラダーの時代からキャリアチェンジの時代へ

　前記IVのとおり、転職・再就職市場を通じて労働者を適切な職場へ配置するためには、シニア層や若年層について課題が多いが、その他の層は適切な配置が必要ない、というわけではない。ジュニア・ミドル層も放っておけばシニア層になるし、産業構造の変化のスピードも増しているから、目下順調に成長している企業に正社員の職を得てもそれで安泰とはならない。まして、健康年齢の長寿化と働き手の不足、反面では老齢年金の先細りで、長く働き続けることが求められるのがこれからの社会である。

　2017年9月、当時の安倍内閣は官邸に「人生100年時代構想会議」を発足させ、同会議は「人づくり革命基本構想」をとりまとめた。同構想では、来るべき「人生100年時代」に「高齢者から若者まで、全ての国民に活躍の場があ」る社会をつくるため、人材への投資を行う

　　 18頁。2021年3月に策定された青少年雇用対策基本方針（令和3年3月29日厚労告第114号）でも、今後5年間の施策の基本の1つとして、入職後早期に離転職する青少年に対するキャリア自律に向けた支援が掲げられている。
26)　たとえば、1970年代から若年雇用問題に直面してきたフランスでは、企業と外部教育訓練機関の両方で職業訓練を行う「交互訓練制度」がある。これは、実践的な企業での職場訓練と外部訓練機関での座学を組み合わせた制度で、企業は、訓練生を採用して従業員として働かせるが、訓練生の訓練期間中の社会保障の事業主負担分を免除されるなどの特典がある。訓練コストは、継続職業訓練に対する企業の負担金を徴収する基金が負担し、訓練生は、労働して賃金を得ながらスキルと経験を身につけることができる。派遣会社が積極的にこの仕組みを活用して若年労働者のスキル向上に重要な役割を果たし、訓練生は訓練を通じて資格を取得して正規雇用への移行を果たすなど、成果が出ているようである。JILPT・前掲注9）60頁〜89頁。

こととされ、その1つとして、「より長いスパンで個々人の人生の再設計が可能となる社会を実現するため、何歳になっても学び直し、職場復帰、転職が可能となるリカレント教育を抜本的に拡充する」とされている[27]。そしてこの「リカレント教育」は、「生産性革命を推進するうえでも、鍵」と位置付けられており、これを通じて職業能力を向上させ「キャリアアップ・キャリアチェンジにつながる社会をつくっていかなければならない」とされている[28]。

　ここで「転職」や「キャリアチェンジ」が挙げられたことは注目に値する。これまでの企業は、社内でキャリアラダー（はしご）を用意し、社内のいろいろな部署を経験させながら仕事の難易度を段階的に引き上げ、これに伴って職位や職階を引き上げて賃金を引き上げていた。労働者も、好むと好まざるとにかかわらず、このはしごを上る出世競争に参加し、駆け上がって頂点に立つものも、途中で足踏みする者も、このはしごの上でその企業を勤め上げて定年を迎えるのが典型的な姿であった。

　しかし、これからはそうではない。途中でその上るキャリアラダーを変えよう、ということである。足踏みするくらいなら、途中ではし

　　　ドイツにも、企業で実技を学び、職業学校で理論的な部分を補うデュアル・システムという初期養成訓練制度がある。訓練生は職業学校の生徒であると同時に、企業と職業訓練契約を結ぶので、訓練生手当が支給されるほか社会保障制度の対象にもなる。主に基幹学校修了者を対象として実施され、幅広い職業に関する基礎知識と、特定の職業に必要な専門能力を身につけ、即戦力となる熟練労働者を養成することを目的とする。カリキュラムの修了後は、一定期間教育を受けた企業で働き、その後は自由に移籍できるようである。JILPT「ドイツの公共職業教育訓練——デュアル・システムを中心に」JILPT 海外労働情報フォーカス2009年6月。

27）　「人づくり革命　基本構想」（2018年6月13日人生100年時代構想会議とりまとめ）3頁。
28）　前掲注27)「人づくり革命　基本構想」10頁。ポリテクセンター（職業能力開発促進センター）や職業能力開発校において在職者向けの夜間・土日の教育訓練コースを推進する、生産管理の実務経験を有する製造業のOBやシニア人材を生産性改善コンサルタントとして育成する、長期の教育訓練休暇を与えて社員にリカレント教育を受けさせた企業に助成金を支給する、従業員の学び直しや副業・兼業に向けた社会的機運を醸成する、などの具体策が挙げられている。

第3章　ポスト「働き方改革」

ごの"乗り換えフロア"を設けるので、フロアを歩いていって別のはしごを上りなさい、人が群がって上り切れないはしごにしがみつかないで自分に適したはしごを見つけて上りなさい、ということである。そのためには、企業も"乗り換えフロア"を用意しなければならないし、これまで自社のはしごを上ってきた労働者がフロアを自由に移動できるような"パスポート"を用意してあげないといけないということである。どのようなパスポートを用意できるのかが企業の価値（労働者からみた企業の魅力・人気）の1つになる時代が、労働者も、1人ひとりが自立し、企業内にとどまらずフロアを自由に歩き回れるパスポートをもつことが必要な時代が到来する[29]。

2　リカレント教育

パスポート、それも何歳になっても通用するパスポートを用意するためには、技術の進歩に取り残されないようリカレント教育が必要になる。

しかし、社外、たとえば大学での学び直しをする労働者の割合は、諸外国に比べてきわめて少ない[30]。これは、大学側に産業構造に応じた職業教育プログラムが乏しいことや、労働者側に仕事が忙しく学び直しの余裕がないことが考えられ、これらの改善も必要であるが、企業側にも長期教育訓練目的の休暇制度の創設などの支援が求められよう。他方、社内教育についても、日本の企業の能力開発費（OJTに関する費用は含まない）の割合は、諸外国と比較して突出して低い水

---

[29] 前掲注5）平成30年版労働経済白書73頁以下では、「働き方の多様化に対応した人材育成の在り方」について検討しており、誰もが主体的にキャリア形成できる社会の実現に向けて、転職市場の動向と自己啓発等の学び直しをめぐる状況について整理するとともに、企業内での取組みのあり方などを検討しており、参考になる。

[30] OECD「Education at a Glance 2017」および文部科学省「平成27年度学校基本調査」に基づき人生100年時代構想会議がとりまとめた資料（前掲注27）「人づくり革命　基本構想」の別添参考資料35頁）によると、2015年時点の高等教育機関（4年制大学）への25歳以上の入学者割合を見ると、OECD諸国平均は16.6％であるのに対し、日本は、2.5％しかなく、国別でも最下位層にある。

準にあり、経年的にも低下していることから、労働者の人的資本が十分に蓄積されず、これが労働生産性の向上の阻害要因となる懸念がある[31]。他国の事例をベースに早急に対策をとるべきである[32]。

　政府もようやくリカレント教育に本腰を入れ、次項以下で述べる新ジョブ・カードやキャリア・コンサルティングの整備を背景に、働き手・企業が取り組む事項や人材開発施策に係る諸制度を体系的に示した「リカレントガイド」の策定を2021年度中に行うとしている[33]。

3　新ジョブ・カード

　ジョブ・カード制度は、労働市場インフラとして活用されることを目指して2015年に改正され[34]、改正後は、広く求職者・在職者・学生等を対象として「生涯を通じたキャリア・プランニング」および「職業能力証明」の機能を担うツールと位置付けられた[35]。

　前者は、個人個人が、履歴や職業経験の棚卸し、職業生活設計等の情報を蓄積のうえ、キャリア・コンサルティングを受けつつジョブ・カードを作成し、訓練の受講やキャリア選択で活用することが想定さ

---

31)　前掲注5)　平成30年版労働経済白書89頁。
32)　日経ビジネス2018年2月5日号の特集記事「幸せ100歳達成法」32頁〜35頁では、ドイツ国内の社員1人当たりへの教育投資額は900ユーロ（約12万2000円）に上るのに対し、厚生労働省の就労条件総合調査によると、日本企業が従業員1人当たりに投じる訓練費は、ピーク時の1991年に比べ3割減り、2016年に年約1万3000円にとどまっているとされている。また、ドイツ企業の例として、シーメンス社が、毎年5億ユーロ（約680億円）をかけて、トレーニングによってすべての世代の従業員のスキルを向上させ、つねに時代の最先端の働き方ができるようにしていること、ボッシュ社が、年間約340億円の教育費を活用して、テクノロジーの変化を受けた教育カリキュラムの見直しを随時行っていること、現場でのスキルアップを図る体制整備に注力していることなどが紹介されている。
33)　内閣府が2021年6月18日に公表した「規制改革実施計画」66〜67頁。また、企業の教育訓練費用（OFF-JT費用や自己啓発費用）、企業内での職業能力開発、さらにはジョブ・カードやキャリア・コンサルタントの利用状況等についての最新の調査結果は、厚労省「令和2年度『能力開発基本調査』結果の概要」（2021年6月28日公表）参照。
34)　2015年になされた職業能力開発促進法の一部改正。
35)　厚労省（ジョブ・カード推進会議）「新ジョブ・カード制度推進基本計画」。

れている。そのため、学校卒業、求職、在職、ミドル・キャリア、引退の各段階を通じて労働者本人が自ら一貫して作成することが求められている。後者は、免許・資格、学習・訓練歴、雇用型訓練、公的職業訓練をはじめとする訓練の評価、職務経験、仕事ぶりの評価の情報を蓄積し、応募書類等として活用することを想定しており、これが広く活用されるように対象情報を拡大し、職業能力を見える化することとされている。これはまさしくキャリア・パスポートである。

同改正では、普及のため、キャリア・コンサルタントが国家資格化され、対人サービス分野を対象とした技能検定制度も整備された。

政府の目論見どおりに普及が進めば、転職や中途採用の場面で従来の「履歴書」に代えてジョブ・カードを提出することが当たり前となる。ジョブ・カードを見ればどのような職業能力を有しているかが一目瞭然で、企業にとっても、求人求職のマッチングの精度が高まり、企業内研修のコスト削減も期待できる。もっとも、対人サービス分野のほか、現場のマネージャーや総務・人事・企画といった間接部門など職業能力の見える化が難しい分野もあり[36]、どこまで普及するか、質の高い外部労働市場を形作っていけるかは今後の課題である[37]。

また、ジョブ・カードの作成は個々の労働者の自己責任に委ねられており、求職時もそれまで蓄積・保存した自己のキャリアのなかから抽出・編集したジョブ・カードを提出することになる。その普及には、キャリア・コンサルタントを通じた内容の標準化・均質化が不可欠であり、また、労働者の意識改革と自己理解の深化が進むかどうかにもかかっている。

4　キャリア・コンサルティング

キャリア・コンサルティングとは、本人の興味や適性の明確化や職

---

[36] JILPT「（資料シリーズNo.193）対人サービス職等の分野における能力評価の試み―業界団体等の取り組みを中心に」（2017）がいわゆる業界検定の現状を調査し、今後の能力評価制度の構築に向けての課題を分析している。

[37] 前掲注9) JILPT資料シリーズNo.87・2頁ですでにこのことが指摘されているが、現時点で課題は達成されていないように思われる。

業生活の振り返りを通じて、職業生活設計（キャリア・プランニング）の支援や職業選択、スキルアップについて、意欲の向上を促し、自己決定を後押しする支援のことをいう。1人ひとりのキャリアの自立に有用性が高く、そのため、2015年にキャリア・コンサルタントが国家資格化された以降も、その積極的な活用が指向されている[38]。

たとえば、企業に対しては、その雇用する労働者について、職業能力開発を促進する計画を作成したり、キャリア・コンサルタントによるキャリア・コンサルティング（セルフ・キャリアドック[39]）の機会を提供することが推奨されている[40]。企業の経営課題や人材育成上のビジョンに基づいて、体系的・定期的なコンサルティングや研修を行うなど、従業員の主体的なキャリア形成を促進・支援することを目的とした総合的な取組みが求められている。

在職者に対するキャリア支援をした結果として幹部候補生が転職してしまっては困るので、企業にとってセルフ・キャリアドックを導入する意義はあまり見出せないかもしれない。しかし、在職者の能力を見える化し、外からの視点で客観視し、さらには曲がりなりにもスキルを磨いてもらえれば、万一在職者を転出させなければいけないときに大きな効果を発揮する可能性があり、長期的な視点を持つことが肝要であろう。

VI 解雇規制緩和の是非

1 解雇権濫用法理は緩和されるか

働き方改革は、多様な働き方を可能とし、これまで労働市場の外に

[38) 2021年6月16日には、「働く環境の変化に対応できるキャリアコンサルタントに関する報告書」が公表され、厚労省は、「この報告書を踏まえ」「キャリアコンサルティングの普及促進を図るとともに」「労働者や企業が行うキャリア形成の取り組みを一層推進」するとしている。
39) 定期的にキャリア・コンサルティングを受ける機会を設定する仕組み。
40) 職業能力開発促進法10条の3・11条・12条、同法施行規則2条。

いた者に就業の機会を提供しうる。企業にとっても、よりニーズの高い人材を採用できるチャンスである。しかし、右肩上がりの時代ならともかく、厳しい競争環境下でいくらでも人材を抱えられるわけではない。そのため、企業内で不活性となっている、あるいは労働生産効率の奮わない在職者を退出させる必要があり、これなくしては雇用の創出は見込みにくい。そのため、職務能力を見える化し［→Ⅲ］、リカレント教育を施してジョブ・を作成させ［→Ｖ２・３］、セルフ・キャリアドックによって意識改革をさせ［→Ｖ４］、在職者の自立を促すことになるが、それでもなお退出しない労働者がいる場合、企業側に切り札がない。正社員の解雇には解雇権濫用法理（労契16条）が立ちはだかるからであり[41]、解雇規制の緩和なくして働き方改革が実を結ぶのか未知数といわざるをえない。

　解雇権濫用法理は、使用者による「解雇は、客観的に合理的な理由を欠き、社会通念上相当であると認められない場合は、その権利を濫用したものとして、無効とする」というもので（労契16条）、終身雇用制のもと、就職した企業で職業人生を終える典型的な日本的労働者の生活を守るために重大な役割を果たしてきた。しかし、ホワイトカラー層については、キャリアラダーからキャリアチェンジの時代に移ってきており［→Ｖ１］、近い将来、この層の解雇権濫用法理が変容を迫られることは必至であろう。

　現状、「客観的に合理的な理由」の１つとして、「労働能力または適格性の欠如・喪失」が挙げられているが[42]、企業内で、ジョブ・カードを作成させ、その労働者に適切と考えられる専門的なキャリア・コンサルティングやリカレント教育を行ったが、なお当該企業が求める専門的な水準に達しないといったケースについて「客観的に合理的な理由」があると解することは理論的には可能である。そして、そのよ

---

41) これに対して、スペック（専門的能力）を特定し特定の職務（job）に就くことを前提に採用された正社員（job型正社員などといわれる）については、採用時に前提として期待した能力・資質がないことを理由に解雇できる場合が多いとされている。菅野・前掲注10）787頁。

42) 菅野・前掲注10）786頁。

うな者の解雇を、他部署への異動などの解雇回避措置をとらなくても（そもそも企業がキャリア・コンサルティングやリカレント教育を継続的に行っていたことが解雇回避努力と評価されうる）、「社会通念上相当である」と評価することは、やはり理論的に可能である。この先、キャリアチェンジの時代にいち早く対応した企業が前記のような解雇をしたケースについて、裁判所が、これを有効と認める判決を出しても不思議ではない。

2 解雇の金銭的解決

解雇規制の緩和を見越したものかどうかはさておき、解雇の金銭的解決については、厚労省の「解雇無効時の金銭救済制度に係る法技術的論点に関する検討会」で引き続き議論が進められている[43]。

現状は、使用者による解雇（雇い止めを含む）の意思表示が無効であるときに労働者が労働契約解消金の支払を請求できることを前提に、かかる請求権の性質や行使方法（裁判外でも認めるか否か）について活発な議論がなされている。解雇無効が争われるときは、同時にいわゆるバックペイ（紛争開始時から紛争解決時までの期間中支払われなかった賃金の遡及払）が問題となるが、労働契約の終了という効果を、労働契約解消金の支払いを条件に認めるのか、バックペイの支払までしないと認めないのかについても議論されている。

これまでの議論を前提とすると、解雇の金銭的解決は、労働者から支払を請求することが前提であり、使用者から金銭を支払って解雇す

---

[43] 解雇無効時の金銭救済制度は、2017年5月に出された厚労省の「透明かつ公正な労働紛争解決システム等の在り方に関する検討会報告書」において「更に検討を深めていくことが適当」とされ、2017年12月8日に閣議決定された内閣府の「新しい経済政策パッケージ」において、成長分野への人材移動と多様で柔軟なワークスタイルの促進の観点から検討課題とされたことを受け、2018年6月から議論されているが、結論が出ていない。2021年6月18日に閣議決定された「成長戦略実行計画」では、「2021年度中を目途に法技術的な論点についての専門的な検討のとりまとめを行い、……〔労政審の〕最終的な結論を得て、所要の制度的措置を講ずる」とされているが（47頁）、さらに難航する可能性もある。

るということはできないが、解雇をめぐる紛争を解決するための選択肢が増えれば、解雇規制の緩和につながる[44]。

Ⅶ　紛争解決システムの拡充

1　従来の紛争解決システム

　ここまでみたとおり、働き方改革は、労働者の適切な配置、人材の流動化を促すものである。新しい職場で職を得るには、従前の職場における雇用関係を清算することが必要であり、この過程で紛争が起こりうるが、労使双方がその解決に必要以上の時間と労力を費やすことは、生産性の向上にブレーキをかけることになる。

　企業内での紛争解決が難しい場合は、公的機関による解決として、行政による解決システムと裁判所による解決システムが併存する。このうち、前者は、2001年10月に施行された個別労働関係紛争の解決の促進に関する法律に基づき個別労働紛争解決制度が整備された。これには、(i)労働局（都道府県労働局）の総合労働相談コーナーにおける包括的な情報提供および相談の実施（総合労働相談）、(ii)労働局長による紛争解決についての「助言」と「指導」、(iii)労働局長より委嘱された紛争調整委員会（弁護士、大学教授、社労士などの労働問題の専門家

---

[44]　解雇や労働条件の引下げといった問題をめぐり、個々の労働者と使用者との間で生じる紛争（個別労働関係紛争）については、労働局（都道府県労働局）や裁判所で、金銭的解決が図られているものの、その結果は非公開であるため、予見可能性に乏しい。厚労省は、従前、労働局あっせん、労働審判および裁判上の和解により終局した雇用紛争事案を比較分析し、その結果を厚労省のウェブサイトで公表し（「個別労働関係紛争の解決状況」）、その中で、事案の内容（解雇、その他）、労働者の性別、雇用形態、勤続年数、役職、月額賃金、企業の概要などの項目を指定すると月額賃金の何か月分程度の金銭が支払われて合意成立に至った事案があったのかを知ることができ有用であった。現在は表示されなくなっているが、この公表のもととなった比較分析は、JILPT「(労働政策研究報告書No.174) 労働局あっせん、労働審判及び裁判上の和解における雇用紛争事案の比較分析」(2015年4月20日) として公表されている。集計時期がやや古くなっているが、金銭解決の"相場"を知るための参考とすることができる。

により構成される）による「あっせん」があり[45]、安定した利用がある[46]。いずれも通常弁護士を伴わず誰でも無料で利用でき、早期に結論が得られることが特徴である[47]。このように紛争解決システムは、よく整備され機能しているが[48]、働き方改革法の施行を受け、さらなる拡充が期待される。

2　行政ADR（紛争解決援助制度）の拡充

紛争調整委員会によるあっせんは、当事者の自主性に重点が置かれ、相手方企業は出席を強制されないから欠席率は42.2％と高く、あっせんが成立する割合も全体の32.4％にとどまる[49]。労働局長による助言、指導も、それ以上の強制力はない。

そこで、一定の紛争については、前記(ii)(iii)に代えて、より強制力を高めた紛争解決援助制度（具体的には、(ア)労働局長による援助、(イ)調停会議による調停）が設けられている。(ア)は、助言、指導のほかに、勧告の制度が設けられていること、(イ)は、（弁護士、大学教授、社労士などの労働問題の専門家により構成される）調停会議が、調停のために必要と認めるときは相手方企業その他の関係者に出頭を求めその意見を聴くことができるとされていること、主体的に調停案を作成し相手方企業等にその受諾を勧告できるとされていることが特徴である。また、労働者が(ア)(イ)を求めたことを理由とする不利益取扱いを明示的に禁止している。

従前、紛争解決援助制度の対象とされていたのは、①男女均等取扱

---

45) 個別労働関係紛争の解決の促進に関する法律3条～5条。
46) 厚労省「令和2年度個別労働紛争解決制度の施行状況」によれば、同年度の総合労働相談件数は約129万件、うち民事上の個別労働紛争相談件数は約28万件である。このうち助言・指導は9057件、あっせんは4289件（いずれも処理件数ベース）となっている。
47) 厚労省・前掲注46）によれば、申請から1か月以内に処理される助言・指導は99.2％、申請から2か月以内に処理されるあっせんは79.5％となっている。あっせんの実際については、菅野・前掲注10）1079頁。
48) 菅野・前掲注10）1072頁。裁判所による労働審判や民事訴訟も含め、よく整備されていると評価している。
49) 前掲注46）。

等に関する紛争、②育児・介護休業等に関する紛争、③-1）パートタイム労働者の差別的取扱い（均等待遇）等に関する紛争、④障害者に対する差別的取扱いおよび職場における合理的配慮の提供に関する紛争であったが[50]、働き方改革法によって「同一労働同一賃金」原則が定められたことから、対象となる紛争として新たに、③-2）パートタイム労働者の均衡待遇に関する紛争[51]、⑤有期雇用労働者の差別的取扱い（均等待遇）、均衡待遇等に関する紛争[52]、⑥派遣労働者の均衡待遇等に関する紛争[53]が追加された[54]。

さらに、2020年6月1日以降は、パワーハラスメントを防止する措置を講じたかどうかに関する紛争も対象とされた[55]。

3　行政による履行確保措置（勧告や公表）の強化

厚生労働大臣には一般的指導・勧告等の権限があり、勧告を受けた事業者がこれに従わないときは公表の対象となるところ、働き方改革法の施行後、これら勧告、公表の規定の整備が進んでいる[56]。勧告に従わなかったとして企業名が公表されることのインパクトは大きく、今後、その実効性等を勘案し、勧告・公表が積極的に活用されたり、その対象が拡大される可能性もある。例えば、パート有期法8条

---

50) 均等16条・17～27条、育介52条の3・52条の4～52条の6、パート23条・24条～27条、障害74条の5・74条の6～74条の8。
51) パート有期法22条に同法「第8条……に定める事項」を追加。
52) パート有期23条・24条～27条。
53) 派遣法47条の6・47条の7～47条の10。なお、対象となる紛争は、派遣元との間の派遣法30条の3・30条の4・31条の2第2項～5項に関する紛争、派遣先との間で派遣法40条2項・3項に関する紛争である。
54) この結果、パート有期法施行後は、パートタイム労働者、有期労働者とも、差別的取扱い（均等待遇）、均衡待遇、労働条件に関する文書の交付等、教育訓練の実施に関する措置、通常労働者への転換推進措置、ならびに事業主が講じる措置の内容、待遇の決定にあたって考慮した事項および通常の労働者との間の待遇の相違の理由の説明に関する紛争が対象となった。
55) 労施30条の4・30条の5～30条の8。
56) 均等29条・30条、育介56条・56条の2、パート有期18条、障害36条の6、派遣48条・49条の2、労施33条。もっとも、例えば、障害者雇用に関するものや、均衡待遇（パート有期法8条）に関するものは公表の対象とはされていない。

(均衡待遇)には、不合理とされた待遇の定めを無効化し労働契約の内容を通常の労働者のそれと同一のものとする効力(補充的効力)までは認められないが[57]、「非正規であることを理由とする不支給など解釈が明確な場合は〔パート有期法18条1項に基づく〕報告徴収・助言・指導・勧告の対象としていくことが適当」との意見もあり[58]、パート有期法8条違反であることが解釈上明確なケースを勧告、公表の対象とすることが、今後議論の対象となることも考えられる。企業としてはその動向の注視が必要である。

---

57) 最判平30・6・1労判1179号20頁(ハマキョウレックス事件)[→第2編第2章Ⅲ2(5)]。
58) 水町勇一郎『「同一労働同一賃金」のすべて〔新版〕』(有斐閣、2019)126～127頁。

第6編
座談会

《座談会》
アフターコロナの時代の労働法の課題、そして未来

常葉大学法学部専任講師	植田　達
東洋大学法学部専任講師・特定社会保険労務士	北岡大介
渥美坂井法律事務所・外国法共同事業弁護士	宮塚　久
㈱HRファーブラ代表取締役	山本紳也
〈司会〉西村あさひ法律事務所弁護士	菅野百合
〈司会〉西村あさひ法律事務所弁護士	阿部次郎

　アフターコロナ、あるいはニューノーマルといわれる時代の労働法の課題、そして未来を探るべく、実務や研究に携わる専門家にお集まりいただき、

① 脱オフィス・リモートワークの功罪
② ジョブ型は普及するか、メンバーシップ型の企業は時代遅れか
③ 労働者は自立できるか

の3つのテーマについてご議論いただいた。

I　本日のテーマ

○菅野　今日取り上げる3つのテーマ、リモートワーク、メンバーシップ型・ジョブ型、それから、労働者の自立、は相互に関連し合っている問題なのではないかと思っています。この3つの関連性をどのように考えたらいいのでしょうか。

○宮塚　働き方改革法の施行後、ほどなくコロナ禍となったわけですが、その過程で、必要に迫られて一気に進んだのが、テレワークでした。やってみると案外できるじゃないかとなり、できない業務もここを克服すればできるということがわかってきたように思います。まだ緒に就いたところで、この先リモートワーク・脱オフィスを進めると、新しい問題がいくつも出てくる

【参加者経歴紹介】
〈スピーカー〉

植田　達（常葉大学法学部専任講師）
　2013年12月～2016年3月に弁護士として労働法実務を経験した後、研究者に転身。現在は大学で教鞭をとりつつ、働き方改革や比較法等の幅広い研究に従事する。コーネル大学ロースクールLL.M卒。慶應義塾大学法科大学院卒。

北岡　大介（東洋大学法学部専任講師／特定社会保険労務士）
　1995年4月～2000年3月に労働基準監督官を務める。2009年に社会保険労務士資格を取得し、現在も実務に携わりながら、大学でも教鞭を取る。働き方改革その他労働法分野における多数の執筆あり。北海道大学大学院法学研究科修了。

宮塚　久（渥美坂井法律事務所・外国法共同事業／弁護士／本書編著者）
　労働法を中心に25年の弁護士経験を有し、労働紛争や労働法アドバイスのほか、多くの企業の人事システムの再構築に関与している。経歴詳細は本書・著者略歴参照。

山本　紳也（㈱HRファーブラ代表取締役）
　1999年3月～2014年6月にプライスウォーターハウスクーパースジャパンに在籍、パートナーとして人事・チェンジマネジメント部門をリード。現在は組織人事コンサルティングの株式会社HRファーブラの代表を務める。上智大学国際教養学部非常勤教授、早稲田大学国際教養学部非常勤講師。イリノイ大学経営学修士課程終了（MBA）、慶應義塾大学理工学部管理工学科卒。

〈司会〉

菅野　百合（西村あさひ法律事務所／弁護士／本書編著者）
阿部　次郎（西村あさひ法律事務所／弁護士／本書編著者）

と思いますので、これをテーマ1とさせていただいております。
　すでに明らかになった新しい問題として、テレワークとなると、使用者の側では、これまでのような時間管理や人事評価ができないといったものがあります。これを解決するためには、労働者1人ひとりの役割や求めるタスクを明確にして、そのタスクが達成できたかどうかで評価するのがよいのではないか、そうしないとマネジメントできないということになってきているやに聞いております。そして、そのようなタスクや達成度を測るという発想は、後で出てまいりますが、いわゆるジョブ型に非常にマッチしてくることになるかと思います。
　近年、外資系企業の日本への進出、また本邦企業の海外進出を契機に、欧米流のジョブ型が日本に導入され、働き方改革が論じられるなかで、日本流

第6編　座談会

のメンバーシップ型と対比されることが多くなりました。時まさに、低成長時代が続き、高度成長期の日本を支えた終身雇用制、年功序列賃金、解雇制限というメンバーシップ型の硬いというか、かっちりしたところの弊害が見えてしまっており、そのことも相まって、もう日本流のメンバーシップ型はこの先、通用しないのではないかという不安があります。そこで、これをテーマ2としました。

テーマ3は、テーマ2と両輪になるわけですが、将来的に、メンバーシップ型がある程度の範囲でジョブ型に置き換わっていくとすると、労働者は、就職した企業に定年まで面倒をみてもらうわけにはまいりません。否応なしに、自分のキャリアを自分で設計し、転職、独立、起業などの道を選択していかなければならなくなります。まさに労働者の自立が必要となります。しかし、一口に労働者と言っても、若者から熟年まで、クリエイティブな仕事から、いわゆるマック・ジョブと言われる画一的な仕事まで、バリエーションがあり、それぞれ異なる課題があるようにも思いますので、そのあたりを探っていきたいというのがテーマ3です。

政府は、少子高齢化による労働力不足を解消するべく、女性活躍推進や高齢者の活用を推進していますが、労働者の自立を後押ししたり、支えたりする仕組みができれば、女性や高齢者の労働市場への参加がさらに進むのではないかと思っております。

この後、各テーマについて先生方と議論していきたいと思っております。よろしくお願いします。

○菅野　ありがとうございます。山本様からも、この3つのテーマの関連についてお話いただきたくお願いします。

○山本　3つのテーマの実情に関しては、いま、宮塚先生のほうから説明をいただいたとおりだと思います。私が30年近く、ずっと企業人事とお付き合いをしてきた経験から感じるのは、これらのテーマは、このコロナ禍で表出化してきただけであって、ずっといままで抱えてきた課題なのだと思います。時間管理でなくて、成果管理にしていかないとフィットしない仕事が増えてきているという議論は以前からありました。リモートワークにしても、ここ数年を考えると、フレックスとか在宅という形も出てきていましたし、最近はリモートオフィスをいろいろなところに準備するという会社も出てきたりということが実際に起こってきていました。また別視点からも、ここ最近は、AI等々のとがった専門性を持った若者に対しては、新卒から特別な報酬水準で別枠採用するような会社が出てきたり、まさにジョブ型のはしりというものも出てきています。

それから、現場とお付き合いしていて一番よく耳にするのがグローバル化における課題です。いままでのように日本で物をつくって外で売るのというのとは違って、グローバルで一体となってビジネスを回しマネジメントをしていかなければいけなくなってきたときに、ほかの国へ行くとどこもジョブ

型なのに、日本だけがいわゆるメンバーシップ型なので、そっちに合わさざるを得ないというプレッシャーがかなりかかってきているといった話をよく耳にします。いままでいろいろと試行錯誤を、人事が中心となってしてきていた課題が、コロナ禍で一気に表出化してきて、一気に考えるタイミングになったというのが、私の見方です。

　ちょっと前置きが長くなりましたが、いま振っていただいた観点で言うと、まずグローバルという視点から、欧米、中国、その他の国とビジネスを一緒にしていく状況をみていると、やはりあるレベルでジョブ型になっていかざるをえない。ジョブ型では、基本的に職務、職責をまっとうして成果を出すことが明確な責任になるので、当然そこには契約に沿った自立というのも一体となる。かつ、結果を出すために自分がオフィスじゃないところでも、生産性が高くてやれるのであればそれでいいんですよねというのが、考え方として当然出てくるということで、リモートワークもセットで考えられる。ただ、これは一面だけを捉えた議論で、全部の仕事がそうなるかと言ったら、そんなことは全然ない。

　いずれにしましても、今日の３つのテーマというのはどこかで絡み合っているので、きれいに切り分けることはできないなというのが、私の考えです。

　もう一言つけ加えると、企業も考えてはいるのだけれども、頭のなかでこれらをごっちゃにしていて、あっちを立てればこっちが立たずみたいなことになっているから変われていないので、そこはきっちりと整理をしなければならないなというふうにも思っております。

○菅野　ありがとうございます。リモートワーク、ジョブ型・メンバーシップ型、そして労働者の自立というこの３つのテーマが相互に関わっているということが非常によくわかりました。そのなかで、やはりいま、コロナ禍およびアフターコロナの問題で、皆さんの一番身近にあるのは、リモートワークの導入だと思います。リモートワークの導入推進のなかで、どのような点が実務的、法律的に問題となっているのか議論したいと思います。なお、時間の関係から、労働時間管理の問題は割愛します。

Ⅱ　脱オフィス・リモートワークの功罪

○北岡　リモートワークの問題なのですが、企業は必要に迫られて、2020年春先から対応せざるをえなかった。そういった意味で言いますと、後追い的対応ということで、リモート勤務を導入せざるをえなかった、こういう側面があります。そのようななかで、労使双方ともかなり見落としていた面がありまして、それが今後、法的、実務的な課題になりうるのではないかと思っています。

　まず第１は、リモートワークで働きたいという労働者の請求を企業は認めなければならないのかどうなのか、第２は、労働者本人に対して会社がリ

モートワークで働けと、こういった業務命令を発することができるのかできないのか、この質問を企業人事担当者にしますと、意外に答えがなかなか出てこない。出てこない理由は明らかであり、必要に迫られて導入を進めてきたということで、テレワーク勤務に係る法的根拠を十分検討していなかったということであります。この問題については、法的視点から見ると単純明快な話でして、労働契約で就業場所をいかに定めるのか、雇用契約書において在宅勤務といったものが含まれているのか含まれていないのか、これに基本的には委ねられるということになります。

第1のリモートワーク請求権については、そのような観点から言えば、ほとんどの労働者について就業場所は会社の本社とか支社と定められているわけであって、労働者本人がその契約に反して在宅で働きたいと希望したとしても、使用者が在宅勤務での就労を同意しない限りは、労働者からのリモートワーク請求に応ずる義務は当然発生しないということになろうかと思います。

ただし、緊急事態宣言下、あるいはコロナウイルスの感染状況によっては、異なる検討も必要になってくる。具体的には、コロナウイルスの感染リスクが職場内で非常に高い、たとえば非常に3密の状態の職場であって、感染防止対策がなかなかできない、あるいはしようとしないケースについては、場合によっては労働者側から、このような場所で働くことは、自身健康への危険性がある。実は労働安全衛生法の25条の条文を見ましても、労働災害の窮迫した危険がある場合、使用者はその作業をただちに停止しなければならない、このような趣旨の規定が設けられています。今回のコロナ禍においてそのような条文を用いることは、ただちに想定されていませんが、おそらく境界線上の難しい事案が出た場合は参照されるべき条文ではないか、このように思っております。

第2の論点として、労働者側がリモートワーク勤務を拒絶する場合についてはどのように考えるかですが、これについてはまさに先ほどのとおり、契約上の就業の場所がどのように定められているのかで、まずは定まる。会社本社と定めている場合については、使用者は、その契約を超えて在宅勤務を一方的に命ずることはおそらくできないわけですが、他方で、コロナウイルスが、感染が蔓延していて、非常にリスクが高いといった場合については、会社側が在宅で労務提供してほしい、こういった要請をしうる、場合によっては、ここは本当の緊急事態だと思いますけれども、契約条項にはありませんが、在宅での勤務を一方的に命じざるをえないといったようなことが、緊急事態下においては認められうる可能性はあるのではないか、このように思っております。

○植田　私からは、企業の側からの視点として、脱オフィス・リモートワークについて、使用者として何をしなければならないのか、あるいは何ができるのかという点から整理していきたいと思います。

在宅勤務で働くことになると、労働者にとっては職場から切り離された休息の場であるはずの自宅においてオン・オフの切替えが難しくなることに伴って、心理的な負担が増大するおそれもあるのではないかということは危惧されるところだと思います。
　たとえばオン・オフがはっきりしていないと、自宅で仕事をしていたせいで、延長として、ふと仕事のことを考えてしまって、家で仕事ができるから仕事をしてしまうということが起こりうる。そういうことが継続的、あるいは断続的に起こってしまうと心身に不調が生じる可能性もある。そうすると、労働契約法5条にも現われている、安全配慮義務の問題に発展することがありうるのではないかと思います。特にそうしたオン・オフの明確さという心理的な部分は人によるところも非常に大きいので、対応が難しくなってくるのではないかと思います。
　そうしたなかで、使用者としては、たとえば恒常的なモニタリングを行って、労働時間の適正な把握を図ったり、ストレスなど主として精神面の健康状態を確認したりする方法も考えられなくはないと思います。ただ、実際にこれを行おうとすると、在宅勤務の場合、プライベートな領域に対して、上長、上司が必要以上に監視や干渉をしたりする可能性が出てくるため、労働者のプライバシー侵害につながるリスクがあることが指摘されています。
　たとえばビデオ会議アプリでは、背景画面を変更、あるいはカットしたりする機能はありますが、その機能を使うなであるとか、在宅勤務者の服装や化粧の有無に上司が文句を言ったり、背景をカットしなかった場合に、自宅というプライベートな領域に対して難癖をつけたり、あるいは会議でもないのにウェブカメラの機能をオンにしろと言ったり、こういうことがリモートワーク下におけるハラスメントの事象としてよく指摘されることかと思います。
　そうした上司の干渉について、自宅なので、純然たる職場ではないわけですが、ハラスメントに対する職場環境配慮義務を使用者や上司として負いうることも併せて問題になってくるだろうということが考えられます。
　次に、使用者として何ができるのかという点については、先ほど北岡先生からもご指摘があった、リモートワーク就労命令や、逆に出勤させる命令などの可否が挙げられるのではないかと思います。
　もう少し私のほうから補足させていただきますと、今般の緊急事態宣言下、あるいはそれが終わった後の行政として、リモートワークを要請することがあったかと思いますが、そうしたなかでリモートワークを実施した企業は多かったわけです。
　これは基本的に緊急の対応として行われていたところがあるのですが、こうした短期的・一時的に実施するリモートワークであれば、配転というよりは出張のような形で、使用者がもつ一種の業務命令権の行使として命じることができたと言えるのだろうと考えております。このように、リモートワー

クによって就労する命令が業務命令権として行われているとすれば、その濫用になってはいけないということになるかと思います。

　問題は、より今回のテーマと関わることとして、ポストコロナを見越して、長期的なリモートワークを制度化するとなった場合にどうしなければいけないのか。まさに契約内容に関わってくる話だと思うのですが、恒常的、長期的にリモートワークを行うことになると、労働条件として労働契約の内容になる勤務場所を恒常的に変更しているという点で、配転に近くなる。その一方で、配転命令はあくまで使用者の管理する施設への配置を前提とすることが指摘されていて、そうすると、その労働者を、労働者自身の自宅やサテライトオフィス、そういった使用者が管理していないところに配置する形でリモートワークを行わせるとなると、配転命令権だけでは足りない、つまり、配転命令とは別の就業規則上の根拠が必要になるのではないかということが、それほど多くの議論があるわけではないですが、議論されているなかでは多数派ではないかと思います。

　そうすると、緊急の対応としてではなく、制度化することになってくると、使用者としては就業規則に、「業務の必要に応じて、在宅勤務を命じることができる」というような、リモートワークを命じ得る規定を置くことが必要になってくることが考えられます。こうした規定を新設する場合は、労働契約法10条本文に基づく周知や合理性などの要件を充足する必要があることになります。

　以上が学説の状況ですが、厚生労働省も、「テレワーク総合ポータルサイト[1]」というウェブ・ページを設け、作成の手引(「テレワークモデル就業規則～作成の手引き」)[2]や導入運用ガイドブック(「テレワークではじめる働き方改革　テレワークの導入・運用ガイドブック」)[3]を公表し、そのなかにおいて、テレワークの導入には就業規則などにテレワーク勤務に関する規定を置くことが必要であると言っています。そして、テレワーク勤務を導入する場合に就業規則に定めるべき内容として、テレワーク勤務を命じることに関する規定のほか、テレワーク勤務用に労働条件を設ける場合については、その労働条件に関する規定、新たに労働者に通信費などの費用が発生する場合には、その費用に関する規定も置く必要があることが書かれています。

　このような形で学説上も、あるいは厚生労働省としても、まずは就業規則において制度化する場合については、リモートワークの就労命令権の定めが必要ということになるかと思うのですけれども、それに加えて、配転命令と同じように、リモートワーク就労命令が権限の濫用にあたらないということも必要になってきます。学説上は、その場合の権利濫用の考慮要素として、

---

1) https://telework.mhlw.go.jp/
2) https://www.mhlw.go.jp/content/11911500/000683360.pdf
3) https://telework.mhlw.go.jp/wp/wp-content/uploads/2019/12/H28hatarakikatakaikaku.pdf

家庭環境上の制約に起因する仕事上の不利益が発生していないかどうかとか、あとは家庭生活そのものの不利益が発生していないかどうかを考慮すべきであるという指摘があるところです。

　それから、これも北岡先生から御指摘があったところですが、逆に労働者側からのリモートワーク就労を請求することに関しては、これもやはり労働契約の内容になっていない限り、使用者の出勤命令が認められやすいだろうという整理になると思います。緊急時の対応としては先ほど北岡先生がおっしゃったような対応がありうるかと思います。

○宮塚　企業側は今後、従業員のメンタルヘルス管理には非常に気を使わざるをえないことになると思います。従業員が出勤するオフィスがある企業であれば、顔色が悪いとか、声に張りがないとか、そういったシグナルを読み取って、帰り道に一杯飲んで話を聞くといった対面のコミュニケーションが、メンタルダウンを防ぐために果たしていた役割は非常に大きかったと思います。脱オフィス・リモートワークが進むと、そういったシグナルが読み取れなくなり、そこはどのように対応していくのか、企業側としては大きな課題になってくると思います。

　これは安全配慮義務以前の問題として、チームワークであるとか、企業の生産性といったことにも影響があるところだと思いますので、各企業、たとえば月に1回はオフィスでミーティングをするであるとか、メンター制度を設けて業務外のコミュニケーションの場を設けるとか、いろいろ工夫はされているのではないかと思います。ただ、それとて、コロナ前の蓄積、つまりこれまでの従業員同士の信頼関係なり、コミュニケーションの素地なりがあったから機能するところでして、この先、新人時代からリモートワークだったという人が増えていったときに、それで本当にメンタルヘルス管理が成り立つのか疑問に感じるところがあります。

　先ほどの安全配慮義務の問題に戻りますと、法的には、企業側でどこまで注意義務を尽くす必要があるのかが、重要な問題になるかと思います。対面によるコミュニケーションが常態であったときには、オンの状態、すなわち在社時間と、オフの状態、帰宅後や休暇中以外に、オンでもオフでもない中間領域があったと思います。ランチタイムとか、駅までの帰り道とか、そういった中間領域まで、事実上、企業の注意義務が及んでいたのではないかという気がしています。

　ところが、脱オフィス・リモートワークになって、ウェブ・ミーティングをやりはじめると、ネットの回線を接続するとオンになって、これを切断すればオフということで、ぱっと切り替わって中間領域がなくなってしまいます。先ほど出たプライバシー侵害の観点では、オンとオフが瞬時に切り替わるのは、オフの領域には立ち入らない点でプラス要因ですが、メンタルヘルス管理の観点では、オンの時間帯以外はまったく把握できないということが起こってきます。それではほとんど何もシグナルを読み取れないのですが、

実際にメンタルダウンが起こってしまったときに、オンの時間帯に合理的に必要な措置を取っていれば、それで注意義務を尽くしたと言えるのかというと、ちょっと難しい問題だと思います。しかし企業側としては、それでよいと言ってもらわないと困る、オンの時間にしっかりと注意を尽くしていたにもかかわらず安全配慮違反を問われるとなると、できないことをやっていないとして責任を負ってしまうことになるので、そういったことが、政策論も含めて今後問題になるのではないかと思います。

　もう1つは、情報漏洩対策です。これが悩ましい問題になってくると思います。これまでのリアルな世界では、情報漏洩を企てる従業員がいたとしても、オフィスに誰もがいる衆人環視のなかでは、あいつ何をやっているんだとすぐにわかったのですが、脱オフィス・リモートワークとなると、そういった目が届かない、挙動不審も見えないので、従業員にとってかなりハードルが下がってしまう。心の隙につけ込んで、アクセスキーを聞き出すみたいな感じで情報を盗み取る手口も生まれていると聞いています。そういったことを念頭にセキュリティー対策をしておかないと、いざ漏洩が起こってしまったときに万全の対策をしていなかったと非難されることになります。では、どのような対策をすればよいのかというところが、この先、難しい課題になってくると思います。

○北岡　先ほど宮塚先生がおっしゃった、安全配慮義務の絡みでのリモートワークの問題をどう考えるのかというのはたしかに大問題だなと思います。従来の裁判例の傾向としては、企業の労働者に対する安全配慮義務の範囲が拡大し続けている感がありましたが、これまでその根拠として考えられてきたのが、会社という場所において、使用者が労働者の労働時間その他を容易に拘束・管理しうる点にありました。そういう意味で言いますと、たとえば高度専門職であれ、ある会社で、深夜に及んでずっと会社にいるのはわかっている、それはセキュリティー上わかるでしょ、何でチェックしないのという論議だったと思うんですよ。これが在宅勤務になると場合によってはまったくわかりようがない。手がかりになるとすれば、PCのログ記録などを参考にするほかありません。

○宮塚　でもそれだけでわかるかというと、実際には難しい。ログ記録の時間だけでわかったはずだと言われて責任を負わされるとなると、企業としては、やってられないという話になるのではないでしょうか。もう少し判例の基準を変えてもらわないと、大変なことになるだろうと少し懸念しますね。

○植田　労働時間というところも非常に大きいですけれども、先ほど宮塚先生もおっしゃったように、要するに顔色が悪いとか、声のトーンがどうだという様子を見るというのもできなくなると思います。そういう部分は、おそらくこれまでの判例のあてはめにおいても、結構重視されていますから、ちゃんとチェックをしてわかっていたはずなのに、結果として過労死になってしまったということであれば、おそらくそれは安全配慮義務における予見

可能性があったという話になってきて、結果回避義務として、今度、業務量をどうやって調整するべきだったのかというところも出てきます。しかし、家で仕事をされちゃったら業務量の調整なんてどうやってやればいいんだという話で、職場だったら電源をバンと落としちゃえばいいわけですけど、それができない。

○山本　法的に言うと、労働時間の上限はしっかり守る、それはあたりまえだというのは理解しているのですが、メンバーシップ型というのは、組織や人がある程度決まった上で、業務が割り振られてくる。業務量にあわせて人数を揃えやすいジョブ型に比べて、無理を強いてしまう人が出てくる可能性はそんなところにもあるように思います。そんななかで、いまの法律が、意欲のある人が自由にどんどん仕事をするということを抑えてしまっているということも見られます。これはマネジメント上はすごくつらい問題なんですよね。私はどんどん仕事をしたい、健康です、早く成長したいのでもっと仕事させてくださいぐらいの勢いで、仕事を嘆願してくる優秀な人がいたりするわけです。ところがこういう人でも労働時間を決められた枠内に抑えなくてはいけないというのは、やりきれない気持ちになることがあります。

○北岡　ただ、そこの中身がどうなのかなんですよね。たとえば、これまでの日本企業の製造企業の現場では、若手技術者などが専門技術・技能の習得を求め、遅くまで工場に残り、専門書を読みふける光景が見られました。まさにOJT・OFF-JTを通じた熟練技能・技術の習得ですが、近年では働き方改革の影響もあり、工場等に長時間在社し、自机で自学自習することは許されません。このため、会社の中には、工場外にサテライトオフィス等を用意し、そこで自由に勉強してくださいと。そのような自学自習スペースを福利厚生の観点から設置している例なども見られます。

○山本　そこがその後の、自立、自己責任意識とセットでないと成立しないんですよね。

　つい1、2か月前に某インターネット系の会社の役員の方がおっしゃっていました。コロナ禍の3月から6月の4か月と言ったかな、何十本も新しいサービスが立ち上がった、今までではありえないスピードで新しいサービスが開発された。その会社で働いている人たちというのは、突然在宅勤務になってしまったこのタイミングでこそ自分たちが世の中の役に立つことがたくさんあると、むちゃくちゃモチベーションが上がって、やる気になって、すごく業績が上がって、生産性も上がっている、と。

○宮塚　そういった目的意識があって一生懸命な状況と、何月までにこれをしなければならないと決まっていてそこに間に合わせないといけない状況とでは、かなり違ってくるとは思います。後者はかなり拘束性が強いので、そういう働き方はダメだという感覚です。

安全配慮義務の話で言えば、枠外も含めてどれぐらい仕事をしているか見るべきという話で、リモートでもそうすべきだという話しになってくると思い

ます。

○北岡　産業医の先生からよく話をうかがうのですけれども、メンタル不調の観点で言うと、ゴールがはっきり決まっている、山登りと一緒で、一定の期限内でこの山を登るんだと、あらかじめ計画を入念に定め、予定におおむね則ったルート、時間内で登っちゃうんだというケースについては、業務上の心理的負荷によってメンタル不調になるケースはほとんど知らないと。一方で心配なのは遭難しちゃうパターンなんです。登山しようとするものの、そもそも目的地やルート、所要時間の設定等に大きな誤りがあったり、山登りの準備や力量が不十分であった結果、遭難してしまうケースがありうるものです。そのときに上長および人事・産業保健スタッフが何も関与しないと、大変なことになってしまう。裁判例を見ていると、そういう事案が多いと思うんですね。遭難させたのは、やっぱり会社が悪いでしょと。会社としては、遭難させない、または遭難しそうな場合、いかにシグナルを的確に受け取って、上長、さらには人事・産業保健スタッフが的確な対応を講じ、健康障害等を防止するのかが、テレワークに限らず重要ということでしょうか。

　もう1点だけ、私のほうから問題提起をさせていただきますと、リモートワークに伴う費用の問題という、非常に実務的ではありつつ、深刻な問題があります。

　これまでの労働・社会保険法制は、基本的には会社で働いていただくということを前提にしておりまして、在宅勤務というものを念頭にさまざまな制度設計がなされておりません。それが顕著に生じているのが、1つが通勤手当の問題です。通勤手当については、従来から、所得税等の課税対象ではないのですが、他方で、社会保険において通勤手当というものが労働保険、社会保険料の算定の基礎となっているということがあります。そのようななかで、今回、通勤手当については、実際に会社に出社する必要性がなくなってきておりますので、通勤手当をいったん事実上廃止して、代わりに在宅勤務手当といったような手当を別途支給したい、こういう動きが出てきています。この動き自身はまったく合理的な検討だと思うのですが、労働・社会保険法制から見るといくつかこれは課題が生じうるわけであります。

　まず、通勤手当については労働・社会保険料の算定基礎に含まれるなか、自宅と会社等の往復に要する交通費を経費扱いとした場合、当該交通費は労働・社会保険料の算定基礎から除外されるのか否かという問題が生じるものです。通常、会社経費扱いとなる交通費（会社から取引先、出張等が典型）は当然に労働者本人の所得ではなく、労働・社会保険料の算定基礎から外れてくるわけですけれども、在宅勤務においても生じうる交通費、とりわけ自宅から会社への移動に要する交通費を経費扱いとしてよいか、あるいは通勤手当に準じて、労働・社会保険料の算定基礎に含めるべきか否かが実務上、課題となりうるものです。実態に応じて、在宅勤務が主たる勤務形態であり、

自宅から会社への移動が臨時的であれば、当該交通費を経費扱いとすることは必ずしも否定されるべきではないと考えますが、他方で全社的に在宅勤務を導入する一方で、会社への出社が原則的な就労形態であり続ける社員も多々生じるところです。このような場合も含め、会社側が通勤手当を一律に廃止する一方で、自宅と会社への往復に要する交通費を経費扱いとする対応をした場合、労働局・ねんきん事務所等による定期的な監査時に、本当にこれは経費なのか、本来、通勤手当として取り扱われるべきものを経費扱いにして、労働・社会保険料の算定基礎から外しているだけではないのか、こういった指導の可能性は大いにありうる。それがために、企業としては、通勤手当を廃止し、すべての自宅から会社への交通費等を経費扱いとすることに、容易ならざる課題が生じるものです。

　さらには、時間外割増賃金の算定で言いますと、先ほど申し上げました、テレワークへの在宅勤務手当というものにつけ替えてしまうと、当然在宅勤務手当は割増賃金の算定基礎にこれは入ってくる。通勤手当であれば割増賃金の算定基礎に入らないものが、在宅勤務になると入る。このように細かい話ではあるのですが、在宅勤務にフィットした賃金制度なり諸制度に見直そうとすると、途端にいろいろなところで、ここは使用者が想定外の問題が生じうる。そういう意味では、在宅勤務を導入しようという企業にとって、現行の労働・社会保険および労働法制は抑止的効果が生じる面が多々あり、在宅勤務制度を促進しうる法制度が整っていない、この点が１つ実務的な課題として見えてきたところではないかと思っております。

＊　　　＊　　　＊

○阿部　今後、リモートワークが進んできますと、人事評価や人材育成等について、既存の制度の変化が必要となる場面が出てくると思われます。どういった問題があって、今後企業はどうしていくべきなのかでしょうか。
○山本　皆さんおわかりのとおり、非常に難しい問題です。まず、いままでの日本における人事管理、労務管理は、時間と場所が決まっている前提だったことに、皆、あまり意識がいっていませんでした。時間の管理はいままでもいろいろと議論にもなってきたのですが、先ほどから北岡先生らがおっしゃっている、場所という問題はあまり意識されてこなかった。ただ、いままでの働き方というか、仕事は、時間と場所が決められていて、そのなかですべてが行われるという前提に立っており、人事労務管理もその前提の管理手法であり、また人事制度もその前提になっていました。これが、いきなりその前提が崩れてしまったというところが、今回は非常に大きなインパクトでした。

　突然、在宅リモートワークになり、言うまでもなく、時間管理をどのようにやっていくかというところが突然難しくなった。加えて人事評価が難しくなった。人事評価では、成果主義等の言葉がここ数十年で出てきて、成果を

軸とした業績評価が試行錯誤されてきていたわけですが、それでも、情緒的とまでは言いませんが、どれだけ努力しているか、頑張っているかとか、業務態度的なものの評価が日本では常にどこかに存在しました。それは決して悪いわけではなくて、一緒に長年働く上では必要要素として意味をなしていたところがあったと思います。明確に制度に書いていなくても、そういうものが存在していたと思うのですね。ところが、在宅勤務になり、そのあたりの評価が難しくなった。フィードバック面談等では、やっぱりそういうのがお互いの納得の前提にあったようなところがあった。実は、日本企業では、そういうのをよりどころにしていて、人事評価が存在していたのだけれども、一緒の場所にいないとなると、これがまったく機能しなくなってしまった。これは、非常に大きな変化だと思います。

　ただ、そこは嘆いていても仕方がないので、今後、リモートで仕事をするような職種が増えてくると、どれだけの職責、役割を与えているかということを明確にして、そのアウトプットをきっちり評価するということを前提にしないと、公平性が保てなくなるような気はしています。まさにジョブ型に近づくということです。ただ、そのときに、アウトプットといま言いましたけれども、成果といえるアウトプットは、量的に測れる成果と質的なもので判断する成果があり、これらが仕事の質によって違ってくる難しさが、今後表面化するでしょうね。

　本音で言うと、多分、経営者の立場としては、お願いだから早く時間ではなく成果だけで評価できるように法律を合わせてほしいというのが、いまのスタンスだと思います。要は時間管理のところの枠をできるだけ緩めていってほしいというのが、やっぱり本音だと思います。

　人材育成に関しては、私個人的には、ここ半年の経験から、結構オンラインでできるようになってきている気はしています。ただ、チームビルディング等の難しさはつきまとうと思います。ただ、言い方は悪いですが、いままで何となく集まって、何となくみんなで話をすることで勉強した気になっていたという集合研修と違って、オンラインになると、ワンオンワンでしっかりと相手の目を見てみんな話ができています。私が思うに、今は変化の過渡期で、オンラインでのワンオンワンの人材育成やOJTの方法論をマネージャーがまだマスターできていないというのがいまのタイミングで、これがみんな慣れてきてマスターできると、いままで以上に1人ひとりの指導ができるようになる気がします。意外とオンラインでやると、複数名でディスカッションしていても、全員がちゃんとディスカッションに参加するという状況が、実はリアルの場よりもできやすいケースもあったりします。私もまだトライアンドエラーをしている最中ですが、こういうのが研究されていくと多分、いま思っている以上にオンラインでできるようになってくることは多いのではないのかなと思っています。

　ただ、当然のことながら、人間社会なので、みんなが寄って議論する集合

研修を否定するつもりはありません。やっぱりそこはブレンドというか、ミックスで使い分けというのが、今後の研究のなかでもっと進んでくるとよりよくなるのではないのかなと、実は期待を込めて思ってはいます。

　チームビルディングについても、なんちゃってチームビルディングが多かったと思うのです。日本の場合は。何となくお互いをわかり合って、何となく仲よくなればいいという感じが多かったのが、それがジョブ型を試行しだして、1人ひとりが自立してくると、もう少し1人ひとりを専門家としてリスペクトして議論ができる場をつくっていくようなチームビルディングに変わっていかなければいけないのだと思います。

　私の頭のなかでは、あくまでイメージなのですけれども、いままでの家族型だとか、旧来の体育会型というよりも、何となく音楽家、オーケストラ型に変わっていくように思っています。1人ひとりのプロをお互いにリスペクトして、そのかわり、言いたいことは言えるような心理的に安全な場があって、そこで切磋琢磨していく、それをリーダーがちゃんとオーケストレーションしてまとめていく、そういうチームビルディングに変わっていかなければいけないというのが、今後模索されるのではないかと思っています。

　ただ、新入社員のマネジメントの難しさは残ります。決して現状を否定するわけではないのですが、一括採用する新入社員をチームにどう取り込んでいくのかというのは、結構難しいだろうと思います。今春経験したように、最初からずっとオンラインだけというのはかなりつらい。ここはやっぱりいかに、君もチームのメンバーだよという、最近の言葉で言うとオンボーディング環境をつくっていくかというのは重要です。それこそ、ブレンドで、オンラインとリアルとでミックスでつくり上げていかなければいけないということだと思います。

　あと、情報漏洩の話は、私は専門家でないのですが、ちょっと異なる視点の課題意識を持っています。現場の側から見ると、先ほど宮塚先生がおっしゃっていたところよりも気になるのは、悪いことをする人への対応の話ではなくて、それ以前に、社員全般の意識の低さのほうが気になります。最近だったら、たとえば、「うちの会社ではさ」と言って、外部の人とオンラインで話しているときに、ちらっと社内資料のパワポを見せたり平気でしちゃったりする可能性がある。ちらっと見せているだけのつもりでも、それは相手がぱっとスクリーンショットを撮っちゃったら終わりでしょということすら意識していない。そういうのがすごく曖昧に放置されているように感じています。やっぱりオンライン、リモートになるのであれば、これを機会に、雇用契約の考え方だとか、守秘義務をもう一度しっかりと原点に戻って、教育も含めてして、意識を高めるというところをまずしなければいけないというほうが私は気になっています。

○阿部　今回、緊急事態宣言等で一気にリモートワークが広がったと言っても、オフィスワーカーと現場、正社員と非正規社員との間で、リモートワー

クできる人、できない人との間での不公平感という問題も出てきたように思います。リモートワーク導入にあたっての格差の問題はどのように考えればよいでしょうか。

○植田　ここでもやはり労働者からリモートワークによる就労を請求する場合と、使用者側からリモートワーク就労を正社員に命じる、非正規の人には命じないという場合の2つのパターンに分ける必要があると思います。まず、労働者からのリモートワークでの就労請求権自体は、先ほども申し上げたように、労働契約の内容になっていなければ認められないというのが、おそらく一般的な理解だと思いますが、契約内容になっていればそれは労働条件であり、パート有期法8条や労働者派遣法30条の3第1項の「待遇」にあたってくることになるので、もし正社員にはリモートワークを選択する権利を認める定めがあるのに対して、短時間・有期雇用労働者や派遣労働者にはそれがないという違いがあれば、それは「待遇」の相違にあたるので、不合理と認められる相違であってはならないという話になってくるのではないかと思います。

　次に、正社員のみにリモートワークを命じて、短時間・有期雇用労働者や派遣労働者には出勤を命じるような場合についてはどうでしょうか。制度としてリモートワーク就労命令をする場合は就業規則による定めが必要になることは先ほど申し上げました。そうすると、就業規則にそういう定めが置かれることによって抽象的なリモートワーク就労命令に従う義務が発生することになるかと思います。これは「待遇」にあたるから、まず制度としてそこに不合理と認められる違いがあってはならないところは、比較的わかりやすいと思います。さらに、個別具体的なリモートワークにおいて、正社員に対してはリモートワークだけれども、非正規の人には出勤を命じるという形で、運用上の差があった場合に、運用の差がパート有期法8条や労働者派遣法30条の3第1項に言うところの「待遇」にあたるかどうかという問題があるかと思います。これを「待遇」にあたると考えていくと、非正規従業員に対してのみ出勤命令をすることは、不合理と認められる相違であってはならないという話にもなってくると思いますし、あるいは「待遇」の該当性とは別の観点から言うと、不当な権限の行使という言い方もできるわけですね。ここで言う権限の行使というのは、非正規の人に対してだけ出している業務命令権としての出勤命令というもので、それが権利濫用にあたりうるというような考え方もあるのではないかと思います。

　リモートワークについてパート有期法8条などの規定が適用される場合、どう判断するかというと、リモートワークが1つの「待遇」だとすると、その性質であるとか、リモートワークを実施する目的に照らして、職務内容などを考慮して、不合理性を判断することになってくると思います。それこそ、先ほど阿部先生がおっしゃったような、どういう仕事をしているか、正社員の人であれば、バックオフィスというか、オフィスワーカーだというこ

とであったりするし、非正規の人であったら、どちらかというと、窓口というか、現場に近くなってくるという形で、違いは職務内容として出てきうるかと思います。

　あとは、リモートワークに関する相違では、先ほど来、話題になっている情報漏洩に関連する話として、情報セキュリティーについては正社員のほうが守ってくれる、あるいは守りやすいという話が出てきうると思うのですね。それこそ、先ほど山本様から意識の低さという指摘がございましたけれども、正社員であれば情報セキュリティーに関する研修や教育を受けているから、情報漏洩をしてはいけないということが、正社員のほうにはよりしっかりと伝わっている、あるいは正社員が活用できる設備や端末のほうが情報漏洩の危険性が小さいということがあると、正社員にはリモートワーク、非正規の人にはリモートワークでないという相違があっても、それは不合理ではないと判断する事情にはなるのではないかと、こういった指摘があるわけです。

○宮塚　労働者側からリモートワーク就労請求が可能かという点ですが、いままでの労働法の議論は、労働者は、労働したら賃金請求権を持つけれど、就労させてくれという就労請求権はないとの整理が一般的だったと思います。いまのお話で、契約で、在宅で就労する請求権を認めるとしても、それは就労場所の指定の請求であって就労請求権まで認めることにはならないのではないかなと思いました。

　あと、企業からの就業場所の指定ですが、現在の就業規則に会社が指定する場所で就業せよと書いてあっても、自宅で就業せよと命じられるとは解釈できないのではないか、少なくともいままでは、会社が指定する場所に自宅が含まれると思っていた人はいないと思うので、その解釈は限界を超えるのではないか。では、就業規則を「会社が指定する場所（自宅も含む）」に変えたとして、それは合理的なのかなど、いろいろ問題があるように思います。

○北岡　規定がどういう規定になるかですけれども、植田先生が先ほどおっしゃられた、業務上の就労請求権の話で言うと、業務上必要がある場合について在宅勤務を命じることがあるといったような規定がおそらくはデフォルトになると思うのですね。この場合は当然会社側がそういう命令を発することができるという規定にすぎませんので、労働側がその規定を根拠に在宅勤務の請求権を有するというのは、これはかなり難しいからできないのだろうなというふうに思います。

○植田　仮にリモートワークの就労請求権が、それらしい定めが就業規則に置かれたとして、それもおそらく条件つきになると思うのですね。実態として、使用者は、いかなる場合でも自由にリモートワークの就労請求を認めるという趣旨の規定には多分しないと思いますから、結局、条件がついて、いま、北岡先生もおっしゃったようなことと同じようなことが起こるのではないか、使用者にその辺についての裁量が認められて、労働者のリモートワー

ク就労請求権は当然には認められないということに多分なると思います。もし実際に置かれるとなると、特に裁量性のある規定になると思うので。

　また、先ほど宮塚先生からご指摘があった、「会社が指定する場所」という点についてなのですが、先ほど私が申し上げたように、学説を見る限り、労働義務の内容として、労務を提供する場所は使用者が管理する施設であることから、配転命令の範囲も、使用者の管理する施設への配置を前提とする、という立論がされています。これによれば、「会社が指定する場所」という文言には、自宅就労は、宮塚先生がおっしゃったように、もちろん含まれないことになりますし、会社が管理しているわけではないサテライトオフィスでの就労も含まれないことになります。

　一方で、厚生労働省の『作成の手引』によれば、労働条件が同じである場合は、就業規則を変更しなくてもテレワーク勤務ができるが、通信費用の負担など通常勤務では生じない負担が従業員に生じる場合は就業規則の変更が必要だと述べられています。この厚生労働省の理解としては、労働者に通信費用の負担があるかどうかというか、新たな負担を発生させるかどうかという観点から、就業規則の規定新設の必要性を説いているのですね。そうすると、会社が管理する施設ではないけれども、その費用をすべて負担しているサテライトオフィスで仕事をさせる場合も、「会社が指定する場所」に該当し、就業規則の変更は必要なくなる、という整理は可能かと思います。そういう形で、宮塚先生がご指摘の「会社が指定する場所で就業せよ」という就業規則の規定の解釈は説明することはできるのではないかと思いました。それでも従業員の自宅を就労場所にできる旨の規定を就業規則に新設することに合理性（労契法10条本文）があるか、という問題は残りますね。

○北岡　一例で申し上げると、会社が労働者に対しまったく所有・賃貸していないという場所で就労するよう配転命令をかけられるのか。上司が部下に対し、取引先のオフィスはとても見晴らしがいいので、そこで働いてこいと言われても働きようがない。会社がそこで、ここの場所、貸してくださいと、何千万か払って貸してもらえるのだったらもちろんいいのですけれども、それと自宅は全然状況が違いますよね。自宅も会社が借りますよ、あなたのおうちのこのスペースを貸してください、1か月当たりいくら払いますよとやるのだったら、別に通常の配転法理と同じだと思うのですけれども、そうじゃないわけですよね。問題状況は全然違うなと思います。

○菅野　通勤手当等の費用を含め、企業は今、リモートワークに関してどのような投資意欲を持っているのでしょうか。リモートワークに生産性の向上などのプラスの効果があると思い、積極的に投資していこうという企業も出てきているのでしょうか。

○山本　企業の姿勢としては、1つには、やらざるを得ないものには、まずお金を使う、とにかく仕事を回す、会社を回すために、リモートワークの必要経費を負担していかざるを得ないというのが現状だと思います。これに対

し、リモートワークによる生産性向上をちゃんと考えられている企業では、リモートワークによるプラスの効果もあるし、家賃を払うことを思えば他の投資に回したほうがという考えなどもあり、本気でみんなが家で働けるようにするための投資をしている会社もあると思います。また、教育研修では、かなりコストが浮いています。研修費は、講師に払うお金とか場所代なんかより、人が東京に集まるためのコスト、移動費や宿泊費のほうが圧倒的にかかっていたわけです。そういう浮いてきたお金の投資先としてリモートワークへの投資というのもありうると思います。ただ、マジョリティーのメーカーさんを中心に、多くの会社では、7割は工場でオンライン化もできていませんという状態で、会社を挙げてそういう意識になれているかというと、そこはちょっと疑問符がつくかなと思います。

III　ジョブ型は普及するか／メンバーシップ型の企業は時代遅れか

○菅野　いまジョブ型が着目されているのは、リモートワークと親和的なのではないかという議論がきっかけでもあると思っています。リモートワークが進んでいく世界で、日本にジョブ型はどのように導入されていくのでしょうか。なお、ジョブ型については、必ずしも定義が画一的にあるものではないですが、今回の議論では、スキルをベースとした採用で、スキルや役職に応じた個別の待遇設定がなされているいわゆる欧米型の完全なジョブ型を想定して議論したいと思います

○北岡　リモートワークについては、先ほどからの議論のとおり、まず場所的な拘束からおおむね外れ、自宅であったり、サテライトオフィスという場所で働く自由が認められ、上司なり同僚といつも顔を突き合わせながら仕事を進めるというわけではない。そうなりますと、やはり従来からの働き方であったり、育成方法とは異なる方法をこれは企業としても検討せざるをえない。

　そこでまず1つ考えられるのは、やはり職務内容を明確に決める、その上で職務の成果がいまどの段階まで至っているのか確認していくという、非常に目標管理型であり、あるいは最近の言葉で言うワンオンワンミーティングなども含めながら行っていく。すでに企業の中には、以前からこういった目標管理型といいましょうか、あらかじめ部門・社員ごとに定量・定性的な目標を明確に定めて、定期的に上司と部下が面談を重ねて、今月の目標の進捗状況であり、来月の課題をお互い提示し合って、来月何に着手するのかといったような進行管理を行っている例はこれまでも見られました。おそらく今回のリモートワークは、そのような動きを強化せざるをえないということは間違いのないところだと思います。

　ただ、他方で、今後、中長期的な悩みどころとして、どうなっていくのだろうかと思いますのは、そのようにジョブ型を志向していけばいくほど、雇

用であることの意味がおそらく改めて問われてくるのではないか。ある種、ジョブ型というものは、成果ですね、今申し上げたように目標を明確に定めて、目標をどう達成したのか、そのように考えますと、この働き方は業務委託であったり、請負と親和性が強いといいましょうか、はっきり言うと、それそのものではないのか。他方で古典的な労働契約というのは、成果ではないのだと、時間と場所を拘束した上で、使用者が業務遂行方法・手段等を自由に指揮命令できる、それが労働契約の本質だったわけですので、ジョブ型雇用という言葉自身が実は矛盾に満ちた側面もある。そういう意味で言いますと、今後、リモートワークが本当に進展して、定着した場合に、果たして雇用である意味があるのかどうなのかということがおそらく問われてくると思います。

　ただ、最近の動きを見ていますと、日本企業は、本当にシンプルなリモートワークよりは、複合型といいましょうか、リモートワークもやりつつ、会社にやっぱり来てもらう、必要なときには出張してもらうといったような労務管理を好んでいる傾向がまだまだ強くありまして、簡単にはそっちに行かないのかなと、要は雇用をなくするような方向に当面は行かないのかなと思うのですが、ジョブ型雇用というのが非常にシンプルになってくればなるほど、そういう雇用自身の問題、雇用が失われていく問題もあるのではないか、そのように感じています。

○山本　ここまでのお話をおうかがいしていると、これだけ多様な働き方が出てきてくると、それ1つひとつをきっちり対応していきましょうというと、結局ジョブ型になっていくということなのかなと思ってしまいますね。その意味でリモートワークとジョブ型雇用の親和性はすごくあると思います。でも、リモートワーク先にありきじゃないですよね。絶対にジョブが先にありきで、この仕事はどこでもできるのか、あるいはここでないとできないのかというのは、仕事が決まれば決まるわけですから。そうすると、ジョブ型になってくる。それがどのぐらいきついか、緩いかという議論はあると思います。でも、それによって、さっきから議論になっていたような、この仕事はオフィスのこの場所でないとできない仕事です、あるいはこの仕事は会社に来なくてもいいのでリモートでやってくださいというのもありでしょうし、この仕事はどこでやってもいいですよもありでしょうしというのが、多分、ジョブ型だと契約時にそれが決められる。そこの親和性はすごくあると思います。同一労働同一賃金の議論の中でも、さっきも話がありましたが、正規か非正規かの議論も、正規、非正規をジョブで切っているのか、人で切っているのかがわからないところが問題なのであって、あれがジョブ先にありきであれば、正規、非正規は関係なく、働き方はジョブで決まるというのがクリアになる。在宅勤務が可能かどうかは、正規か非正規かではなく、ジョブの内容で決まるわけですね。そうなってくると、全部じゃないとは思いますが、解決できる課題というのは結構多いのかと思います。

○植田　私の意見としましても、リモートワークをメンバーシップ型雇用で実行するということはもちろんできなくはないと思いますけれども、やはりすでにお二方おっしゃったように、ジョブ型のほうが親和的なのではないかと考えています。

　何点か視点はあると思うのですが、まず人事評価という観点から言いますと、現状の日本での人事制度のやり方からすると、やっぱりリモートワークにおいては人事考課の実施に困難を伴う可能性があるのではないか。というのは、これはまさに先ほど山本様もご指摘になったところなのですが、評価項目に例えば責任感や、協調性といったような形で勤務態度であるとか、そういった情意による項目が入っていることが少なくないですし、実際に職場で現認、あるいは観察されるところのコミュニケーション能力というものをおそらく評価の対象にするところがあるかと思います。その上で、評価項目の中でも、そうした情意考課というものが、おそらく重視される傾向が、いまの日本型雇用においてはあるのではないかと思われます。

　たとえば、出社勤務かリモートワークかを労働者が選択できるようになったとして、出社勤務しているAさんと、リモートワークで勤務しているBさんがいたときに、Aさんのほうが高く評価をされてしまうといった情意考課の重視が平然と起こりかねないような状況がおそらくあるのではないかと思います。

　そういう意味で、メンバーシップ型でのリモートワーク下の人事評価というのは多少困難さを伴うのではないかというところです。他方で、職務内容が労働契約上明確に特定されているようなジョブ型雇用労働者であれば、理論的には賃金額が入社後の人事評価というより、そもそも当該労働者が行うことになっている職務とか役割によって、入社時に決まります。これは、さっき申し上げたような情意考課に依存するということもないので、リモートワークになじみやすいところもあると思います。

　この点に関しては、日本においても、職務とか仕事の価値に応じて等級化、グレードづけをしていくという意味で、ジョブ型制度と理解される職務等級制度が活用される企業も実際にあるわけですけれども、これによると、先ほど北岡先生もおっしゃっていましたが、目標達成度や能力発揮度が評価の指標となってくると思うのですね。そうすると、人事評価を行うにあたって、こうした指標があったほうがリモートワークでも評価しやすい、すなわちジョブ型のほうが評価はリモートワーク下ではしやすくなるというところはあるのかもしれない。ただ、ご承知のように、実際には多数の労働者の職務とか役割が不明確なままにこうした制度が実装されているので、結局、年齢給、年功的給料をベースにした職能資格制度と同じような基準、同じような等級化になりがちだということもやはり指摘されているところかと思います。

　以上が人事評価に関する話ですが、人員配置に関して言うと、メンバー

シップ型雇用においては、定期的に人事異動が行われ、OJTによって異動先の部署でのスキルアップを目指しますが、リモートワーク下では、OJTによる育成や能力開発に限界がある上、そもそもどのような人員配置が適正なのかの判断、あるいはその実施も難しくなってくるのではないかと思います。ジョブ型雇用においては、職務内容が特定されているので、現在多くの日本企業が行っている定期人事異動が必要なくなるという意味で、そうした悩み自体がなくなるのではないかと思います。

もう1点として、より根本的な問題だと思いますし、先ほどの山本様のご指摘とも関わるのですが、リモートワークに適する職務とそうでない職務がおそらくあるだろう。そうした職務があるということで区別しようと思っても、ジョブ型が普及していないと、リモートワークに適した職務を具体的に特定する基準も立てられないのでないか、こういう指摘がなされているところです。

○宮塚　私も皆さんと一緒で、このままリモートワークが進んで常態化されていくようになれば、好むと好まざるとにかかわらず、個々の労働者のタスクというか、すべきことを明確にせざるをえなくなる、それはジョブ型につながるのだろうと考えています。いろいろな側面から先生方すでに議論が出尽くしたと思うので、1点だけですけれども、労働時間管理は、リモートワークだと難しいところがありますが、現行法制でいくと、事業場外労働のみなし時間制があって、その活用を考えていく必要があると思います。これは業務に必要な標準的な時間を定めて、その時間分労働したことにするものなので、タスクを決めてこれに要する標準時間を見定めて賃金を決める、ジョブ型に近いところがありますので、リモートワークにも積極的に活用していくべきだと考えています。

＊　　　＊　　　＊

○菅野　リモートワークからのメンバーシップ型からジョブ型への移行というのがあるのかどうかということを論じていただきましたが、より正面からメンバーシップ型・ジョブ型というテーマを捉えていきたいと思います。ジョブ型、メンバーシップ型、それぞれについてのメリット、デメリットや、日本企業がジョブ型を導入するにあたっての課題はどのような点にあるのでしょうか。

○山本　ジョブ型、メンバーシップ型のメリットとデメリットを語ろうとすると、どうしても雇用者側、被雇用者側、表裏一体になってくるところはあるのだろうと思います。まず、ジョブ型、メンバーシップ型って何ですかと聞かれたときに、私がよく言うのは、就職か就社かの違いだという言い方をします。メンバーシップ型というのは就社です。だから、会社という組織に就業規則というメンバーシップ契約があり、そこに自分から入っていくのが就社です。ジュブ型は就職です。就職というのは職、すなわちジョブと契約

をするということです。日本では就職活動とは言うのですけれども、本当は就社活動ですよね。
　私はコンサルタントをしていて、アメリカ人らに日本は社員をクビにできない、ということを法律と結び付けて相談されることが多いのですが、実はメンバーシップ型という雇用スタイルの違いが背景にありますよね。欧米型のジョブ型という視点でいうと、従業員はジョブと契約するわけですから、ジョブがなくなれば仕事もなくなる、自分の雇用もなくなる、という考え方が成り立ちます。ところが、メンバーシップ型ではそうはいかない。従業員はジョブではなく会社に就社しているので、会社が人事権で決めた配属先のジョブがなくなっても、別のジョブを探す責任が会社に発生する。この違いは大きいと思います。ある意味、ジョブ型は、会社としては、言い方は悪いですけれども、マネジメント上、それだけリスクを負わなくていいというか、生産性には寄与する仕組みだと思います。必要な時にそのジョブに合った人を採ればいいのですから。
　ところが、一方で、メンバーシップ型だったら、景気がよくなったり、悪くなったり、事業がうまくいったり、うまくいかなかったりするときに、会社のなかにいる人たちを異動して、そこで経営資源を有効活用するという考え方を会社はとれるが、ジョブ型になるとそれは会社が勝手にできないということがあります。
　私が個人的に話す時には、メンバーシップ型の場合、会社に人事権、業務命令というのがセットでついてきますので、会社に入ったら、ある程度会社の言いなりにならなくてはいけません、けれども、簡単にクビにはなりませんよという言い方もする。どちらがよいか悪いかいうのは本人の意識や価値観の問題だと思うのですが、ここはやっぱり大きな根本的な違いだろうなと思います。
　それと、さっきお話が出ていたように、仕事とか業種によってどっちが向いているかというのも実は違う。一概に言葉だけでは議論はできない。たとえば総合電機メーカーとかだと、20年かけてプラントをつくっているようなプロジェクトをやっている事業では、毎年、人が入れ替わっては困るわけですね。ある意味メンバーシップ型が合っているかもしれませんよね。20年後を目指して、そして、その次のプロジェクトを目指して人を育てていく必要がある。けれども、AIとかの世界になってくると、いまどれだけすぐれている人間でも、来年になると、その人の技術は陳腐化して使い物にならなくなるかもしれない。そのような事業では、適所適材の入れ替わりやすい仕組みのほうが合っているでしょう。事業や仕事の多様化という視点から見ても、やっぱり何十年前とは違ってきている。だから、いろいろな事業をやっている会社になると、1つの会社のなかでもどっちが合うかというのは、会社単位で考えるのは非常に難しいものがあるかなというのは漠然と考えています。

メリット、デメリットという話を考えると、ちょっと次の労働者の自立、というテーマにかかってしまいますが、私はジョブ型にある程度持っていったほうがいいと思う一番の理由は、自己責任感を植え付けるためですね。どうしてもメンバーシップ型だと、すべて会社におんぶに抱っこで、会社が責任を負う形になってしまう。するとどうしても個人に甘えが出てきて、自己責任感が薄くなる。ところが、ジョブ型になると、自分がそのジョブに対しての成果までコミットする契約をして入るので、自己責任感は確実に生まれやすいので、やっぱりそこがすごく違うなというふうに思います。欧米企業の人と働いているとその違いはすごく感じます。

○植田　まず、メリット、デメリットというところで、先ほど山本様からも何点かご指摘があったと思うのですけれども、特にジョブ型と比較したときに、メンバーシップ型雇用にはどういう特徴があるか。いまから申し上げることは、労働政策研究・研修機構の濱口桂一郎労働政策研究所長が『若者と労働』などのご著書でおっしゃっていることでもあるのですが、特定業務に関するスキルを有しない卒業直後の学生が就職し、企業内で教育訓練を受けることができる、つまり、スキルはないのだけれども、職を得ることができるというところが非常に特徴的なのかなと思います。欧米というか、ジョブ型になると、どうしてもスキルを学生側が持っていないといけないという話になってきますので。あとは企業にとっても、これも先ほどご指摘がいろいろあったと思うのですが、配置転換等によって人材を柔軟に活用することができるというところが非常に大きな特徴なのかと思います。

　他方、メンバーシップ型のデメリットがいくつかあると思います。1つ、まさにいま大きなデメリットになりつつあるのかなと思うものが、これも濱口先生が指摘されているところですが、ほかに雇用への入り口がないか、あるいは少ないという、新卒一括採用慣行によって、新卒での入社機会を逃してしまった氷河期世代が非正規雇用に固定化されてしまっているのではないかということがあるわけです。このことがいまの新型コロナウイルス感染症のパンデミック下においても、まさしく氷河期の再来になりかねないような状態に多分なっていて、現に新規採用を凍結する企業が出つつあるというなかで、かつてと同じように、世代間格差の禍根を残してしまうという可能性があるのではないかというところは、1つ危惧しております。

　ジョブ型のメリットとしては、よく言われることだと思いますが、労働者にとって、特定の職務に関する能力を向上させることができるので、転職がしやすくなる、労働市場も活性化されるというメリットがあるのではないかと思います。

　他方、使用者にとって、解雇という手法による雇用調整が容易になるかどうか。これはジョブ型への移行の見通し、難しさにも関わってくると思いますので、その点についても少し申し上げたいと思います。

　現在のメンバーシップ型のあり方がよく現われている判例法理というか、

裁判実務では、能力不足解雇をするときに、特に長期雇用慣行の企業の正社員を解雇する場合がそうですが、使用者は、すぐに解雇できずに、それに先立って配転や教育指導を行って、適格性や能力に改善が見込まれる可能性とか、あるいはほかの部署での労働力の利用可能性を模索しないといけないのであって、そうしたことを踏まえていない解雇は無効になるかと思います。

これに対して、それほど多くはないかもしれませんが、職種を限定して採用された労働者を解雇する場合は、日本の裁判実務においてどのように判断されているかというと、具体的に特定されている職種を基準として、能力であるとか、適格性が評価される、そして、配転までは必要はないという判断傾向が見られるのではないかと思います。

そのなかでも特に顕著なのが、高度専門職。職歴であるとか学歴に注目し、高度な専門的能力を持っていることに期待して、高額な報酬を設定して、専門職や上級管理職として採用する場合は、能力不足が認められやすいという意味では、ジョブ型的な部分があるのではないかと思います。

しかし、だからと言って、ジョブ型において解雇がフリーハンドというか、非常にしやすくなるかというと、必ずしもそうではないかと思います。職種が限定されている場合であっても、解雇事由に該当するほど重大な能力不足があるとはいえないと言っている裁判例もありますし、解雇を有効にした裁判例は、解雇する前に、配転はしなくてもいいということであっても、指導・教育を図っているので、おそらく指導・教育という形で改善の機会を与えない場合もやはり解雇は無効になるおそれがあるのではないかという形で、メンバーシップ型とジョブ型とで、少し基準は変わることは指摘できるのではないかと思います。

あとは、新しい雇用のあり方という部分で言うと、当面は職種とか勤務地を限定して採用する限定正社員のようなやり方をとっていくことが1つありうるのではないかと思います。私自身の短い弁護士業務の経験の中でも、無期転換ルールの制定を受けて契約社員だった人たちをこうした限定正社員に移行する企業もありました。そのようなことを行って、当面は、労働者と使用者とのニーズに合わせて併存的・複線的に、従来型正社員と限定正社員を動かしていくということにはなるのではないかと見ています。

また、高度専門職の活用が今後、高度プロフェッショナル制度の利用等も含めてですけれども、どういう形で広がっていくのかも注目していきたいと思っているところです。

○北岡　結構ここは裏腹の話があって、一方で、会社側で言うと、どこまで従業員を管理したいのかということでもあるとは思います。メンバーシップ型雇用は、30年から40年にもわたる労働者の職業生活を、会社として、最大限利用したいという期待もあるからこそ、あれだけ職務内容および職種変更・転居を伴う配転・出向等もあったし、一方で雇用も保障する、広範囲な人事権と雇用安定が表裏一体の関係にあったと思うのですけれども、ジョブ

型というのはおそらくそうではない。要は、日本企業側も広範囲な人事権等を有さないという点につき覚悟があるのかどうか。メンバーシップ型のように広範囲な人事権上の命令・要請ができるわけではない、契約書に記載された限定的な就業場所であったり、職務内容であったり、そういったものに当然拘束されなければいけないということを、ジョブ型雇用の場合、企業側としては認識しないといけない。日本企業において、ジョブ型雇用を導入しようとする際、どこまで当該意識なり覚悟を持っているのか、現状では多少疑問がないわけではありません。

○宮塚　そこまでの意識や覚悟はなかなかないでしょうね。中小企業とかで人数が少なく、このメンバーでうちの事業を回さないといけないという、メンバーシップ型でいくしかない企業もたくさんあると思います。さっきも山本様からご指摘があった、長期のプロジェクトとか、研究開発とか、毎年人が替わると、ノウハウが承継されないやとか、企業に有益な秘密情報が流出するという問題もあって、そういう長期で見ないといけない部分ももちろんあるとは思います。ただ、いまは技術の進歩も速くて、AIの導入で明日自分の仕事は機械に取って代わられるかもしれないという世界で、その人の30年から40年、高年者雇用まで含めると50年もある職業生活を会社が保障するなんて、何とリスキーな、という気もいたします。年功序列で賃金が上がることで30年から40年のトータルでみれば労働価値と賃金総額が労使イーブンになるというのが、メンバーシップ型の賃金構造だと思うのですけれども、この先企業側でもこの賃金構造にコミットできなくなっていく、そういうことがわかってくると、ある部分はジョブ型でいかないと、企業にとってはかえってリスクなんだという意識に変わっていくのではないかと思います。

　労働者の側でも、いったんメンバーシップ型の会社に就職すると、自分の職業人生をその会社にお任せしてしまうような意識がどうしてもあると思います。特に高年者になってくると、ようやく安定的な高賃金をもらえるようになって、このままずっとこの会社でお世話になるみたいな意識になっている方が多いように感じます。解雇制限の問題もあるので、多くの従業員を抱えている企業であればあるほど、そういった意識をすぐには変えるのは難しいと思います。

　ですので、仮にジョブ型に変えるとしても、新しい会社、若い会社に新たにジョブ型を導入するところから始める。昨今の大企業では、事業ごとに分社化したり、新しいジャンルに挑戦するために新会社をつくったり、そういう動きは、事業の収支管理の目的でもやっていると思うのですけれども、そういった会社の1つで導入するとか、そういった挑戦は必要ではないかと思います。まずは若年層を中心に、あるいは中年層、高年層でも、主体的なキャリア形成の必要性を理解する人を移籍させるであるとか、そういった形でジョブ型雇用を始めるという方法もあるのではないかと思います。

○菅野　このジョブ型かメンバーシップ型かという議論は、将来の予測がし

づらい事業展開の中で、1人ひとりの従業員の雇用を保障するようなリスクを会社が負えるのか、という企業の状況にも関連しており、そもそもの雇用や働き方のあり方にも関わってくる問題だと思いますが、いかがでしょうか。

○北岡　これからの使用者サイドとしての指揮命令がどうなっていくのか。1つは、先ほど植田先生のほうからも議論があったと思うのですけれども、転勤というのが、これからの日本企業を占う、ある種、非常に重要な業務命令権だと思うのです。従来で言うと、日本企業は転勤命令権をフル活用して、今後伸びゆく営業所であったり、伸びゆく企業内のある一部分に対して積極的に転勤を行って、その場でOJTで人を育てていく、こういうモデルだったと思うのですけれども、それが国内のこれだけの、GDPを含めて、景気がなかなか上がっていない、需要もなかなか出てこない、そういうなかで、いままでの日本型の転勤命令権、どこまで本当に必要なのかというのは、実のところ、企業の経営サイドもいま薄々感じているところじゃないのかと。いま、それに輪をかけて出てきているのが、裁判例でも非常に多く議論されるワーク・ライフ・バランスとの関連で、転勤命令権については、当該労働者の子の養育または家族の介護の状況に配慮しなければならないと定める育児・介護休業法26条も斟酌しながら一定の法的統制を行おうとする法理もいま登場している。そういうなかで、メンバーシップというのが企業サイドとしてどこまでこれを維持し続ける必然性があるのかというのが、おそらく今後、ジョブ型が進んでいく1つの大きな要因になってくるのかなという気がいたします。

　そのなかで、先ほどの山本様のお話をうかがっていて改めて思いましたのは、ジョブ型が今度は業務委託になるかならないかというと、最終的に使用者サイドがどこまで転勤・配転命令含め包括的な人事権・指揮命令権を有し続けたいのか、要はジョブ型なんだけど、やっぱりここはちゃんと言いたい、ここでやれと、使用者としては言わなきゃいけないのだと思うのであれば、やっぱり雇用なのだと思いますし、一方で、別にどこでやろうがいいよ、納期だけ守っていればねと、納期の今月末というのであとはあらかじめ発注書で出したよね、こういう性能のものを出してくれと、レポートを出してくれればいいからというぐらいに、ある種、関係がドライ化すると、本当にこれは業務委託になってもおかしくないと思っています。

Ⅳ　労働者は自立できるか

○阿部　先ほどのジョブ型を突き詰めていくと、労働者は、自分のスキルを必要としている仕事につくのであって、会社という組織に就職をするのではなくなると、このように考えると、雇用とフリーランスの違いといいますか、雇用とは何なのかというところに行き着くわけでして、結局は労働者が

会社や組織から独立して働いていくといった未来が見えるのではないか。ただ、一方で、日本の労使慣行、労働慣行のなかで、そういったことが実現できるのか、日本の労働者は独立していけるのかといった観点から議論したいと思います。

○山本　ジョブ型への移行というのは、言うのは簡単だけど、実行はそう簡単にはいかないというのは、絶対そうだと思います。やっぱり世の中の流れとしては、会社はある程度ジョブ型に動いていって、それで大学教育をはじめ、社会構造がそっちを追っかける形になる。もっと若い世代までジョブ型で働くための自立意識がついて、大学では何を勉強して、将来、どういう自分のキャリアを描くのかというのを大学時代にもうちょっと考えるようになっていく。そういうところまで変わらないと、やっぱりそう簡単に社会が変わるということにはならないと思います。

　少しジョブ型移行の話に戻りますが、私の知見の限りだと、新聞の見出しでジョブ型というワードが出てくる日立、富士通、三菱ケミカルなどの会社は、基本的にはグローバル化のプレッシャーで、その方向にいかざるをえないというところが背景にあり動いているんだと思います。三菱ケミカルは社長も外国人になるというのが発表されましたしね[4]。そういう会社でも、若いところから一気にというのはやっぱり無理で、AIの開発技術者といった特殊技術を持った人たちは別かもしれませんけれども、ある程度、自分の専門性とか、自分のキャリア観を持った人たちから徐々にジョブ型への意識と実態が一致していくのであって、大学を出てからしばらくは、自分の専門性と会社の仕事のマッチングを見極める期間を設けて、メンバーシップ的な雇用からジョブ型雇用に移行させていくという動きのところが多いように聞いています。やっぱりそういう流れだと思います。

　もう1つ言えるのは、メンバーシップ型は終身雇用の概念がセットのところがあるような気がします。いろいろな会社の仕組みや制度もそれが前提になっている。しかし、最近の若者たちは30年後、40年後にその会社が存在しているとさえあまり思っていないと思うんですね。そうすると、若者たちの考え方も少し変わってきていて、それなりに自分が専門性を持ちたいという人は増えているんじゃないのかなとは思います。事実、学生と話をしていると、就社意識より、就職意識の強いことに気づきます。そういったいろいろな側面からの変化が徐々に起こってきて、徐々にマッチングさせていくしかないのかなと思っています。

○植田　冒頭でジョブ型を突き詰めると、という導入がございましたけれども、これも濱口先生のご指摘ともつながってくるのですが、ジョブ型雇用社会における教育訓練のあり方として、労働者、あるいは求職者は、企業外の

---

[4]　2020年10月23日株式会社三菱ケミカルホールディングス　プレスリリース「代表執行役の異動に関するお知らせ」https://www.mitsubishichem-hd.co.jp/news_release/pdf/00975/01101.pdf

職業訓練施設などで特定のジョブに関する能力を培うというやり方になっているので、これがうまくいけば若者は失業しなくて済むという話になるが、それがなかなか難しいと、熟練の人たちと同じ土俵で争うことになるから、若者の失業率が上がってしまうという、多分こういう構造だと思うのです。そういう形になっていますので、ジョブ型雇用社会が進展すれば、労働者、求職者は、外部労働市場に通用するスキルを獲得しやすい土壌ができあがるのだと思います。

　これに対して、メンバーシップ型である日本型雇用においてはどうなるかといいますと、教育訓練も、企業内において定期人事異動方式によるジョブローテーションを前提とするOJTによって行われるため、労働者の自立のためには少なくとも外部労働市場に通用するスキルが必要になってくると思うのですが、それが十分に得られないという限界が出てくるのではないかと思います。その意味で、労働者の自立という到達目標も、ジョブ型の仕組みのほうが達成しやすいということは言えそうだと思います。教育訓練としては以上になります。

　続けて、兼業・副業についても申し上げたいのですが、厚生労働省や中小企業庁も、労働者の主体的なキャリア形成や起業の手段として、兼業・副業を想定している。つまり、兼業・副業が、ある意味、労働者の自立の過程であったり、起点であったり、手段としてであったりというところを想定していると思うのですが、兼業・副業が労働者の自立の起点として効果的なのかという問題はもちろんあると思います。私からは法的な観点から申し上げたいのですが、そもそも兼業・副業が容易か、あるいは促進されたことによって容易になったかがおそらく議論になるところかと思います。この点は、少なくとも、促進されたことによって容易になったとは言いがたいのではないかと考えております。

　というのは、兼業・副業を理由とする懲戒処分や損害賠償請求は、もともと使用者との競業にあたるような場合などに限定されていたという形になっていて、厚生労働省のモデル就業規則が2019年3月に改定されたわけですが、これには法的拘束力はありませんし、モデル就業規則自身も解説で言っているように、従来の裁判例を前提に策定されているわけです。現にモデル就業規則も、68条2項で、従来から懲戒処分の対象になっていた、言い方を変えれば、懲戒処分の対象とすることができた事由を挙げて兼業・副業を制限できるという形になっているので、法解釈としては特段の動きはおそらくないという状況かと思います。

　加えて、兼業・副業をめぐっては、たとえばＡ社で働いているが、Ａ社での勤務時間外にＢ社でも働いているという形で、1人の労働者が2社との間で雇用契約を結ぶような複数就業の場合において、労働時間管理をどうするかという問題があるわけですね。これは古い通達とか、最近つくられたガイドラインによると、事業主が異なる場合であっても、労働基準法38条1

項に基づいて、2社間の労働時間を通算するという運用になるわけです。そうすると、割増賃金の算定方法や、支払義務者をどうするのかとか、あとは労働基準法違反処罰をすることが妥当かどうか。もちろん兼業の事実を知らなければ故意がないので、犯罪自体は成立しないのですけれども、そこで労働基準法違反が客観的には成立する可能性があるというところの妥当性という問題が出てくるわけです。

このように法律の解釈上の問題があることももちろんなのですが、この解釈を前提に、通算してしまえば、その部分において労働者が保護されることにはなると思います。ただ、兼業・副業に伴う長時間労働のリスクはもちろん生じうるわけですが、その長時間労働をみずから決定した労働者にそのリスクを負わせていないと思われる施策があり、これは少なくとも労働者の自立を前提とするものとはなかなか言えないのではないかという話になってくるわけです。

いま申し上げたような観点からすると、いまの日本的雇用の下で労働者の自立は決して簡単なことではないのではないかと考えているわけです。

これに加えて、労働者の自立の背景として法的保護のあり方という点も重要になってくるのではないかと考えています。自立をするということは、「労働者」として保護される者がいたとして、その人たちが法的な保護を手放して、セーフティネットである社会法によって保護されない、あるいは保護が十分でない立場で働きはじめることに多分なると思うのですけれども、それがやはり躊躇するものなのではないかというところは十分ありうるわけです。

さすがに労働基準法や労働契約法といった法律で保護することは難しいと思うのですけれども、経済法による保護は十分及びうるところですし、あとは労働組合法による保護をどう考えていくか、特に役務提供先に対する交渉力についてはさまざまなフリーランスが出てくると思うので、その意味でそういうところが課題になってくるのではないか。

たとえばフリーランスや個人事業主のあり方についても拡大したり、多様化していったりすると、拘束性や専属性の面でさまざまなものが出てくると思います。そうすると、フリーランスだからといって労働組合法が適用されないということにはなかなかならないのではないかと考えています。

特に、現在までに不本意にして非正規従業員になってしまったという人が増えてきたわけですが、これと同じように、必ずしもみずからの選択ではない形でフリーランスとなることも今後起こりうるわけですね。高年齢者雇用安定法に基づく事業主の努力義務として行われる70歳までの就業確保措置によって新しくフリーランスになりましたというような人もその1つかと思うのですけれども、そういった形でセーフティネットのあり方について再考することが、労働者の自立という観点からは重要になりうるのではないかという形で考えているところです。

○北岡　実はここ数年といいましょうか、1970年〜80年代以降、就業率が非常に増えている。要は労働に取り込まれているのですね。労働統計上、労働者が増えているのは間違いないわけですけれども、その要因の1つとしては、もちろん女性であったり、高年齢者であったり、そういった方々が雇用市場に参入してきている。一方で、あまり注目されないのですが、非常に重要なデータだと思っているのは、実は自営業が減ったわけです。

　これはわれわれ、身近な生活スペースを見てもすぐ想像できるところでして、私が子供時分であれば、どこでも、駅前に商店街というのがあって、個人営業でやっている人たちが大勢いた、そこで働いている方々がいらっしゃったのが、ここ20年、30年、明らかにチェーン展開しているサービス産業が市場を席巻した。それがある種、雇用をつくり出しているというポジティブな面もあるのだけれども、一方で、自営というものが本当に極端に減ってしまっている、それが1つ大きな背景にあるとは思うんですよ。そういう意味では、昭和20年〜40年代までは、サラリーマンもあるけど、自営もあるよねという選択肢は、おそらく社会認識としてはあったと思うのですけれども、ここ最近、雇用しかないと。それが今日の先生方のご議論で言う、まさに自立していないんじゃないかというようなところにもつながっていってくるような感はしています。

　私自身、まず自営といいましょうか、雇用以外の働き方についても、もう少し身近で、それほど抵抗感なくやっていただける社会システムというのは構築する必要があるのではないかな。

　そういう意味で言うと、独立、自営の怖さで言うと、これはたしかに間違いないんですよ。お金が入ってこない。たとえばコロナの中でパン屋さんを開いてみたけど、全然お客さんが来ない、パン屋さんを続けられない、あるいは独立、自営してみたところ、急遽、妊娠、出産がわかったと、子供は何とか産みたい、育てたい、そうなると、せっかく立ち上げたものをどうするんだとか、さらには、知識の陳腐化の問題も、もちろん独立、自営でもある。そういうものについては、雇用モデルで言うと、ある種成熟した労働・社会保険制度として雇用保険があって、職を失って、収入を得られないときは失業保険給付がある、さらには子育てであったり、介護であった場合については雇用継続給付もあると、教育訓練給付も、雇用保険制度は取り込んだわけですね。そういう意味で言いますと、フリーランサーといいましょうか、雇用じゃない形であっても安心してやっていけるサポートはあるんだよというものを、社会制度としてつくり出していくことが非常に重要じゃないのかな、そういう安心感がないと、たしかにどうしても雇用じゃないと駄目ということに、これはつながりかねないのかなというふうには思っています。

○宮塚　雇用で働くか、フリーランスで独立してやるのかというのは、二者択一的な話ではなくて、人生のなかで時期的に行き来したりということも

あってしかるべきなんだと思います。その意味で、これまで労働者保護一辺倒で、自営業者とかフリーランスの交渉力を確保して彼らを保護しようという制度は整っていない、と私も感じているところです。働き方改革で、兼業・副業の解禁、フリーランスのあり方、起業の後押しといったことが、いろいろと議論されているのですけれども、なかなか労働者が自分からフリーランスでやってみたいと思うだけのものになっていないという気がしています。北岡先生からお話しがあった、安心してフリーランスになれる、そこを制度的に整えて、フリーランスの魅力をもっと強く情報発信できるように整える必要がありそうです。

昨今、デリバリーサービスなど簡単に起業できるものが増え、それはよいことなのですが、プラットフォーマーに対する交渉力がないという点が、安心して起業できないと感じさせる決定的に大きい要因ではないかと思っています。もちろん失業したときのセーフティネットがない、という点も大きいと思いますが、型にはめられる、買いたたかれることに対する交渉力がないというところの問題は大きくて、そこは後ろ盾となる制度を作っていく必要があるように思います。

植田先生のほうから、労働組合法の適用の拡大という話があったと思います。専属性の強い、労働者に近いような自営業者は労働組合法の適用があるわけですけれども、将来を見据えたときには、フリーランスとしての働き方そのものの団結というか、交渉力の確保といったことを考えていかないと、いつまでも労働組合法の延長というわけにもいかないのだろうと思っています。

その場合、独占禁止法上のカルテルの適用除外も検討しなければならないと思います。職能団体とか、技能者団体とか、そういうものの組成とか後押しして、積極的に保護を与えていく、業界標準的なものをつくるような動きを後押しするといったところまでつくっていかないといけないのではないかと思います。その観点で1つ強く思うのは、フリーランスがした仕事の対価を不当に買いたたかれないために、標準賃金のようなものをつくっていく必要があるのではないかという点です。

働き方改革で同一労働同一賃金の原則が導入され、派遣労働者について均等均衡待遇を実現するために派遣元と労使協定を結ぶ労使協定方式という制度ができました。これに関連して厚生労働省が、同種の業務に従事する一般的な労働者の賃金水準を公表しています。これがこの先どれくらいメジャーになるのか今の時点ではよくはわからないのですけれども、スキルごとに、あるいは20代、30代という年代ごとに、見合った対価がいくらなのかという相場観、こういうものを形成していくような動きが出てくると、フリーランスの標準賃金として機能するのではないかと期待しています。もちろん、フリーランスはまず客先を探さないといけないけれども、標準賃金があれば客先に買いたたかれないという効果はあると思いますし、フリーランスの側

で、自分はこういうスキルを持っていると客先に売り込んで、自分のバリューを出せば、標準賃金以上の対価を得られるとか、ワンランク上の賃金を得るためにスキルアップをしていくとか、そういったときの基準となる相場観をつくっていくことが大事になってくるのではないかと思います。

　このフリーランス向けの標準賃金は、長期的な雇用の保障がないなかでの、タスクやスキルの生の価値を考えていかないといけない。最初のメンバーシップ型かジョブ型かにも関係してくるんですけれども、厚生労働省がいま公表している標準賃金水準は、メンバーシップ型の一般企業をベースにした額になっている可能性があると思うのですが、フリーランスの場合、長期的な就業が保障されていない、年功序列による賃金の上昇も退職金もない形態なので、メンバーシップ型の賃金水準だとペイしないと思います。生の価値は本来市場で決まるものなので、難しい面はあると思うのですが、それでもフリーランスが働きからの大きな一角を占めるためには、そういったものをつくっていく動きが出てくるといいかなと思います。

○阿部　いまのように、ある程度の保護は必要であるというのはおそらく論をまたないというか、そのためにさまざまな政府機関といいますか、団体のほうでいろいろなところで保護のあり方についての議論がされていると。ただ、一方で、あまり過度に保護すると、企業にとっても使いにくいですし、労働者にとっても、自由にやろうと思ったのに、いろいろな制約があるということが出てくる、そのバランスをどのように図るかが難しい問題だと思います。

○山本　そのあたりは、すごくもやもやしています。フリーランスだけではなくて、さっきもちょっと言いましたが、弱者救済と言ったら言葉は悪いのかもしれませんが、最低限のところを保障するためにいろいろな法律は存在していると理解しています。一番わかりやすいのはたとえば最低賃金だと思います。国の施策としては、最低賃金はすごく大事だということはわかります。ただ、大企業で最賃を意識している会社はないと思います。最低でも最低賃金以上の報酬が払われていて、考える必要がないからですね。ある意味、これが法律のあるべき姿のような気がします。私は、ときどき、何でそこまで、大企業そのものや大企業で高給で働いている人を保護しなくちゃいけないのかと思うことがよくあります。一方で、不合理ななかで苦しんでいる人たちは最低限守らなくちゃいけないというのはすごく理解できます。だから、そこの線をどう引くのか、こういう法律の水準がどうやってでき上がってくるのか、私は法律の素人なりに悩んでいます。

　話を戻しますが、フリーランスの話になると、お話を聞いていてすごく理解はできます。そうか、一言でフリーランスといっても多分すごくいろいろなフリーランスがあるんだろうなと思って聴いていました。たとえば、自分の場合、私は法人化はしていますが、ある意味フリーランスですよね。自分の場合は、実際、コロナ禍で本当に収入がなくなりました。給与がもらえる

サラリーマンが羨ましかったですよ（笑）。でも、きつかったけれど、それをわかった前提で、自由である代わりに保護もされないことをわかった前提で、それでも自己責任だから誰にも従わなくていいと思って独立しているわけですよね。それがフリーランスだという意識を私は持っていたので、ちょっと驚きながら聴いていました。恰好をつけるつもりはないのですけれども、自分のやりたいことをやるために自立独立するんだという人が起業するのと同じように、フリーランスも独立して１人でやるんだというふうに思っていたので、そこに保護政策って何で必要なのと思うところもあります。

　ところが、一方で、植田先生がおっしゃったように、歳を取ってから放り出されて、自分で何かやらなくちゃいけないという人たちをフリーランスと呼ぶとすれば、これは別問題だなというのも理解ができて、そういうのってどう考えればよいのか、難しいなと思って聴いていました。
○阿部　おそらく私の感覚では、一番弱い人を見て最低ラインを画そうとするんだと思うんですよね。そうすると、フリーランスも、まさにわれわれが想定しているフリーランスはジョブ型から飛び出て、さらに進んで独立する、意識ややる気の高い方々のフリーランスを考えているのですけれども、最賃法の保護もない、解雇という、契約の解除もすぐできる、単なるものすごく安くて使いやすい労働集団というふうにフリーランスがなっちゃうことは避けるべきというのはあると思うんですね。
○山本　社会保障のためのフリーランスになっては駄目ですよね。
○宮塚　高齢者を含め、望まないで非正規やフリーランスになる、ネガティブなフリーランスの方はやっぱりいると思います。教育訓練の機会が提供されていて、交渉力もあるけれど、何時間しか働けないからこの金額でいいとか、ユーチューバーだけだと腰も痛くなるから運動がてらデリバリーサービスの自転車をこぐんだという、ポジティブなフリーランスとは、もともとの前提のところが違っています。そう考えると、イコールフッティングというか、基盤整備という意味で、やはり最低限の保障といったものは制度的にやっていかないといけないだろうと思いますね。
○植田　私も、労働組合法で処理をするという考えを紹介しましたが、おそらくこれは、「労働者」にあたる人かどうかは、拘束性や専属性の有無とか、労働力の組織への組入れとか、さまざまな要素を判断して決めるという意味で、フリーランスしかり、フランチャイジーしかり、ギグエコノミーで働いている人しかり、さまざまな役務提供者のバリエーションがあるということを念頭に、柔軟に、と言えば聞こえはいいのですが、予測が難しい形で処理するというようなことを想定はされているのだろうなと思います。もちろん、立法論できちっと具体的に解決するというのが理想ではあるのでしょうけれども、それほど働き方が単純化されていないところが多分いまの難しさなんでしょうね。

○北岡　セーフティネットとしての労働基準法とか、最低賃金法とか、これで規制をかけるのが1つなのですけれども、日本とヨーロッパがアメリカと違うのは、医療保険など政府を中心とした大きな社会保険制度がある。社会保険制度は強制加入なわけですよ。いま、フリーランスについては、そういうのがないのですけれども、やるとしたら社会保険制度で、雇用保険というか、失業についてのリスクを備えると。その根拠は何かというと、社会連帯なんです。社会でどう連帯をするのか。同じ共通の利害関係がある人たちが集まって、保険料を供出して、それで一定のリスクに対してみんなで備えましょうと。そういう意味で言うと、雇用保険もまさにそうなのですけれども、労働者本人も雇用保険料を払っているわけです。国も出してくれるし、もちろん使用者も払おうと。それがフリーランサー、業務委託者においても、ありうるかありえないか。九州大学の丸谷浩介教授は、「フリーランスへの失業保険」（法律時報92巻12号74頁以下）において次の注目すべき政策提案を行っています。1つは、社会保険制度自身の歴史をたどれば、自立的な保険者集団というのが育って、それを国家が取り込んだ経緯というのがやっぱりあるわけです。ドイツにしても。その観点から見れば、フリーランサーの世界でも、自分たちでリスクに備えましょうということで、自らの職域集団内で保険化を行おうとしている動きは一部見られると。そういったものに対して、事業主、そして国も一緒に連帯してリスクに備える政策展開がありうるのではないか、と仰っています。事業主側から言うところに、何でそんなものに加入し、保険料を拠出しなければならないのかという異論が十分にありうるわけですけれども、1つありうるとしたら、そのようなセーフティネットがしっかりできることで、安心して経済活動が営める、社会も安定する、そういった点に事業主としても社会連帯の1つとして当該保険に強制加入するという規範的根拠もありうるのかなと私も思っています。

○宮塚　ある意味、企業からすると、そういうフリーランスが増えると、労働力の調整がすごく容易になるわけですよね。メンバーシップ型で、解雇規制に縛られていて、調整が難しい、それもあって、なるべく正社員を減らして、有期、非正規といった形で雇おうとするわけですが、それでも労働契約法16条や19条の縛りがあって解雇も雇止めもなかなか難しいというなかで、そこが事業者側の足かせになっている部分はやはり大きいと思います。いまのような制度ができて、フリーランスが増える、あるいは有期で働いてもいいという人が増えることのメリットを得るために、拠出が必要なんだということであれば、ある程度理屈はつくような気はしますけどね。

○北岡　いま、保険数理上、難しくて、集団が小さいんですよ。雇用者数（役員除く）は何といったって5600万人いますから、保険集団として非常に安定した財政基盤ができるんですけれども、いまの業務委託、フリーランサーの人たち、どうやってまとめていくのか。人数的にどれぐらいいるのかもよくわからない。そういう本質的課題もあるので、なかなか簡単ではない。

やるのだったら、労災保険とりわけ建設現場における労災保険料徴収方法を参考に、使用者が発注した都度、それに対して発注金額の何％か保険料率化して、単年度でまとめて払ってくれと。あるいは、一例としては、労災保険で特別加入があるんですが、あれは労働者本人が手を挙げて加入します。その際、自ら労災に被災した場合の給付基礎日額と保険料額を自分で選択するのです。給付基礎日額2万円を選択するのであれば、年間労災保険料が8万7600円等。そういうやり方もあるかもしれません。あくまでも例ではありますが、選択肢としてさまざまな方法がありうると思います。

○植田　想定されている保険事故みたいなものは、基本的には雇用保険、社会保険と同じですかね。ただ、その場合は何をもって失業と言うのかというのが難しいのではないかと思います。

○山本　原点に引っ張り戻して申し訳ないのですけれども、やっぱりいま議論されているように、最低限の保障も絶対必要だし、国として当たり前のことだし、それができている国はいい国だと思うのです。それは理解できます。ただ、何年か前に、リクルートワークス研究所というところで私もお手伝いした、マネジャーの意識を国際比較をした調査があります[5]。そこで、アメリカとインドと中国とタイと日本、この5か国で各国のローカル企業に勤めているローカルのマネジャーたちにアンケートを取った調査から見えたモノがあります。対象は部長や課長ぐらいの方々です。そのぐらいのポジションの人に、自分のキャリアは誰が決めますかと聞いたときに、自分で決めると答えたのが、ほかの国はみんな7割、8割ぐらいだったのに対して、日本だけが部長クラスでも5割を切っているんですね。これだけではなくて、いろいろな項目の調査結果を見てみると、日本だけがとても受け身に見て取れます。部長クラスでも甘いというか、会社におんぶに抱っこかというのをすごく感じました。コンサルタント的な物言いかもしれませんが、これではグローバル競争で勝てないと強く思ったことがあります。その意味からも、最低限守らなくちゃいけないところ、押さえなくちゃいけないところと、会社や国を引っ張らなくちゃいけない人たちが自立して働くようになるようにする、このバランスをどうとっていくか、その難しさですよね。

*　　　*　　　*

○菅野　労働者の自立とフリーランスの保護のバランスというのは非常に難しい論点であると思います。もっとも、使用者側からすると、雇用には、採用という入口とともに、必ず終了という場面があるにもかかわらず、委任契約の解除に比べると解雇規制が非常に厳格という側面があると思います。労働者側の立場からいって、解雇は困るというのは当たり前ですが、使用者

---

5)　2015年3月『マネジャーのリアル──仕事とキャリアの国際比較』リクルートワークス研究所（https://www.works-i.com/research/works-report/item/150409_5 mgr_survey_02.pdf）。

側の立場からいって、労働力を調整する必要性があるというのも当然の事情だと思います。ここは本来はフラットに議論されてもおかしくない事項だと思うのですが、雇用やフリーランスを含めた全体として、この出口の問題をどう考えていくべきでしょうか。

○宮塚　それはもともとメンバーシップ型の人事権を得るために、雇用と賃金を40年契約で保障するという慣行を作った企業側の責任だという側面もあると思います。それを踏まえた上で、長期的に必要な人材は長期で契約し、そうではない人材については有期雇用やフリーランスといった契約にし、流動性を高める。その代わり、極端な低賃金・低価格は規制し、セーフティネットの構築のための資金を拠出される。そういった大きな制度設計について労使共通の理解がないと、解雇規制のみ緩和するといった議論は難しいのではないでしょうか。

○山本　私は、決してジョブ型絶対推奨派ではないわけですよ。これは合う合わない、向き不向きというのは、企業側にも個人側にもある。そこを十分両者が考えなければいけないと思っています。ただ、どうも最近、私が嫌なのが、世の中で目にする情報が、大企業はジョブ型にもう移行せざるをえないとか、ジョブ型になると社員が幸せになるというような、間違った論調です。皆がジョブ型のほうがハッピーになれるといった論調も見受けられますが、実はマジョリティーの人は決してそうじゃないという観点の情報が少ないんですよ。だから、その極端な風潮がちょっと嫌な感じがするんですね。

○宮塚　別にどちらがいいというわけではなくて、企業側にも個人側にも、ジョブ型という選択肢もつくってくださいという話なんだと思うんです。企業側が解雇権濫用法理に縛られすぎているという部分は否定できませんし、他方で労働者も雇用という形にとらわれすぎている部分があると思うんです。ジョブ型やフリーランサーに適した法制度を、現にある労働法制とは別に整備して、これらに縛られない選択肢を増やさないといけないのではないか、フラットに選べるようにできると、社会も変わっていくのかなと思うのですが、どうでしょうか。

○山本　そうだと思います。個人もしっかり考えて選択をしましょうという話。

○植田　ジョブ型、メンバーシップ型は、政策論というよりは、結局、雇用慣行であり、契約の問題ですから、やっぱり意識づけから始まるところはありますよね。

V　最後に

○菅野　本日は3つのテーマについての議論、ありがとうございました。新しい問題についても、実務的な観点から踏み込んだ議論となったと思います。コロナ禍が急激な働き方の変化をもたらしていますが、コロナだけが原

因なのではなく、テクノロジーの進化・グローバル化・日本型雇用システムの変化・少子高齢化等の従来から存在する事情が融合して今の変化をもたらしているのだと思います。そうした転換期にあるということがよくわかりました。最後に、本日の議論を振り返って、一言ずつコメントいただけるとありがたいです。

○植田　本日の座談会は、近時の就労形態の多様化について、最新の人事労務の実務に携わる先生方の問題意識を知ることができ、大変勉強になりました。菅野先生がおっしゃる転換期を迎えるにあたって、伝統的な労働法や社会保障法のルールで的確に解決することには限界があるということも共有できたと思っております。また、そうした課題を通じて、労働者の自立の可能性との関係でも、セーフティーネットとしての社会法の役割も再確認されるべきである、と感じました。

○北岡　本日の座談会を通じ、改めてアフターコロナにおける働き方・働かせ方の大きな変化、そして労働・社会保険法制改正に向けた課題を確認することができました。同改正検討に際して、法・制度各々の趣旨・目的を振り返るとともに、新たな課題への対応策を労使双方の視点から探っていくことが重要ですが、本日の議論を受け、フリーランサーなど雇用類似の働き手の声をいかに反映させていくかも大きな課題になりうると感じた次第です。

○山本　普段は組織人事に関わるコンサルティング業務に携わっている私にとって、今回の座談会は、普段から持っている課題や考えを法律の専門家の方々と確認する場となりました。視点は異なるものの、課題感や思いは同じであることを確認しました。これだけ早く大きくビジネス環境の変わるVUCAの時代、企業経営のあり方、個人の価値観や働き方、そして政策や法制度は、それぞれが必死に変化に対応し、互いに影響し合い、また変わり続けるのだろうと思います。正解を求めるのではなく、常に考え続け、変わり続ける必要があるのだろう、と再認識しました。

○宮塚　最後に私的なことで恐縮ですが、身内に、正社員、転職して執行役員、雇われ社長とキャリアを重ねた者がいます。その後いっとき有期の契約社員でばりばり稼ぎ、所帯を持って中途入社の正社員という安定期を経て、今はオーナー社長をやろうとしています。働き方を選べるのはとても羨ましい。今はまだ稀有でしょうが、これからの時代、働く者がライフステージに応じた選択ができるように、そして企業側が豊富な選択肢を柔軟に提供できるように、マインドもシステムも変えていく。本日皆さまのお話をお伺いして、それが成ってはじめて「働き方改革」が達成できるとの思いを新たにしました。

●著者略歴●

菅野　百合（すがの　ゆり）
西村あさひ法律事務所　パートナー弁護士
2001年　京都大学法学部卒業
2003年　司法修習修了（56期）
2003～2007年　弁護士法人大江橋法律事務所
2007年　西村あさひ法律事務所入所
2012年　ニューヨーク大学ロースクール卒業（LL.M.）
2012～2013年　GCA株式会社出向
＜担当＞第2編第2章、第2編第3章（初版）、第2編第4章（初版）、第4編第6章（第2版）、第5編第1章、第5編第2章、第6編
＜著書・論文＞企業法務とダイバーシティ＆インクルージョンの現在地全4回（共著、商事法務、2021年）、『AIの法律』（共著、商事法務、2020年）、連載リーガル「働き方改革」全12回（日経BP社、2019～2020年）

阿部　次郎（あべ　じろう）
西村あさひ法律事務所　パートナー弁護士
2001年　慶應義塾大学法学部卒業
2005年　司法修習修了（58期）
2005～2007年　あさひ・狛法律事務所
2007年　西村あさひ法律事務所
2011年　ロンドン大学キングスカレッジ卒業（LL.M. in Competition Law）
2011～2012年　スロータ―・アンド・メイ法律事務所（ロンドン）
＜担当＞第2編第1章、第2編第5章、第3編第2章（初版）、第4編第4章（初版）、第4編第5章、第6編
＜著書・論文＞「有期雇用契約の『無期転換ルール』」朝日新聞社Website「法と経済のジャーナルAsahi Judiciary」（2018）、『M&A法大全（上）（下）〔全訂版〕』（共著、商事法務、2019年）

宮塚　久（みやつか　ひさし）
渥美坂井法律事務所・外国法共同事業　パートナー弁護士
1994年　京都大学法学部卒業
1996年　司法修習修了（48期）
1996～2007年　中央総合法律事務所（大阪）、あさひ・狛法律事務所
2007～2017年　西村あさひ法律事務所　パートナー弁護士
＜担当＞第1編第3章、第2編第5章、第3編第1章、第4編第3章、第5編第3章、第6編
＜著書・論文＞『企業労働法実務相談』（共著、商事法務、2019）、『タック

著者略歴

ス・ヘイブン対策税制のフロンティア』（共著、有斐閣、2013）、『移転価格税制のフロンティア』（共著、有斐閣、2013）『国際租税訴訟の最前線』（共著、有斐閣、2010）など。

青木　　彩（あおき　あや）
ITN法律事務所　弁護士
2006年　東京大学法学部卒業
2008年　東京大学法科大学院修了
2009年　司法修習修了（新62期）、西村あさひ法律事務所入所
2020年　ITN法律事務所入所
＜担当＞第1編第1章（初版）、第1編第2章（初版）、第3編第4章、第4編第1章

石井　貴大（いしい　たかひろ）
西村あさひ法律事務所　弁護士
2018年　慶應義塾大学法学部卒業
2019年　司法修習修了（72期）、西村あさひ法律事務所入所
＜担当＞第2編第1章（第2版）

岩崎　啓太（いわさき　けいた）
西村あさひ法律事務所　弁護士
2017年　東京大学法学部卒業
2019年　司法修習修了（72期）、西村あさひ法律事務所入所
＜担当＞第3編第2章（第2版）、第4編第4章（第2版）

江口　響子（えぐち　きょうこ）
西村あさひ法律事務所　弁護士
2013年　千葉大学法経学部卒業
2015年　一橋大学法科大学院修了
2016年　司法修習修了（69期）、西村あさひ法律事務所入所
2021年　ユニヴァーシティ・カレッジ・ロンドン大学ロースクール留学（LL.M.）
＜担当＞第4編第1章、第4編第3章

大川　　新（おおかわ　あらた）
西村あさひ法律事務所　弁護士
2017年　中央大学法学部法律学科卒業
2018年　司法修習修了（71期）、西村あさひ法律事務所入所
＜担当＞第5編第1章（第2版）

大形　　航（おかた　わたる）
西村あさひ法律事務所　弁護士

2013年　金沢大学人間社会学域卒業
2016年　早稲田大学法科大学院修了
2017年　司法修習修了（70期）、西村あさひ法律事務所入所
＜担当＞第2編第4章（第2版）、第3編第4章（第2版）

大日方　史野（おびなた　ふみや）
西村あさひ法律事務所　弁護士
2013年　早稲田大学法学部卒業
2015年　早稲田大学法科大学院修了
2016年　司法修習修了（69期）、西村あさひ法律事務所入所
＜担当＞第2編第3章（第2版）、第5編第2章

金子　弘平（かねこ　こうへい）
西村あさひ法律事務所　弁護士
2015年　東京大学法学部卒業
2017年　東京大学法科大学院修了
2018年　司法修習修了（71期）、西村あさひ法律事務所入所
＜担当＞第2編第2章（第2版）、第4編第2章（第2版）

北折　俊英（きたおり　としひで）
西村あさひ法律事務所　弁護士
2018年　中央大学法学部卒業
2019年　司法修習修了（72期）、西村あさひ法律事務所入所
＜担当＞第3編第1章（第2版）、第4編第3章（第2版）

桐山　巧（きりやま　たくみ）
西村あさひ法律事務所　弁護士
2012年　千葉大学法経学部法学科卒業
2014年　慶應義塾大学法科大学院修了
2015年　司法修習修了（68期）、西村あさひ法律事務所入所
＜担当＞第1編第1章（第2版）、第1編第2章（第2版）

柴原　多（しばはら　まさる）
西村あさひ法律事務所　パートナー弁護士
1996年　慶應義塾大学法学部卒業
1999年　司法修習修了（51期）
1999～2003年　ときわ総合法律事務所
2004年　西村ときわ法律事務所（現西村あさひ法律事務所）
＜担当＞第3編第2章（第2版）

著者略歴

杉浦　起大（すぎうら　ゆきひろ）
西村あさひ法律事務所　弁護士
2014年　東京大学法学部卒業
2015年　司法修習修了（68期）、西村あさひ法律事務所入所
2021年　ハーバード大学ロースクール留学
＜担当＞第4編第4章

髙橋　宏文（たかはし　ひろふみ）
西村あさひ法律事務所　弁護士
2017年　中央大学法学部卒業
2018年　東京大学法科大学院中退
2019年　司法修習修了（72期）、西村あさひ法律事務所入所
＜担当＞第4編第5章（第2版）

髙橋　洋行（たかはし　ひろゆき）
西村あさひ法律事務所　パートナー弁護士
2004年　東京大学法学部卒業
2007年　司法修習修了（60期）、西村あさひ法律事務所入所
2013～2016年　株式会社地域経済活性化支援機構　地域活性化支援部　ディレクター
2016年　西村あさひ法律事務所復帰
＜担当＞第5編第2章

塚本　健夫（つかもと　たけお）
西村あさひ法律事務所　弁護士
2005年　慶應義塾大学法学部卒業
2005～2008年　東海旅客鉄道株式会社
2011年　東京大学法科大学院修了
2012年　司法修習修了（65期）、西村あさひ法律事務所入所
＜担当＞第3編第2章（第2版）、第3編第3章、第4編第2章

中川　佳宣（なかがわ　よしのぶ）
西村あさひ法律事務所　法人社員　弁護士
2005年　中央大学法学部中退（中央大学法科大学院へ飛び入学）
2008年　中央大学法科大学院修了
2009年　司法修習修了（新62期）、西村あさひ法律事務所入所
2013年　西村あさひ法律事務所　福岡事務所
＜担当＞第1編第1章（第2版）、第1編第2章（第2版）

細谷　夏生（ほそや　なつき）
西村あさひ法律事務所　弁護士

2014年　東京大学法学部卒業
2015年　司法修習修了（68期）、西村あさひ法律事務所入所
＜担当＞第4編第6章（第2版）

松井　博昭（まつい　ひろあき）
AI-EI法律事務所　パートナー弁護士
信州大学　特任准教授、成蹊大学　非常勤講師
2006年　早稲田大学法学部卒業
2008年　早稲田大学大学院法務研究科修了
2009年　司法修習修了（新62期）、西村あさひ法律事務所入所
2018年　ペンシルベニア大学ロースクール卒業（LL.M）
2019年　AI-EI法律事務所入所
＜担当＞第2編第3章、第2編第4章、第4編第6章（初版）

安本　侑生（やすもと　ゆうき）
西村あさひ法律事務所　弁護士
2017年　慶應義塾大学法学部卒業
2019年　司法修習修了（72期）、西村あさひ法律事務所入所
＜担当＞第1編第3章（第2版）、第3編第3章（第2版）

山本　恭平（やまもと　きょうへい）
西村あさひ法律事務所　弁護士
2014年　東北大学法学部卒業
2016年　一橋大学法科大学院修了
2017年　司法修習修了（70期）、西村あさひ法律事務所入所
＜担当＞第4編第5章（第2版）

油井　緑（ゆい　みどり）
西村あさひ法律事務所　弁護士
2016年　中央大学法学部卒業
2018年　司法修習修了（71期）、西村あさひ法律事務所入所
＜担当＞第1編第3章（第2版）

渡辺　雪彦（わたなべ　ゆきひこ）
西村あさひ法律事務所　弁護士
2005年　早稲田大学法学部卒業
2009年　早稲田大学法科大学院修了
2010年　司法修習修了（新63期）
2010〜2020年　髙井・岡芹法律事務所
2020年　西村あさひ法律事務所入所
＜担当＞第2編第2章（第2版）、第4編第2章（第2版）

働き方改革とこれからの時代の労働法〔第2版〕

2018年11月30日　初　版第1刷発行
2021年12月25日　第2版第1刷発行

編著者　　菅野百合　阿部次郎
　　　　　宮塚　久

著　者　　西村あさひ法律事務所
　　　　　労働法グループ

発行者　　石川雅規

発行所　　株式会社 商事法務
　　　　　〒103-0025 東京都中央区日本橋茅場町3-9-10
　　　　　TEL 03-5614-5643・FAX 03-3664-8844〔営業〕
　　　　　TEL 03-5614-5649〔編集〕
　　　　　https://www.shojihomu.co.jp/

落丁・乱丁本はお取り替えいたします。　　　印刷／侑シンカイシャ
©2021 Yuri Sugano, Jiro Abe, Hisashi Miyatsuka　Printed in Japan
　　　　Shojihomu Co., Ltd.
ISBN978-4-7857-2915-8
＊定価はカバーに表示してあります。

JCOPY〈出版者著作権管理機構 委託出版物〉
本書の無断複製は著作権法上での例外を除き禁じられています。
複製される場合は、そのつど事前に、出版者著作権管理機構
（電話 03-5244-5088、FAX 03-5244-5089、e-mail: info@jcopy.or.jp)
の許諾を得てください。